RAYMOND CARTIER

LES CINQUANTE AMÉRIQUES

PLON

LES CINQUANTE AMÉRIQUES

Le plus grand est 485 fois plus grand que le plus petit. Le plus peuplé a 105 fois plus d'habitants que le moins peuplé. Le plus froid voit le thermomètre tomber jusqu'à — 50 degrés centigrades et le plus chaud le voit monter jusqu'à + 50. Le plus sec ne reçoit pas beaucoup plus d'eau que le Sahara, alors que le plus humide n'en reçoit guère moins que le Gabon. Le plus anciennement colonisé avait des maisons au temps de Charles IX, tandis que le plus récent n'en avait pas encore à l'époque de Louis-Philippe Ier. Le plus agricole moissonne plus de céréales que la France, tandis que le plus industriel produit à lui seul beaucoup plus d'acier que l'Allemagne de l'Ouest.

Ils ont toutes les formes, certains étant des figures géométriques régulières et d'autres ayant des tracés compliqués comme les vieux pays tourmentés d'Europe. On passe de l'un à l'autre sans la moindre formalité, mais, sur les routes, on est néanmoins averti du franchissement de la « State Line » par des panneaux vous avisant que les limites de vitesse sont modifiées et que les signes conventionnels sont changés. Ce n'est que la moindre des différenciations qu'ils entretiennent soigneusement. Ils ont même fréquemment des positions opposées sur des problèmes moraux et sociaux importants. Les uns vivent du jeu et d'autres font du jeu un crime ; les uns rendent le divorce aisé comme l'affranchissement d'une lettre et d'autres le rendent plus malaisé que la plupart des pays européens ; les uns laissent tous les alcools couler à flots et d'autres abaissent jusqu'à un degré insipide la teneur alcoolique de la bière qu'ils tolèrent à regret. Six d'entre eux n'admettent pas la peine de mort et les quarante-deux qui l'admettent l'infligent par des supplices différents : électrocution, pendaison, chambre à gaz, voire (pour l'un d'eux) la fusillade si le condamné fait savoir qu'il préfère ce genre de trépas.

Même pour les institutions économiques, les Cinquante sont loin d'être uniformes. Quelques-uns tâtent du socialisme d'Etat, alors que la plupart restent fidèles à l'orthodoxie capitaliste. Ils ont des impôts différents qu'ils utilisent de façons différentes. Ils réglementent comme ils l'entendent le droit de grève et de manifestation. Leur commerce intérieur est leur affaire propre, à cette nuance près qu'ils ne peuvent pas s'entourer d'une muraille douanière. Chacun d'eux, par contre, définit à sa guise l'âge électoral et l'âge nuptial, de même que les conditions requises pour se marier et pour voter.

Tous ont un drapeau, un blason, un surnom, une capitale, un Capitole, une devise (souvent en latin) et un hymne national. Ils ont aussi des fétiches : une fleur, un arbre, un oiseau. Beaucoup célèbrent des fêtes légales particulières dont quelques-unes commémorent des hommes qui furent des rebelles contre l'ensemble des Amériques. Un véritable patriotisme naît de ces originalités accumulées. Il a la caractéristique de tous les patriotismes : la méfiance et la hauteur à l'égard du voisin. Les Cinquante ne s'aiment pas entre eux, mais ils s'opposent surtout par paires. On est partout le nordiste et le sudiste de quelqu'un, jusqu'au moment où il ne reste plus comme sudistes que les Mexicains et comme nordistes que les ours blancs.

Cette ruche d'Etats qui forme l'Amérique est née des treize cellules intiales que furent les treize colonies britanniques d'avant 1776. Il est curieux qu'avec leurs grandes diversités et leurs oppositions de peuplement, les Cinquante se soient donné des structures politiques à peu près identiques : un gouverneur et un lieutenant-gouverneur ; une ébauche de ministère et un Congrès en miniature composé (sauf un cas unique de monocamérisme) d'un Sénat et d'une Chambre, comme le grand Congrès de Washington. Les apparences et même la phraséologie de la souveraineté subsistent, bien qu'elle soit complètement aliénée ou même qu'elle n'ait jamais existé. En fait, toute l'histoire politique américaine est celle du démantèlement progressif des Etats et d'une marche continue du fédéralisme vers la centralisation. Des réactions se produisent périodiquement, mais l'évolution est irrésistible. Derrière une façade encore reluisante, les Cinquante Etats des Etats-Unis de l'Amérique du Nord sont de plus en plus dépouillés (ou se dépouillent eux-mêmes) de leurs attributions au profit d'une bureaucratie fédérale et tentaculaire. Ils s'étiolent, pendant que Washington grossit.

Les Etats sont peut-être une survivance et un archaïsme. Ils constituent néanmoins le cadre réel et concret de l'Amérique. Ils ont superposé leur variété humaine à son immense variété naturelle. Ils ont décliné administrativement, mais ils n'ont pas décliné par la signification qu'ils revêtent et par l'originalité que chacun d'eux apporte dans un tableau d'ensemble. L'Amérique se compose de 50 états d'esprits et de 50 paysages politiques différents.

La meilleure manière de la décrire et de l'expliquer est de suivre ce fil conducteur.

I

HAWAII

Perdu dans une vieille veste de matelot l'adolescent grelottait sur les degrés de l'Université de Yale. Le Révérend E. W. Dwight fut frappé par l'éclat charbonneux de ses yeux et par la couleur cuivrée de son visage. Il lui demanda son nom et, à cause d'un étrange accent guttural, il ne parvint pas à comprendre tout de suite que ce nom était Opukahaia. L'adolescent, cependant, savait assez d'anglais pour expliquer qu'il était orphelin, qu'il venait de très loin et qu'il avait été abandonné par les hommes qui l'avaient amené. Le Révérend Dwight eut un élan du cœur. Il emmena Opukahaia chez lui et décida de l'adopter comme son fils.

Ainsi commença, pendant l'hiver de 1817, sous le ciel glacial de la Nouvelle-Angleterre, l'histoire américaine d'Hawaii.

Opukahaia devait mourir de la poitrine quelques mois plus tard. Mais ce qu'il eut le temps de raconter horrifia le Révérend E. W. Dwight. Là-bas, de l'autre côté de la terre, des populations païennes vivaient dans l'idolâtrie, la nudité et la luxure. Elles avaient été découvertes, une quarantaine d'années auparavant, par le navigateur anglais Cook, mais l'Europe ne se manifestait à elles que par une tourbe humaine qui ajoutait aux

vices de la sauvagerie les vices de la civilisation. Des
trafiquants s'étaient installés dans l'archipel. Des équipages y séjournaient, baleiniers ou chasseurs de phoques,
les plus brutaux et les plus impies des hommes. C'étaient
des marins de cette espèce qui avaient kidnappé le pauvre Opukahaia et qui l'avaient abandonné comme un
chien sous ce climat par lequel il mourait.

Dwight était un Bostonien. Il enflamma sa ville énergique et inspirée. L'expédition qui s'organisa n'avait
aucune visée commerciale ou politique : les Etats-Unis
étaient loin d'avoir atteint le Pacifique, et l'idée qu'ils
pourraient en franchir les rivages était proprement
inconcevable. Il s'agissait uniquement de sauver des
âmes, d'accroître le royaume de Dieu, d'établir la loi de
la décence et de la moralité chez des peuplades abandonnées aux pires instincts. L'idée fut assez forte, non seulement pour délier les bourses serrées des Bostoniens,
mais encore pour déterminer des hommes et des femmes
à s'enrôler comme soldats du Christ dans les mers du
Sud. Le 23 octobre 1819, après un service religieux sur
le Long Wharf de Boston, le brick *Thadeus* mit à la voile
pour ce qu'on appelait alors les îles Sandwich. Les noms
de ses passagers — Bingham, Chamberlain, Ruggles,
Thurston, etc. — sont conservés comme ceux des pèlerins
de la *Mayflower*. Ils ont produit la couche aristocratique
du 50ᵉ Etat.

Quand le *Thadeus* jeta l'ancre, après cent soixante-trois
jours d'une navigation mouvementée, Kamehameha-le-
Grand venait de mourir. Sa statue, plus semblable à celle
d'un général romain qu'à celle d'un guerrier polynésien,
se dresse aujourd'hui devant le palais de justice d'Honolulu. Il avait conquis et unifié l'archipel, et il avait aussi
ébranlé le paganisme que les pèlerins du *Thadeus* arrivaient pour extirper. Des différents blancs qui s'étaient
succédé dans ses Etats, aucun ne l'avait plus séduit qu'un
explorateur anglais et barbu comme Vancouver. A moitié
converti au christianisme par ce passant, Kamehameha
s'était à moitié donné à l'Angleterre en signant, entre les
mains de Vancouver, un traité par lequel il reconnaissait
la suzeraineté de la Couronne. Par contre, il avait intimé

aux membres d'une mission russe l'ordre de disparaître promptement.

Découvertes par un Anglais, portant le nom d'un ministre anglais, liées par un traité anglais, les îles Sandwich paraissaient marquées pour devenir une possession britannique. On put le croire tout à fait quand le fils et successeur de Kamehameha-le-Grand fut embarqué pour une visite officielle à Londres. Il n'eut pas le temps d'y être reçu par George IV. Sa femme d'abord, pauvre petite reine des tropiques foudroyée par la pneumonie anglaise, lui ensuite, furent emportés. Le transfert formel de souveraineté fut peut-être empêché par cette catastrophe et, par la suite, la Cour de Saint-James ne se montra pas pressée de faire valoir les droits que Vancouver lui avait apportés.

Sur place, au contraire, les missionnaires américains travaillaient avec une énergie d'insectes. Le tableau qu'on leur avait tracé de l'enfer paradisiaque n'était pas noirci, mais les difficultés de la tâche, loin de les abattre, les surexcitèrent. Ils étudièrent la langue hawaïenne, lui dressèrent un alphabet, se firent expédier une presse d'imprimerie, créèrent un journal et fondèrent la propagation de la foi sur le développement de l'instruction. Rien ne les avait plus émus, au débarqué, que les nus féminins énormes et superbes de l'archipel (« les femmes, lit-on dans l'un de leurs rapports, pèsent en moyenne 300 livres »), mais ils entreprirent de voiler ces statues impures et les noirs vêtements pendant que les Hawaiiennes portent les jours de fête, comme un uniforme de laideur, viennent de leur zèle. Le climat lui-même, les effluves voluptueux des mers du Sud, ne détrempèrent pas leur vocation. Ils subjuguèrent par leur activité les indigènes indolents. On avait hésité à les laisser débarquer ; on les avait laissés pendant des jours mortels d'angoisse dans la rade de Honolulu. Quelques années plus tard, ils dictaient leurs volontés. Ils avaient fait de la molle Hawaii un temple puritain.

Un jour, le canon intervint contre ces purs. La frégate française *l'Artémise*, capitaine Laplace, apparut devant Honolulu et donna quarante-huit heures au roi Kamehameha III pour autoriser le culte catholique et pour élargir les papistes que les Bostoniens faisaient emprisonner comme agents du démon. Le roi céda, une messe fut célébrée à terre, sous la protection de 150 marins armés — mais, par les voies imprévisibles de la Providence, cette violence et cette souillure devaient tourner au bénéfice de la cause protestante et américaine. Le coup de force de 1839 fit de la France un croquemitaine, et lorsqu'il fut renouvelé en 1849 (cette fois pour des motifs commerciaux), il fut facile aux Bostoniens de convaincre les rois Kamehameha III et IV qu'ils devaient rechercher contre les visées françaises la protection des Etats-Unis. Ceux-ci venaient justement de s'accroître de la Californie, c'est-à-dire d'acquérir une façade continentale faisant face — de loin — à l'archipel. Hawaii entra dans leur orbite et n'en sortit plus.

L'annexion proprement dite n'eut lieu que beaucoup plus tard. Entre-temps, la monarchie, tombée en quenouille, avait été abolie. Un drame, l'extinction de la race hawaiienne, courait sous les péripéties plus pittoresques que tragiques qui secouaient périodiquement d'une crise politique la torpeur de Honolulu. Cook, en 1779, avait estimé à 400 000 le nombre des Hawaiiens. Arrivant quarante ans plus tard, les Bostoniens en avaient dénombré 300 000. Le premier recensement, en 1832, en trouva seulement 130 313, dont il ne restait plus que 73 314 au recensement de 1845. Le point le plus bas fut atteint en 1900, lorsque, dans un archipel qui commençait à se peupler des immigrants de toutes les rives du Pacifique, les Hawaiiens de race tombèrent à moins de 40 000. Ce n'était pas par les armes que l'homme blanc les avait massacrés, mais littéralement par son haleine, par les miasmes qu'il apporte, par les maladies qu'il véhicule. On prophétisa la disparition complète de la race — au moment où, l'adaptation s'étant produite, le mouvement démographique s'inversait, faisant succéder un accroissement rapide à une diminution en apparence irrémédiable. On trouvera un cas analogue sur le continent, avec les Indiens.

Depuis 1894, le Parlement hawaiien n'avait cessé de

demander le rattachement aux Etats-Unis. Il eut lieu en 1898. Hawaii fut organisé en Territoire, avec un gouverneur nommé par Washington et une législature élue. Le pas final, l'admission au rang d'Etat, n'eut lieu que soixante ans plus tard. Le 20 août 1959, le président Eisenhower déploya solennellement le nouveau drapeau américain. Les bandes rouges et blanches, les *stripes*, n'avaient pas varié depuis la fin du XVIIIᵉ siècle : au nombre de 13, elles continuaient de représenter les treize Etats fondateurs, les treize petites communautés de la côte atlantique dont la fédération laborieuse a donné naissance à la nation la plus puissante du monde. Mais les étoiles, dont chacune symbolise l'un des Etats actuels, avaient atteint la cinquantaine par la promotion de Hawaii succédant à celle de l'Alaska. La disposition à leur donner, dans le quartier supérieur gauche du drapeau, avait soulevé une discussion que le Président trancha en prescrivant cinq rangées de six étoiles et quatre rangées de cinq. Il n'avait pas suivi les traditionnalistes qui voulaient qu'on en revînt au dessin de Betsy Ross, première confectionneuse de la *Star Sprangled Banner*, en disposant les étoiles en cercle, afin de souligner que tous les Etats sont égaux.

*
**

Hawaii est l'archipel le plus étiré du monde. Il commence à l'îlot de Kure, près du 180ᵉ méridien, et s'achève sous le 157ᵉ méridien par le renflement oriental de la Grande Hawaii. Les îles, cependant, sont relativement peu nombreuses et, toutes ensemble, couvrent à peine 15 000 kilomètres carrés. L'aviation transocéanique seule les a arrachées à une solitude marine effrayante. Aucune terre insulaire ou continentale importante ne se trouve à moins de 2 000 milles marins d'Honolulu et les paquebots les plus modernes en service entre ce port et Los Angeles, San Francisco ou Seattle mettent toujours cinq jours. Les longs courriers aériens à hélices mettent neuf heures ; les jets de 1960 mettent quatre heures et ceux de 1970, vitesse Mach deux, réduiront la durée de la traversée à une heure quarante. Ils ne supprimeront pas pour autant le caractère exotique et composite de l'archipel. La population, 718 000 habitants, est un cocktail dans lequel l'Asie prédomine. Le groupe le plus important, 32,2 %, d'après le recensement de 1960, est le japonais. Les Philippins comptent pour 10,8 % et les Chinois pour 6 %, soit plus de la moitié de la population pour ces trois groupes réunis. Les Hawaiiens de race, purs et métis, entrent dans la population de leur pays d'origine pour 16,2 %, et les « divers », parmi lesquels les Porto Ricains prédominent, pour 2,3 %. Il reste aux « Caucasiens » 32 %. Avant 1940, on faisait une sous-classe pour les Portugais, considérés on ne sait pourquoi comme des blancs imparfaits, ce qui laissait aux autres, essentiellement des Américains venus du continent, une proportion d'environ 12 %. Il est superflu d'ajouter qu'ils possèdent une tranche de la richesse supérieure à cette fraction.

Il n'est pas question que ces races dissemblables se fondent en un seul métal. Les Asiatiques gardent leurs cadres sociaux distincts et vivent à part. Les Hawaiiens restent pauvres et mal adaptés. La langue anglaise est difficile pour des gosiers incapables d'articuler certains sons, et cette difficulté a entraîné le développement d'un *pidgin english* truffé de mots locaux. Il n'existe pas de tensions raciales graves ; il n'existe pas non plus une réelle bonne intelligence, excepté dans l'ignorance et le dédain tranquille du voisin.

Une autre particularité d'Hawaii est son régime foncier. Jusqu'en 1845, la propriété privée du sol n'existait pas. Les missionnaires convainquirent Kamehameha III de moderniser son royaume en partageant les terres — et il est hors de doute qu'ils ne se laissèrent pas oublier dans le partage. Les grands domaines créés à cette époque sont venus jusqu'à nous. Le Parker Ranch, dans la Grande Hawaii, couvre 300 000 acres et le domaine Bishop, dans l'île d'Oahu, en couvre 360 000 — mais, conformément au testament de la princesse Bishop, descendante de Kamehameha-le-Grand, les revenus servent à entretenir des écoles. Dans la même île d'Oahu, 60 propriétaires possèdent 80 % du sol. La plupart sont les arrière-petits-fils des bénéficiaires de la spoliation agraire de 1845.

A Hawaii, les sociétés anonymes ne se désignent pas par Inc., Incorporated, comme ailleurs aux Etats-Unis, mais par Ltd, Limited, comme en Grande-Bretagne. Cinq d'entre elles, les Big Fives, sont encore accusées de monopoliser la navigation, le commerce et l'industrie. Deux d'entre elles, Carter and Cook Ltd et Alexander and Baldwin Ltd, ont été fondées par les infatigables missionnaires bostoniens.

L'ananas fit son apparition en 1892. John Kidwell, horticulteur anglais, planta 1 000 pieds qu'il avait trouvés à la Jamaïque, puis un gradué de Harvard nommé James D. Dole fonda l'Hawaiian Pineapple Company. Elle possède aujourd'hui toute une île, Lanai, et, avec huit autres compagnies concurrentes, assure 75 % de la récolte mondiale d'ananas. La seconde richesse est la canne à sucre : 25 % de la production domestique de sucre de toute origine. La troisième grande production végétale est le café, d'introduction récente, mais le tourisme le surpasse en importance économique. Aucun paradis terrestre n'est plus vanté qu'Hawaii. Les distances prohibitrices étant abolies par l'avion, des foules de plus en plus nombreuses y affluent. Le climat, pratiquement constant, fait de l'année une saison unique ; 710 000 visiteurs en profitèrent en 1966 alors que les autorités économiques du nouvel Etat avaient calculé qu'elles en auraient 643 000 — précision admirable — en 1969.

Il faut mettre à part ce qu'on appelle les Westerly Islands. L'une d'elles, Midway, un atoll en forme de pince de homard, était une escale obligatoire sur la route de Tokyo pendant la première phase de l'aviation transocéanique. Les autres peuvent s'entrevoir quelquefois du hublot d'une machine volante, cailloux noirs au milieu d'une petite tache d'écume. Pearl, Lisianki, Maro Reef, Gardner Pinnacles, *French Frigate*, Shoal... Les unes sont volcaniques, les autres sont coralliennes, toutes sont inhabitées et l'on a fait d'elles la plus grande réserve d'oiseaux de mer du monde. Il était temps : les Japonais menaçaient l'existence des espèces en exterminant chaque année plusieurs centaines de milliers d'oiseaux dont ils vendaient les plumes et dont ils mangeaient la chair.

L'archipel proprement dit compte huit îles. Par ordre de dimensions décroissantes : Grande Hawaii (ou Hawaii tout court), Maui, Oahu, Kauai, Molokai, Lanai, Niihau, Kahoolaw. L'Etat qu'elles constituent n'est pas le plus petit des Cinquante, mais il ne laisse derrière lui que le Rhode Island, le Connecticut et le Delaware. Par la population, huit Etats seulement comptent moins d'habitants. Petite étoile, donc, mais insurpassable en beauté.

La Grande Hawaii prend à elle seule les deux tiers du territoire de l'archipel. On soutient, sans paradoxe excessif, que ses deux grands volcans sont les plus hautes montagnes du monde, puisqu'elles s'élèvent d'une plaine sousmarine située à 6 000 mètres de profondeur à des sommets de 4 000 mètres. En dépit du tropique, la neige est coutumière à ces hauteurs, surtout sur le Mauna Kea, la Montagne Blanche, volcan refroidi. Des routes intrépides montent dans un chaos minéral, au milieu d'un fouillis végétal caractérisé par des fougères arborescentes de 12 ou 15 mètres de haut. Aucune rivière, sauf sur le versant nord, mais, lors des grandes pluies, les montagnes débordent et déversent directement des cascades dans la mer. L'activité humaine est limitée par cette nature excessive. Le Parker Ranch (né de l'amour d'un puritain du Massachusetts pour Thelma, princesse hawaiienne) n'est surpassé aux Etats-Unis que par le King Ranch du Texas ; le café et la canne à sucre réussissent dans les dépressions ; on cultive autour de Hilo 22 000 variétés d'orchidées, mais l'île ne compte pas 70 000 habitants, le dixième seulement de la population de l'archipel.

Cette Grande Hawaii repose sur du feu. Il ne s'écoule jamais plus de cinq à six ans — en moyenne tous les deux ans et demi — sans que le flanc d'un de ses volcans s'entrouvre pour laisser couler un fleuve de lave. Celui de 1852 parcourut 50 kilomètres avant d'aller se jeter dans la mer ; celui de 1855 coula pendant une année entière ; celui de 1935-1936 dut être bombardé par l'aviation pour en détourner le cours et celui de 1950, le plus abondant de tous, tourna autour du Mauna Loa comme un gigantesque serpent. Les rares routes traversent par dizaines ces grandes traînées noires, les unes telles que les a laissées le refroidissement, les autres disloquées et partiellement ensevelies sous la végétation tropicale. Des panneaux timbrés d'un guerrier polynésien, emblème du tourisme hawaiien, rappellent les dates de ces fleuves ardents depuis l'époque où l'homme a pris soin de les consigner. Sur la route côtière du Sud, au flanc du Mauna Loa, on relève les dates suivantes : 1823, 1813, 1868, 1887, 1807, 1907, 1855-1856, 1916, 1926, 1887, 1919, 1950. Le flanc nord a vu des épanchements non moins nombreux et encore plus abondants. D'immenses champs produits notamment par les explosions de 1843, 1855-1856, 1880, 1889 et 1935 s'étendent entre le Mauna Loa et le Mauna Kea. Plus de 2 000 kilomètres carrés, le tiers de l'île, sont recouverts de déjections volcaniques. Elles donnent à Hawaii ses étranges plages de sable noir sur lesquelles la houle immaculée du Pacifique éclate de blancheur.

Le Mauna Kea est éteint. Le Mauna Loa est actif. Le troisième des grands volcans hawaiiens, le Kilauea, n'approche pas de l'altitude des deux géants ; il peut être considéré comme un cratère adventice au flanc du second, mais il est de loin, actuellement, le plus dévastateur. Une éruption récente, en janvier 1960, détruisit, à 50 kilomètres du cratère, le village de Kapoho, et ensevelit une colline de 600 mètres sous 135 millions de mètres cubes de lave. Les sédentaires s'écartent de ces monstres redoutables, mais les touristes viennent leur demander des sensations. Un hôtel, *Volcano House*, s'est perché sur le cratère du Kilauea. Une route de béton, débordant de la forêt vierge au milieu de magnifiques orgues de basalte, conduit à la grande curiosité hawaiienne, le lac de feu, Halemaumau. Bien qu'il ait diminué de dimensions et d'activité, il s'agite toujours au fond d'une cuvette profonde de 250 mètres, inonde ses rives de vagues ardentes, projette des blocs de rochers pesant parfois plusieurs tonnes et tente encore de temps en temps un amateur de suicide romantique.

Pelé, dieu du feu, dit la légende hawaiienne, transporta sa résidence de Kauai, où il avait froid, dans la Grande Hawaii. C'est la preuve que l'activité volcanique de celle-ci est récente, sans doute comme l'île elle-même. Elle a probablement surgi des abîmes du Pacifique à une époque où il y avait des hommes pour être témoins de cette naissance formidable. Elle grandit encore, par les masses solides qu'elle vomit dans la mer. Les spécialistes expliquent que le danger est relativement faible, les manifestations orogéniques hawaiiennes étant prévisibles et les laves d'un type fluide qui rend leur écoulement régulier et lent. Mais les volcans échappent quelquefois aux règles qu'on leur assigne, et d'ailleurs la catastrophe a été frôlée plus d'une fois. Hilo, chef-lieu de l'île, est l'une des villes les plus exposées du monde. Elle échappa de justesse en 1855 et en 1935 et elle fut détruite en 1940 par un raz de marée succédant à une secousse sismique. On déplora la perte de 120 vies humaines, qui eût été décuplée si le sinistre, au lieu de frapper à l'aube, s'était produit au milieu de la journée. En 1960, elle échappa à une nouvelle éruption du Kilauea, qui provoqua seulement une controverse juridique pour l'attribution des nouvelles terres d'origine volcanique.

*

Molokai abrite une léproserie isolée par des falaises de 2 000 pieds. Lanai, propriété de la Hawaiian Pineapple Company, est un champ d'ananas, courte plante d'un vert intense dont les travailleurs colorés ramassent plutôt qu'ils ne le cueillent l'énorme fruit. Kaloohawe, la naine de la famille, fut peuplée de chèvres et habitée par quelques bergers, mais, pendant la guerre, l'U.S. Navy la prit pour cible de ses exercices de tir, et Kaloohawe est redevenue déserte sous ses projectiles non éclatés. Niihau est une autre propriété privée : le roi Kamehameha IV la vendit pour 10 000 dollars à une voyageuse écossaise,

Mrs. Stewart, dont les descendants, les Robinson, sont passés maîtres dans l'art d'écarter les gêneurs... Restent trois Hawaii, toutes les trois importantes et superbes : Maui, Kauai, Oahu.

Maui, moins de 50 000 habitants, ressemble au buste d'une femme nue. Tête et épaules sont deux massifs montagneux dont l'un, le Halehekele, la Maison du Soleil, est peut-être le plus volumineux de tous les volcans éteints. Le cou correspond à une vallée couverte de plantations. Il est excessivement difficile de donner une idée de la beauté de ces terres surgissant du Pacifique tropical, s'élevant dans un ciel resplendissant, se profilant en cônes d'un dessin presque parfait, mais se déchiquetant dans un détail infini de reliefs et de formes, sous le manteau d'une végétation grasse et sensuelle, au milieu d'un bruissement de vie, d'une explosion de couleurs et d'une orgie de parfums.

C'est à Kauai que le comble de la beauté sauvage est atteint. L'île est située à la pointe nord-ouest de l'archipel, n'ayant devant elle, comme un avant-poste, que la minuscule Niihau. A peine éteint, le volcan qui la constitue est creusé de cavernes encore brûlantes et des fumerolles mêlent à l'odeur balsamique de Hawaii l'odeur soufrée de l'enfer. L'un des sillons de cette terre encore brûlante, le Grand Canyon du Wiamea, s'enfonce à plus de 1 000 mètres, mais les précipices qui l'entourent, les hérissements de végétation qui le protègent et le camouflent en rendent difficile l'accès et même la contemplation. L'harmonie se retrouve sur les grèves, avec la grâce polynésienne des cocotiers penchés sur l'Océan aux bords neigeux. Cook aborda dans cette idylle en 1778, pour y trouver une population aimable et douce qui, à quelques mois et quelques lieues de distance, sur une plage de la Grande Hawaii, devait se transformer en une horde meurtrière. A la veille des hécatombes que l'arrivée de l'homme blanc promettait, les Hawaiiens exercèrent une loi du talion préventive contre celui qui les avait tirés de leur heureuse obscurité. C'est d'ailleurs à Kauai qu'ils survécurent le mieux, l'île étant trop touffue et trop disloquée pour intéresser les nouveaux venus. La proportion de sang hawaiien, dans ses 30 000 habitants actuels, est quatre ou cinq fois plus forte qu'ailleurs.

Oahu, enfin... Elle était la tête politique de l'archipel dès avant l'arrivée des blancs. Le grand conquérant Kamehameha venait de la Grande Hawaii, mais il installa sa capitale à Oahu et ses compagnons d'armes se divertissaient à faire du *surf riding* sur la plage de Waikiki, comme les pensionnaires du *Royal Hawaiian* ou du *Hilton*. Un certain capitaine Brown découvrit la passe d'un port naturel excellent auquel il donna le nom de Fair Haven. C'était un peu plat. On traduisit en hawaiien : Honolulu.

Honolulu est la capitale du 50ᵉ Etat. Son américanisation est totale. L'un des premiers écrivains qui la visitèrent, Mark Twain, la décrit comme « une magnifique petite ville faite de cottages d'un blanc neigeux ensevelis dans des lianes et dans des fleurs »... C'est maintenant une grande ville de 585 000 habitants, pleine de l'architecture et du mouvement de l'Occident. Le voyageur débarquant à l'aéroport est revêtu d'une guirlande de gardénia ou de jasmin — le *lei* traditionnel — mais il est aussitôt précipité dans une circulation digne de Los Angeles et fait son entrée dans la perle du Pacifique par un superhighway de ciment. La ville se compose d'un port, d'un quartier commercial et du vaste accroissement touristique de Waikiki Beach, avec sa fameuse artère de Kalakaua Avenue longeant les grands hôtels et pleine d'une des foules les plus bigarrées du monde. Coney Island transporté sous les tropiques, sans que la vulgarité surchauffée par le climat puisse altérer la transparence de l'air et la magie du Pacifique s'ébrouant sur la grève dans l'écrasement fascinant de ses montagnes d'eau.

Pearl Harbor est symétrique de Waikiki. La visite n'en est autorisée qu'aux citoyens américains, mais tous les passagers de l'International Airport survolent la double baie découpée et profonde à laquelle un goulet conférait jadis une sécurité absolue. Le 7 décembre 1941, la flotte américaine était d'autant plus vulnérable que ses mouvements se trouvaient exposés aux regards d'une nuée d'espions, et, cependant, l'attaque aérienne japonaise, occasion sans retour, fut déclenchée un jour où les navires essentiels, les porte-avions, étaient à la mer. Ce furent des cuirassés déjà frappés d'archaïsme qui encaissèrent. Huit sur huit, mouillés dans Battleship Row, furent atteints ; quatre allèrent au fond ; deux d'entre eux, l'*Arizona* et l'*Utah,* gisent encore dans la vase de Pearl Harbor et le premier contient encore son équipage de 1 202 hommes, depuis le contre-amiral Kidd jusqu'au dernier des musiciens qui, la veille, avaient remporté le premier prix de l'escadre. L'épave émerge de quelques pieds, et les touristes, Américains de rigueur, ont le droit d'y monter et même de s'y faire photographier. La Marine a décidé qu'elle ne relèverait pas le bâtiment, qu'elle lui maintiendrait sa fonction de cercueil. En conséquence, l'*Arizona* continue de figurer sur la liste des navires en service et, chaque matin, on hisse ses couleurs, comme s'il s'agissait d'un bateau de vivants.

Plus des trois quarts des citoyens de l'Etat d'Hawaii vivent à Honolulu. La proportion pour Oahu tout entière approche de 80 %. La densité surpasse celle du Japon, le terrain à bâtir est devenu extrêmement rare et abominablement cher — et cependant Oahu fait un effort délibéré pour maintenir à tout prix cette prépondérance manifestement excessive. Elle accapare les élus, chambre les touristes, s'arroge la majeure partie des crédits, traite celles qu'elle qualifie d' « îles extérieures » un peu comme des colonies. Elle ne manque assurément pas de couleur, mais elle masque un peu trop la profonde beauté et l'originalité saisissante d'Hawaii.

L'étoile d'Hawaii est-elle la dernière ? Probablement.

Il reste aux Etats-Unis les possessions suivantes : dans les Antilles, les îles Vierges et Porto Rico ; en Amérique centrale, la zone du canal de Panama ; dans le Pacifique, Guam, Wake, une partie de l'archipel Samoa et quelques îlots ou rochers disséminés. Sauf Porto Rico, aucun de ces territoires minuscules, escales aériennes, bases stratégiques n'a l'étoffe d'un Etat.

Porto Rico la possède. Il est quatre fois plus peuplé qu'Hawaii. Il est plus proche. Il est plus mêlé à la vie américaine, ne serait-ce que par les milliers de Porto-ricains de New York City. Cependant, Porto Rico n'a même pas reçu le statut d'un Territoire, étape politique et administrative indispensable avant l'admission. Un parti le demande, cependant qu'un autre réclame l'indépendance, mais ni le gouvernement américain ni la masse de la population portoricaine ne paraît pressé d'adopter une solution définitive dans un sens ou dans l'autre. Le premier fait un effort financier considérable pour donner un peu de prospérité à l'île surpeuplée. La seconde se laisse aider. Elle a droit au précieux passeport américain, qui lui permet d'émigrer aux Etats-Unis sans restriction ni contrôle, mais elle ne montre pas le désir irrésistible de s'intégrer plus complètement dans la grande République. La preuve en a été donnée par le plébiscite du 23 juillet 1967. Ce jour-là les Porto-Ricains avaient à choisir entre rester une communauté associée aux Etats-Unis, devenir la 51e étoile de la fédération ou accéder à l'indépendance. 60,5 % des votes, soit 425 081 voix, se sont portés sur la première formule.

II

LA CALIFORNIE

Il s'en est fallu de peu que la Californie ne devienne une province russe. Elle fut sauvée par l'amour.

En 1806, Nicolas Petrovitch Rezanov, boyard, conseiller privé du tsar, franchit Golden Gate sur son trois-mâts barque, la *Junon*. Il avait à son bord une cargaison de fourrures, mais ce n'était pas en marchand qu'il venait. La Russie, installée en Alaska, sur les terres froides du continent américain, tentait de descendre vers les terres chaudes, mouvement éternel. Les instructions secrètes de Rezanov lui prescrivaient d'envisager les moyens de rattacher à l'Empire les côtes du Pacifique sur lesquelles une Espagne lointaine, frappée d'indolence et encore alliée de Napoléon, n'exerçait qu'une ombre de souveraineté.

Rezanov trouva le pays magnifique. Il trouva plus magnifique encore la fille du commandant espagnol de Yerba Buena, Concha Arguelle y Morreaga.

Roman inouï. Le boyard avait quarante-cinq ans. Dona Concha en avait quinze. Ils s'aimèrent. La demande en mariage du schismatique consterna la famille espagnole. Elle finit par donner un demi-consentement subordonné à deux petites conditions : Rezanov devait se convertir au catholicisme et aller chercher lui-même, à Madrid, l'autorisation de Charles IV.

Sans hésiter, Rezanov retraversa le Pacifique. En Sibérie, il trouva le terrible hiver, impuissant à glacer son amour. Il se lança à travers les plaines de neige dans un traîneau ouvert et mourut d'une congestion en arrivant à Irkoutsk.

Dona Concha entra au couvent, où elle finit ses jours. De cette romanesque aventure, il ne reste que le nom d'une colline de San Francisco, Russian Hill.

Après tout, l'histoire tient à des hasards autant qu'à des lois. Au début du XIXe siècle, les Russes étaient plus proches de la Californie que les Américains, et leurs chances de s'y établir paraissaient bien meilleures. Si Rezanov avait eu l'âme d'un conquistador, au lieu du cœur d'une midinette, il aurait pu commencer un établissement que le tsar n'eût certainement pas vendu avec autant de désinvolture que son Alaska polaire. Les Américains eussent rencontré la Russie sur leur itinéraire d'expansion et la lutte des deux colosses eût commencé un siècle plus tôt.

Mais les choses se passèrent bien. L'expédition moscovite de 1806 ne fut jamais renouvelée. Quelques Russes s'accrochèrent à Yerba Buena, mais oubliés par leur gouvernement, ils s'en allèrent d'eux-mêmes en 1841. Au lieu de devoir arracher la Californie aux griffes d'un puissant empire, les Américains la reçurent sans secousse et presque sans effort, quarante ans plus tard, d'un Mexique résigné. Elle fut conquise avec l'effectif d'un bataillon et ne coûta même pas dix tués. Dès l'année suivante, la découverte d'une pépite d'or par un nommé Marshall, dans les alluvions du Rio Sacramento, draina vers la Californie la richesse dont elle avait le plus besoin : des hommes. Et l'histoire s'enchaîna. En 1940, la Californie n'était encore que le cinquième sur la liste par population des 48 États, derrière New York, Pennsylvanie, Illinois et Ohio. En 1900, elle n'occupait que le vingt-quatrième rang, étant devancée par presque tous les États sudistes, Louisiane, Alabama, Kentucky, etc., dont l'importance relative devait décliner rapidement pendant la première moitié du siècle. La croissance était destinée à se poursuivre. Aujourd'hui la Californie, dont on estime la population à près de 19 millions d'habitants, est le plus important des Etats. Le recensement de 1960 lui avait brillamment confirmé le deuxième rang que le recensement de 1950 lui avait donné. Et les prévisions faites alors pour la décennie en cours lui assignaient pour 1970 une population de 20 184 000 habitants, qui devait la placer légèrement avant New York. C'est désormais chose faite.

La formation prévue d'une Mégalopolis du Pacifique qui englobérait les deux métropoles de San Francisco et de Los Angeles, distantes de quelque 500 km, n'est donc plus une utopie... La Californie est déjà la plus brillante des cinquante étoiles.

Elle est très grande, presque immense. Elle recouvrirait les trois quarts de la France et elle consomme à elle seule presque deux fois plus de terre émergée que le Royaume-Uni. Elle enjamberait l'Espagne, le nord se trouvant à la latitude de Bordeaux et le sud à celle de Marrakech. De Crescent City, situé à l'angle nord-ouest, à Araz Junction, à la corne sud-est, la ligne droite mesure 1 400 kilomètres. Cela produit de vastes différences dans la température, l'humidité, la végétation. La Californie commence dans d'épaisses forêts de conifères et s'achève par des touffes de cactus épars dans les sables du désert.

Les contrastes ne sont pas seulement horizontaux. La verticale s'en mêle. La Californie possède la montagne la plus haute des Etats-Unis (l'Alaska mis à part), le mont Whitney, qui dépasse 4 555 mètres, et, au pied même du mont Whitney, un des plus profonds sillons du monde occidental, la Death Valley, qui s'enfonce à 85 mètres au-dessous du niveau de la mer. Sa cordillière côtière est une chaîne sévère, tombant d'aplomb sur le Pacifique, et sa cordillière intérieure est une chaîne neigeuse qui a l'air d'épauler la lourde masse du continent américain. Entre ces deux systèmes montagneux, Central Valley est le plus grand verger du monde, ainsi que l'endroit du monde où les paysans (10 % de la population au recensement de 1960) ont les comptes en banque record.

La Californie a le seul volcan en activité des Etats-Unis. Elle possède le lac le plus haut d'Amérique, une vasque d'eau suspendue à 4 000 mètres d'altitude, au bord du Whitney. Elle a les arbres les plus gros du monde, les séquoias, des monstres végétaux, tristes comme tous les monstres, ébranchés par la foudre et quelquefois creusés, comme le Wanowa Big Tree, d'un tunnel sous lequel passent les autos. La plupart de ces géants se trouvent dans le Yosemite National Park, le seul rival sérieux du Yellowstone, et l'un des plus prodigieux enclos de beautés naturelles de l'univers.

Bien qu'elle soit une palette, la Californie a une couleur dominante : le jaune. Son surnom de Golden State (tous les Etats en ont un) ne lui vient pas de ses mines d'or, et Golden Gate, porte d'entrée rayonnante de la baie de San Francisco, s'appelait Golden Gate avant que John Marshall découvrît la fameuse pépite du Rio Sacramento. Il y a dans le sol une sorte de rousseur, et, sur le sol, une poussière rousse qui sont le rappel du désert, proche et toujours puissant. Cela donne parfois une impression d'aridité à laquelle répondent les rendements majestueux de l'agriculture californienne. Mais l'homme a beaucoup agi, améliorant et irriguant. Les transformations de la Californie équivalent à une seconde conquête, toujours en cours.

Tout au long de ce livre, on trouvera l'Amérique refaisant la nature. Le cas de la Californie est saisissant. Le nord avait trop d'eau pour trop peu de terres. Le sud avait trop de terres pour trop peu d'eau. Le programme de la Central Valley a corrigé cette anomalie. On laisse la Sacramento River, amenant l'eau du nord, couler jusqu'au centre de la Californie, mais, au moment où elle va se perdre dans le Pacifique, on la saisit dans des pompes géantes et on l'élève de plus de 100 pieds pour l'envoyer à plus de 100 milles arroser des terres assoiffées. Elle revient au Pacifique, mais par la vallée de la San Joaquin River qui coule du sud vers le nord. Transposée sur la carte de France, cette intervention dans la circulation des eaux consisterait à faire passer la Sarthe aux sources de la Vienne, mais les distances californiennes sont deux fois plus grandes. Un autre programme, celui de la Feather River, dont l'ouvrage principal, Oroville Dam, a donné naissance à un lac de 15 000 kilomètres carrés, à l'aide de la digue la plus gigantesque qui ait jamais été construite, a accru les ressources hydrauliques de la Californie du Sud.

Infiniment variée, l'agriculture californienne va de l'orge aux dattes. L'élevage, qui fit entrer la Californie dans l'histoire économique en fournissant de cuir les tanneries de Boston, représente un troupeau très considérable de 4 millions de bœufs et de 840 000 vaches. Cette puissante polyculture vaut plus cher que la monoculture de la plupart des Etats américains, plus cher que les champs de blé interminables du Kansas ou de l'Iowa. Tous produits réunis, la Californie fait la première recette agricole de l'Amérique. Le montant en atteint presque 4 milliards de dollars, mais le fait important, le fait américain, est que la population rurale correspondant à cet immense revenu n'atteint pas un million de têtes. C'est la clé de la prospérité éclatante de la terre américaine en général : peu d'hommes, aidés par beaucoup de machines, nourrissant des masses d'hommes possédant un haut pouvoir d'achat. La Californie possède environ 140 000 fermes dont le produit moyen atteint 20 000 dollars, soit 100 000 NF.

Le vin n'est qu'une goutte d'eau dans cette richesse. Comme en quelques autres régions, dont l'Etat de New York, c'est la religion catholique qui l'introduisit, à cause du vin de messe. Les Franciscains de San Diego firent, les premiers, l'économie du fret en remplaçant les vignes d'Espagne par celles qu'ils plantèrent sur leurs coteaux. Cent ans plus tard, le comte hongrois Agostin Karerzthy fit passer le vin du sacré au profane en créant le premier vignoble de la Napa Valley.

Après le comte hongrois, vinrent les marquis français : les La Tour, de Bordeaux. Ils fondèrent le domaine qu'ils appelèrent Beaulieu en plantant des cépages de la Guyenne dans le terroir californien. Quelques années plus tard, doués par le dépaysement d'une miraculeuse résistance, les « plants américains » reconstituèrent le vignoble français ravagé par le phylloxéra. Le marquis de La Tour (12 000 hectos) est encore aujourd'hui le maître de chais le plus illustre des Etats-Unis.

Il est naturellement singulier que la Californie, outre du Tokay, produise du Bordeaux, du Bourgogne, du Champagne, du Graves, du Sauternes, du Saint-Emilion, du Traminer, du Riesling, du Pinot, du Cognac, du Chianti, du Muscatell, du Xérès... Mais la bataille des appellations d'origine est perdue en Amérique, tous les titres de gloire qui précèdent étant maintenant considérés comme des noms communs. Toutefois, la loi américaine prescrit d'y ajouter la mention « Californie », ce qui évite toute méprise. Et si les vins californiens n'ont d'ordinaire rien de commun avec leurs parrains illustres, ils sont en général supérieurs aux vins anonymes français.

Les habitants de la Californie sont parmi les plus riches d'Amérique — donc du monde. Leur revenu moyen par tête s'est élevé, en 1966, à 3 449 dollars. Il n'était en 1953 que de 1 665 dollars — ce qui, même en tenant compte d'une certaine dévaluation de la monnaie, souligne l'enrichissement rapide des rives du Pacifique ; 3 378 dollars par tête donnent, pour une famille standard de quatre personnes, environ 65 000 F par an. Ce qui est, en Europe, la grande aisance est en Californie un budget ouvrier.

D'un autre côté, la Californie est l'Etat où l'âge moyen de la population est le plus élevé : trente-trois ans, au lieu de vingt-neuf pour l'ensemble du pays. Cette tache inattendue d'âge mûr lui est donnée par le nombre de retraités qui viennent de toute l'Amérique pour finir leurs jours sous son soleil doré. Ils viendront de plus en plus nombreux maintenant qu'un système presque complet de retraites donne à chaque Américain de soixante ans une rente mensuelle de 100 à 150 dollars. La Californie jouit de l'étonnant privilège d'avoir son avenir assuré à la fois par les jeunes gens et par les vieillards.

La Californie est l'une des rares contrées du monde où

l'on puisse toucher un chèque à des guichets de banque
ouverts la nuit. Quiconque est pourvu d'un emploi régulier peut s'y faire prêter 300 dollars, sur sa simple signature. Ces deux innovations, entre bien d'autres, sont le
fait de la plus grande des puissances californiennes, la
Bank of America.

Il est surprenant que le nom du fondateur de la Bank
of America, Amadeo P. Giannini, ait été si peu connu hors
d'Amérique. Ce fils d'un maçon italien de San Diego,
qui fut lui-même colporteur de légumes avant de devenir le plus grand banquier du monde, eut une existence
au moins aussi intéressante et aussi significative que
J. P. Morgan. Son idée maîtresse fut de mettre la banque
à la portée des petites gens. Il la démocratisa un peu
comme les créateurs des grands magasins démocrati-
sèrent le commerce au siècle dernier. Il avait commencé
sa carrière bancaire en faisant de petits prêts aux
pêcheurs italiens de San Francisco. Quand le tremblement de terre de 1906 ravagea la ville, tous les banquiers
proclamèrent un moratoire, mais Giannini rouvrit les
guichets de sa « Bank of Italia » dans un entrepôt en
ruines du Debarcadero et annonça qu'il ouvrait des crédits aux sinistrés. La veille, il avait sauvé son encaisse,
2 millions en or et en titres, en la transportant hors de
la ville en flammes dans une charrette à bras.

Giannini avait coutume de dire qu'il n'avait pas perdu
un dollar sur les crédits qu'il consentait contre une simple signature, au milieu de l'agitation et du désordre qui
suivirent la grande catastrophe franciscaine. Son coup
d'audace fut, au contraire, le point de départ d'une prodigieuse ascension. Portée par l'essor de l'Ouest, le portant à son tour, la Bank of Italia se trouva progressivement associée aux principales activités californiennes,
notamment aux plantations d'orangers et aux travaux
d'irrigation. En 1936, alors qu'il comptait déjà deux
Californiens sur trois parmi ses clients, Amadeo Giannini
punit Benito Mussolini de s'être jeté sur l'Ethiopie en
changeant, bien qu'à regret, le nom de sa firme. Un peu
plus tard, la Bank of America, symbole et cœur financier
de la côte du Pacifique, dépassa la Chase Bank de New

York et devint le plus grand établissement de crédit de l'univers.

Giannini, figure solitaire, corps d'athlète, dévoré par un ulcère, mourut en 1949 sans être parvenu à apprendre complètement l'anglais. Sa banque avait 6 milliards de dépôt, mais sa fortune personnelle ne s'élevait qu'à 600 000 dollars. C'est là qu'éclate pour la première fois un trait qu'on retrouvera tout au long de l'Amérique : les grandes fortunes ne s'y construisent plus — en raison de l'impôt progressif sur le revenu — cependant que les vieilles fortunes se détruisent par le jeu de massacre périodique des droits successoraux. Si Amadeo P. Giannini avait vécu cinquante ans, ou même trente ans plus tôt, on eût enterré un milliardaire. Quand J. Pierpont Morgan fondait une banque et quand Andrew Carnegie fondait une aciérie, l'aciérie et la banque appartenaient à Andrew Carnegie ou à J. Pierpont Morgan. Ces temps sont révolus. Dans la nouvelle Amérique, les grands créateurs tendent de plus en plus à n'être que des employés supérieurs.

L'essence de la Californie, c'est le mouvement. Nulle part, l'homme ne parcourt autant de kilomètres et ne brûle davantage de carburant. L'article 154 du code de la route réprime l'excès de lenteur, mais l'excès de vitesse, également interdit par la loi, tue plus de 3 000 personnes par an. C'est en Californie (et dans les Etats limitrophes) que les hôtels au bord de la route, les « motels », atteignent leur maximum de confort et même quelquefois de splendeur. Il subsiste dans le peuple californien quelque chose du nomadisme primitif : des dizaines de milliers de personnes vivent dans des roulottes, ou *trailers*, et toutes n'y sont pas contraintes par la crise du logement. A certaines époques, dans certaines régions de la Vallée Centrale, les travailleurs saisonniers motorisés forment à perte de vue des campements de romanichels. Quelquefois, quand le travail manque, ces agglomérations sur roues deviennent des foyers de misère et causent à l'administration régionale de véritables embarras. Au reste, l'un des revers de la prospérité californienne, c'est qu'elle attire les inadaptés aussi bien

que les capables. L'Etat gémit constamment que les chômeurs chroniques des autres régions d'Amérique lui
tombent sur les bras en nombre croissant. Ce sont souvent les plus pauvres et les plus faibles qui se mettent
en route vers le soleil.

Avec un demi-million d'habitants de plus que l'Etat de
New York, la Californie compte près du double d'automobiles (10 700 000 contre 6 400 000). Le trafic aérien est
néanmoins prodigieux ; en 1960, 43 % des personnes qui
circulent entre San Francisco et Los Angeles utilisent
l'avion contre 33 % pour le train et 24 % pour l'autobus.
C'est en Californie que, pour la première fois, la circulation aérienne des personnes a dépassé sur les longues
distances la circulation terrestre de la route et celle du
rail. Sans diminuer pour autant le grouillement des autos
dont la densité atteint un véhicule pour deux habitants.

L'un des paradoxes de la Californie, c'est qu'elle ne
fabrique aucune de ces millions d'autos qu'elle fait rouler. Toutes viennent de Detroit, ayant traversé les plaines, les montagnes et les déserts dans de longs trains
complets ou sur d'énormes camions à deux étages qui
peuvent accommoder six Cadillac. C'est l'illustration
du problème industriel de la Californie : tout ce qu'elle
produit en abondance est léger : de l'essence, des films,
de l'aluminium, des avions, du verre, des vêtements. Il
lui manque les assises lourdes et solides de la puissance
économique : le fer, le charbon. Pour que son destin
s'accomplisse pleinement, il faudrait que la prédiction
d'Henry Kaiser se réalise et que l'âge de l'acier prenne
fin pour être remplacé par l'ère des métaux légers.

Mais ce temps est encore loin. L'acier est toujours
prépondérant. Les industriels de l'Ouest, Henry Kaiser
en tête, font un effort pour s'affranchir de ce qu'ils appellent la dictature des maîtres de forges. Ils ont créé des
aciéries en Californie, ainsi que dans l'Oregon, le Washington et l'Utah. Ils ont mis au point des procédés pour
la réduction du minerai par le gaz naturel. Ils n'ont pu
cependant compenser leur handicap. La sidérurgie de
l'Ouest représente à peine 5 % de la sidérurgie améri-

caine, c'est-à-dire une proportion très inférieure à l'importance relative de la région. Il en résulte un état de tension chronique avec les grands Etats manufacturiers de l'autre versant. La querelle de l'Ouest et de l'Est, l'une des trames continues de l'histoire américaine, a changé d'objet. Pendant longtemps, riche d'énergie humaine mais pauvre de capitaux, l'Ouest demandait à l'Est avare l'extension du crédit et l'expansion des facilités monétaires par le bimétallisme et l'inflation. Aujourd'hui, ayant sécrété ses propres capitaux, l'Ouest est entré dans le conservatisme financier, mais sa revendication s'appelle acier. Lorsqu'il se fait rare, comme ce fut le cas à plusieurs reprises depuis vingt-cinq ans, l'Ouest en est régulièrement sevré et les récriminations des industriels californiens montent jusqu'au ciel.

Cette difficulté n'est rien à côté du sort que connaîtrait la Californie si, pour son malheur, elle était en Europe. Enfermée dans les barrières douanières du Vieux Monde, elle ne serait, malgré son pétrole, qu'un corps économique incomplet et condamné à languir. Son agriculture elle-même n'aurait ni le marché immense de 200 millions de consommateurs voraces, ni le colossal équipement qui lui permet d'améliorer sans cesse son sol. Une Californie européenne serait une pauvre nation méditerranéenne dans laquelle des paysans arriérés remueraient du sable et gratteraient du caillou. Elle vendrait un peu de son soleil, dans la toute petite mesure où les contrôles des changes permettraient à d'autres de le lui payer. Elle n'est ce qu'elle est — cet éblouissement de richesse et cet épanouissement de bonheur humain — que par la vertu du grand ensemble dans lequel elle est intégrée, en dépit des montagnes, des déserts et des distances qui lui font les meilleures de ces frontières naturelles qui furent et qui sont encore le rêve maladif des pays européens. C'est la leçon éclatante de l'Amérique. L'Europe, longtemps cloîtrée dans ses douanes et dans ses haines, commence à peine, mais commence enfin, à l'assimiler.

*
**

Première étoile d'une constellation, la Californie est issue d'une cellule-mère : San Francisco.

Rome n'a que 7 collines. San Francisco en a 29. Ses citoyens et ses adorateurs prétendent qu'elle est la ville la plus belle du monde ; ce qui est faux pour l'unique raison qu'il n'y a pas de plus belle ville du monde. Mais San Francisco appartient à la famille rayonnante des cités nées du mariage de la montagne et de la mer. Ses sœurs s'appellent Hong-kong, Sydney, Bombay, Naples et Alger. Pour lui donner un site, le Pacifique entre en Amérique, dessine une baie autour de laquelle vivent 3 millions d'hommes et que San Francisco domine, garde et ennoblit.

L'orgueil de San Francisco est d'être à la fois la ville américaine la plus éloignée de l'Europe et la ville la plus européenne de l'Amérique. Ses librairies et ses libraires sont, dit-elle, les meilleurs de l'hémisphère occidental. Elle fleurit ses rues. Ses femmes prétendent avoir du goût, et, en le cherchant, l'acquièrent. San Francisco revendique la « joie de vivre », cette notion indéfinissable et cependant claire, l'une des dernières sciences dont on fasse encore hommage au Vieux Monde. C'est peut-être ce côté européen, inhabituel en Amérique, le fait d'être, grâce à l'Université de Berkeley, un des hauts lieux de la culture mondiale — le Lawrence Radiation Laboratory (184 cyclotrons expérimentaux...) est particulièrement célèbre par ses recherches nucléaires — qui ont fait de San Francisco le siège de la pensée la plus anticonformiste qui soit aux Etats-Unis. Si l'équipe de Berkeley — 1 500 professeurs permanents, 400 professeurs à mi-temps — est en effet universellement estimée de ceux qui évoluent familièrement dans le monde de l'atome, elle est également — en second après l'Université de Ann Arbor (Michigan) — à la tête de cette croisade qui tente de dresser l'opinion américaine contre la guerre au Viet-Nam. Ce mouvement qui a démarré péniblement a fini par élargir son audience, qui dépasse maintenant le cadre universitaire. Mais les 28 000 étudiants de

Berkeley ne sont pas aux yeux américains les seuls phénomènes de cette étonnante métropole californienne.

L'ancien quartier noir plutôt miteux de Haight Ashbury est devenu, depuis la date mémorable du 14 janvier 1967, un des noms les plus connus de la jeunesse. Ce jour-là naquit le mouvement « hippy » : en une heure, sur le terrain de polo de Golden Gate Park, se trouva rassemblée une étrange foule fleurie et bariolée, barbue et chevelue, psalmodiant et brûlant de l'encens, qui proclamait que l'amour était la grande affaire du monde. Les hippies s'annonçaient à l'Amérique stupéfaite... Ils sont près de 60 000 aujourd'hui à Haight Ashbury, où ils ont ouvert d'étonnantes boutiques, épiceries et restaurants entièrement gratuits. Sans cesse leurs rangs se grossissent d'un grand nombre de ces « runaways », de ces jeunes gens de 16-18 ans, qui sont de plus en plus nombreux (500 000 en 1967) à fuir avec une guitare pour seul bagage, le douillet confort du home familial et la réussite sociale qui fait la fierté de leurs parents.

Comme l'a dit Robert Kennedy, « le drame de la jeunesse américaine c'est qu'elle a tout sauf quelque chose, et ce quelque chose, c'est l'essentiel ». Etre « hip », c'est être dégoûté du confort matériel, mais aussi de la violence qui est encore un trait dominant de la société américaine. Le hippy est un non-violent qui cherche, dans tous les grands courants de la pensée mystique mondiale, ce quelque chose qui est l'essentiel. Et pour secouer une société qui respecte la personnalité d'autrui dans la mesure où cet autrui se plie aux usages établis, être « hip » c'est se différencier des autres le plus possible dans son apparence physique, pour obliger les gens à ne plus juger sur la mine.

Doux illuminés inoffensifs, dangereux révolutionnaires en présence ? les Hippies de San Francisco ne sont plus les seuls comme pourrait le faire croire une chanson célèbre. Ils ont d'autres quartiers où se pratique la même fraternelle entr'aide, à Los Angeles — où ils côtoient ces révoltés violents mais intellectuellement plus frustes, qui se surnomment eux-mêmes les Black Angels, les Anges Noirs —, à San Diego, à Denver et à Greenwich

Village. De San Francisco leur nombre même les a conduits à essaimer sur la côte ou dans les déserts de l'intérieur où ils se sont mis, à l'instar des Indiens, à un petit artisanat qui leur permet de subsister sans rien devoir à une société qu'ils réprouvent...

Si le monde hippy est une société anarchique, d'un autre côté, à San Francisco, les barrières des classes sont plus hautes et surtout plus difficiles à franchir qu'ailleurs. Les 400 familles qui forment l'élite ne se mettent pas au-dessus du commun uniquement en montant sur un escabeau d'argent. A. P. Giannini, par exemple, n'eût pas pu se faire accepter au Pacific Union Club, et il le savait si bien qu'il n'essaya jamais. Il existe des nuances, des limites invisibles, des passages en chicane, et l'on sent bien qu'on côtoie ici l'aristocratie, beaucoup plus subtile et beaucoup plus difficile à définir (surtout lorsqu'elle n'use pas du repère commode des titres de noblesse) que la ploutocratie.

Et cependant, cette ville charmante, très policée, un peu secrète, un peu dédaigneuse, un peu dilettante, a derrière elle un passé formidable et récent de violence et d'immoralité. Son nom raccourci « Frisco » a sonné dans le monde comme un appel d'aventures : la ville du crime, la ville du vice, la ville de l'or.

C'est par là qu'entrèrent la plupart des chercheurs d'or de 1849, les premiers depuis les conquistadors du XVIᵉ siècle. Barbary Coast, un village de tentes et de baraques, au pied des collines, un village hideux, affreux, fangeux, putride, fut leur échelon arrière et leur point de suture misérable avec la civilisation. La baie était pleine de navires abandonnés par leurs capitaines et par leurs équipages, qui s'étaient rués comme tout le monde vers les placers. Les commodités les plus essentielles manquaient complètement à cette cohue. Un Français astucieux nommé Verdier commença la fortune de la famille en ayant l'idée d'apporter du fer à la Californie, au lieu de venir lui arracher de l'or. Il affréta un brick, *la Ville de Paris*, qu'il chargea de quincaillerie. Ses marins désertèrent, suivant la règle, dès que l'ancre fut tombée devant Barbary Coast. Seul à son bord, armé d'une balance, Verdier vendit ses clous : une livre de clous, une livre d'or. Son arrière-petit-fils, Paul Verdier, possède aujourd'hui à San Francisco le magasin de nouveautés le plus luxueux de l'Ouest : *City of Paris.*

La hantise de la chair, chez des hommes au sang brûlant, était tragique. Ils demandaient des femmes plus encore qu'ils ne demandaient du fer. En octobre 1850, le journal *Pacific News* annonça qu'un trois-mâts chargé « de 900 personnes recrutées dans les meilleures maisons de Paris, de Marseille et de Gênes » approchait du port. La ville flamba de désir. Quand Telegraph Hill eut annoncé le galion d'amour, toute la population, précédée de fanfares, se mit en marche vers le rivage. La déception fut cruelle : au lieu de 900 odalisques, il débarqua une soixantaine de prostituées usagées. Toutes, au reste, se marièrent dans la quinzaine et plusieurs des familles les plus altières de la Californie peuvent faire remonter leur lignage à cette drôle de *Mayflower.*

Il y avait une vieille et pieuse ville espagnole serrée autour de la mission Dolorès : elle fut submergée sous l'assaut brutal du nord. Dans l'intérieur, il y avait des Mexicains qui, étant sur place, s'étaient rués les premiers sur les champs d'or : les Américains, les Anglais et les Français les chassèrent et les tuèrent, quelquefois par divertissement. Ils suscitèrent un vengeur, un Robin des bois métis nommé Joachim Muriata ; qui répondit à l'injustice par la terreur. Sa tête fut finalement tranchée et exposée au musée des horreurs du « docteur » Jordon, dans une venelle qui n'est rien moins aujourd'hui que Montgomery Street.

En 1880, San Francisco, qui avait déjà 235 000 habitants, était encore une ville sans lois. Les « hoodlums », successeurs des grands brigands des deux décades précédentes, tuaient et rançonnaient à peu près impunément. L'ordre fut, à la longue, établi par les citoyens eux-mêmes. A plusieurs reprises, ils levèrent une véritable armée, purgèrent les rues et, canon en tête, allèrent prendre et pendre dans les prisons les gredins qu'une justice vénale laissait en sursis illimité. La prostitution s'acharna jusqu'en 1917. Cette année-là — en Amérique les années de guerre sont propices aux mœurs — la police ferma 83 maisons de tolérance et chassa 1 073 femmes. Ce fut en quelque sorte la fin de Barbary Coast et le dernier soupir du vice à San Francisco.

Aujourd'hui, il ne reste rien de ce passé trouble. La ville s'en souvient à peine et ne tient pas à s'en souvenir. Elle a reconquis son hermine. Elle est blanche, verticale comme New York, extrêmement cosmopolite, avec un port de pêche italien, une ville chinoise, un petit Osaka, un petit Mexique, un petit Harlem. Elle connaissait le problème jaune, et depuis les grands mouvements de population provoqués par la guerre, elle a fait connaissance avec le problème noir. Son monument le plus discutable est une tour en forme de cierge qui se dresse sur Telegraph Hill et qui, du nom de sa fondatrice, s'appelle assez malencontreusement Coit Tower. Une autre millionnaire, Mrs. Spreckle, a donné à San Francisco une réplique du palais de la Légion d'honneur, portant au fronton, en français, la devise de l'Ordre : Honneur et Patrie. Devant cet édifice, qui domine Golden Gate, s'étend l'un des golfs les mieux situés du monde — un golf municipal dont l'usage coûte quelques cents. Aux Etats-Unis, le golf est un sport d'ouvriers.

Escarpées par leurs 29 collines, les rues de San Francisco ne sont pas toujours très commodes. Elles sont même parfois dangereuses. Et, par un trait de conservatisme qui les peint, les San Franciscains tiennent à les garder incommodes et dangereuses en conservant les objets de musée qui font la joie des Américains et des étrangers : les cables-cars.

Même à Lyon, ils seraient archaïques. Ils existaient avant le tremblement de terre de 1906 et ils ont été pieusement reconstruits. Mi-funiculaires, mi-tramways, en partie ouverts, ils sont hissés sur les pentes raides des collines à l'aide d'un filin d'acier qui chante et pleure dans son caniveau. Au bas de leur course, dans Market Street, il faut les faire virevolter sur de petites plaques tournantes de bois et les voyageurs aident gentiment les employés d'un coup d'épaule. De temps en temps, ils aplatissent une voiture et le danger d'une rupture de

câble ou d'une défaillance des freins est permanent.
Vingt fois les compagnies de transport en commun ont
offert de les remplacer par des autobus, proposant même
de conserver une ligne à titre d'échantillon. Mais San
Francisco s'insurge. La Ligue de Défense des Cables-Cars
organise l'agitation. San Francisco veut conserver ses
cables-cars, tous ses cables-cars. Jusques à quand ? Les
San Franciscains répondent hardiment : « Toujours. »

Les poètes ont chanté les cables-cars : « Si vous prenez
un omnibus à un penny de Chelsea au Strand, — vous
verrez l'abbaye de Westminster et vous trouverez que c'est
grandiose, — si, à l'impériale d'un omnibus parisien, vous
passez devant le Luxembourg et la place de la Concorde,
— sans nul doute vous remercierez le Seigneur, — mais
le cockney donnerait son fouet et le Frenchie donnerait
sa moustache, — pour monter dans le cable-car de Hyde
Street et voir San Francisco. »

San Francisco eut une autre curiosité : un empereur.
Norton Ier, empereur des Etats-Unis.

C'était un bon vivant qu'un coup de Bourse ruina. Il
disparut pendant quelques jours et reparut vêtu d'un
magnifique uniforme bleu. Pendant vingt ans, il reven-
diqua son titre impérial et, pendant vingt ans, San Francisco, pitoyable, entra dans la chimère du dément. Personne ne l'appela jamais autrement que « Majesté ».
Des anonymes réglaient ses dépenses dans les meilleurs
restaurants et les journaux publiaient sans un mot d'ironie les ordres et les ultimatums qu'il adressait aux
présidents usurpateurs de Washington. Son dernier décret
ordonnait à ses loyaux sujets San Franciscains de construire un pont au-dessus de la baie, ce qu'ils firent
malheureusement trop tard pour que Norton Ier ait eu
la satisfaction de constater leur obéissance. Mais
30 000 personnes suivirent son cercueil.

Ces traits, et beaucoup d'autres, font de San Francisco une ville véritablement unique. La nature s'en est
mêlée en lui donnant un climat dont il n'existe peut-être
pas d'autre exemple. Elle n'a ni hiver ni été — 11 degrés
centigrades de moyenne en janvier et 16 en juillet —

mais une sorte de printemps perpétuel qui dispense les San Franciscains d'avoir dans leur garde-robe un manteau épais. Elle ne peut se plaindre que des lourds brouillards matinaux naissant autour d'elle de tant d'eaux remuées. Mais elle n'a presque pas de cheminées d'usines, étant de loin la ville la moins ouvrière d'Amérique, avec 10 % seulement de travailleurs manuels.

Chinatown est une grande curiosité. Elle ne répond pas à l'idée qu'on se fait d'elle, parce qu'on n'imagine pas une ville chinoise en damier. C'est pourtant bien la Chine qui est là, au cœur de San Francisco, entre Pacific et Grant Avenues. Elle apparut dès 1848, l'année même de l'annexion, sous la forme de deux hommes et d'une femme qui débarquèrent du brick *The Eagle* et se perdirent peureusement dans la cohue du port. L'année suivante, les Chinois étaient 500. Quinze ans plus tard, ils étaient 70 000. Ils auraient submergé San Francisco, la Californie, l'Amérique entière si des mesures, les premières mesures restrictives de l'immigration, n'avaient pas été dirigées contre eux. D'abord isolés, souvent maltraités, ils se groupèrent peu à peu dans le quadrilatère qu'ils occupent actuellement. Ils y poursuivirent leur vie secrète, qui n'a peut-être pas complètement cessé. Ils eurent, dans un Etat qui ne fut jamais esclavagiste, et longtemps encore après la guerre de Sécession, leur esclavage à eux. On possède une facture datée du 1er mai 1898 par laquelle Loo Chee, de Canton, vend à Loo Wong, de San Francisco, une « girl » de 20 dollars, contre 6 boisseaux de riz à 2 dollars et 60 livres de crevettes à 10 cents. Dans le sens inverse, maint défunt passa le Pacifique, en violation de tous les règlements sanitaires, pour être enseveli en terre chinoise. Il n'est pas absolument impossible que des trafics étranges, ou des mœurs illicites, ou des jeux interdits persistent dans l'ombre toujours un peu étrange de Chinatown. Mais les Chinois de San Francisco le nient.

Ils se gouvernent eux-mêmes. Six corporations, qu'on a prises souvent pour des sociétés secrètes, et qui représentent les six grandes régions de la Chine, forment leur cadre social, politique et professionnel. Chacune d'elles fournit, par roulement de deux mois, un président, qui est en fait le maire de Chinatown. Ses administrés vendent des porcelaines, blanchissent le linge, importent des produits d'Extrême-Orient et préparent des cuisines délectables. Certains sont riches. La plupart sont citoyens américains. Mais l'anglais est pour eux tout au plus la langue par laquelle ils entrent en contact avec leur clientèle. Ils ont six journaux en chinois et un standard téléphonique manuel dans lequel les standardistes connaissent par cœur le nom de tous leurs abonnés. Entre les Chinois de Chinatown, s'appeler par un numéro constituerait sans doute une brèche à la courtoisie.

Chinatown est, après Singapour et Cholon, la plus grande ville chinoise hors de Chine. La conquête communiste n'a pas rompu des liens qu'il faudrait la fin du monde pour briser. Dans leur ensemble, les citoyens de Chinatown étaient libéraux, nationalistes et hostiles à Tchang Kaï-chek. Mais ils sont anticommunistes et enragés contre Mao Tsé-toung. Ils sont aussi pleins d'appréhension. Pendant la guerre, les autorités militaires ont interné les Japonais de la côte du Pacifique, y compris les « niseis », nés aux Etats-Unis et citoyens américains. Les Chinois redoutent le même traitement si la guerre éclate avec leur pays d'origine. Ils ont tort : l'Amérique ne renouvellerait pas la faute et l'injustice qu'elle a commises en 1942.

San Francisco n'a qu'une faiblesse : celle d'être presque une île. Elle s'avance comme une tête entre le Pacifique et la baie qui porte son nom, mais elle n'est reliée à la masse du continent que par un isthme étroit. Pour mettre fin à cette semi-insularité, elle a fait, en 1936 et en 1937, deux chefs-d'œuvre, deux ponts : Bay Bridge, le plus long du monde ; le plus beau du monde, Golden Gate Bridge. Le premier, près de 8 kilomètres de développement total, est composite : il s'appuie sur une île, rampe sur une chaussée, franchit le bras de mer qu'on lui impose de vaincre par une série de bonds puissants et inégaux. Le second est linéaire et presque abstrait. Au lieu de déshonorer le splendide paysage dans lequel il s'élève, il le complète, le souligne et l'élargit. Cela ne l'empêche pas de porter, à cent mètres au-dessus des vagues, huit files d'autos.

Mais un pont est un pont. Il ne remplace pas la continuité terrestre et il ne donne pas aux villes qu'il dessert le pain nécessaire aux cités modernes : l'espace. Au centre d'une Californie qui grandit à pas de géant, San Francisco, qui n'a de champ libre que vers le ciel, grandit seulement à pas d'enfant. En 1900, elle était la cinquième ville d'Amérique : en 1950, elle n'était plus que la onzième, en dépit de ses 850 000 habitants. On lui attribue actuellement 714 000 habitants, soit une diminution de près de 4 % par rapport au dernier recensement de 1960. Les villes qui poussent vite, Berkeley, Oakland, Richmond, sont situées en face d'elle, sur l'autre rive de la baie, du côté de la grande terre. La conurbation ainsi formée et définie (Standard Metropolitan Statistical Area) est la septième agglomération des Etats-Unis, avec une population de 2 958 000 habitants, accusant, depuis 1960, une croissance supérieure à 11 %. Un autre pont, plus long encore que Bay Bridge, franchit maintenant cette petite mer intérieure, entre San Mateo et Hayward. Le développement urbain et industriel se poursuit plus loin encore, vers Palo Alto et San José où se dressent d'admirables usines d'électronique. Une grande ville unique, San Francisco Bay City, est en train de se constituer et l'on prévoit pour elle 7 millions et demi d'habitants en l'an 2 000. La vieille San Francisco, noyau de ce magnifique ensemble, ne sera qu'un promontoire se haussant sur l'Océan, derrière sa citadelle inutile du Presidio dont les canons n'ont jamais ouvert le feu sur un ennemi. Mais elle aura écrit dans l'histoire de la Californie et de l'Amérique des pages dont le souvenir ne s'effacera pas.

San Francisco eut longtemps une rivale ; elle n'en a plus. Les dimensions, la structure, la signification de Los Angeles sont devenues si différentes que le parallèle classique des deux cités n'a plus de sens. La seule chose qu'il reste de leur ancienne concurrence est une hostilité mutuelle que rien, probablement, n'éteindra jamais.

L'immensité de Los Angeles est légendaire. Même en Amérique on cherche des faits typiques pour la rendre concrète. En voici un : de Harlow, qui est au sud de la ville, à Olive Vierro, qui est au nord, une course en taxi représente 96,200 km et coûte 15 dollars. En voici un autre : les grandes artères de L.A. (abréviation courante et admise : prononcez Héllé), comme Sunset Boulevard, Wilshire Boulevard, Washington Boulevard, etc., ont de 12 000 à 16 000 numéros. A l'usage des Européens, voici encore un ordre de grandeur : la superficie municipale de Los Angeles est presque égale à la moitié du Luxembourg. Celui-ci mesure 2 597 kilomètres carrés ; Los Angeles en couvre 1 175.

La complexité de ce monde est égale à son étendue : Hollywood est un quartier de Los Angeles, mais Beverly Hills, qui est le dortoir de luxe de Hollywood, forme au milieu de la cité une vaste enclave. D'autres enclaves, y compris celle qui porte le nom orgueilleux d'Universal City, sont minuscules. D'importantes agglomérations jointives, étroitement associées à la vie de Los Angeles, comme Burbank, Glendale, Pasadena, Long Beach, n'en font pas partie, alors que des îlots situés à 100 kilomètres de Civic Center sont directement administrés par celui-ci. La carte de Los Angeles (le mot « plan » serait irrévérencieux) est plus compliquée que celle des Balkans. Le gouvernement municipal pose des problèmes qui ne sont égalés que par ceux de New York. Au total, ce qu'on peut appeler l'agglomération angélienne, formée par 40 villes et peuplée par 7 millions d'habitants, s'étend sur près de 10 millions d'hectares. Ce n'est plus de la moitié du Luxembourg, c'est presque de la moitié de la Belgique qu'il s'agit.

Le plus extraordinaire, c'est que la nature n'a absolument rien fait pour attirer là un grand rassemblement humain. Les rares voyageurs d'autrefois qui ont parlé du site de Los Angeles l'ont décrit comme un désert. Et c'est un désert. Dans la Californie du Sud, le climat devient plus chaud, les montagnes s'abaissent, l'eau douce se raréfie, le sable s'avance spontanément jusqu'à la mer. Le pétrole lui-même n'est pas une raison suffisante pour provoquer une grande ville. Presque partout ailleurs, extrait de contrées stériles, il est aussitôt transporté vers des régions plus favorisées et ne fixe sur son berceau que quelques poignées d'ingénieurs et d'ouvriers.

Los Angeles, la plus artificielle des villes, la plus vaste oasis de la terre, est née en réalité de deux formes de l'agitation moderne : la concurrence et la publicité.

Elle fut fondée en 1781 par des moines espagnols de la mission San Gabriel. Ils donnèrent à leur petit établissement le nom considérable d'El Pueblo de Nuestra Senora la Reina de Los Angeles de Porcioncula. La bourgade qui en naquit végéta longtemps, bien qu'elle eût été pendant quelques mois la capitale du Territoire de Californie, avant de s'incliner devant la position centrale de Sacramento. La Californie, alors, n'était rien, et sa capitale moins encore. Les chercheurs d'or, en arrivant, gonflèrent et rendirent célèbre San Francisco. Los Angeles resta ignorée au fond de son désert. En 1860 elle avait 4 385 habitants et, en 1870, elle en avait 5 728, Indiens compris.

Un beau jour, un inconnu arriva dans ses sables : le chemin de fer. Il appartenait à la South Pacific, qui s'occupait alors de relier New Orleans à San Francisco. Un peu plus tard, une autre ligne apparut à son tour : celle du Santa Fé Railroad. Les deux rivaux étaient en place et le destin de Los Angeles commençait.

Comme toujours, les deux compagnies avaient reçu d'immenses concessions de terrain que toute leur politique consistait à vendre. Pour peupler la Californie du Sud, dont Los Angeles se trouvait dès lors le centre ferroviaire, elles drainèrent le Middle West. D'abord, elles offrirent le voyage depuis Saint-Louis ou Chicago pour 100 dollars. L'une d'elles abaissa son prix à 95 dollars et l'autre répondit en laissant tomber son tarif à 90 dollars. La lutte continuant, il devint possible de traverser les trois quarts du continent pour 75, puis pour 50, puis pour 5 et finalement pour 1 dollar. Le billet de chemin

de fer était en réalité une prime offerte à quiconque se
portait acquéreur d'un lot de terrain entre le désert
Mojave et la mer.

Los Angeles connut son premier essor. Le Santa Fe
et le South Pacific traçaient des lotissements, fondaient
des villages et rivalisaient pour faire connaître les avantages qu'elles offraient aux nouveaux Californiens du Sud.
Il est intéressant de noter que la plupart de ceux-ci ne
vinrent pas directement d'Europe, mais d'une autre
région d'Amérique et qu'ils avaient déjà atteint l'aisance
quand ils décidèrent de changer leur résidence. San
Francisco, aujourd'hui la plus pincée des deux métropoles
californiennes, a été peuplée par des forbans et Los Angeles par des bourgeois.

C'était pour cette dernière un départ, mais un faux
départ. Des déceptions, dont la principale était la sécheresse, attendaient les nouveaux venus. Le prix du terrain
qui avait monté en flèche, baissa verticalement. Des acqué-
reurs, qui avaient acheté de confiance, n'avaient, en
voyant les lieux, que la pensée de vendre et de repartir. Le retour coûtait naturellement plus d'un dollar et
cependant le nombre des désertions atteignit cent par
jour. Los Angeles, qui s'était hissée jusqu'à 35 000 habitants en 1885 se mit à maigrir à vue d'œil. La bulle de
savon de son peuplement artificiel crevait. On ne fait
évidemment pas une ville avec un désert.

Quand tout parut perdu, les grands intérêts fonciers
qui se trouvaient derrière l'entreprise cessèrent de se combattre et examinèrent la situation sérieusement. Ils fondèrent (en 1888) la Chambre de Commerce de Los Angeles, qui est restée l'une des grandes puissances de la
Californie. Ils trouvèrent un agent d'exécution dans un
quincaillier tuberculeux que les médecins avaient envoyé
mourir en Californie du Sud. Guéri, disait-il, par le jus
d'oranges, le vin et le soleil, Franz Wiggins voulut rendre
à Los Angeles la vie que celle-ci lui avait conservée. Même
dans cette entreprise spéculative, le ferment d'enthousiasme n'est pas tout à fait absent.

Wiggins est un précurseur. Il organisa le premier ce

qui est devenu l'une des impulsions les plus fortes du monde moderne : l'appel du soleil. Ce ne fut plus au nom du terrain, mais au nom du climat, que la seconde croisade de Los Angeles se prêcha. Selon le climatologue Markham, les conditions naturelles de la Californie du Sud répondent rigoureusement à l'idéal que l'homme peut trouver sur sa planète. La chaleur n'est pas assez grande pour accabler l'énergie et la sécheresse n'est pas assez extrême pour éprouver les nerfs, mais le soleil est une donnée pratiquement constante qui fait de la vie en plein air une possibilité continue. Les idées anciennes sur la supériorité des climats nordiques comme tonique humain commencèrent à décliner au moment où Los Angeles, et cette fois définitivement, marcha vers son épanouissement. Depuis lors, le mouvement est devenu universel. L'Europe le souligne par la renaissance des rivages méditerranéens et l'Amérique par le développement de la Floride, du Texas, de l'Arizona, etc. L'humanité retourne au soleil.

Mais Los Angeles avait un problème particulier très grave : celui de l'eau. La petite rivière qui la traverse fut absorbée rapidement et il devint très vite évident que la croissance de la ville était conditionnée par ses ressources hydrauliques. Elle se mit alors à mériter l'un des surnoms qui lui sont donnés : ville-pieuvre. Elle suça tous les cours d'eau des environs, lesquels, suivant Mark Twain, sont d'ailleurs surtout des nids à poussière. Puis elle capta, à 400 kilomètres au nord, la totalité de l'Owens River, ruinant une vallée fertile dont les propriétaires ne furent jamais indemnisés. La véritable image de Los Angeles commença à se dessiner. Ce qui l'explique et ce qui la permet, ce sont les gigantesques aqueducs modernes, tubes d'acier de plusieurs mètres de diamètre, chevauchant des déserts presque sahariens. Il est singulier qu'on s'étonne encore des ruines de Timgad quand on a sous les yeux un exemple moderne aussi gigantesque d'une ville géante vivant contre les lois de la nature. Elle a vécu aussi, il faut bien l'ajouter, au détriment de la nature : Los Angeles a fait baisser de 15 mètres la nappe d'eau souterraine de la Californie du Sud et elle

assèche toute la région comme le ferait un sirocco perpétuel.

Le drame de l'eau a hanté la croissance de Los Angeles. Il est considéré aujourd'hui comme surmonté par le
barrage du Boulder Dam qui donne la possibilité théorique d'une ville de 20 millions d'habitants. Les Ange-
lenos disent modestement qu'ils s'arrêteront probablement à 15. Ils ont dépassé 100 000 en 1900, 500 000 en
1920, un million en 1930, 1 500 000 en 1940 et, au recensement de 1950, ils ont frôlé les 2 millions. Ce dernier
chiffre qui n'inclut pas les agglomérations satellites, faisait de Los Angeles la quatrième ville des Etats-Unis.
Mais Philadelphie, qui la précédait encore, a été rapidement rejointe. Avec 2 millions et demi d'habitants, la
Los Angeles de 1960 n'avait plus devant elle que New
York et Chicago. L'agglomération approche aujourd'hui
des 6 800 000 habitants, dépassant Chicago qu'elle a
repoussée au troisième rang, et continue de s'accroître au
rythme de 240 000 habitants par an.

Le pétrole et le cinéma sont survenus dans ce développement né du soleil comme des dons du ciel. L'un a fait
de l'Amérique entière la débitrice de Los Angeles et
l'autre a étendu au monde entier le champ d'influence de
la ville et le domaine dans lequel elle perçoit ses droits
d'auteur. Ils ont donné à Los Angeles, originairement
dépourvue de ressources propres, des noyaux de richesse
autour desquels toutes les activités d'une grande métropole se sont organisées. Une industrie multiforme a surgi.
Los Angeles, oasis dans un désert, est devenue un tissu
d'usines aussi serré que New York. Des entreprises entières arrivent chaque année de l'est des Etats-Unis. Des
dizaines de milliers d'emplois nouveaux sont créés chaque année. Los Angeles resterait une ville immense et
prospère même si le pétrole se tarissait et si le cinéma
émigrait.

Les deux questions sont posées. L'épuisement du pétrole
californien est même une fatalité à laquelle l'esprit s'est
résigné. Le premier puits, un simple forage d'une centaine de pieds de profondeur, fut percé en 1892 et, depuis
cette date, le halètement des pompes qui boivent l'huile

souterraine est un des bruits du grand concert urbain. L'armée des derricks reproduit toutes les formations tactiques de l'art militaire, depuis les bataillons en ordre serré qui couvrent la dépression de Long Beach jusqu'aux guérillas qui parsèment les collines. En pleine ville, il y a des puits dans les cours et les jardins publics. D'autres pénètrent dans la mer. Au total la Californie du Sud, troisième des Etats pétroliers, produit un peu plus de 10 % du pétrole américain. Cette grande industrie extractive n'est d'ailleurs pas le monopole de fait de quelques puissantes sociétés. Il existe plus de 1 100 producteurs de pétrole, dont beaucoup sont des particuliers qui ont quelquefois un seul puits dans leur jardin, entre leurs tomates et leurs oignons.

Mais le pétrole californien, dont l'exploitation intensive se poursuit depuis trente ans, est stationnaire avec une légère tendance au déclin. L'estimation moyenne des jours qui lui restent est d'une vingtaine d'années. Puis, comme en Pennsylvanie, il ne restera plus sans doute qu'un petit nombre de puits épars qui fonctionneront quelques heures par semaine pour laisser à l'huile résiduelle le temps de s'accumuler.

La crise qui frappe le cinéma est d'un ordre différent. Le cinéma ne redoute pas l'épuisement et, à la différence du pétrole, il a toujours la ressource de se recommencer lorsqu'il ne se renouvelle plus. Les deux questions qui se posent à son sujet sont une question de climat et une question de technique. Los Angeles lui fournit, comme à ses autres citoyens, le meilleur des climats physiques. On se demande si elle lui assure aussi le meilleur climat moral, économique et social. Et l'on ne se demande plus si l'industrie du cinéma n'est pas destinée, sinon à disparaître, du moins à se transformer radicalement sous la concurrence de l'enfant géant qu'est la télévision. La démonstration est faite et la transformation est en cours depuis longtemps.

Hollywood ne fut ni fondé ni baptisé par les cinéastes. Son nom provient de l'imagination poétiquement pieuse d'une dame Daeida Martell Wilcox qui établit là, au début du siècle, une secte qui prétendait se rapprocher étroitement de la Bible en associant le puritanisme et l'occultisme. Mrs. Wilcox avait donné à sa petite fondation, dont la première règle était l'abstinence d'alcool, le nom adoptif de New Jerusalem, que le cinéma n'a jamais paru vouloir retenir. Ce n'était d'ailleurs qu'un des nombreux mouvements mystiques dont la Californie du Sud, pour des raisons inexpliquées, est la terre d'élection.

Le cinéma s'installa à Hollywood parce qu'il y trouva une grange abandonnée dans laquelle le producteur débutant David Harsley tourna économiquement son premier film. C'était en 1911, donc relativement tard. Le siège de l'industrie naissante était alors Chicago. Lorsqu'elle se mit à envahir la Nouvelle Jérusalem, en vertu d'une conjonction du soleil et du hasard, les ouailles de Mrs. Wilcox se défendirent vaillamment contre le péché en marche. Elles résistèrent jusqu'en 1919, en essayant d'ameuter par des prêches publics une population misérablement indifférente. Vaincus, les Justes abandonnèrent la place et le grand libertinage cinéastique des années 1920 submergea Hollywood.

On n'apprend rien à personne, aujourd'hui, en disant que Hollywood a d'ailleurs usurpé dans une très large mesure son titre de capitale mondiale du cinéma. Les grands studios ne sont pas à Hollywood, et les plus grands de tous ceux de la M.G.M., à Culver City, s'en trouvent même fort loin. Les vedettes habitent à Beverley Hills, à Santa Monica ou dans des ranches de la vallée San Fernando. Hollywood n'est, à tout prendre, qu'un endroit assez différent, et même assez laid. En bonne justice, on devrait dire Los Angeles, mais le nom forgé par Mrs. Wilcox est consacré par un usage trop universel pour qu'il soit question de le changer.

On sait moins que l'industrie du cinéma, exploitation des salles comprises, ne représente dans l'économie des Etats-Unis que la faible proportion de 0,22 %. Elle atteignait 0,63 % il y a vingt ans, mais, même alors, il s'en fallait de loin que le cinéma fût, comme on le disait en Europe, la seconde des industries américaines. Il occupait le douzième rang pour l'importance des capitaux investis, le quatorzième pour la valeur de la production, et il s'est perdu dans le fourmillement des activités économiques secondaires depuis que (en 1958) le chiffre de ses recettes brutes est tombé au-dessous de 800 millions de dollars. Au sommet de la prospérité, la valeur totale des films produits annuellement par les 103 studios de Hollywood réunis dépassait à peine 400 millions de dollars, ce qui était inférieur aux seuls bénéfices de sociétés comme le Telephone and Telegraph ou la General Motors. Mais le cinéma donne en tout une impression d'importance qu'il doit pour une grande part aux 500 journalistes spécialisés qui font de Hollywood la seconde ville de presse des Etats-Unis.

Il est fantastique que Hollywood, cette ville des transes à qui une ombre, un souffle, un rien donnaient la fièvre, n'ait même pas entendu venir le rival qui mit brusquement son existence en question. Une dame anthropologiste, Hortense Powdermaker, qui, de juillet 1946 à juin 1947, étudia les populations de Hollywood comme elle avait étudié les tribus canaques, s'étend naturellement sur leurs terreurs fétichistes, leurs crises d'angoisse, leurs paniques irraisonnées, mais elle ne mentionne même pas la télévision — laquelle était en marche depuis 1929. Le magazine *Holiday*, consacrant son numéro de janvier 1949 à Hollywood, parle de la T.V. à peine et comme fortuitement. J'ai moi-même, en 1947, posé la question à plusieurs dirigeants de Hollywood : les plus prudents m'ont répondu que le cinéma n'avait rien à redouter de l'invention nouvelle avant trente ans au moins. Il y avait alors 14 000 vidéos seulement aux Etats-Unis. Quatre ans, quatre petites années plus tard, on en comptait 14 millions et la grande débâcle du cinéma était en cours.

Le mot débâcle n'est pas trop fort. De 1947 (année record) à 1951, le nombre hebdomadaire des billets de cinéma vendus aux Etats-Unis tomba de 85 à 51 millions. Sur les 18 000 salles de cinéma, plus du tiers fermèrent leurs portes. Hollywood, accoutumé à proclamer

brutalement ses recettes et ses profits, entoura brusquement ses affaires d'argent d'un secret d'Etat. Mais il
n'était pas à sa portée d'escamoter les chiffres de l'impôt
sur les spectacles, donc de dissimuler que la collecte d'argent à la porte des cinémas avait baissé de 35 à 40 %.
Il était également difficile de cacher que les grandes
usines à images étaient progressivement saisies par le
chômage. La M.G.M. avait tourné simultanément jusqu'à
24 films dans sa Babylone de Culver City ; elle connut la
disgrâce d'en être réduite à un seul. D'autres studios
laissèrent s'écouler des semaines entre deux productions.
Le Hollywood de la gloire avait produit jusqu'à 800
films par an ; le Hollywood de la détresse tomba à moins
de 300.

Hollywood nia. Rageusement. Sa dénégation farouche
commença en 1949, quand Eric Johnston, président de
l'Association des Producteurs de Films, publia un grand
rapport aboutissant à l'affirmation péremptoire : *No
crisis*. C'était bien là le miracle des miracles. Hollywood,
si sensible au moindre refroidissement de température,
si prompt à se tordre les mains de désespoir, défendait
que l'on dise que les choses n'allaient pas pour le
mieux. Cette télévision qu'elle avait refusé de voir à
l'époque où il aurait été si facile de s'en emparer, elle
continua de refuser de la voir au moment où elle commençait à la dévorer. Dans les studios, le mot fut interdit comme un terme de mauvais lieu. La doctrine hollywoodienne officielle fut que la T.V. était un engouement qui passerait. Un léger redressement des recettes
qui se produisit en 1952 catapulta Hollywood au sommet
de l'optimisme : « Vous voyez. L'hérésie est déjà en
recul. »

La seule arme défensive du cinéma fut, au début, le
boycottage. Les stars, les techniciens, jusqu'aux figurants
furent avertis qu'ils se fermeraient à jamais les portes des
studios s'ils prêtaient, ne fût-ce qu'une fois, leur concours à la T.V. Celle-ci était désespérément en quête de
programmes et, dans les cinémathèques de Hollywood,
dormaient des milliers de vieux films qu'elle eût été
joyeuse d'utiliser. Mais les membres de la coalition des

Huit Grands : Metro-Goldwyn Mayer, Twentieth Century Fox, Columbia, Warner Brothers, Paramount, United Artists, Universal, R.K.O., s'interdirent d'en vendre ou d'en louer un seul. Le phénoménal succès d'un vieil acteur de westerns, William Boyd, dit Hopalong Cassidy, provient de l'extraordinaire prescience de son producteur qui, avant la guerre, avait fait réserver ses droits pour une télévision qui n'existait pas encore, ce qui permit aux chaînes affamées de servir du Cassidy pendant des années à un public inassouvi. Mais l'exception était unique, et Hollywood s'imagina qu'il étranglerait son jeune rival en le privant de son concours.

La T.V. naissante connut effectivement des heures difficiles. Son cauchemar est le renouvellement continu auquel elle est contrainte. Un succès de théâtre ou de music-hall sert pendant des années, usant les costumes, les acteurs, jusqu'aux planches de la scène. Le plus ordinaire des films peut espérer une carrière de plusieurs mois et une recette d'un million de dollars. Avec la T.V., ce qui est passé est passé. Elle ne peut rien répéter — sauf très exceptionnellement — puisque tout son public est admis à la fois. Cela entraîne une consommation gigantesque de talent et cela pose de difficiles problèmes d'argent. Les spectacles de la T.V. sont payés par les annonciers, ou *sponsors*, qui vont déjà très loin lorsqu'ils achètent une demi-heure de video 50 000 dollars. Le moindre film coûte dix fois plus cher. « Comment, raisonna Hollywood, la télévision pourrait-elle sortir de la médiocrité à laquelle ses ressources limitées la condamnent ? Elle a remporté un succès de surprise, comme un jouet nouveau. Patience ! le présent peut être rude, mais l'avenir reste à nous. »

Le raisonnement de Hollywood avait la logique de la plupart des thèses conservatrices... et leur fragilité. La télévision prouva qu'elle était viable en vivant. Elle démontra avant tout sa capacité à créer des curiosités collectives d'une intensité extraordinaire, comme on le vit au moment de la Commission d'Enquête Kefauver sur le crime, et, plus tard, pendant l'insurrection de Budapest. Elle trouva des formules de divertissement beaucoup plus fascinantes que les films stéréotypés de Hollywood, comme les quizz « quitte ou double » qui, d'une semaine à l'autre, tinrent l'Amérique en haleine devant un vieux professeur encyclopédique ou un enfant prodige — jusqu'au jour où l'on découvrit que le succès de la formule l'avait corrompue et que les exhibitions de cerveaux encyclopédiques étaient truquées. Elle imagina des spectacles, comme l'Ed Sullivan Show, regardés chaque semaine dans 25 millions de foyers et surpassant par leur dynamisme tous les précédents dans l'histoire de l'amusement. Elle fit ses propres films, adaptés à ses ressources, y compris un *Richard III* de Shakespeare, qui passa directement du studio au vidéo. L'ostracisme du cinéma était insoutenable, en présence de tant d'acteurs que Hollywood avait plus ou moins abandonnés et qui ne rêvaient que de courir une nouvelle chance avec un nouveau moyen d'expression. L'exemple typique est celui de Lucie Ball finissant par devenir propriétaire du studio qui, en lui refusant le renouvellement d'un contrat, l'avait poussée vers la télévision.

La capitulation de Hollywood commença en 1955. Cette année-là, Howard Hughes lâcha prise et vendit sa R.K.O. à la Mutual Broadcasting System, pour 25 millions de dollars. Il avait été l'enfant terrible et le beau ténébreux de Hollywood, inventant Joan Harlow, Kathrine Hepburn, Jane Russel, Lana Turner, tout en pompant le pétrole du Texas, en essayant des prototypes et en tâchant de faire de ses Transworld Airlines la rivale des Pan American Airways. On disait sa situation personnelle intacte, on évaluait sa fortune à 300 millions de dollars, et cependant il fut le premier des Hollywoodiens à amener son pavillon. La T.V. acquit une cinémathèque de 600 films, et, surtout, fit dans le mur qu'on avait dressé devant elle une brèche qui ne devait plus cesser de s'élargir.

Elle approche de son épanouissement. Elle connaît même le ralentissement technique qui frappe, pour des raisons d'amortissement, les industries devenues trop lourdes, ainsi qu'on le voit dans la lenteur trop sage avec laquelle elle développe ses spectacles en couleurs. L'année 1959 porta le nombre de ses stations d'émission à plus de 600 et le nombre de ses postes récepteurs à 52 millions. Cette fabuleuse croissance ne s'est pas trop faite au détriment de la radio qui, exploitée par les mêmes entreprises, demeure vigoureuse et prospère. Les 88 millions de vidéos (dont près de 10 millions de récepteurs couleur), n'empêchent pas la survivance de 262 millions de radios. La T.V. n'a jamais menacé la radio alors qu'elle a failli tuer le cinéma.

Un mythe au moins de celui-ci est mort ; celui de ses magnats ou « moguls ». Ils vivaient sur une réputation fantastiquement fausse d'habileté et même de génie. Or, ils n'étaient même pas de bons businessmen. Sous les apparences d'une trépidation perpétuelle, ils conduisaient sans effort une industrie paresseuse, gorgée de profits faciles et bouffie d'orgueil. Le colossal gaspillage des studios ; les doubles, triples et décuples emplois du personnel ; les années d'attente grassement payées des écrivains et des artistes convoqués par télégramme ; les changements, les coups de nerfs, le faste maladif, tous ces indices d'une entreprise mal gérée étaient décrits par des auteurs serviles ou stupides comme des conditions nécessaires à l'industrie cinématographique et comme les preuves de la vitalité de Hollywood. Derrière cette démence apparente, des cerveaux puissants pensaient et veillaient dans leurs cabinets directoriaux somptueux. Nul n'aurait songé à comparer ces Olympiens de Hollywood aux simples présidents des chaînes de radio qui mesuraient le temps au chronomètre et prétendaient trouver 100 cents dans un dollar. Cependant, quand la télévision se présenta, à mi-chemin entre la radio et le cinéma — donc kidnappable par l'une ou par l'autre — les génies de Hollywood ne répondirent même pas aux propositions de lui réserver quelques « chances ». La radio, au contraire, comprit tout de suite que l'invention nouvelle la tuerait et que le seul moyen de ne pas en mourir était de transmigrer dans la peau du meurtrier. Elle s'empara de la T.V., paya ses mois de nourrice, ses études et ses premiers déficits. Elle fit ainsi l'un des plus magnifiques placements de notre époque. Les actions des compagnies de radio-télévision ont triplé, pendant que

les actions des compagnies de cinéma ont baissé des
deux tiers.

Hollywood, cependant, n'est pas mort. A certains égards,
sa crise lui a donné une nouvelle vie. Il avait nié pendant des années la possibilité, et même l'intérêt, de transformer l'écran, de modifier les dimensions et les proportions du miroir à images qu'il présente au monde. La
désertion des salles l'a contraint à sortir de ses dossiers
les projets de modifications techniques que des inventeurs
y avaient déposés depuis longtemps. Le cinéma à trois
dimensions (« 3 D ») n'eut qu'un succès fugitif, mais le
grand écran conquit d'une manière plus durable la faveur
du public. Simultanément, à New York, un *special effects
man* de la M.G.M., Fred Walner, ressortit le cinérama qu'il
avait inventé avant la guerre mais que les augures californiens avaient jugé « une curiosité d'exposition universelle sans valeur ». Impressionnant, presque effrayant,
jusqu'ici peu maniable ou mal manié, le cinérama expéri-
mente depuis plusieurs années son gigantesque écran
parabolique et le son à trois dimensions devant les foules
d'Amérique et d'Europe. Il n'est pas encore possible de
dire s'il s'agit du cinéma de demain.

Les changements de structure sont encore plus grands
que les modifications techniques. On ne reverra jamais le
Hollywood de l'entre-deux guerres, qui chanta son chant
du cygne en 1946 — le Hollywood des films « B » en
série, des vedettes interchangeables et des producteurs
olympiens, plus encensés que les madones d'Andalousie.
Les grands studios, dont l'équilibre financier était basé
sur la production de masse, ont pratiquement disparu.
L'industrie du cinéma a cédé à la T.V. son rôle de divertissement quotidien et elle concentre ses forces dans la
recherche de succès retentissants et rémunérateurs. C'est
la raison pour laquelle on a vu apparaître les super-
films comme *Guerre et Paix, le Tour du Monde en 80
jours*, la nouvelle version de *Ben Hur*, etc. En état de
crise presque mortelle, Hollywood a investi dans ses
productions raréfiées des fortunes auxquelles personne
n'eût songé à l'époque de sa gloire, le record devant rester peut-être à l'accablant *les Dix Commandements* dans

lequel le vieux Cecil B. de Mille a dépensé 13 millions de dollars. C'est en augmentant ses mises que l'industrie hollywoodienne tente de se sauver.

Les conséquences pour les acteurs n'ont pas été moins surprenantes. Dans le vieil Hollywood du producteur-roi, l'acteur n'était qu'un salarié magnifique et la consommation forcée du film faisait qu'on pouvait prendre les plus grandes libertés avec les noms les plus considérables de l'écran. Le nouvel Hollywood dépend beaucoup plus étroitement du talent, c'est-à-dire d'un groupe relativement peu nombreux d'hommes et de femmes dont le rendement devant le public est assuré. Ils posent leurs conditions en conséquence. Ils exigent de plus en plus d'être des partenaires, en même temps que des protagonistes. Ils se mettent eux-mêmes en société et traitent de puissance à puissance avec les studios. Ils réclament d'écrasantes participations financières. On a vu Cary Grant tirer 700 000 dollars d'un film qui en rapportait 50 000 à son producteur et Marlon Brando obtenir 75 % des bénéfices d'un autre film. Il semblait que les énormes rémunérations des vedettes devaient disparaître dans le nouvel Hollywood. Elles reparaissent par la prise de conscience des acteurs et par la valeur du talent.

Hollywood lui-même est plus assuré que jamais de son avenir. Cette T.V. qui planait sur lui comme un rapace, lui a redonné une seconde jeunesse rappelant dans une certaine mesure les heures héroïques de ses débuts. Au moment où les grandes firmes paraissaient menacées de disparition, Sunset Boulevard voyait naître des dizaines de petits studios, s'installant dans des boutiques ou des garages désaffectés, produisant dans l'improvisation et la pauvreté les films, modestes mais innombrables, que la T.V. réclamait. Certaines de ces entreprises sont devenues importantes et prospères. En outre, les grandes chaînes de télévision, C.B.S., N.B.C., A.B.C., etc., ont installé à Hollywood leurs propres studios, souvent dans les ex-bastilles des Huit Grands qui les avaient condamnés à mort. La T.V. fait travailler aujourd'hui un immense personnel de comédiens et de techniciens. Elle utilise dix fois plus de pellicule que le cinéma. Mais il s'agit d'un autre

Hollywood dont les règles et les mœurs diffèrent profondément du vieil Hollywood luttant pour survivre, après avoir émerveillé deux générations.

**

Outre une ville, Los Angeles est une polémique. Il n'existe pas au monde une agglomération urbaine plus discutée, plus critiquée et, en général, plus condamnée. Il est hors de doute qu'elle est déconcertante. Cette plus neuve de toutes les grandes cités, née à l'époque où l'urbanisme était déjà le commencement d'une science, s'est développée au hasard. Les villages plantés par la Santa Fe Railroad et la South Pacific Company se sont cherchés, trouvés et raccordés comme ils ont pu. Ils laissent encore entre eux d'immenses terrains vagues, des champs de pétrole abandonnés, des collines souvent ébréchées par les excavateurs, des épaves de spéculations immobilières qui n'ont pas réussi. Personne n'a même essayé d'imposer à cet ensemble mal cousu le lien d'une architecture commune. Los Angeles est, dit-on, une collection de faubourgs qui attendent un centre, ou encore un cirque sans chapiteau. Le charme, quand il existe, est local. Il y a des oasis dans l'oasis, des nœuds de verdure, des avenues de palmiers, même des constructions ravissantes. Mais la laideur, l'uniformité et le mauvais goût sont la toile de fond.

Los Angeles n'a même pas tiré parti de l'immense espace qu'elle a recouvert. Ce qu'on appelle le *down town* a l'étroitesse des vieilles villes sans en avoir l'excuse. Le réseau des rues, des avenues et des boulevards est si mal tracé qu'aucun touriste ne peut se vanter d'avoir traversé Los Angeles sans se perdre. La circulation est terrifiante et anarchique. La longévité des habitants est conditionnée par leur obéissance aux signaux lumineux. Plus du tiers des 4 830 morts annuels du trafic californien tombent sur l'asphalte de Los Angeles. Circuler dans son auto est téméraire, mais ne pas circuler dans son auto est impossible, puisqu'il n'existe à peu près aucun système de transports en commun.

Comme l'automobiliste est un animal sauvage, le piéton est un animal apeuré. Il est au reste presque inconcevable. L'homme qui habite à 10 kilomètres est un voisin. Le bon marcheur qui prétendrait faire à pied la rue Figueroa mettrait neuf heures, sans compter le temps consommé par les attentes aux carrefours. Pour accélérer et rationaliser la circulation, le Metropolitain Parkway Committee a construit 700 kilomètres d'autoroutes, indispensables dans une ville où l'on compte une automobile pour deux habitants. Un journaliste californien prétend que la description de Los Angeles se trouve dans le livre de Salomon : « Et Salomon descendit dans le jardin des fous... » Le mot « démesuré », lieu commun absurde de tant d'Européens parlant de l'Amérique ne sera jamais employé dans ces pages, sauf ici. Los Angeles *est* démesurée.

Et pourtant, c'est Los Angeles qui a raison.

Nos notions des villes sont d'effroyables archaïsmes. Les villes furent d'abord toutes petites et ratatinées sur elles-mêmes, comme de vieilles pommes ou de vieilles femmes, pour des nécessités de défense. Lorsqu'elles sortirent de l'anneau de leurs remparts, elles se tracèrent en prenant pour unité de distance le pas des chevaux. L'Amérique, qui n'est plus si jeune qu'on persiste à le dire, a fait à cet égard comme l'Europe. Elle s'est même trompée plus gravement que l'Europe puisqu'elle s'est saturée plus vite de véhicules à moteurs. Presque toutes les villes américaines, en tout cas celles de l'Est sans aucune exception, sont des défis au temps actuel et au niveau de civilisation technique de leur pays. La ville, non pas de demain, mais d'aujourd'hui, doit être gigantesque pour être raisonnable. La distance en soi a peu d'importance, puisque l'auto, si elle est libre, et l'hélicoptère la franchissent aisément. Et il faut des superficies immenses pour loger un réseau de communication sans avarice, les espaces requis pour parquer commodément les autos, les masses de verdure et les pièces d'eau qui sont l'un des besoins et l'une des dignités de l'homme moderne, les écoles-jardins, les usines libérées de leur laideur, les services publics corrigés de leur encombrement, les aérodromes qu'il est évidemment fantaisiste de ne pas incorporer aux cités qu'ils desservent. Aucune ville au monde ne remplit ces conditions théoriques, sauf une : Los Angeles. Elle est, à coup sûr, l'ébauche des cités de demain, avec ses constructions qui ne couvrent que le tiers du sol, tandis que les parkings en accaparent 38 %, les routes se contentant du reste...

Son grand tort est d'être une mauvaise ébauche. Son vrai problème municipal est de se retracer et presque de se rebâtir. Il est parfaitement possible qu'elle n'y arrive pas et qu'elle connaisse la disgrâce de rester un chaos après s'être taillé tout l'espace nécessaire pour faire une harmonie. Mais elle garde sa chance, alors que le cas des villes étroites, serrées sur des îles, torturées par des accidents géographiques — des villes asphyxiées, des villes périmées, comme New York — est sans appel.

Peut-être Los Angeles sera-t-elle concurrencée un jour par une voisine qui marche sur ses traces, mais qui a pris dans l'urbanisme un départ bien meilleur : San Diego. C'est, à la frontière même du Mexique, le premier site californien qui fut habité en permanence par l'homme blanc. Mais il lui fallut près de deux siècles pour passer de zéro à 10 000 habitants, alors que cinquante ans lui ont suffi pour s'élever de 10 000 à 573 000, et devenir, malgré la résistance obstinée d'une partie de la population qui s'opposait à son développement par crainte de l'industrialisation, le cœur d'une agglomération de plus de un million d'êtres humains. Finalement, l'industrie aéronautique, la moins salissante de toutes, a obtenu droit de cité. Ses longues usines sans fumées se sont associées à la végétation semi-tropicale de San Diego dans l'une des meilleures harmonisations qui aient été réussies aux Etats-Unis.

Ces croissances californiennes sont si rapides que leurs conséquences profondes sont encore imprévisibles. De 1940 à 1950, la Californie a augmenté sa population de 53,3 %. De 1850 à 1966, en un peu plus d'un siècle, elle a vu le nombre de ses habitants passer de 92 597 à 18 918 000. Cependant, la marche vers l'Ouest, trait fondamental de toute l'histoire américaine, ne se ralentit

pas. La décade 1940-1950 a produit exactement trois
fois plus de nouveaux Californiens que la décade 1930-
1940, 3 600 000 contre 1 200 000, et la décade 1950-1960
en a encore apporté plus de 4 millions. Les Etats voisins,
l'Arizona, le Nevada, l'Oregon, se sont accrus dans des
proportions correspondantes. De plus en plus l'Amérique penche vers l'Ouest. A la longue, ses structures
et ses réactions profondes ne peuvent manquer d'être
influencées par les effluves du Pacifique vers lequel son
centre de gravité se déplace d'un mouvement continu.

**

En politique, l'importance de la Californie ne cesse de
grandir. En 1952, sa représentation à la Chambre basse
du Congrès s'est accrue de sept sièges — qu'elle enleva,
selon la règle américaine, à d'autres Etats — et actuellement avec 38 représentants, elle talonne celle de New
York, la grande rivale. Dès 1916, l'Etat Doré avait rendu
dans la vie nationale un arbitrage décisif en assurant par
un vote imprévu l'élection du démocrate Wilson contre
le républicain Hughes — lequel s'endormit Président des
Etats-Unis, après avoir laissé sur sa table de nuit le télégramme de Wilson reconnaissant sa défaite... et se réveilla
vaincu. Depuis ce coup d'éclat, les Californiens n'ont
jamais cessé de penser qu'il leur revenait de donner un
chef suprême à la nation. Ils entrevirent leur première
chance d'y parvenir, à partir de 1948, avec leur gouverneur Earl Warren, fils d'un mécanicien de chemin de fer
assassiné dans des circonstances mystérieuses — mais le
sage Warren échangea de faibles espoirs présidentiels
pour le poste de Chief Justice à la Cour Suprême, qu'il
reçut des mains d'Eisenhower, après s'être retiré devant
celui-ci à la Convention républicaine de 1952, à Chicago.
La déception californienne avait été atténuée par le
choix d'un sénateur de trente-neuf ans, Richard Milhous
Nixon, comme candidat à la vice-présidence aux côtés
d'Eisenhower. Nixon était entré dans la vie publique en
1945, en répondant à une petite annonce qui demandait

un jeune candidat républicain pour battre un vieux représentant du New Deal dans la circonscription de Whittier, banlieue de Los Angeles. Elu, il s'était distingué à la Commission des Activités antiaméricaines et avait envoyé devant les tribunaux l'un des rédacteurs de la charte des Nations Unies, Alger Hiss, en faveur duquel l'intelligentsia américaine se mobilisa presque tout entière ; puis il avait battu au Sénat la jolie démagoguesse Helen Gallaghan Douglas, dont les appuis dans les milieux intellectuels et ploutocratiques n'étaient pas moins étendus. Il fut désigné pour la vice-présidence, à la fin d'une convention agitée, comme représentant de la tendance de droite, qui, battue en la personne de Robert A. Taft, recevait l'apaisement accoutumé sous la forme de la seconde place sur le « ticket » présidentiel. Mais beaucoup de républicains déplorèrent ce choix, Nixon n'étant guère considéré alors que comme un McCarthy mieux policé.

Les orages de toute nature qui marquèrent la double vice-présidence du Californien n'entrent pas dans le cadre de cet ouvrage. Il s'en fallut de peu que Nixon ne remplaçât Eisenhower, en 1955, quand le Président, ayant frôlé la mort au cours de sa crise cardiaque, envisagea de résigner ses fonctions. Il s'en fallut également de peu que, l'année suivante, il ne fût évincé en raison de la violente animosité personnelle qu'il inspirait à Sherman Adams, alors l'éminence grise d'Eisenhower. Simultanément, deux compétiteurs californiens se dressaient entre lui et la Maison-Blanche. Le moindre était le gouverneur Goodwin J. Knight. Le plus redoutable était le sénateur William F. Knowland. Issu d'une vieille famille californienne, propriétaire d'un journal d'Oakland, leader républicain du Sénat, revêtu d'une immense autorité et entouré d'un respect unanime, Knowland paraissait poursuivre contre Nixon la lutte de San Francisco contre Los Angeles. Mais il manœuvra mal, crut qu'il se mettrait en meilleure position en troquant son siège de sénateur pour le poste de gouverneur, réussit bien à en déloger Knight, mais ne parvint pas à se faire élire à sa place. De sorte que les deux compétiteurs californiens de Nixon s'éliminèrent l'un l'autre. La chance qui l'avait accompagné tout au long de sa carrière continuait d'être fidèle au vice-président.

Mais la chance de Nixon n'est pas une fée facile. Tout ce qui lui a réussi a été le fruit de l'effort. Lorsqu'il y naquit, en 1913, la bourgade de Yerba Linda, près de Los Angeles, n'était qu'une réunion de quelques maisons de bois le long d'une route défoncée. Celle des Nixon, endeuillée par un revêtement noir, était l'une des plus médiocres et les vies qu'elle abritait participaient à sa tristesse. Le père, Frank, avait été conducteur de tramway, puis il avait tenté d'acquérir l'indépendance économique en achetant à crédit une petite plantation de citrons, mais les échéances étaient difficiles et un dollar une somme avec laquelle on devait compter. Au bout de quelques années, las des agrumes, Frank Nixon se rapprocha de Los Angeles, acheta dans la petite ville de Whittier une épicerie à laquelle il adjoignit un poste d'essence. La mère Hannah, toujours vivante, cuisait des pies, se levant à 4 heures du matin et travaillant jusqu'à seize heures par jour. Elle venait de l'Indiana, son mari de l'Ohio, et tous les deux étaient des quakers, secte grave, portée au repliement individuel et collectif, croyant au contact direct de l'homme et de son Créateur, méprisant tous les clergés et faisant profession de pacifisme. Aucune fantaisie et pour ainsi dire aucun sourire ne paraissent avoir adouci la vertu d'un foyer dans lequel Richard grandit comme un enfant presque morose, sérieux à six ans, mais sans donner aucun des signes de précocité qui marquent comme des jaillissements d'étincelles la jeunesse des hommes exceptionnels. Il fit des études ternes, à la limite tolérable de la pauvreté, et ses nombreux biographes d'aujourd'hui sont incapables de trouver dans cette période d'apprentissage de la vie autre chose qu'une application sans éclat.

Privations, travail, *background* de concentration et d'austérité... Le Nixon d'aujourd'hui garde les marques de cette formation presque farouche. Il laisse voir les contraintes qu'il doit s'imposer dans une carrière tournée par excellence vers l'extérieur. « Je sais, reconnaît-il, que mon visage ne plaît pas à beaucoup de gens et qu'il ne m'est pas donné d'être facilement aimé. » Et encore cette curieuse confession : « Enfant et jeune homme, j'ai essayé de vendre différentes choses pour me faire un peu d'argent ; je n'y suis jamais parvenu. J'ai assez vaincu ma timidité pour parler sans gêne devant des foules ou devant les millions de spectateurs invisibles de la télévision, mais, d'homme à homme, je reste le plus mauvais *salesman*, le plus mauvais vendeur qu'on puisse imaginer. » C'est en faisant violence à sa nature profonde que Nixon est resté dans la politique, remplaçant la spontanéité par une technique professionnelle hors de pair, mais subissant les inconvénients et les limitations de son tempérament. Il peut forcer la confiance ; il lui est extrêmement difficile d'atteindre la popularité.

Ce sans-le-sou et ce sans-joie fut vaincu, dans l'élection présidentielle de 1960, par un garçon qui eût gagné sa vie comme charmeur professionnel s'il n'avait pas été le rejeton d'une des familles les plus riches d'Amérique. Auparavant, Nixon s'était mesuré dans le parti républicain avec un Rockefeller aussi doué d'appel personnel que comblé d'argent. Le premier politicien qu'il avait battu, en 1946, dans la modeste élection législative de Whittier, était déjà un millionnaire. C'est apparemment le destin de Richard Nixon de toujours rencontrer des murs d'argent... et d'être dénoncé comme conservateur.

Battu en 1962 par le démocrate Edmund Brown pour le poste de gouverneur de Californie, Nixon avait juré que c'était sa dernière candidature. Or il fut à nouveau candidat en 1964 aux élections présidentielles, mais son propre parti lui préféra Barry Goldwater. En 1968, en raison des hésitations de Nelson Rockefeller, Nixon apparaissait encore comme le leader des républicains. Mais il voyait se dresser devant lui l'ombre du frère de son souriant vainqueur de 1960, le sénateur de New York, Robert Kennedy... Toutefois, les divisions des démocrates, hésitant, en dépit de l'envoûtante ressemblance, entre le frère du président tragiquement disparu en 1963, cet autre Irlandais catholique, Eugène

McCarthy, sénateur du Minnesota, et le vice-président Hubert Humphrey, pouvaient jouer en faveur de Nixon. L'Amérique, inquiète et meurtrie, aux prises avec le problème noir, l'équilibre de ses finances et la guerre au Viet-Nam, subissait la tentation républicaine. Dans l'ensemble, en effet, le parti républicain exprime mieux que le parti démocrate la tendance au repliement sur soi, à l'isolationnisme nécessaire aux règlements des problèmes intérieurs.

Depuis l'aventure Goldwater, le parti républicain a regagné une partie de son électorat, des voix noires en particulier — le premier sénateur noir, Edward B. Brooke, collègue dans le Massachusetts d'Edward Kennedy, est républicain —, arrachant même le gouvernement d'Etats traditionnellement démocrates, ainsi l'ancien acteur de télévision Ronald Reagan, gouverneur de Californie depuis 1966. Dans la fièvre des pronostics *U.S. News and World Report* donnait 24 Etats aux Républicains, 13 aux Démocrates et 3 aux dissidents sudistes de George Wallace, lorsque le gouverneur de New York est venu se mettre sur les rangs.

La course est ouverte et la convention de Miami Beach décidera qui représentera le vieux parti de l'éléphant dans la course à la présidence. De toute façon, c'est l'ultime chance de Richard Nixon de devenir à son tour locataire de la Maison Blanche...

III

WASHINGTON — OREGON

Pour les géologues, ce n'est pas un jeune fleuve. Il naît d'une très vieille région lacustre du Canada et il se déroule à travers des montagnes qui sont les aînées des Alpes et des Pyrénées. Mais, pour l'humanité, la Columbia River est le plus récent des grands cours d'eau du monde. Son nom même n'a pas eu le temps de parler aux imaginations européennes et elle est presque une inconnue à côté du Nil, du Congo, du Yang-tsé, de l'Hudson ou du Mississipi.

Pourtant, la Columbia River a fabriqué, dès 1944, le plutonium, ingrédient de la bombe atomique. Elle est, par son débit et sa puissance, le deuxième fleuve des Etats-Unis. Par sa beauté scénique, elle est peut-être le premier. Elle est coupée d'une chute faite de main d'homme plus abondante et deux fois plus haute que le Niagara. Cette merveille artificielle, Grand Coulee Dam, n'est qu'un maillon dans une chaîne de barrages produisant autant d'électricité que toutes les turbines de France réunies : Bonneville, McNary, The Dalles, Chief Joseph Rocky Beach, Priest Rapids. Les travaux d'irrigation et de bonification des sols associés à ces chefs-d'œuvre hydrauliques ont permis de faire d'un désert une grande région agricole susceptible de faire vivre

150 000 personnes. L'abondance et le bon marché de l'énergie ont entraîné une floraison industrielle comparable, et dans certains cas supérieure, à celle de la Californie. Inconnue il y a deux cents ans, inexplorée il y a cent ans, rudimentaire il y a cinquante ans, la région dont la Columbia est le trait principal prend dans la vie américaine une place grandissante d'année en année.

Tout, dans ce Nord-Ouest, ne peut être que jeune. Les ancêtres fabuleux ne remontent pas au-delà de John Jacob Astor, dont l'homonyme et troisième descendant périt en 1912 dans le naufrage du *Titanic*. Le premier John Jacob, magnat de la fourrure avant de devenir l'un des barons du sol new yorkais, fonda le trading-post d'Astoria en 1811. Ceux qui vinrent ensuite furent des missionnaires, tous protestants. Mais la mission la plus importante, celle des pasteurs Eells et Walker, se replia en 1940 sans avoir réussi à convertir un seul Indien, et une autre mission, celle du docteur Marcus Whitman, fut massacrée en 1847 par les Cayutes. Dans la région de Spokane, il existe encore des vieillards dont les pères ont vu les premiers visages pâles et les ont scalpés.

Cette épaule occidentale des Etats-Unis aurait fort bien pu devenir britannique. Installée dans l'île de Vancouver, rivale ardente des Astors, la Compagnie de la baie d'Hudson exerçait dans le bassin de la Columbia une activité plus grande que celle des Américains. Pendant trente ans, de 1816 à 1846, en attendant un règlement qui reculait sans cesse, un condominum anglo-américain approximatif s'établit jusqu'à la frontière californienne où commençait la souveraineté somnolente du Mexique. Quand James Buchanan, secrétaire d'Etat du président James Knox Polk, eut fixé par voie de compromis les nouvelles limites des Etats-Unis, il y eut dans l'Est de l'Amérique une explosion de critiques et d'ironie. Cet agrandissement si lointain parut insensé. Daniel Webster, homme politique illustre, posa la question : « A quoi vous serviront 3 000 milles de côte inhospitalière sur le Pacifique ? Pour moi, je n'en donnerais pas un cent. » Un autre sénateur fit une démonstration par l'absurde : « Supposez, dit-il, que vous organisiez ces territoires. Un jour, conformément à notre Constitution, ils deviendront des Etats et ils enverront parmi nous des représentants. Vous avez probablement songé que ceux-ci ne pourront guère faire le voyage en moins d'un an ? »

Deux Etats sont nés effectivement du compromis de 1846, l'Oregon et le Washington. Ils comptent aujourd'hui plus de 4 millions d'habitants et produisent un revenu annuel de 8 milliards de dollars. En prenant à Seattle ou à Portland l'avion T.W.A. de 14 h 30, leurs sénateurs et leurs députés arrivent dans la capitale fédérale largement à temps pour dîner.

La Columbia River, route d'eau impériale, appartient aux deux Etats en question. Mais inégalement. Elle borde l'Oregon. Elle traverse le Washington. Si l'on entrait dans les subtilités géographiques, il ne serait pas très facile de démontrer qu'elle constitue le lien d'unité d'une région grande comme les trois quarts de la France et extrêmement variée. Il faudrait parler de l'Olympic Peninsula, monde à part. Il faudrait beaucoup insister sur la grande Chaîne des Cascades qui, du Sud au Nord et de sommet de 4 000 mètres en sommet de 4 000 mètres, dessine une grande épine dorsale et trace une frontière de climats. Il faudrait faire une distinction pour le sud de l'Oregon, qui se confond avec la Californie, et pour quelques bassins intérieurs qui penchent vers les déserts centraux. Mais la réalité humaine est plus simple. La Columbia est la grande unificatrice, la grande fertilisatrice et le grand moteur, en même temps qu'une des beautés naturelles sensationnelles, du Nord-Ouest.

⁎⁎

C'est aussi et d'abord le siège d'un des grands mystères de la nature : la reproduction du saumon.

Une partie des saumons du Pacifique naissent dans la Columbia River et ils y meurent. Entre-temps, ils vivent quatre ans de pleine mer. Quand le moment approche d'accomplir leur dernière fonction en perpétuant l'espèce, ils reviennent aux eaux douces du fleuve et, cherchant sans doute une teneur plus forte d'oxygène dissous, remontent le plus haut possible vers les têtes des vallées. Même avec la rivière sauvage, c'est du grand sport. A Cecilo, pendant sa traversée de la Chaîne des Cascades, la Columbia gronde et mugit dans des rapides. Les énormes « chinooks », bondissant contre les eaux verticales, souvent rejetés par elles, parfois déchiquetés sur les rochers, revenant à la charge avec une persévérance qui ne peut être brisée que par la mort, offrent le spectacle d'un drame pathétique incompréhensible et presque effrayant.

Mais le cruel homme blanc s'est installé sur le berceau des saumons, et toutes les cruautés de la nature sont surpassées.

Dans l'estuaire de la Columbia, des bateaux traînant des seines de 2 000 pieds de long déciment les bancs en marche vers le rendez-vous de la ponte. Le roi de ce massacre est un Yougoslave de 225 livres, Nick Bez, qui arrivé dans le Nord-Ouest avec 1 dollar 50, met en boîte chaque année pour un million de dollars de chair rose, fréquente Truman et verse au parti démocrate ses plus fortes souscriptions. La race du saumon lui paie un tribut pour entrer dans une rivière qu'elle fréquentait peut-être des millions d'années avant l'apparition de l'homme dans la création.

Ce n'est rien encore. Le saumon est pur et l'homme souille les eaux. Le défilé devant la grande ville de Portland est une épreuve qui entraîne de nombreuses victimes. Trente milles plus loin, le grand barrage de Bonneville coupe net la Columbia River. Si les saumons n'arrivaient pas à le franchir, il est probable que l'espèce s'éteindrait, car les champs de ponte se trouvent tous en amont. Pour éviter cette catastrophe naturelle et économique, on a construit des « échelles à saumons » qui ont coûté 9 millions de dollars, soit le dixième du prix de l'ouvrage. Elles permettent de compter au passage le nombre des bêtes — environ 400 000 par an — qui accomplissent leur dernière migration.

D'autres barrages, sur des affluents de la Columbia, ont aussi leurs échelles à saumons. Mais on a trouvé la limite de cet expédient quand on a construit le colosse des colosses, la pyramide de Khéops de la technique moderne, le Grand Coulee Dam.

Le barrage pèse deux fois plus que toute la population des Etats-Unis et l'on ensevelirait facilement dans ses 7 millions de mètres cubes de béton 4 paquebots de la taille de *Queen Mary*. Le déversoir — en fait la partie du fleuve à laquelle l'homme permet de suivre son cours accoutumé — est plus abondant que le Niagara. Cette masse d'eau tombe de 550 pieds, soit la hauteur d'un building de 40 étages. Malgré sa musculature et sa frénésie reproductrice, il est hors de question qu'un saumon puisse remonter cette cataracte verte et blanche. S'il y parvenait, ses alevins seraient broyés l'année suivante dans la descente. Aucune échelle à poissons ne peut compenser, à moins de travaux fabuleux, cette dénivellation. La migration des saumons s'arrête sans recours au Grand Coulee.

A ce moment, cependant, l'espèce est sauvée. Il existe des champs de ponte en aval, sur les hauts-fonds de la Columbia et dans les vallées de certains affluents. Ce qui risquait d'être perdu, c'était la fraction importante du troupeau qui avait l'habitude héréditaire de remonter au-delà du site du barrage, vers les eaux vives et glacées voisines de la frontière canadienne. Car, s'il est un voyageur, le saumon n'est pas un vagabond : il ne peut donner la vie qu'à l'endroit exact où il l'a trouvée et il revient pondre sur le banc de sable où lui-même a été pondu.

Pour sauver cette branche menacée du peuple saumon, les services de protection de la Vie Sauvage ont fait un effort prodigieux. Pendant qu'on construisait le Grand Coulee Dam, ils capturaient tous les saumons en route vers la haute vallée. Dans d'immenses établissements de pisciculture, ils débarrassaient artificiellement les femelles de leurs œufs et les mâles du liquide dont ils arrosent ces œufs pour les féconder. Puis, dans quatre petits affluents d'aval, ils refirent eux-mêmes le mécanisme de la reproduction. Les alevins naquirent, se dirigèrent vers le Pacifique. La question était de savoir ce qu'ils feraient, adultes, à leur retour. Iraient-ils se jeter sur le barrage pour mourir d'épuisement devant sa masse impitoyable ou se faire broyer en essayant d'escalader quand même sa cataracte géante ? Voudraient-ils retourner à toute force à la maison familiale, au berceau de leurs pères ? Ou bien se contenteraient-ils de revenir à leur propre berceau ?

On attendit pendant trois ans. La quatrième année, on observa avec anxiété le flot annuel des saumons remontant le cours de la Columbia. Certains, les gens de la plaine, s'arrêtèrent comme ils avaient coutume de le faire vers Pasco ou Yakima. Les autres continuèrent leur course vers le barrage. Mais, quand ils arrivèrent à la hauteur de la Wenatchee, de l'Entiat ou de la Methow, ils tournèrent docilement dans leurs petites vallées natales. Très peu — probablement les fils de ceux qui avaient échappé quatre ans plus tôt aux pisciculteurs — allèrent tenter d'ébranler les 23 millions de tonnes du Grand Coulee Dam. La branche montagnarde des saumons était transplantée et sauvée. Du même coup, une démonstration passionnante était faite : le saumon n'obéit pas à un long instinct accumulé mais simplement à une mémoire individuelle. Il revient à l'endroit de sa naissance comme s'il reconnaissait les carrefours qu'il a traversés pour le quitter.

Le succès de cette splendide expérience a fait entrevoir la possibilité de concilier l'industrialisation de la Columbia et le salut des saumons. Les services de protection de la Vie Sauvage songent à resserrer et à concentrer les champs de ponte dans les vallées épargnées par l'hydro-électricité. Mais ces vallées sont de moins en moins nombreuses et, quand elles se rapprochent trop de l'estuaire la composition et la lourdeur de l'eau cessent de convenir à la reproduction. En fait, il est à craindre que les protecteurs du saumon ne livrent une bataille perdue. Les deux tiers des sites que celui-ci fréquentait avant 1883 sont obstrués ou pollués. Vingt barrages nouveaux, entrant dans le cadre de la grande entreprise d'Etat désignée sous le nom de Columbia Valley Authority (C.V.A.), sont construits ou en construction, et des cortèges d'usines les suivront. La pêche, qui s'élevait à 42 700 000 livres en 1883, est tombée à 15 millions de livres en 1960. Un véritable drame se prépare en effet. Les chalutiers soviétiques ont entrepris la pêche au chalut, donc en pleine mer — ce qui est une innovation sensationnelle et lourde de conséquences. L'épuisement rapide des bancs de saumons risque même de menacer cette espèce, pour laquelle on avait tant fait, de disparition. Le grand crabe de l'Alaska est, lui aussi, et pour les mêmes raisons, menacé de disparition. Avec la raréfaction du saumon, l'importante industrie qui vivait de sa mort, la première de la Columbia avec les scieries, est condamnée à mourir. Mais le cas est sans appel. Une noble espèce animale et la petite quantité de nourriture qu'elle fournit ne sont rien à côté de l'énergie colossale que la Columbia River donne à l'homme et peut lui donner.

Le sens et la mesure de la civilisation technique américaine ne peuvent être trouvés que dans cette notion d'énergie. Quand un ouvrier d'Europe conduit 2 chevaux-vapeur, un ouvrier américain en conduit 10. L'effort humain n'est précieux et sa rémunération n'est magnifique qu'en raison de l'énorme abondance de forces esclaves que l'Amérique a enchaînées. Quand il s'agit de rivières, à côté du faible et vague « équiper » du français, la langue américaine a une expression pittoresque et concrète : *to harness*. On met les rivières dans des harnais. La Columbia et ses tributaires recevront un harnachement complet.

Les spécialistes ont fait leurs calculs. Toutes ces rivières du Nord-Ouest, nourries par les vents humides du Pacifique et soutenues en été par la fonte des grandes neiges, représentent à elles seules plus du quart du capital américain d'énergie hydraulique : 46 milliards de kilowatts-heure contre 200 milliards présentement récoltés chaque année. Pour le Nord-Ouest, qui n'a ni charbon ni pétrole, c'est décisif. La clé de l'industrialisation est là. L'équipement n'est que partiel encore, mais si on lance des cargos à Portland, si l'on construit des avions géants à Seattle, si l'on produit de l'aluminium par millions de kilos entre Longview et Bonneville, c'est uniquement à la Columbia River qu'on le doit. Comme c'est à la Columbia River qu'on a dû Hanford.

Pendant la guerre, cette singulière usine fut l'objet des critiques les plus embarrassantes. Les gens voyaient bien qu'on engloutissait là des millions de dollars et ils voyaient aussi qu'il n'en sortait jamais rien. L'emplacement choisi était, à lui seul, ahurissant. La Columbia traverse à cet endroit un bassin désertique limité par de vilaines petites montagnes dont l'une s'appelle méchamment la Colline du Serpent à sonnettes — Rattlesnake Hill. L'usine elle-même était déconcertante : une sorte de château féodal fait de tours cubiques et attirant vers sa carcasse médiévale d'énormes lignes de transport de force. Tout cela paraissait un immense gaspillage, mais l'administration ne pouvait tout de même pas expliquer au public courroucé qu'on fabriquait à Hanford du plutonium 239 dans des appareils de graphite pur. Elle fut heureuse d'accréditer l'idée d'un super-gaz asphyxiant, stocké dans l'usine même et mis en réserve pour le cas où Herr Hitler se servirait le premier de cette horreur.

Aujourd'hui, la fabrique de plutonium de Hanford est intégrée dans l'énorme industrie nucléaire dont je donnerai plus loin un tableau d'ensemble. Vingt ans ont suffi pour que les tours de force qu'elle a exigés soient passés parmi les techniques banales. A l'époque où elle fut construite, les ingénieurs de Du Pont de Nemours déclarèrent à plusieurs reprises qu'on leur demandait des choses impossibles et qu'on les prenait pour des magiciens, alors qu'ils n'étaient que des techniciens. La purification du graphite posait des problèmes inextricables. L'énergie hydro-électrique venait du Grand Coulee, 200 kilomètres en amont, sous une tension de 450 000 volts, et l'eau qui l'avait produite devait servir une deuxième fois pour absorber l'énorme quantité de chaleur résultant du traitement de l'uranium métal. Elle passait sous pression dans des tubes capillaires, en quantité telle que le fonctionnement des piles élevait de plusieurs degrés la température de la Columbia. Cependant le procédé de Hanford était la simplicité même à côté du procédé d'Oak Ridge où l'on isolait l'uranium 235 par la diffusion gazeuse. Quand les Russes voulurent construire la bombe, ils allèrent à la rapidité et à la simplicité en utilisant les renseignements de l'espion Klaus Fuchs et plus encore les publications imprudentes de la Commission de l'Energie atomique américaine : ils firent une bombe au plutonium.

La surprise des Américains fut néanmoins immense. Leur propre réussite atomique leur paraissait le fruit d'une perfection industrielle associant la minutie et le gigantisme et ils n'étaient pas décidés à accorder aux Soviets des possibilités approchant les leurs, même de très loin. J'ai entendu le général Marshall déclarer que les Russes ne construiraient peut-être *jamais* une bombe atomique, non qu'ils manquassent de bons savants, mais parce qu'ils ne possédaient pas les bases industrielles nécessaires. Le général énumérait le nombre de brevets que Los Alamos, Oak Ridge, Hanford avaient utilisés ou fait naître et le nombre de sous-traitants ayant collaboré au puzzle représenté par chacun de ces établissements. « La seule chance des Russes, reconnaissait-il prudemment, est de trouver un *short cut* leur épargnant les complexités par lesquelles nous seuls sommes capables de passer. » Mais cette chance paraissait faible. La bombe atomique était la fleur unique et dramatique d'un arbre économique dont le perfectionnement et la vigueur ne pouvaient être approchés par personne aussi loin que la vue pouvait s'étendre dans l'avenir... Les faits ont montré la vanité de ce calcul orgueilleux.

C'est par une ironie du sort que Grand Coulee s'est vu contraint de fabriquer du plutonium, puis du tritium

nécessaire à la bombe à l'hydrogène. La mission principale du barrage n'est pas guerrière, ni même industrielle, mais bucolique. Dans l'idée des constructeurs,
l'énergie hydro-électrique, si considérable qu'elle fût
(1 million de kilowatts), était secondaire à côté de l'irrigation. Les 10 millions de mètres cubes du lac de 200
kilomètres de long qu'ils ont surimposé à la nature doivent avant tout faire verdir un désert.

Rien n'est plus inégal que la répartition de la pluie
dans le Nord-Ouest. A Spokane, dans les meilleurs mois,
il tombe 5 centimètres d'eau. A Seattle et à Portland,
dans les mois les plus secs, il en tombe le double. La
chaîne côtière, le versant des Cascades qui regarde
l'Océan, vivent sous des déluges et l'Olympic Peninsula,
qui reçoit jusqu'à 5 mètres d'eau par an, bat le record
américain de la pluviosité. Mais les Cascades, avec
leur grand clocher pyramidal de 4 500 mètres du mont
Rainier, coupent la pluie comme un trait de scie. L'Est
est aride. Et peu de régions sont aussi arides que la
cuvette qu'on appelle, au sens étroit du terme, le « Columbia basin ». C'était bien un bassin, mais un bassin sans
eau. La Columbia elle-même qui le traversait jadis, s'en
était détournée à la suite d'un accident géologique pour
faire un grand crochet vers le Nord.

Le plan, grandiose, a consisté à ramener de force dans
ce secteur déshérité la partie de la rivière qui l'avait
délaissé. Le Grand Coulee Dam, intervention brutale de
la main humaine, est là pour ça. Dans des canaux géants,
l'eau contrainte prend la direction du Sud pour accomplir sous le contrôle de l'homme un trajet de 200 kilomètres avant de retrouver le lit qu'elle a quitté. Chemin faisant, elle travaille. Elle s'épand sur un territoire
grand comme la moitié de la Belgique où il n'y avait, il
y a dix ans, que quelques fermes sèches et des terrains
de parcours pour les troupeaux. Le réseau d'irrigation
permet de créer 17 000 fermes nouvelles, avec une population de 80 000 fermiers et une population complémen-
taire qui atteindra probablement 100 000 personnes. Les
services du ministère de l'Intérieur estiment que la
richesse américaine s'est accrue de 307 000 vaches lai-

tières, de 40 000 bœufs, de 190 000 moutons lainiers et de 350 000 moutons à viande, de 180 000 porcs, de 200 000 dindes et de 2 millions de poulets.

S'il est une région où la nature est réellement modifiée par l'homme, c'est bien l'Ouest des Etats-Unis. Il y a, c'est vrai, des parties négatives dans cette transformation. Le saumon disparaîtra peut-être de la Columbia. Les magnifiques forêts de l'Oregon et du Washington ont certainement été endommagées par une exploitation inconsidérée, qui n'est d'ailleurs plus possible aujourd'hui. La balance est néanmoins, et hautement, positive. Peu de régions, dans le monde entier, se sont peuplées, transformées et enrichies aussi vite que le Nord-Ouest des Etats-Unis. L'Oregon et le Washington n'avaient pas, ensemble, 1 300 000 habitants en 1900 ; ils en comptent maintenant près de 6 millions, sans que leurs ressources naturelles aient été plus qu'effleurées.

En aval, la Columbia devient une frontière intérieure. Elle sépare les deux frères du Nord-Ouest, l'Oregon au Sud et le Washington au Nord. Poursuivant une carrière qui n'a jamais cessé d'être sans équivalent, elle jalonne désormais jusqu'au Pacifique un des contrastes classiques de la politique américaine : celui d'un Etat parmi les plus conservateurs, et celui d'un Etat parmi les plus avancés.

Le conservateur est l'Oregon. Comme Los Angeles il fut peuplé surtout par l'émigration intérieure et reçut ses habitants en grande partie de la Nouvelle-Angleterre qui, sur l'autre façade du continent, se considère un peu comme la Grèce de l'Amérique et affecte une maturité basée sur deux siècles d'histoire supplémentaire. Les deux fondateurs de Portland, Amos L. Lovejoy, de Boston, Massachusetts, et Francis W. Pettygrove, de Portland, Maine, se querellèrent pour nommer la ville et s'en remirent à l'arbitrage d'une pièce de monnaie lancée en l'air. Le plus étonnant est que Portland, Oregon, a grandi à la ressemblance de Portland, Maine, comme

si la pièce de monnaie avait aussi déterminé l'architecture générale et l'atmosphère de la future cité.

L'Oregon ne connut jamais la fièvre de l'or, pas plus
du reste qu'aucune fièvre. Il fut fécondé par le *gold rush*,
mais indirectement. Les premiers fermiers, installés
dans la Williamette Valley, se chargèrent de nourrir les
mineurs qui fouillaient le sol, alors stérile, de la Californie. Ce début pastoral fit naître une tradition qui persiste encore aujourd'hui : à la différence de son voisin
d'outre-Columbia, l'Oregon est sourdement hostile à l'industrialisation. Il y entre, mais à reculons. L'Etat ne fait
aucun effort pour attirer les cheminées d'usines et ce
n'est pas lui qui, comme tant d'autres, irait louer des
pages entières dans les journaux pour inciter les industriels à venir s'installer chez lui. Il préfère ses cerises,
son blé et ses dindons.

Portland (908 000 habitants) reflète cet esprit. C'est,
après tout, une très jeune ville, et cependant elle réussit
à donner l'impression d'avoir vécu beaucoup plus d'un
siècle et demi. L'air y est chargé de puritanisme. Les
bâtiments publics ont cette réticence, cette modestie et
ce léger commencement d'avarice qui sont la signature
d'une administration prudente et la marque d'une collectivité parvenue à la maturité. Il règne à Portland (mais
c'est aussi le cas dans le Washington) une semi-prohibition
qui n'autorise en public aucune boisson plus forte que
le vin. Les bars sont interdits, les spiritueux ne sont en
vente que dans des magasins d'Etat et, dans les clubs
privés, on ne peut boire qu'à sa propre bouteille, qui
doit être ensuite déposée dans un casier individuel fermant à clé. Cette réglementation se retrouve, du reste,
dans beaucoup de villes des Etats-Unis, sans parler des
localités et des comtés qui en sont restés strictement au
régime sec. C'est la règle américaine : la loi fédérale
n'interdit plus l'alcool depuis l'abrogation du 18e amendement, mais les collectivités régionales et locales le
réglementent comme il leur plaît.

Il existe des critiques de Portland qui lui reprochent
d'être une cité arriérée, légèrement hypocrite, et qui
signalent avec malice qu'elle possède proportionnelle-

ment plus de syphilitiques qu'aucune autre grande ville américaine. Mais les Portlandais sont très haut au-dessus de ces vils outrages. Leur ville est très belle, très grande, avec des immensités de parcs et les neiges du mont Rainier pour horizon lointain. Ils jouent au cricket, ce qui est une formidable originalité et certainement un snobisme dans le pays où le base-ball est déifié. Les impôts locaux qu'ils paient sont légers et ils n'ont aucune envie de se lancer dans une politique de splendeur pour les augmenter. Ils se consolent parfaitement bien d'avoir été dépassés par Seattle, comme l'Oregon, quoique plus vaste, a été dépassé par le Washington d'un bon million d'habitants. Ils sont, comme tous les Oregoniens, généralement républicains et solidement conservateurs. Pendant la guerre, Portland étant l'une des bases de la loi Prêt-Bail, ils ont connu des Russes, parmi lesquels de hideuses femmes matelots dont le souvenir est resté impérissable. Quand on a vu cette espèce se jeter avec une avidité barbare sur les rayons bon marché de Meier et Frank, le plus grand magasin du Nord-Ouest, on est fixé sur le régime soviétique et ses bienfaits.

De l'autre côté de la Columbia, on entre dans un autre milieu. L'Etat de Washington fut toujours un confluent de races et bigarré comme New York, qu'il rappelle d'ailleurs par plus d'un trait. Les Chinois, les Japonais et les Philippins lui ont donné une touche d'Asie. Dans l'apport européen, les Scandinaves, attirés par la pêche et par la forêt, dominent. Le Washington est, en conséquence, une pépinière de géants. Il produit des champions de basket-ball et, en abondance, des Walkyries blond pâle, sculpturales et vertigineuses. L'Amérique allonge toutes les tailles, y compris celle des Japonais, et, quand on lui fournit une matière première humaine déjà étirée en longueur, elle se charge d'en faire des gratte-ciel.

Cet Etat de Washington se flatte d'aller de l'avant. Il a le goût des monopoles publics, celui de l'électricité en tête naturellement. Il possède la législation sociale la plus avancée d'Amérique, mais aussi de lourds impôts locaux. On regarde quelquefois avec inquiétude vers ce foyer de radicalisme. « L'Amérique, a dit Jim Farley, ancien compagnon de Franklin Roosevelt, se compose de 47 Etats et de la République soviétique du Washington. » « Les tentacules du communisme, a déclaré le sénateur Owen Brewster, ont pris à Seattle une emprise plus solide qu'en aucun autre endroit de notre pays. » Bien entendu, ces jugements sont excessifs. Le Washington a élu il y a quelques années un représentant, portant le nom français de De Lacy, qui n'était séparé du communisme stalinien que par des nuances imperceptibles, mais il l'a battu aux élections suivantes. Nulle part, en Amérique, il n'y a place pour l'abjection communiste, sauf dans les têtes stupides de quelques intellectuels et dans les têtes chavirées de quelques millionnaires. Ce qui est vrai, c'est l'existence dans le Washington d'une tendance au socialisme d'Etat, que ses Scandinaves ont apportée avec eux.

Au bord d'une grand-rue marine, le Puget Sound, Seattle est la reine du Nord-Ouest. Elle a cent ans, ayant été fondée en septembre 1851, mais la plus grande partie de cette existence s'écoula dans quelques cabanes de bois. La ruée vers l'or de l'Alaska, en 1897, fut son véritable départ. Elle fut la base arrière de cette expédition extravagante, la plus folle de la série des *gold rushes,* de cet assaut insensé donné aux glaces et aux blizzards par des malheureux dont la plupart n'étaient ni adaptés ni adaptables au climat du pôle. Elle expédia les partants et elle recueillit les épaves. Au milieu naturellement d'une frénésie de jeu, d'alcool, de sexe et de brutalité.

Comme San Francisco, Seattle a oublié ces années regrettables. Elle est, avec 1 214 000 habitants, la vingt-deuxième ville d'Amérique (1 107 en 1870). Sa situation est extraordinaire ; à gauche, l'eau salée du Puget Sound ; à droite, l'eau douce du lac Washington sur lequel flotte littéralement un pont de ciment de 3 kilomètres de long ; au cœur de la ville, des canaux qui amènent les navires au milieu des maisons. Le climat est doux, constant et humide. Les grandes fureurs occasionnelles du Pacifique ne viennent pas jusque-là. Entre Seattle et la grande mer, de l'autre côté du Sound, s'interpose l'Olympic Peninsula que l'actrice Betty Mac Donald a décrite mieux que personne : « L'endroit le plus rugueux, le plus occidental, le plus grand, le plus profond, le plus vaste, le plus sauvage, le plus giboyeux, le plus riche, le plus fertile, le plus solitaire et le plus désolé du monde connu. » Mais les navires qui quittent Seattle descendent le bras de mer, naviguent dans le dédale des îles, aperçoivent les hauts sommets boisés de l'île canadienne de Vancouver et, par le détroit qui porte le nom du vieux découvreur grec Juan de Fuca, trouvent enfin la longue houle du plus grand des Océans. Les pilotes de Seattle ou de Tacoma qui les conduisent aux portes du large ont donné à la littérature américaine la figure imaginaire et indestructible d'Anne Brennan, dite « Tugboat Annie », création du romancier Norman Reilley Raine, qui reparaît tous les deux mois dans le *Saturday Evening Post* sans parvenir à lasser ses admirateurs.

Un dernier fait : Seattle (on prononce Si-at-tle, en détachant les deux premières voyelles) est la grande ville des Etats-Unis la plus proche de l'U.R.S.S. ; 3 000 milles seulement la séparent de la Province Maritime d'Extrême-Orient. Cette proximité relative faillit entraîner un désastre municipal lorsqu'on voulut retirer à Seattle les usines Boeing, constructrices des bombardiers intercontinentaux et des transatlantiques à réaction, pour les transporter dans le Kansas. Seattle s'insurgea, mais son principal établissement industriel fut sauvé surtout par les engins balistiques qui unifient les risques en retirant à la distance toute valeur de protection.

IV

ALASKA

L'Amérique voit la Russie à l'œil nu. Moins de 5 kilomètres d'eau salée séparent la Grande Diomede, qui appartient à l'U.R.S.S., de la Petite Diomede, partie intégrante des Etats-Unis. L'International Date Line et la frontière de deux mondes passent entre ces deux petites îles du détroit de Behring. Elles ne sont habitées que par une poignée d'Esquimaux qui furent longs à comprendre qu'ils étaient les citoyens de deux civilisations antagonistes, et non des cousins identiques par leur lutte contre les colères et les froidures des hautes latitudes. Quand Khrouchtchev vint en Amérique, en 1960, les Esquimaux américains lui demandèrent le rétablissement des relations de voisinage rompues par l'installation de garde-côtes soviétiques en Sibérie et dans les îles adjacentes. Ils n'obtinrent qu'un accusé de réception.

C'est par ces parages que l'Amérique se peupla pour la première fois. Les ethnologues prétendent retrouver en Alaska les premières étapes américaines des peuplades venant d'Asie et commençant une pénétration qui devait les conduire jusqu'à la Patagonie. Certains géologues les aident en disant qu'il existait alors un isthme entre l'Asie et l'Amérique. Surgissant d'une mer sans profondeur, les îles en sont des vestiges qui, jusqu'à nos jours, servirent comme les cailloux d'un gué.

Les Russes suivirent les Indiens. Chasseurs et trappeurs, ils arrivèrent par l'arc des Aléoutiennes, riches en phoques à fourrure et en loutres de mer. Ils établirent leur base dans l'île de Kodiak, puis, en 1799, la transportèrent dans l'archipel Alexander où ils fondèrent Sitka. Plusieurs gouverneurs énergiques se maintinrent contre l'hostilité de la nature et la fureur homicide des indigènes poussés à bout par les brutalités et les spoliations. Mais l'établissement russe ne prit jamais une véritable consistance. Il était beaucoup trop lointain, et, dépourvu de toutes ressources, son ravitaillement posait des problèmes insolubles. Le gouvernement de Saint-Pétersbourg chercha à vendre son Amérique russe dès 1850 ; il mit dix-sept ans pour y parvenir.

Peut-être n'y fût-il jamais parvenu sans Seward. Ce Seward (William Henry), était originaire de la terre américaine la plus diamétralement opposée à l'Alaska, la Floride. Sudiste animé des plus fortes passions du Nord, il se fit un dénonciateur de l'esclavage et, installé comme avocat dans l'Etat de New York, tenta de devenir le candidat présidentiel du jeune parti républicain. Celui-ci lui préféra Frémont en 1856 et Lincoln en 1860. Mais Lincoln prit Seward comme secrétaire d'Etat et se mit sur les bras un boute-feu qui tenta d'éviter la Sécession en cherchant en Europe un conflit de diversion, puis faillit mettre le Nord en guerre avec la France à cause du Mexique et avec l'Angleterre au nom de la liberté des mers. Tumultueux et téméraire, il avait une jovialité qui donnait une chance aux causes outrées qu'il défendait. Il eut besoin de tous ses avantages lorsque, la guerre civile close, il se persuada qu'il n'y avait pas pour les Etats-Unis de tâche plus importante que de faire disparaître la tête de pont établie par la Russie sur le continent américain.

Le moment était mal choisi. La longue guerre civile avait entraîné une crise monétaire et l'Amérique se débattait dans les tâches envenimées de la Reconstruction. William Henry Seward eut de la peine à se faire prendre au sérieux lorsqu'il proposa de profiter des dégoûts du tsar pour agrandir les Etats-Unis d'un morceau de Pôle Nord. Le gouvernement russe, par bonheur, était aussi pressé de vendre que le secrétaire d'Etat d'acheter. Ministre plénipotentiaire à Washington, le baron de Stoeckl distribua 300 000 dollars qui donnèrent des convictions alaskiennes à quelques journaux et à plusieurs des 27 sénateurs qui, le 30 mai 1867, autorisèrent l'emplette de l'Amérique russe. Les Etats-Unis versèrent 7 200 000 dollars qui les accrurent d'un million et demi de kilomètres carrés. « Je ressens un profond soulagement à voir l'affaire terminée de cette manière », câbla Stoeckl à Saint-Pétersbourg. La phrase brûle au fer rouge les Russes d'aujourd'hui.

Les années qui suivirent l'achat de l'Alaska justifièrent ceux qui demandaient ce que les Etats-Unis allaient faire dans cette glacière. Le tsar rapatria ses fonctionnaires, mais la poignée de Russes qu'ils laissèrent derrière eux fut longtemps l'unique population civile de la colonie américaine. L'administration en fut confiée à l'armée, qui s'installa à Sitka, puis transférée au service des douanes qui s'en déchargea sur la marine. Aux Etats-Unis, la « folie-Seward » redevenait périodiquement l'objet de sarcasmes. Lorsqu'il mourut, onze ans après l'annexion — impuni mais sans gloire — son Alaska n'avait pas 20 000 habitants, dont 19 000 Indiens ou Esquimaux.

Brusquement, cette terre délaissée devint une terre fabuleuse. L'or du Klondyke avait été découvert. La voie d'accès la moins malaisée passait par l'Alaska. Les chercheurs d'or arrivaient par Sitka, gagnaient Skagway, au pied de la White Pass dont ils escaladaient les pistes verglacées pour se laisser glisser en territoire canadien, vers Whitehorse, le Yukon et les placers. On vit passer jusqu'à des femmes, chaussées des hautes bottes lacées et empêtrées dans les grandes jupes de 1898, qui, attelées à un traîneau, se hissaient vers le mirage boréal.

Puis l'or fut découvert en Alaska même. Nome, au bord d'une mer aux vagues toujours alourdies de froid, était un village de quelques Esquimaux au printemps de 1899 ; c'était, à l'automne, un rassemblement de 30 000 aventuriers turbulents et faméliques. Fairbanks, dans son cirque de hautes montagnes, vit accourir d'autres foules qui fouillèrent comme des troupes de sangliers les sables des creeks. Certaines bonanzas donnèrent jusqu'à 6 ou 7 dollars au mètre cube de gravier. Puis, en quelques années, l'or alluvial s'épuisa. Il ne resta que quelques acharnés, vivant d'espoir et mourant de misère, et quelques mines capitalistes broyant le quartz aurifère pour extraire le métal.

Le *gold rush*, malgré tout, avait fait date dans l'histoire de l'Alaska. En face des foules subites et dangereuses, on avait dû organiser une police et un commencement d'administration. De Sitka la Russe, mal située sur un fjord extérieur, la capitale avait été transférée à Juneau, sur le canal maritime naturel qui ouvre jusqu'à Seattle une route d'eau soustraite aux inconstances du Pacifique. Les hommes d'affaires avaient découvert deux richesses : 20 millions d'acres de forêts vierges et les hordes de saumons gagnant leurs champs de ponte. Ils croyaient à d'autres minéraux plus durables que l'or, tels que l'étain, le cuivre et le charbon. L'époque était encore hautement capitaliste et peu soucieuse de protéger le patrimoine de la collectivité. L'administration du président William Howard Taft n'en fut pas moins accusée de laisser mettre l'Alaska en coupe réglée par des intérêts privés. Cela prouvait, à tout le moins, qu'il y avait quelque chose de substantiel dans la glacière de Seward dont l'étoile posthume commença à remonter lentement. En 1912, son Alaska fut érigé en Territoire. Son gouverneur continua à être nommé par l'Exécutif, mais il eut sa législature élue et un observateur au Congrès. Il ne lui restait plus à franchir que l'étape d'Etat.

***

Vaste Alaska ! Le Texas fut souvent accusé d'assommer l'Amérique par le rappel incessant de sa grandeur, mais les 267 000 milles carrés du Texas sont devenus peu de chose à côté des 586 000 milles carrés du 49ᵉ Etat. Les distances sont aggravées par les formes du pays, auquel son extension le long de la côte canadienne (Panhandle) d'une part, les îles Aléoutiennes d'autre part, donnent comme deux ailes démesurées. De Ketchikan à Attu, dernière des Aléoutiennes, la distance est celle de Miami à San Francisco et, de Ketchikan à Point Barrow, cap septentrional de l'Alaska continental, elle est celle de Miami à Minneapolis. Reporté à l'Europe, cela donne des rubans de routes du même ordre que Madrid-Moscou et Palerme-Oslo.

Avant l'avion, le problème des communications alaskiennes était insoluble. On avait construit à grands frais deux médiocres chemins de fer, l'un escaladant la White Pass des chercheurs d'or, l'autre reliant le port de Seward à Fairbanks. On avait ouvert quelques routes. On utilisait surtout la navigation côtière, facile dans la Panhandle, difficile dans les eaux brumeuses et agitées qui baignent le reste du pays. Ces liens étaient désespérément trop faibles devant l'immensité du territoire. L'Alaska était condamnée à rester vierge par l'impossibilité d'y circuler.

L'avion vint. Dès 1925, de hardis garçons commencèrent leur lutte contre les brouillards des Aléoutiennes, les cols vertigineux des grandes chaînes intérieures et les blizzards arctiques. L'un d'eux, suivant une légende qui est peut-être vraie, se posa sur le dos d'une baleine. Un autre, Bob Reeve, commença sa fortune en rapatriant, ficelé sur son aile, le corps d'un propriétaire de pêcheries, décédé à Dutch Harbor, dont les héritiers avaient besoin pour établir leurs droits à la succession. Beaucoup de ces pionniers sont morts ailleurs que dans leur lit. Les survivants sont les propriétaires, directeurs ou administrateurs des multiples compagnies aériennes qui ont ouvert l'Alaska.

C'est le pays du monde où l'homme vole le plus. Un Alaskan passe en l'air en moyenne quarante fois plus de temps qu'un autre Américain et les horaires n'énumèrent pas moins de 207 localités, généralement de simples hameaux, desservies par des moyens aériens réguliers. L'avion privé est une nécessité non moins fréquente et non moins grande que l'auto sous d'autres climats.

Souvent muni de skis en hiver, plus souvent encore amphibie en été, il est le véhicule obligatoire de l'administrateur, du missionnaire, de l'institutrice, de l'infirmière, du représentant de commerce, du chasseur qui s'en va camper au bord d'un glacier et du fiancé qui va voir sa promise. Pour ne citer qu'un seul nom, l'évêque épiscopalien William J. Gordon Junior, qui dut attendre sa consécration pendant six mois parce qu'il avait été élu à vingt-neuf ans et demi, pilote son avion personnel et parcourt 70 000 kilomètres par an pour visiter ses paroisses. Le handicap des distances n'est pas vaincu lorsqu'il s'agit de transports lourds, mais la circulation des personnes ne présente plus de difficultés.

Pour l'homme européen, dont l'habitat s'étend jusqu'au Spitzberg, la latitude de l'Alaska n'a rien de bouleversant. Juneau se trouve au sud du parallèle de Leningrad, d'Helsinki, de Stockholm et d'Oslo, qui sont de grandes capitales, alors que Juneau n'est qu'une bourgade administrative de moins de 7 000 habitants au dernier recensement. Nome, redevenu un village, n'est pas plus proche du Pôle que Trondhjem. La Scandinavie au nord du cercle polaire reste couverte d'hommes, de routes, d'activité, alors que la région correspondante de l'Amérique n'est qu'un désert boréal. Il y a plus d'habitants dans les trois seules provinces norvégiennes du Nordland (400 000) que dans la totalité de l'Alaska (225 000). Avec son cinquième d'habitant au kilomètre carré, celui-ci est l'une des régions du monde où la densité humaine est la plus faible, alors que la Scandinavie a porté des empires et fourni à l'Amérique elle-même un million d'immigrants.

La différence n'est pas attribuable uniquement aux conditions de la climatologie générale qui défavorise le continent américain par rapport à l'Europe. L'Alaska est mieux partagé à cet égard que le Groenland ou le Labrador. Le Gulf Stream est remplacé dans une certaine mesure par le Kouroshivo venant du Japon. Au sud du détroit de Behring, la mer ne gèle jamais et les glaces flottantes n'atteignent pas les îles Aléoutiennes. Plus au sud encore, le climat de l'Alaska entre dans le type connu sous la désignation d' « océanique frais », ce qui l'apparente au climat de l'Ecosse ou de la Hollande. On ne peut pas dire qu'il fasse chaud à Anchorage ou à Juneau. Mais il y fait moins froid que dans les grandes villes du Canada, comme Toronto ou Montréal, ou dans les grandes villes du centre des Etats-Unis, comme Minneapolis ou Des Moines. Il y fait moins froid ou beaucoup moins froid qu'à Stockholm, Leningrad, Moscou, Varsovie, Bucarest ou Berlin.

Le quota d'espace dans les 48 premiers Etats s'élève à 5 hectares par tête d'Américain, ce qui est énorme par rapport à la plupart des pays d'Europe. En Alaska, ce quota individuel représente 12 kilomètres carrés, soit 240 fois plus. Mais ce n'est pas parce que l'Alaska est une glacière qu'il est resté vide si longtemps ; c'est parce que l'Amérique avait déjà trop de terres et trop peu d'hommes pour être séduite par l'acquisition de W. H. Seward.

❧

La Panhandle, la Queue de la Poêle, se compose de 1 100 îles de l'archipel Alexander et d'une bande continentale, longue de 600 kilomètres, large d'une centaine, et séparée du territoire canadien par une formidable barrière de glaciers. Un peu avant Ketchikan, le grand canal maritime naturel repasse en territoire américain, sans que soient altérées ni les facilités de navigation qu'il procure ni les beautés naturelles au milieu desquelles il déroule ses méandres. Un dédale de chenaux tranquilles s'entrelace dans de silencieuses forêts bleues s'élevant en quelques bonds du niveau de la mer à celui des neiges éternelles. La plupart des quelques localités qui surgissent de cette grave splendeur datent de l'Amérique russe, comme l'attestent les noms de Wrangel, Petersburg, Baranof, etc. C'est aussi le cas de l'ancienne capitale, Sitka, dont la cathédrale Saint-Michel, clocher torse, coupole byzantine, croix grecque — le tout en bois — est le vestige architectural le plus important de la période moscovite. Elle est le siège d'un évêché orthodoxe comptant 17 églises, 70 chapelles et 11 000 fidèles, qui sont pour la plupart des Aléoutes ayant gardé la première foi chrétienne qui leur fut proposée. Mais Sitka elle-même n'est plus qu'un village insignifiant.

La capitale qui lui a succédé en 1906, Juneau, est menacée d'être détrônée à son tour. Elle naquit d'un ruisseau aurifère, Gold Creek, et garda longtemps une mine d'or littéralement incrustée dans la falaise dominant la ville. Mais l'exploitation a été abandonnée il y a vingt ans, l'or venant aujourd'hui après les carrières de sable dans la nomenclature des industries extractives de l'Alaska. La pêche du saumon, autre justification économique de Juneau, a décliné à son tour. Quant au rang administratif, il était justifié à l'époque où la Panhandle représentait les neuf dixièmes de l'activité et de la population de l'Alaska ; il devient difficilement défendable depuis que la proportion s'est inversée. Au pied de deux magnifiques montagnes enneigées, la capitale microscopique périclite et s'ennuie. Le tribut payé au climat l'est beaucoup moins en froidure que sous la forme des pluies ruisselant inexorablement pendant des journées et des semaines. Jointe aux glaciers, cette hydrologie démoralisatrice représente une quantité colossale d'énergie électrique dont moins du centième est utilisé.

La Panhandle est complètement isolée du reste de l'Alaska. Le canal naturel s'achève en cul-de-sac au pied de la White Pass, les îles côtières s'interrompent et la continuité territoriale se réduit sur le continent à un point de suture de quelques kilomètres d'épaisseur. Des montagnes plus hautes que le mont Blanc, comme le mont Fairweather et le massif Saint-Elias, des glaciers colossaux, comme le Malaspina, d'où sortent des troupeaux d'icebergs, obstruent le passage. L'administration fédérale a créé dans ces paysages grandioses un Parc National, Glacier Bay National Monument ; des bateaux d'excursion vous introduisent dans un monde qui n'est normalement accessible qu'au prix d'ascensions épuisantes, mais il n'en reste pas moins qu'il n'est pas possible de se rendre par la voie terrestre de Juneau dans les dix-neuf vingtièmes de l'Etat dont Juneau est la capitale. Il faut faire un crochet par le Canada, en empruntant le chemin de fer de Whitehorse et en regagnant l'Alaska par la route pan-américaine. A l'ère aérienne, peu d'Alaskans entreprennent cette expédition.

Anchorage est devenue la grande ville de l'Alaska. Au nord de la Panhandle, la côte s'oriente à l'ouest, décrit un arc de cercle largement ouvert vers le sud, avant d'aller s'émietter dans l'interminable archipel des Aléoutiennes. Anchorage se trouve en position centrale, au fond d'un fjord qui rappelle celui d'Oslo. Elle naquit en 1914 d'une maison préfabriquée qui fut montée pour les arpenteurs du chemin de fer de Fairbanks. Elle compte nominalement 44 237 habitants, mais, effectivement, de 68 000 à 90 000 suivant l'importance de la périphérie qu'on lui incorpore. Pour 1980, les plans de développement lui en attribuent, selon le degré d'ambition des urbanistes, de 112 000 à 277 000. Plusieurs lignes aériennes internationales en ont fait leur escale sur le parcours Europe-Japon par le Pôle Nord. L'esprit pionnier, l'exaltation de la « dernière frontière » sont des thèmes ressassés, mais les résidents d'Anchorage sont sujets à des *breakdowns* hivernaux et beaucoup gémissent sans vergogne sur la rigueur du climat. Citoyens récents de l'Alaska, ils aspirent à revenir vers les pistes du soleil après fortune faite. L'énormité des salaires — un ouvrier gagne 1 500 NF par semaine — donne l'impression qu'il est facile d'accumuler des économies, mais le coût de la vie est presque à la hauteur des gains.

Le nom de Matanuska éveille encore un écho en Amérique. On était en 1935, et, conjointement avec la crise économique, la sécheresse désolait le Middle West ; 208 familles de fermiers acceptèrent l'offre et l'aide du gouvernement rooseveltien, quittèrent leurs terres assoiffées et furent installés dans la Matanuska Valley, près d'Anchorage, pour la première expérience de mise en valeur agricole de l'Alaska. La tentative n'a ni complètement échoué ni brillamment réussi. Elle montra à tout le moins que l'agriculture alaskienne n'était pas une chimère et elle fut suivie de différents établissements dans

les vallées de la Sustina, de la Copper et de la Tanana.
La longueur de l'hiver est compensée par l'ensoleillement
estival presque ininterrompu et, pour des raisons mal
connues, beaucoup de végétaux, notamment les fraises,
les betteraves et les choux, atteignent des dimensions
géantes. Mais il faudrait profondément amender les sols
pour obtenir des rendements satisfaisants et l'ensemble
des terres cultivées — dans un pays trois fois plus grand
que la France — ne dépasse pas 7 000 hectares, un vingt-
millième de la superficie.

Vers le sud-ouest, l'Alaska plonge dans le brouillard.
Flanquée de l'île de Kodiak, qui fut la première base de
l'Amérique russe, la péninsule qui a donné son nom à
l'ensemble du pays pénètre dans le Pacifique comme un
doigt crochu. Elle fut le théâtre, en 1912, d'une catastrophe égale à l'éruption du Krakatoa, la pulvérisation
du sommet d'un volcan, le Katmai, avec la création d'une
vallée de 12 milles de long et une projection de poussière qui firent le tour de la terre, détraquèrent le régime
des pluies et souillèrent la haute atmosphère pendant
un an. Cependant, on ne signala pas une seule victime
humaine, saisissante expression du désert. Cinquante ans
après, des multitudes de fumerolles continuent de s'élever de la Ten Thousand Smokes Valley, dont le gouvernement américain a fait un Monument national. Le
27 mars 1964, le plus violent tremblement de terre que
l'Amérique du Nord eût jamais connu, rappela que toute
activité souterraine n'était pas terminée. Il y eut cette
fois de nombreuses victimes et des dégâts importants,
notamment à Anchorage. Le développement économique
du sud-ouest de l'Alaska en fut quelque peu ralenti. Mais
la reconstruction a été rapidement menée à bien.

L'arbre cesse à cette longitude. Le pays ressemble aux
Highlands d'Ecosse : des moors noyée de crachin et battus par le vent. Les Aléoutiennes ne font que prolonger
cette pointe de terre en l'émiettant. Pendant 1 200 milles
marins, jusque sous l'aisselle de la Sibérie, la chaîne
d'îles s'étend, pratiquement inhabitée, rarement visitée,
émergeant de hauts fonds sur lesquels la houle travaille
rudement, ouatinée des brumes les plus épaisses et les

plus tenaces des océans. Pendant la guerre, trois îles, Kiska, Agattu et Attu, furent occupées par les Japonais et un nom, Dutch Harbor, base de la marine américaine, émergea du fracas des batailles. Mais Dutch Harbor ne compte pas 500 habitants civils.

Ces parages si désolés connurent une profusion de vie. D'immenses hordes de morses et de phoques couvrirent les grèves des Aléoutiennes. Les chasseurs russes et américains en firent des hécatombes voisines de l'extermination. La protection des survivants entraîne le gouvernement fédéral dans d'épineuses difficultés. Il reste dans les îles 5 000 Aléoutes, eux aussi des survivants, débris du peuple probablement dix fois plus nombreux qui habitait l'archipel avant l'apparition des premiers Russes. Leur seule ressource est le troupeau marin qu'on veut sauver. Vainement a-t-on essayé d'introduire le mouton et de transformer en pâtres les chasseurs de monstres marins. Il est impossible de ne pas laisser les Aléoutes, notamment les plus déshérités de tous, ceux des îles Pribilof, continuer le massacre ancestral. Le gouvernement américain s'est contenté de l'interdire rigoureusement à l'homme blanc et de se réserver le monopole de l'achat des peaux. Il les paie systématiquement au-dessus de leur valeur — sans parvenir à arracher les Aléoutes à une détresse sans recours.

*
**

Ce qui vient d'être décrit sommairement n'est même pas le tiers de l'Alaska. Le centre, et l'essentiel, en est constitué par le bassin du Yukon, avec ses grands affluents de la Porcupine, de la Tanana et du Koyukuk. Le fleuve, sortant du Canada, se dirige vers l'océan Arctique puis, changeant d'avis, va s'échouer au prix de longs détours dans la mer de Behring. C'est un cours d'eau brouillon et paresseux, irrégulièrement nourri, malaxant dans un lit vagabond des bancs de sable et des îles de limon. L'Alaska autour de lui, tourne à la Sibérie, hivers terribles, étés torrides, 50 en dessous, 50 au-dessus. La grande chaîne alaskienne, l'un des sys-

tèmes montagneux les plus puissants du monde, délimite
au sud le bassin du Yukon, mettant en relief, dans un
massif bien dégagé, le géant de l'Amérique du Nord, le
mont McKinley, 6 700 mètres, qu'on désigne en Alaska
par son nom indien de Deneli. Il fut gravi pour la première fois en 1913 par Hudson Stuck, après une expédition qui dura trois mois. Le sommet est entièrement
couvert par un immense névé. Mais peu de grandes montagnes sont d'une approche plus facile et d'une obser-
vation plus aisée.

Ce sévère bassin du Yukon, livré aux excès du thermomètre, n'en est pas moins désigné comme une terre d'avenir par les enthousiastes de l'Alaska. Fort-Yukon, sur le
fleuve même, n'est qu'une bourgade, mais Fairbanks,
dans une courbe de la Tanana, revêt un air d'importance
et d'urbanité surprenants. Au solstice d'été, le soleil s'y
couche à 11 h 48 du soir et se lève à 0 h 57 du matin,
retrouvant en cours le traditionnel match de base-ball
auquel il avait donné le coup d'envoi en tombant
au-dessous de l'horizon.

Puis l'Alaska aborde réellement le vrai Nord. Les étendues, imparfaitement explorées, de la Brooks Range se
présentent comme un immense plateau chauve dont le
sol ne dégèle jamais. La toundra arctique, mousses et
saules nains, s'étend ensuite jusqu'à la côte monotone
de l'océan Glacial. Mais, en été, il est aussi facile d'aller
à Barrow qu'à Londres ou à Chicago. On y trouve, le
long d'une crique presque fermée, une mission presby-
térienne, un village d'Esquimaux, un drugstore et un
cinéma — plus, à quelques milles, le monument de l'avia-
teur Wiley Post et du comédien Will Rogers dont l'avion
s'écrasa sur cette pointe de l'Amérique, en 1935.

*

Promu Territoire, l'Alaska mit encore plus de quarante-
cinq ans à franchir son dernier échelon. La raison principale de ce long délai est l'extrême lenteur avec laquelle
il se peupla. Le recensement de 1930 ne lui donnait pas
encore 60 000 habitants et le recensement de 1940 lui

en accordait à peine 72 000. Les encouragements officiels, les transports aériens, l'énumération des richesses intactes ne parvenaient pas à provoquer un appel chez les petits-fils des pionniers qui avaient colonisé les terres à blizzards du Wyoming et du Dakota. La réponse de ceux qu'on sollicitait était toujours la même : « L'Alaska ? Trop froid, trop loin. »

Il s'en fallait, d'ailleurs, que tous les Alaskiens fussent favorables à la transformation de leur Territoire en Etat. De sérieux intérêts s'y opposaient. L'Alaska Steamship Company n'ignorait pas que l'admission lui ferait perdre son monopole des transports maritimes et les grandes pêcheries de saumon savaient qu'un Etat d'Alaska ne tolérerait pas l'extermination de l'espèce par les pièges à poisson qu'elles plaçaient par centaines dans les estuaires. Deux groupes d'influences se neutralisaient dans les couloirs du Congrès lorsqu'il était question de la promotion de l'Alaska : les anti, conduits par l'ancien fonctionnaire fédéral Winston C. Arnold et les pro, dont le chef fut en dernier lieu le propre gouverneur du Territoire, Michael Anthony Stepovitch, que l'immigration de sa famille avait, en 1919, transféré directement de Belgrade à Juneau.

Les années passèrent. Le recensement de 1950 trouva en Alaska 128 000 habitants et le conflit avec la Russie permit aux partisans de l'Alaska-Etat de soutenir qu'il était indispensable d'établir un lien indestructible entre les Etats-Unis et cette terre américaine si menacée. Mais la question mettait en jeu les ressorts les plus profonds de la politique intérieure. Les grands Etats de l'Est étaient hostiles à la création d'un nouvel Etat du Pacifique qui réduirait encore leur part relative dans le vote sénatorial. Les démocrates du Sud étaient hostiles à un Etat multi-racial dont les élus allaient se ranger parmi les adversaires de la ségrégation. Truman, en 1948, avait fait aux Alaskiens une promesse qu'il n'avait pas pu tenir. Eisenhower la renouvela et, plus heureux, réussit à conduire son bill à travers toutes les obstructions.

Le débat décisif s'engagea au Sénat le 24 juin 1958. Les sudistes, une fois de plus, déployèrent leurs arguments sur l'insuffisante maturité de l'Alaska. Ils furent battus par 64 voix contre 20, après six jours d'éloquence. Deux mois plus tard, la loi fut soumise au référendum des électeurs de l'Alaska et adoptée à une majorité de 17 000 voix. Quatre autres mois plus tard, le 3 janvier 1959, Eisenhower signait l'admission. La Russie américaine était entrée définitivement dans le giron des Etats-Unis.

*

Mais la question de l'avenir de l'Alaska est encore ouverte. Les opinions se heurtent avec violence. Les pessimistes font remarquer que les ressources du pays, loin de s'accroître, diminuent constamment. L'or exploitable est épuisé, le commerce des fourrures est devenu insignifiant et la prise annuelle des saumons est tombée de 500 millions de livres à 200 millions en 1960. L'ensemble de la côte Pacifique ne produit plus, en 1966, que 327 millions de livres de saumons. Les optimistes répliquent avec les mines métalliques qui n'attendent que d'être ouvertes, les forêts à peine exploitées et les 50 milliards de kilowatts-heure virtuels ruisselant chaque année sur les pentes des montagnes. L'espoir du pétrole luit comme un mirage, en dépit des déceptions qui se sont multipliées depuis que la Navy, en 1946, enfonça ses sondes dans le désert polaire de la Brooks Range ; 28 compagnies continuent la prospection et, si elles trouvent peu de pétrole, au moins apportent-elles à l'Alaska beaucoup d'argent. Toutefois, les recherches entreprises dans le Cook Inlet — la profonde baie au fond de laquelle se trouve Anchorage —, ont révélé la présence de gaz et de pétrole en quantité telle que l'exportation vers le Japon serait possible d'ici deux ou trois ans. Avec 14 millions de barils, le pétrole représente actuellement plus de la moitié en valeur des ressources minières, soit 44 millions et demi de dollars. Il est piquant de noter que l'or ne fournit plus qu'un million de dollars.

Mais la grande industrie de l'Alaska est la guerre froide. Sur la côte Arctique, dans les Aléoutiennes, la D.E.W. (Distant Early Warning Line) dresse ses immenses radars. Quatre grandes bases aériennes, équipées de rampes de lancement pour les fusées, sont installées à Ladd et à Eielson, près de Fairbanks, à Elmendorf, près d'Anchorage, et à Shemya, dans l'archipel Near. La Marine, de son côté, entretient deux bases, l'une à Kodiak, l'autre à Dutch Harbor ; 100 000 hommes appartenant aux Forces Armées les plus prodigues du monde, sont stationnés dans un Etat qui compte à peine le double de civils. A Anchorage seul, Q.G. de l'Armée de terre, la dépense militaire annuelle est évaluée à 250 millions de dollars. C'est en France, le revenu normal d'une ville trois fois plus importante. Les élus de l'Alaska soutiennent que leur défense n'est pas adéquate et se plaignent d'être sacrifiés à l'Europe, alors qu'ils se trouvent sur la seule route d'invasion possible du continent américain. Leurs alarmes patriotiques sont assurément sincères, mais elles se concilient admirablement avec l'intérêt de leurs commettants.

V

NEVADA - UTAH

Il existe à peine plus d'habitants dans l'Etat souverain du Nevada que dans la toute petite partie de New York comprise entre Canal Street et la Battery. Le recensement de 1950 fixait leur nombre à 160 083. Chacune des années suivantes apporta un renforcement de près de 20 000 âmes, mais le recensement de 1960 n'enregistra pas encore les 450 000 habitants qui eussent été nécessaires au vaste Nevada pour dépasser en population le minuscule Delaware. Le Nevada cessa d'être le moins peuplé des Etats, mais uniquement parce que l'admission de l'Alaska fit entrer dans l'Union un désert plus désertique que lui. La densité humaine reste si faible que le partage égal des terres donnerait à chaque chef de famille un domaine de près d'un millier d'hectares — sur lequel il ne lui resterait d'ailleurs qu'à mourir de faim et de soif.

A des degrés près, cette faible densité humaine se retrouvera dans les trois chapitres et pour les 8 Etats qui vont suivre. A eux 8, ils couvrent plus du quart des Etats-Unis. Mais ils ne contiennent même pas le trentième de leur population. Si la carte de l'Amérique était refaite en proportionnant les distances au nombre des hommes, il n'y aurait pas 150 milles entre Kansas City et San Francisco, alors qu'il y en a 1 800.

Ce désert américain est l'un des plus vastes et des plus colorés de la planète. En règle générale, c'est un désert de montagnes, rugueux, chaotique et dramatique. A l'époque où les Etats-Unis furent rassemblés, son parcours était aussi difficile que celui du Sahara. Les peuplades indiennes qui s'interposaient entre l'Est et l'Ouest étaient plus nombreuses et au moins aussi batailleuses que les Touareg. En vertu des lois communes de l'histoire, ces immensités de montagnes, d'aridité et de sauvagerie eussent dû imposer deux Amériques séparées ; celle du Pacifique et celle de l'Atlantique. Le Continental Divide, la grande ligne de partage des eaux, était la plus évidente et en quelque sorte la plus obligatoire des frontières naturelles. Or, elle ne sert même pas de limite continue à un seul Etat. Elle court à travers les formes géométriques, magnifiquement arbitraires, du Montana, du Wyoming, du Colorado et du Nouveau-Mexique. Elle n'est qu'une chaîne de poteaux touristiques devant laquelle il est inévitable de s'arrêter, en songeant au destin des deux ruisseaux qui naissent front à front et qui appartiennent déjà à deux Océans différents.

**

Ce grand désert central de l'Amérique, il est sensationnel de l'aborder par le Nevada. On commence par ce qui se rapproche le plus de l'absolu. Lorsque la Commission de l'Energie Atomique voulut se faire un terrain d'expérimentation plus vaste que la moitié de la Belgique, elle n'eut à écarter que quelques Indiens nomadisants. Le recensement des terres cultivées est plus impressionnant encore que celui des hommes : 150 000 hectares, alors que la superficie du Nevada dépasse 300 000 kilomètres carrés. Moins de la deux-millième partie du sol est soumise à la charrue. Si les 454 000 Nevadiens (estimation de 1966) devaient se nourrir des produits de leur sol, ils ne mangeraient qu'un jour par mois.

Or, ils ont réussi à se faire le huitième revenu moyen par tête d'habitant des Etats-Unis. Cela ne peut pas manquer de représenter quelques tours de force et une exceptionnelle ingéniosité.

Dans l'Ouest, tout commence par les mines. Celles du Nevada ont été fabuleuses. Comstock Lode, découverte en 1859, mère de la ville aujourd'hui réduite à l'état de fantôme de Virginia, a produit en quarante ans plus d'un milliard de dollars d'or et d'argent. Mais, sans être complètement épuisées, ces exploitations ne représentent plus qu'une partie infime des ressources de ce désert extravagant. Les nouvelles mines du Nevada — sans fond parce qu'elles exploitent la nature humaine — sont le divorce, le mariage, le jeu et le plaisir.

Le divorce, l'industrie la plus célèbre du Nevada, a été créée par la variété de la législation, quarante-huit fois différente dans les 48 Etats. L'un de ceux-ci, la Caroline du Sud, n'admettait le divorce en aucun cas jusqu'au référendum du 2 novembre 1948 qui a levé le principe de l'interdiction. L'Etat de New York, archaïque sur ce terrain comme sur quelques autres, ne l'accorde que pour adultère. Ailleurs, l'énumération des motifs varie à l'infini. L'impuissance du mari est retenue par l'Etat de Pennsylvanie, mais elle ne l'est pas par l'Etat voisin du New Jersey. La grossesse de la femme du fait d'un tiers au moment du mariage est une cause valable dans le Maryland, mais une cause invalide dans le Delaware. L'infidélité au cours des fiançailles a un effet rétroactif dans l'Arizona, le Mississipi et le Wyoming, mais elle est ignorée partout ailleurs. Une maladie vénérienne contractée par l'un des conjoints entraîne la dissolution immédiate du lien conjugal dans l'Illinois, mais elle est sans conséquence juridique en Virginie, etc.

Les délais légaux ne sont pas moins divers que les motifs. L'Arizona exige un an entre l'introduction de la requête et le prononcé du jugement de divorce. Le Massachusetts et l'Utah vont jusqu'à deux ans. La Louisiane impose quatorze mois d'attente au mari et vingt-deux mois à la femme. Beaucoup parmi les plus libéraux des Etats demandent six mois de procédure et de réflexion.

Le Nevada n'exige aucun délai. Le Nevada accepte tous les motifs. Il a même créé *son* motif : la cruauté mentale — trouvaille de génie. Le champ d'application de cette clause célèbre est illimité. On relève dans les archives du tribunal de Reno un divorce prononcé contre une femme qui avait les pieds froids — cruauté mentale — et un autre prononcé contre un homme qui avait mangé des croquettes de poisson dans le lit conjugal — *dito*. Les divorces motivés par la lecture des journaux à table — cruauté mentale — ou par une affectation de supériorité intellectuelle — cruauté mentale — ne se comptent plus.

Quiconque éprouve une difficulté à divorcer dans son Etat peut donc venir au Nevada. Il est sûr d'y retrouver la liberté. En pratique, il a le choix entre deux villes, rivales et également séduisantes : Reno, la métropole du Nord, et Las Vegas, l'oasis du Sud.

Reno, la plus anciennement célèbre, a pris une devise orgueilleuse et cocasse qu'elle inscrit sur un arc de triomphe enjambant Virginia Street : *Reno, the Biggest Little City in the World*. Mais Las Vegas, après l'avoir longtemps talonnée, l'a dépassée d'un élan irrésistible. Dans les dix années précédant 1950, elle tripla ses 8 000 habitants de 1940, puis, au cours de la décade d'années suivante, bondit jusqu'à 64 405 habitants, laissant derrière elle sa rivale, avec les 51 470 citoyens que lui donne le dernier recensement. Sa situation stratégique est meilleure en raison de la proximité de Los Angeles, que Reno équilibre mal par le voisinage de San Francisco, ville rassise. Elle est sèche, dure, vibrante, entourée d'aridité totale, incroyablement chaude, mais si dépourvue d'humidité et si bien pourvue d'air conditionné que ce manteau torride se porte comme une robe légère. C'est à côté, à 110 kilomètres à peine, que retentissent de temps en temps les explosions atomiques qui illuminent l'oasis d'un éclair vert et qui secouent les fenêtres au point quelquefois de les briser. Mais Las Vegas ne se plaint pas. Elle ne redoute pas le bruit. Au contraire. Elle en vit.

Qu'il aille à Reno ou à Las Vegas, le candidat au divorce trouve des commodités identiques. Pour bénéficier des lois libérales du Nevada, il doit d'abord acquérir la résidence — laquelle, suivant la lettre du code, doit être effective et de bonne foi. Mais étant souverain, le Nevada fixe comme il l'entend les conditions dont l'accomplissement confère cette qualité. Six semaines de séjour — aimable purgatoire — suffisent. L'époux qui aspire à ne plus l'être s'installe dans l'un des 57 hôtels ou dans l'une des 1 500 chambres meublées pour « touristes et divorceurs » qui existent à Reno et qui se reproduisent en nombre à peu près double à Las Vegas. Son arrivée est automatiquement enregistrée et chaque soir, avant minuit, il doit faire constater sa présence, comme un conscrit répond à l'appel du sergent de chambrée. Sous cette unique réserve, il n'a, pendant quarante-deux jours, qu'à manger, boire, acheter, jouer et se divertir. Ce faisceau d'activités, favorisé par une excellente compréhension locale, procure déjà à « la plus grande petite ville du monde » un revenu annuel de 10 millions de dollars. Il s'y ajoute une somme à peu près égale pour les honoraires des hommes de loi. Toutes les terres désertiques qui entourent Reno — et à plus forte raison Las Vegas — seraient bien embarrassées d'en suer autant.

Au bout de six semaines de séjour, le divorce est prononcé en six minutes. L'époux libéré — dans trois cas sur quatre, c'est la femme — descend les marches du petit tribunal en brandissant sa levée d'écrou. S'il se conforme à la tradition il baise en signe de gratitude l'un des piliers. Puis, dans l'heure suivante, ce « résident de bonne foi » prend généralement l'avion pour rentrer chez lui.

Mais une industrie trop lucrative est inévitablement une industrie concurrencée. D'autres Etats se sont aperçus que le divorce est un business. Ne pouvant faire mieux que le Nevada, ils l'ont copié. La Floride, rivale redoutable, a abaissé à six mois le délai de résidence nécessaire pour l'introduction d'une instance et, par surcroît, elle n'exerce qu'un contrôle distrait dont le Nevada se plaint comme d'une pratique déloyale. Poussant l'imitation jusqu'à la copie servile, l'Idaho a adopté le même délai que le Nevada, six semaines, et le Wyoming s'en est rapproché, soixante jours, si bien qu'on divorce aussi rapidement, ou presque, à Casper ou à Pocatello qu'à

Las Vegas. Une minuscule possession américaine de la mer des Caraïbes, les îles Vierges, a profité de l'autonomie administrative qui lui a été accordée pour entrer dans la compétition ; son chef-lieu, Charlotte-Amélie, est en passe de devenir l'une des grandes usines à briser le lien conjugal de l'hémisphère occidental.

Au surplus, l'industrie du divorce n'a pas donné tout ce qu'elle promettait. Avant la guerre, le nombre des divorces s'élevait à 265 000 par an, en face de 1 700 000 mariages. Pendant la guerre, et surtout dans les premiers mois qui la suivirent, il monta en flèche pour atteindre, en 1946, le chiffre record de 620 000. Les *lawyers* du Nevada, prenant pour l'accentuation d'un phénomène social ce qui n'était qu'un boom, ont cru que leur industrie avait devant elle une matière première inépuisable et se sont équipés en conséquence. Mais la décrue est survenue à partir de 1947. Le nombre des divorces s'est abaissé aux environs de 350 000 et l'activité des manufactures de séparation nevadiennes s'est réduite de 40 %.

Il existe, au reste, de nombreuses méprises sur le divorce américain. Les chiffres cités au paragraphe précédent montrent qu'il est beaucoup moins fréquent que ne le veut la légende, puisque six mariages sur sept ne sont dissous que par la tombe. Au surplus et surtout, neuf sur dix des hommes, et une proportion considérable de femmes, ne décident de divorcer qu'après avoir résolu de se remarier et après avoir choisi le conjoint de rechange — si bien que le nombre élevé des divorces prouve paradoxalement la force et non la faiblesse de l'institution conjugale. Beaucoup de sociologues ne se gênent pas pour dire qu'un Américain éprouvant un trouble des sens ou du cœur ferait mieux de faire ce que font les Européens, s'offrir une passade, au lieu de briser à tout jamais son ménage pour entrer dans un autre. Mais la liaison — qu'on désigne en américain par le mot français « affaire » — est mal vue aux États-Unis. L'homme qui se croit épris n'a devant lui que l'issue du remariage et se jette dans le divorce tête baissée.

Il n'empêche que le Nevada est gêné par la pancarte

d'Etat-divorce qu'il porte au cou. Ses institutions économiques et philanthropiques recommandent de ne faire aucune publicité sur cette spécialité lucrative, mais fâcheuse. Elles préfèrent qu'on mette l'accent sur la spécialité inverse, le mariage nevadien, plus expéditif encore. « Reno libère », disait l'ancien slogan et le nouveau : « Reno unit. » Separation Center est devenu Conjungo Center. Chaque année, Reno prononce 28 000 mariages (contre 12 000 divorces), c'est-à-dire qu'il met en ménage deux fois plus d'hommes et de femmes qu'il ne compte d'habitants. Les chiffres sont du même ordre de grandeur à Las Vegas et l'on doit y ajouter les autres villes, comme la capitale, Carson City (5 163 habitants en 1960) et les petits centres d'Ely et d'Elko. Le Nevada, au total, célèbre de 80 à 90 000 mariages par an. Ce n'est pas mal pour un Etat de 450 000 habitants.

On vient se marier au Nevada pour la même raison qu'on y vient divorcer : la facilité. Aucune formalité n'est requise et, à la différence du divorce, aucun délai de résidence n'est imposé. Le certificat prénuptial, l'examen du sang réclamés par la plupart des Etats sont ignorés. La demande de licence de mariage se rédige au crayon, sur une formule imprimée, et la préposée vous délivre la liste des juges, curés et pasteurs qui se tiennent prêts à recevoir séance tenante des vœux que Reno et Las Vegas ne considèrent jamais comme éternels. Il existe, dans les bureaux de cet état civil libéral, des appareils distributeurs de « corsages », c'est-à-dire de bouquets pour les épousées. Cinq « quarters » dans la fente de la machine produisent une orchidée pour fleurir un jeune bonheur.

Le danger de ce mariage expéditif n'est pas, comme on serait tenté de le croire, la bigamie. En signant sa demande de licence, chacun des deux requérants atteste sous serment qu'il est libre de tout engagement antérieur, et le parjure est en Amérique un acte gravissime qui envoie son auteur droit en prison. Mais le mariage nevadien est très facilement un mariage-piège. Il est utilisé sans inconvénient par des hommes et des femmes ennemis du formalisme, mais il l'est aussi par de jeunes personnes qui savent saisir l'occasion au collet. Des courses folles s'engagent quelquefois sur les routes du désert entre un fils conduisant sa sirène aux autels de Reno et des parents prévenus au dernier moment. Si ceux-ci rattrapent les fugitifs, ils ne peuvent d'ailleurs compter que sur leur force de persuasion, la loi nevadienne ne s'étant jamais embarrassée de cet archaïsme qu'est l'autorisation de papa-maman.

Il est juste d'ajouter que le Nevada n'est pas seul à permettre ce mariage-risque. Il n'est pas rare de trouver dans d'autres Etats des panneaux lumineux avec une inscription de ce genre : « Tournez à droite ; le bureau des licences est ouvert toute la nuit. » En Amérique, le péril qui guette l'homme ne sommeille jamais.

*
**

A côté du mariage-express et du divorce-éclair, le Nevada compta longtemps dans ses spécialités locales la prostitution. A Reno, le Stockade était une attraction touristique. Autour d'une cour en fer à cheval, des cellules qui n'avaient rien de monacal étaient occupées « round the clock » par des prêtresses qui se relayaient de huit heures en huit heures, comme les équipes des usines à feu continu. Un policeman, payé 250 dollars par mois sur le budget de l'établissement, faisait les cent pas devant l'entrée pour attester par sa présence que le lupanar avait l'agrément de la loi.

Pendant la guerre, au lieu de demander l'extension des facilités vénériennes, à la manière française, les autorités militaires exigèrent la fermeture du Stockade et l'interdiction de la prostitution. Les hostilités terminées, l'interdiction persista, en vertu de la fiction juridique suivant laquelle l'état de guerre n'avait pas pris fin. Une courageuse citoyenne, Mrs. Cunningham, s'insurgea contre cette casuistique qui privait Reno et le Nevada d'un de ses attraits. Ne pouvant ressusciter le Stockade, tombé en ruine, elle recruta douze volontaires et ouvrit une « maison ». Elle fut poursuivie, mais le juge saisi de l'affaire l'acquitta. Les sociétés de vertu protestèrent et une guerre civile déchira Reno.

Le maire, alors, prit une décision qui fait grand honneur à sa confiance dans les principes de la démocratie. Il réquisitionna deux salles de la bibliothèque municipale. Dans l'une, il fit réunir une collection d'ouvrages et de documents en faveur de la prostitution réglementée. Dans l'autre, il fit exposer les arguments de la thèse opposée. Puis il invita les électeurs et les électrices à venir se faire une idée éclairée de la question. Le référendum qui suivit ne donna pas raison à l'entreprenante Mrs. Cunningham et au juge libéral qui l'avait absoute. Toutefois, la question reste ouverte et, en attendant qu'elle soit définitivement tranchée, le Nevada reste compréhensif. Les maisons de tolérance sont et demeurent fermées, mais l'esprit de tolérance n'est pas mort.

Toute cette politique, le divorce, le mariage, le plaisir facile et le tourisme bon marché, ont un but. L'aboutissant est le jeu. Le fond de la fortune du Nevada est un tapis vert. La base du revenu magistral de l'Etat désertique, ce sont les foules qui accourent de toute l'Amérique avec l'espoir individuel de gagner et la certitude collective de perdre. Elles viennent d'elles-mêmes, mais il est plus sûr encore de les attirer par tous les moyens.

Presque partout en Amérique, le jeu est pourchassé. A New York, la police noie périodiquement, au large de Staten Island, des tonnes de « machines à sous » clandestines récoltées dans les bars. Toutes les Commissions d'Enquête sur le crime montrent dans le jeu l'activité la plus importante et la plus lucrative de l'*underworld*. Les bookmakers sont traités comme de dangereux malfaiteurs. Le pari mutuel est autorisé sur les hippodromes, mais la grande compagnie télégraphique « Western Union » fut poursuivie parce qu'elle diffusait les résultats des courses par fil spécial. L'innocent bingo, qui n'est pas autre chose que le loto des familles, passe-temps de vacances, manière de récolter quelques fonds pour des œuvres de charité, est l'objet de polémiques violentes et souvent interdit à la suite de référendums locaux. Mais, au Nevada, le jeu est plus que libre : il est ignoré par la loi. Tous les jeux sont permis par le silence de celle-ci, et aucun n'est réglementé par la puissance publique. N'importe qui peut ouvrir un tripot : le drugstore en dressant des machines à sous au milieu de ses comptoirs, le coiffeur en ouvrant une roulette dans sa salle d'attente, le patron de motel en disposant des tables de jeux flottantes dans sa piscine, etc... Vous jouez à l'aéroport, dès l'instant où vous mettez le pied hors de l'avion. Vous jouez à la station-service, pendant que le préposé emplit votre réservoir d'essence et lessive votre pare-brise. Sur les routes du désert, dans la pureté cristalline de la nuit, flamboient des établissements où les touristes s'affrontent à coups de dés avec les cow-boys. S'ils utilisent relativement peu les mirifiques facilités de divorce de leur législation, les Nevadiens, par contre, ne sont pas indemnes du jeu. Ils lui acquittent une dette de reconnaissance ; et, même lorsqu'ils perdent, ils gagnent encore. Car leur Nevada tout entier, directement ou indirectement, vit du jeu.

Pour le jeu comme pour le divorce, Las Vegas ne fut d'abord qu'un reflet de Reno. *Harold's* et *Harrap's*, les deux grands saloons de celle-ci, se disputaient dans toute l'Amérique le titre de plus grand tripot du monde. Sur les routes, des panneaux publicitaires montraient un wagon de pionniers et proclamaient cette devise à la dynamite : « *Reno or burst !* » « Reno ou que ça pète ! » Las Vegas répondait de son mieux par sa *Pépite d'Or* (*Golden Nugget*), flamboyant dans Fremont Street, au milieu d'une douzaine d'autres tapis-francs qui portaient les noms consacrés de *Last Frontier*, *Last Chance*, *Lucky Strike*, *Monte Carlo*, etc... L'essor ne date véritablement que du moment où d'ingénieux industriels comprirent qu'il fallait donner au jeu une vitrine encore plus attirante que les poitrines des barwomen et les croupes des croupières dans les salons classiques. Le gangster Bugsy Siegel, qui se vantait discrètement de s'être ouvert le chemin de la fortune en tuant douze hommes de sa main, fut l'un de ces novateurs. Il conçut son *Flamingo* pour réunir sous un seul toit le confort d'un hôtel de haut luxe, les attraits d'un music-hall et les tentations d'un casino. L'inauguration eut lieu le jour de Noël 1946 au milieu d'un faste insolent. Hélas ! six mois plus tard, Mr. Siegel commit l'imprudence d'exposer trop près d'une fenêtre de Beverly Hills un profil dont il était fier et qui fut emporté par la gerbe d'un fusil de chasse. Son *Flamingo* lui avait valu beaucoup de déboires, en particulier parce que l'ami du décorum qu'était cet assassin courtois s'était inscrit contre la règle du débraillé nevadien : *Come as you are,* et avait imposé le smoking aux clients de son casino. L'injustice, ordinairement associée aux grands destins, fit que le *Flamingo* émergeait de ses difficultés et allait entrer dans le rouge, couleur du profit, quand son fondateur trouva une fin qu'on impute au mécontentement de ses associés devant ses comptes en déficit.

Mais le Strip était lancé. Le Strip est le tronçon de la route de Los Angeles aboutissant au centre de Las Vegas. Il émerge du désert et il était lui-même le désert il y a peu d'années. On vendait le terrain 100 dollars l'acre en 1940, et, vingt ans plus tard, deux cents fois plus cher. Deux files indiennes de prodigieux hôtels-casinos se déroulent pendant plusieurs kilomètres le long du Strip : *Thunderbird, Riviera, New Frontier, Dunes, Stanny Dust, Desert Inn, Sahara, El Rancho,* le *Sands* enfin... Le restaurant music-hall de ce superlatif des super-hôtels, la *Copa Room,* assoit 1 200 convives devant lesquels se déroule le spectacle le plus luxueux du monde. Les plus gros cachets d'Amérique se paient dans ces établissements : 30 000 dollars par semaine à Marlène Dietrich, 40 000 à Frank Sinatra, 50 000 au pianiste Liberace, l'Orphée et l'Eros des vieilles dames américaines, etc., etc... Ce n'est plus Hollywood, défraîchi et désargenté, qui fait ruisseler sur les grands noms stellaires des fontaines d'or : c'est Las Vegas. Dans les trente premiers mois de son existence, le *Sands* a dépensé pour ses attractions la somme à peine croyable de 5 630 000 dollars répartis entre 27 étoiles, 427 chorus girls, 727 musiciens et des mises en scène dont Broadway n'ose rêver. Il avait, dans le même temps, usé 143 000 paires de dés, à 1 dollar 25 la paire, en 52 100 000 coups.

Une demi-douzaine de ces hôtels-casinos sont devenus depuis la fin 1966, la propriété de l'ex-aviateur milliardaire Howard Hughes, qui s'est installé au *Desert Inn.* A 63 ans, Howard Hughes, le maniaque de la propreté, a engagé une partie gigantesque : sur les centaines d'hectares de désert rouge qu'il a également achetés, il veut réaliser le plus grand aéroport du monde, l'aéroport supersonique de l'an 2000 d'où, selon Howard Hughes, « les Américains partiront dans l'espace ».

En attendant, l'Etat du Nevada ne peut que se réjouir de cette manne qui lui est tombée... du ciel !

Payé à son prix, le luxe de Las Vegas coûterait des fortunes. Il est, au contraire, presque gratuit, ou si l'on préfère, il est payé — mais cher ! — par les pertes que la masse des clients du jeu fait mathématiquement par les prélèvements des casinos. Les super-hôtels du Strip procurent un gîte, une nourriture, un amusement à des prix défiant toute concurrence. Une chambre vaut 5 dollars ; l'addition la plus fastueuse à la *Copa Room* n'excède pas 6 dollars et il est possible de jouir de Dietrich et de Sinatra pour le prix d'un whisky-soda. Il s'agit d'amener le client par tous les moyens, à l'aide de n'importe quelle tentation, dans l'ambiance, la griserie, l'automatisme du jeu. Cela produit un spectacle inouï. Des foules bariolées accourent sans cesse de toute l'Amérique. Une démocratie intégrale mélange autour du faro, du poker, du craps, du baccarat, de la roulette, des petits chevaux, etc., etc..., des patrons et des employés en vacances, des Juifs de Broadway, des acteurs de Hollywood, des étudiants arrivés de Harvard ou de Yale avec une martingale, des nègres, des clochards, des femmes frénétiques, des jolies filles faciles, des cow-boys vrais ou factices qui ont des étoiles pour éperons. Las Vegas seul se flatte de recevoir chaque année 11 millions de visiteurs ; elle cultive un folklore où il est question d'un vieillard qui manœuvra le levier d'un slot machine jusqu'au moment où ses mains ruisselèrent de sang et d'un inconnu aux cheveux argentés qui resta seize heures consécutives à une table de jeu pour gagner 350 000 dollars. Mais chaque soir, l'Armée du Salut recueille 300 décavés et les casinos en rapatrient des milliers, chaque année, sur un fonds commun. D'autres s'accrochent pathétiquement à la ville de l'illusion. On voit de vieilles gens en haillons rôder autour des tripots ou manœuvrer à deux mains les leviers des slots machines à 5 cents avec des expressions de fureur et d'égarement. Des mendiants qui furent riches repèrent les joueurs heureux pour quêter le moyen d'une nouvelle relance. Tout est fait pour le jeu, y compris les dollars, qui ne sont pas des rectangles verts, mais de grosses pièces d'argent brillantes faites pour rouler. Jamais les tripots ne ferment leurs portes et, devant les saloons dont on fait le ménage par tranches, les lève-tôt croisent les courtisans de la fortune nocturne qui s'en vont, abrutis de fatigue, dans la violente lumière matinale du désert.

Ce jeu frénétique est un legs du passé. On jouait ainsi, jadis, dans tout l'Ouest, avec cette différence que les « diggers » apportaient leurs pépites et leur poudre d'or dans de petits sacs de cuir qu'ils posaient sur les tables à côté de leurs « six shooters ». Mais les autres Etats de l'Ouest se sont acheté une conduite. Le Nevada seul a persisté. Du jeu sporadique de la ruée vers l'or, il a tiré une industrie et une institution. Incurablement pauvre, il avait besoin d'un revenu ; il l'a magistralement trouvé.

Entre le Nevada et l'Utah, il n'existe aucune solution de continuité. La frontière qui les sépare est rectiligne comme l'arbitraire. La route fédérale qui les réunit ne cesse pas de traverser des paysages de désolation. Jamais deux contraires n'ont été plus semblables. Dans leurs différences, la nature n'est pour presque rien ; l'homme est pour presque tout.

L'Utah est l'Etat Mormon. Alors que le Nevada est un désert enrichi par le péché, l'Utah est un désert fécondé par la foi.

Sur ses 1 008 000 habitants, les trois quarts sont des Mormons. Ce n'est pas le nom qu'ils se donnent eux-mêmes. Ils s'appellent modestement des Saints — les

Saints du Dernier Jour. Ils s'interpellent entre eux par les mots de « frère » et « sœur ». Ils appellent tous les autres membres de la famille humaine des « Gentils ». L'Utah est le seul pays au monde où un Juif soit un Gentil.

Ce sont les Gentils qui appellent la capitale des Mormons Salt Lake City. Les Mormons l'appellent Zion. Elle n'est que la cinquante-septième ville des Etats-Unis (526 000 habitants), mais l'une des plus belles : spacieuse, aérée, régulière, sérieuse et froide. Le Lac Salé est distant de quelques kilomètres, ce qui est heureux, car les rives de cette mer intérieure en voie d'assèchement sont un pestilentiel bourbier.

A Zion, ou Salt Lake City, les Mormons sont en minorité, bien que le sol leur appartienne, ainsi que le pouvoir. Les Gentils jouissent naturellement des mêmes droits politiques, mais le gouverneur de l'Utah, la plupart des sénateurs, des *congressmen*, des élus locaux, des personnalités-clé de l'économie et de la politique sont toujours des Mormons. Et c'était un Mormon, Ezra Taft Benson, qu'Eisenhower avait choisi comme secrétaire d'Etat à l'Agriculture, rendant aussi hommage à l'une des races de gratteurs de sol les plus ingénieuses et les plus acharnées du monde entier.

Les Mormons sont essentiellement des cultivateurs. Ils tirent parti avec une ingéniosité fantastique des moindres lambeaux de terre arable. Comme leur agriculture dépend partout de l'irrigation, elle suit tortueusement le cours des vallées, insinuant ses replis verts entre les hauts plateaux rouges d'oxyde ou blancs de sel.

Il y a, dans l'Utah, 28 000 fermes, alors qu'il n'en existe que 3 000 au Nevada. Ces fermes ressemblent beaucoup à celles de l'Europe. Elles s'entourent de rideaux de peupliers. Elles sont souvent très petites (parfois moins de 20 acres) et très morcelées. Elles utilisent moins de machines et plus de bras que les autres fermes américaines, au point qu'on y trouve encore des vaches traites à la main. Elles ne pratiquent pas la monoculture, qui est la règle rurale en Amérique, mais portent au contraire des récoltes d'une extrême variété.

L'une de ces récoltes est la betterave sucrière, qu'un des rares Mormons français, le Lyonnais Philippe de La Mare, introduisit aux Etats-Unis. Le céleri est, on ne sait pourquoi, une spécialité mormone. Mais le blé, l'orge, l'avoine, les fourrages, les fruits, les pommes de terre, le coton, etc., ont presque toujours une place dans les exploitations. Pour l'élevage, l'Utah recense plus de vaches que d'hommes. Au total, la valeur de la production agricole dépasse 200 millions de dollars par an, chiffre prodigieux pour un désert.

On trouve aussi dans l'Utah une collection de mines dont l'énumération ressemble à l'inventaire d'un cabinet de géologie : phosphates, gypse, sel, cuivre, mercure, arsenic, antimoine, tungstène, molybdène, schistes, bismuth, vanadium, uranium, etc. Mais, s'il n'avait tenu qu'aux Mormons, les mines de l'Utah n'auraient jamais été exploitées, ni même découvertes. Quand un Gentil, le colonel O'Connor, commença, peu après la guerre de Sécession, à défoncer le sol de l'Utah pour lui arracher ses entrailles, les Mormons s'opposèrent d'abord à son activité les armes à la main. Mais les intérêts capitalistes l'emportèrent sur l'exclusivisme agricole des Saints.

Un Mormon sur cinq — femmes comprises — est prêtre, mais seuls quelques hauts dignitaires de l'Eglise font du sacerdoce une profession. Les fidèles, en principe, servent bénévolement comme missionnaires pendant deux ans. Le culte — ou tout au moins ce que le profane en aperçoit — consiste uniquement en prières et en hymnes, sans aucun formalisme extérieur. D'un autre côté, l'Eglise mormone est extrêmement rigide. Elle tient le fidèle d'une main robuste. Elle lui impose l'obéissance et lui prescrit l'austérité. Elle lui interdit l'alcool, le café, le thé, tous les excitants, y compris, le coca-cola, en raison de la petite dose de caféine qu'il contient. La proscription du tabac est rigoureuse, et la pratique de fumer est odieuse aux Mormons, parce qu'elle « salit l'air de Dieu ».

Par contre, la religion mormone ne se montre pas hostile à la danse et aux spectacles. L'Utah fournit un nombre d'acteurs et de cinéastes supérieur à sa part proportionnelle dans la population des Etats-Unis.

Les Mormons se croient les fils de Dieu au sens propre, au sens charnel du mot. Ils ont pour les Gentils un mépris tranquille et profond, au point qu'ils n'hésitent pas à distiller de l'alcool pour le vendre à ces impurs. Se sachant les enfants du Seigneur, ils ne peuvent éprouver aucune crainte. Si l'Eglise des Saints se trouvait en péril, Dieu interviendrait personnellement pour la sauver, comme il l'a déjà fait à plusieurs reprises. La conscience de cette sauvegarde est la base de l'inébranlable optimisme mormon.

Nul n'ignore, enfin, que la religion mormone admet, autorise et encourage la polygamie. Mais, pour des raisons qui apparaissent plus loin, cet article de dogme est momentanément en sommeil.

La secte a été fondée par le prophète Joseph Smith. Il reçut la révélation par la voix de l'ange Moroni, fils de l'archange Mormon, qui le guida vers le Livre de la Vérité, lequel se trouvait dans un bois commodément situé derrière sa maison. Le Livre était écrit en une langue inconnue, sur des feuilles d'or. Smith le traduisit, mais comme il n'avait pas reçu le don de l'écriture, en même temps que celui des langues commun aux prophètes, il dicta sa traduction à l'instituteur Oliver Cowdery, son premier disciple. Afin de respecter les instructions de Moroni, qui avait interdit de montrer le Livre à quiconque, Smith travaillait derrière un rideau. Ces choses se passaient dans l'Etat de New York, en 1823, une cinquantaine d'années après la mort de Voltaire. Elles attestent d'une manière éclatante la fécondité inépuisable du divin.

Il convient d'ajouter que Smith reçut ultérieurement l'autorisation de produire le Livre devant sept témoins, qui laissèrent un procès-verbal revêtu de leurs signatures, si bien que la religion mormone se trouve fondée sur des bases au moins aussi respectables et aussi évidentes que n'importe quelle autre religion révélée.

Le *Livre de Mormon* (titre officiel) est essentiellement un évangile américain. Jésus-Christ, trahi dans le Vieux

Monde par la méchanceté et l'incrédulité des hommes, passa l'Océan dans le sillage du Soleil et transporta son enseignement dans un monde meilleur. Symbole de circonstance, mais profond.

Les exégètes profanes du mormonisme ont trouvé dans le Livre des passages entiers de la Bible, ce qui n'a rien d'anormal, ni même d'étonnant. Ils y ont trouvé aussi des phrases littérales de Shakespeare, mais l'on ne voit pas pourquoi Dieu ne parlerait pas par les mêmes mots qu'un poète, puisqu'il est la source de toute inspiration.

Quand la traduction fut achevée, Joseph Smith en fit imprimer 5 000 exemplaires par un éditeur de Palmyre (Etat de New York) au prix global de 3 000 dollars. Il la mit en vente au prix unitaire de 2 dollars et demi. Dès sa naissance, la religion mormone reçut ainsi l'empreinte d'un vigoureux réalisme économique dont elle ne s'est heureusement jamais départie.

L'histoire qui suit est malheureusement trop touffue pour être racontée ici dans le détail. Joseph Smith rassembla rapidement un nombre important de fidèles et, pour les soustraire à la persécution commençante, il les emmena vers l'Ouest. Dans l'Illinois, alors presque vierge, il fonda une ville, Nauvoo, qui devint en quelques mois la plus peuplée et la plus belle de la région. Il créa une armée, se nomma lieutenant-général, endossa un uniforme bleu dont le dessin lui fut donné par Dieu lui-même, et posa sa candidature à la présidence des Etats-Unis.

Mais la persécution se réveilla, sauvage, contre une secte étrange qui paraissait se faire une bouffonnerie des choses les plus saintes et qui défiait jusqu'aux bonnes mœurs en pratiquant clandestinement la polygamie. L'Hérode de l'Illinois, le gouverneur Ford, menaça de raser Nauvoo. Smith prit peur, s'enfuit, connut des transes comparables à celles du Christ, revint à Nauvoo, négocia avec Ford et accepta de se constituer prisonnier à condition qu'on lui promît la vie sauve. Il fut incarcéré à Carthage, nom fatal.

Le 27 juin 1844, vers les 5 heures du soir, des assassins au visage couvert de suie forcèrent les portes de la prison et abattirent à coups de fusil le prophète Joseph Smith et son frère, Hiram.

La religion mormone avait reçu la consécration indispensable du martyre. Mais, à la nouvelle des événements de Carthage, la terreur s'abattit sur Nauvoo. Pendant une nuit d'effroi, on attendit l'arrivée des milices exterminatrices du gouverneur Ford et, le lendemain, les fuites et les reniements commencèrent. L'Eglise, affaiblie par des dissensions antérieures à la mort de Smith, se serait probablement dispersée et peut-être dissoute si un chef magnifique n'avait pas surgi : Brigham Young. Smith avait créé la religion mormone ; Young la fonda.

Son inspiration de génie fut de comprendre que les Saints du Dernier Jour ne trouveraient le repos qu'en fuyant beaucoup plus loin encore la rage des Gentils. Il ordonna d'abandonner Nauvoo-la-Magnifique. Les 20 000 personnes, hommes, femmes, enfants, dont se composait alors le peuple mormon chargèrent tous leurs biens sur des chariots et partirent vers le désert occidental. Les derniers pionniers de la Frontière virent passer avec stupeur cette gigantesque migration, la plus nombreuse qui ait jamais traversé d'un bloc le continent américain.

Young, élu chef de l'Eglise, mit son peuple en hivernage dans la vallée du Missouri. Lui-même partit, avec une avant-garde, à la recherche d'un établissement définitif. Il trouva cent fois des sites magnifiques, des vallées fertiles, des plaines qui attendaient la charrue. Il refusa de s'y arrêter, pressentant que le flot des Gentils ne tarderait pas à rejoindre le troupeau de Dieu s'il avait la faiblesse de céder à la facilité. Enfin, le 24 juin 1847, il arriva à l'entrée d'une vallée sèche, déserte, brûlante, horrible. Les eaux d'un grand lac brillaient au loin derrière des rives encroûtées de sel. « *That is the Place* », prononça Brigham Young, c'est ici l'endroit.

Young avait avec lui 142 hommes, 3 femmes et 2 enfants. Les femmes se mirent à pleurer en disant qu'elles étaient bien fatiguées, mais qu'elles aimaient mieux marcher encore 1 000 milles sur leurs jambes plutôt que de s'arrêter dans un lieu aussi affreux. Bri-

gham Young répéta : « *That is the Place.* » La croisade
mormone était finie ; l'Empire mormon commençait.

Si Brigham Young n'avait pas été Brigham Young, c'est-
à-dire un monolithe de volonté et de clairvoyance, l'Etat
mormon aurait été, non l'Utah, mais la Californie. Un
autre détachement précurseur, conduit par un nommé
Brennan, avait atteint cette dernière contrée après des
aventures extraordinaires et une traversée dramatique
de la Vallée de la Mort. Brennan rejoignit Young sur
l'emplacement de Salt Lake City et décrivit la fécondité
qu'il avait enfin trouvée. Young répondit qu'il perdrait
le Peuple de Dieu s'il l'établissait dans une région maritime que les Gentils, fatalement, envahiraient un jour.
Brennan fit dissidence, retourna en Californie, mais lui
et les siens furent submergés par les grandes migrations
des années suivantes et s'écartèrent de la parole de
Dieu.

Le *Gold Rush* fut pour les Saints une épreuve de foi et
une épreuve de force. L'un des leurs se trouvait en Californie, à Fort Suter, le jour même où Marshall y découvrit l'or. De midi au soir, il lava des alluvions aurifères,
recueillit la valeur d'une cinquantaine de dollars et
retourna précipitamment à Salt Lake City pour annoncer
la trouvaille en montrant ses échantillons. « L'or, tonna
Brigham Young, n'est bon qu'à paver les rues. La tâche
d'un Saint est de faire verdir les champs. » Après cette
parole, pas un seul Mormon ne quitta son désert pour
se précipiter vers l'Eldorado d'à côté.

Mais le Lac Salé se trouvait sur le chemin des chercheurs d'or. Brigham Young avait cru mettre un siècle
de distance entre les Gentils et les Saints en conduisant
ces derniers si avant dans la solitude et l'aridité. Il n'avait
pas prévu le moteur tout-puissant de l'or. Les Gentils
déjà rejoignaient les Saints. Et quels Gentils ! L'écume,
la lie des deux mondes, rendue frénétique par la fièvre de
l'or.

Les Mormons furent féroces par nécessité. A coups de
fusil, ils écartèrent les chercheurs d'or de leurs établissements naissants. Ils leur refusèrent le pain et l'eau.
Le fleuve impur les contourna en grondant d'impuissance,

non sans laisser dans son sillage quelques cadavres aux vautours du désert.

Le premier champ qui verdit dans l'Utah fut une petite culture de pommes de terre arrosée par un ruisseau qui s'appelle aujourd'hui City Creek. Puis la tache de vie se mit à s'étendre. Les Mormons recherchèrent les fonds des vallées fertiles, détournèrent les cours d'eau, dessalèrent le sol, organisèrent le premier système d'irrigation des Etats-Unis. Ils contraignirent le désert à nourrir leur population rapidement grandissante. L'organisation économique mise sur pied par Brigham Young était si excellente que l'histoire mormone ne relate pas une seule famine, en dépit des sécheresses et des invasions de criquets.

Mais d'autres épreuves attendaient les Saints.

Dans l'Ohio, dans l'Illinois, ils avaient pratiqué la polygamie en secret. Dans l'Utah, chez eux, ils en firent ouvertement une de leurs institutions fondamentales. Brigham Young, donnant l'exemple, eut 17 femmes, qu'il enrichit de 56 enfants. Il y avait, dans cette hâte à multiplier, l'instinct d'une minorité combattue qui veut forcer les étapes de sa croissance. Au surplus, la polygamie (ou, plutôt pour parler comme les Mormons aiment qu'on parle, le mariage pluriel), n'était pas laissé au caprice et au dérèglement des sens. L'Eglise veillait. Elle n'autorisait un homme à contracter plusieurs mariages qu'après s'être assurée qu'il était en état d'entretenir plusieurs foyers, faisant ainsi de la multiplicité des épouses la récompense des plus laborieux et des plus forts. Le harem oriental était inconnu, chaque femme devant avoir une maison distincte dans laquelle elle exerçait des droits très étendus. Les femmes, au reste, jouaient un rôle important dans la collectivité mormone, laquelle fut la première à leur accorder le droit de suffrage et l'égalité politique. Enfin, l'impossibilité du divorce, l'indissolubilité du lien conjugal dans ce monde et dans l'autre donnaient à la polygamie mormone un caractère indiscutable de moralité.

Malgré ces correctifs, elle fut un stigmate qui mit les Mormons au ban de la nation.

Dès 1850, ils avaient rassemblé une population suffisante pour être en mesure de constituer un Etat. Ils le demandèrent et, à cinq reprises, se heurtèrent à un refus. Une croisade fut prêchée contre eux, si bien que le président Buchanan leur envoya, en 1857, une expédition militaire, laquelle au reste s'acheva ignominieusement, les Mormons eux-mêmes ayant dû sauver l'armée punitive de l'inanition. En 1872, le Congrès vota une loi interdisant les mariages pluraux. Les Mormons la mirent en échec en acceptant que leurs unions au-delà de la première fussent légalement considérées comme des concubinages. Une autre loi, en 1882, ferma cet échappatoire. Les Saints se trouvèrent adossés à un mur.

Trois pour cent seulement d'entre eux étaient alors engagés dans les liens multiples du mariage plural. Mais un principe était en jeu et, pendant huit ans, les Mormons luttèrent vaillamment pour le défendre. L'Utah connut des dragonnades. Les prisons fédérales s'emplirent de rebelles qui défendaient contre la souveraineté des Etats-Unis le droit d'un homme à dormir dans plus d'un lit. Enfin, en 1890, après une douloureuse consultation avec Dieu, le président de l'Eglise Wilford Woodruff, publia un manifeste dans lequel il invitait les Saints à se conformer à la loi du pays en s'abstenant de contracter des mariages pluraux. Six ans plus tard, après un retard d'un demi-siècle, l'Utah devint la 45e étoile du drapeau américain.

L'Eglise s'est inclinée ; elle ne s'est pas reniée. Elle soutient toujours que le mariage plural est conforme à la loi divine et supérieure comme principe moral et social à la monogamie. Elle demeure convaincue que des temps plus éclairés lui permettront d'y revenir. Quelques vieux Mormons ont même refusé de faire capituler la loi du Seigneur devant la loi des Etats-Unis et certains accomplissent encore de longues peines de prison pour infraction à l'Edmunds Act de 1882 et un village de Mormons polygames — en état de désobéissance à l'Eglise, fut encore l'objet d'un raid fédéral, il y a quelques années. Samuel W. Taylor, fils d'un haut dignitaire de l'Eglise, a raconté dans un grand magazine comment son père, à la fin du siècle dernier, conduisait dans la clandestinité six ménages échelonnés du Mexique au Canada. « Mon père, dit-il, laissa six veuves, toutes magnifiques, qui jamais ne tournèrent les yeux vers un autre homme. Elles lui avaient été unies pour la vie et pour l'éternité et elles attendirent avec une résignation parfaite le moment de le retrouver sur l'autre rive de la mort. »

La bataille de la polygamie est la seule que l'Eglise mormone ait perdue au cours d'un siècle et demi d'histoire. Elle compte aujourd'hui 1 500 000 fidèles dans tous les pays du monde (il y a une mission mormone à Paris). Aux Etats-Unis, outre l'Utah, les Mormons peuplent le sud de l'Idaho, une partie du Wyoming, des régions entières de la Californie et de l'Arizona. Ils constituent l'une des institutions religieuses les plus solides et les plus vivantes du monde. Son mécanisme profond n'est pas facile à comprendre, car toute une partie du mormonisme plonge dans un secret de caractère maçonnique datant évidemment de l'âge des persécutions. A Salt Lake City, l'un des deux grands sanctuaires mormons, le Tabernacle (célèbre par ses orgues et par les lanières de peau de vache non tannée qui ont remplacé toutes les parties métalliques dans sa construction), est ouvert au public, mais l'autre, le Temple, n'est même pas ouvert à tous les Mormons. Aucun Gentil n'a jamais pu se faire expliquer d'après quelle règle s'établit la différenciation des admis et des exclus.

Le sommet de la hiérarchie mormone est d'une simplicité géométrique, ou plus précisément pyramidale : 12 apôtres, 3 conseillers et 1 chef suprême qui porte démocratiquement le titre de président. Le président nomme les apôtres. Les apôtres — ces cardinaux mormons — élisent le président. La ressemblance avec le catholicisme, sinon l'imitation du catholicisme, est parfaite, et elle se trouve encore renforcée par l'infaillibilité. Le mormonisme va même au-delà de l'infaillibilité romaine. Dieu en personne dirige l'Eglise des Saints. Le président entre en contact direct avec Dieu chaque fois qu'il le juge utile et il en reçoit les directives comme un chef d'état-major reçoit les instructions de son commandant en chef. Ces interventions divines ne sont pas limitées aux intérêts spirituels, mais s'étendent aussi bien à la gestion des intérêts matériels. L'Eglise mormone gouvernant l'Utah, on en arrive à cette conclusion étonnante qu'un des 50 Etats composant la démocratie américaine est une authentique théocratie.

L'une des qualités nécessaires au président de l'Eglise mormone est une grande capacité financière. Il administre une puissance d'argent dont l'origine réside dans une loi de Joseph Smith : un Saint cultivera pour l'Eglise le dixième de son champ. Transcrit en termes modernes, ce précepte signifie qu'un Mormon doit à l'Eglise un dixième de son revenu. Même à notre époque d'impôts profanes écrasants, cette lourde contribution est perçue d'une manière satisfaisante, sans contrôleurs et sans huissiers. Les ressources de l'Eglise sont considérables et, tout en subvenant aux besoins du culte, de la propagande et de la bienfaisance, elle a pu constituer une impressionnante accumulation de capitaux.

La plus grande partie du terrain sur lequel s'élève Salt Lake City appartient à l'Eglise mormone. Elle possède l'Utah Bank, la Zion Savings Bank et la Beneficial Insurance Life Company. L'hôtel *Utah*, l'un des plus luxueux de l'Ouest, et le *Temple Hotel* sont à elle ; 5 000 hectares de terres irriguées — richesse immense — lui appartiennent. Le plus grand quotidien de l'Utah, *Deseret News*, et la station de radio K.S.L. lui appartiennent aussi. Elle contrôle l'Idaho Sugar Company, avec une chaîne de sucreries et raffineries. La Z.C.M.I. (Zion Cooperative Mercantile Institution) monopolisa au profit et au nom de l'Eglise des Saints la plus grande partie du commerce de détail de l'Utah. Le portefeuille des valeurs est insondable, mais l'on sait au moins qu'il renferme une grosse partie des actions de l'Union Pacific Railroad. A côté de cette constellation de richesses, les biens de main-morte des plus grands ordres religieux d'autrefois, le fameux et d'ailleurs illusoire milliard des Chartreux, ne sont que des patrimoines insignifiants.

Peu de Mormons sont très riches, mais l'Eglise des Mormons est richissime. C'est encore un paradoxe extraordinaire et peu connu de l'Amérique : ce socialisme religieux et étatique installé depuis plus d'un siècle, prospère et grandissant depuis plus d'un siècle, au milieu du pays qui demeure encore le symbole de l'individualisme économique. L'ésotérisme mormon, au reste, met sa marque sur ce monceau de biens tangibles : le budget et le bilan, tout comme les arcanes du dogme, sont des secrets que le président et ses conseillers sont seuls à détenir. Aucun compte n'est jamais rendu public et les agents du fisc eux-mêmes passent pour ignorer l'importance et la composition exactes de la fortune collective des Mormons.

Qu'espèrent-ils, ces Mormons qui ne représentent même pas le millième des habitants de la planète ? Ils espèrent ce qu'espèrent les fidèles de toutes les fois religieuses : conquérir un jour l'adhésion universelle et faire triompher au-dessus de toutes les erreurs en déroute leur vérité. Mais, malgré leur prosélytisme actif, ils ne sont pas pressés. Ils savent de la manière la plus positive que Dieu les conduit et que Dieu a le temps d'attendre. Ils sont eux-mêmes installés dans la position dominante des détenteurs de certitude et ils sont portés à répandre sur tous les autres hommes un tranquille dédain nuancé d'un peu de pitié. Car leur dogme est catégorique : en dehors de l'Eglise des Saints, il n'existe pas de salut. L'évidence a été donnée au monde le jour où Joseph Smith fut conduit par l'ange Moroni jusqu'au Livre qui reposait au milieu des feuilles mortes, dans un bois sauvage de l'Amérique à peine peuplée. Si le monde n'a pas encore vu l'évidence, c'est que Dieu a ses raisons. En attendant, il est doux et flatteur pour l'amour-propre d'être, au milieu du troupeau des aveugles, une petite troupe de clairvoyants.

VI

L'OUEST :
IDAHO — MONTANA — WYOMING — COLORADO

La Californie n'est pas l'Ouest ; c'est « The Coast » — une notion géographique et humaine que les Français sont préparés à comprendre par analogie avec leur propre « Côte », celle d'Azur. L'Oregon et le Washington ne sont l'Ouest que dans une certaine mesure, la concurrence du Pacifique étant trop forte pour qu'ils puissent se rattacher complètement à une autre entité. Le Nevada se rapproche à coup sûr de l'Ouest, mais les activités particulières de ses deux seules villes, Reno et Las Vegas, en font avant tout une dépendance de la Californie. L'Utah appartient certainement à l'Ouest par son paysage, mais les Mormons l'en ont détaché pour en faire leur univers particulier. Au contraire, les 4 Etats dont il est question dans ce chapitre — l'Idaho, le Montana, le Wyoming et le Colorado — forment ce qu'on peut appeler l'Ouest intégral. Ceux qui viennent ensuite, l'Arizona, le New Mexico, l'Oklahoma, le Texas, gardent des traits de l'Ouest, mais de plus en plus dilués et, dans certains cas, altérés. Si l'on veut saisir ce qu'est l'Ouest et ce qu'il représente dans la vie américaine, c'est le moment ou jamais.

L'influence de l'Ouest sur le vêtement et le comportement de toute l'Amérique est évidente. Les chemises à grands carreaux rouges que les hommes affectionnent viennent de l'Ouest, ainsi que la tendance vers les chapeaux à larges bords. Les pantalons bleus, ou « blue jeans » que portent les girls garçonnières viennent aussi de l'Ouest. Pour les enfants l'équivalent du bon vieux costume marin de l'Europe occidentale, c'est la souquenille du cow-boy : la veste de daim, le pantalon à franges, les demi-bottes brodées à talons hauts, sans oublier le ceinturon soutenant deux gros revolvers nickelés. Le goût très répandu du cheval est dû pour une grande part au prestige de l'Ouest. L'Ouest a encore donné à l'Amérique le «barbecue », c'est-à-dire la grillade à feu ouvert, qui est passé des pique-niques aux restaurants. D'une manière plus générale, l'Ouest a probablement donné à l'Américain son affectation de rudesse et d'indépendance, que l'évolution accélérée du pays vers de strictes disciplines sociales rend de plus en plus surimposée.

L'intervention de l'Ouest dans la formation des individus commence tôt. Les héros de l'enfance furent et demeurent des Westerners. Les uns tout à fait réels, comme le colonel George Armstrong Custer, célèbre pour s'être laissé massacrer par les Sioux à la bataille de Little Big Horn (Montana). Les autres semi-légendaires, comme Kit Carson et le colonel Cody (Buffalo Bill), dont le tombeau couronne une montagne voisine de Denver (Colorado). D'autres enfin, et les plus récents, sont imaginaires, comme « The Lone Ranger », ou factices, comme l'extraordinaire Hopalong Cassidy. Introduit dans l'idolâtrie juvénile par la télévision, celui-ci — nom réel William Boyd — ne fut même jamais un cow-boy, mais tout bonnement un acteur secondaire de Hollywood dont les 85 westerns oubliés réapparurent un beau soir sur l'écran des vidéos. Quelques mois plus tard, illustre et millionnaire, William Boyd refusa de paraître dans une cérémonie patriotique au côté du vice-président des Etats-Unis, en faisant savoir qu'il lui était impossible de partager la vedette avec Alben Barkley, alors qu'on lui avait promis Harry Truman. Il est, depuis lors, retombé dans l'oubli.

Mais les westerns n'ont pas perdu leur place dans la vie américaine. Ils formaient la majeure partie des films « B » dont 50 millions de spectateurs étaient les assidus, contre 13 millions seulement pour les grands films. La télévision a pris la relève du cinéma. Ses studios tournent à la chaîne des histoires d'attaques de diligences, de poursuites équestres, de fusillades dans les saloons, d'hommes de loi véreux dépossédant la ravissante fille du prospecteur mort à la tâche et de cow-boys intrépides vengeant le bon droit. Chaque station donne quotidiennement au moins un de ces spectacles accompagnés par la musique plaintive des bivouacs. Un succès inépuisable, invulnérable à la monotonie, prouve la séduction éternelle de l'Ouest sur les imaginations.

L'Ouest est digne, au reste, de captiver plus et mieux que des cerveaux enfantins. Les 4 Etats dont je répète les noms — Idaho, Montana, Wyoming, Colorado — possèdent probablement la collection de beautés naturelles la plus riche des Etats-Unis. Ils ont manqué le Grand Canyon du Colorado — la merveille des merveilles, qui se trouve dans l'Arizona — mais l'Idaho possède un sillon naturel encore plus profond (Hell Canyon), en même temps qu'une cataracte (Shoshone Falls) qui tombe de plus haut que le Niagara. L'immense Montana, le quatrième des 50 Etats par l'étendue, est couvert de montagnes et miroitant de glaciers. Le Wyoming détient le Yellowstone National Park dont la description par les premiers voyageurs fut longtemps considérée comme une œuvre d'imagination. Le Colorado, enfin, signale aux touristes que sa capitale, Denver, se trouve à un mille au-dessus du niveau de la mer et que 51 des 64 sommets américains de plus de 14 000 pieds (4 200 mètres) sont chez lui. C'est dans le Colorado que les Rocheuses atteignent leur maximum de largeur, de hauteur et d'escarpement. L'air y est si transparent que l'explorateur Zebulon Pike, après avoir aperçu la montagne qui devait conserver son nom (4 290 mètres), marcha pendant cinq jours et fit demi-tour sans l'atteindre, alors qu'il croyait pouvoir camper sur son flanc dès le premier soir.

Cet Ouest fut peuplé tard. A l'exception des Mormons, les premiers immigrants allèrent d'un trait jusqu'à la Californie, et ce furent les vagues humaines ultérieures qui s'arrêtèrent dans les bassins de la Snake River, de la North Platte ou du haut Colorado. De rares passants avaient précédé ces colons, la plupart d'entre eux étant des Français ou des métis franco-indiens venant du Canada. Le sieur de La Vérendrye et ses deux fils, explorateurs officiels, sont crédités de l'honneur d'avoir pénétré les premiers, en 1742, sur le territoire actuel du Montana, mais beaucoup de noms géographiques situés à l'ouest (les lacs Cœur d'Alène et Pend d'Oreille dans l'Idaho, le Malheur Lake dans l'Oregon, etc.), ainsi que la dénomination de tribus indiennes comme les Gros Ventres et les Nez Percés, indiquent que les coureurs de bois de langue française étaient allés plus loin plus tôt. Toute une préhistoire de voyages, d'aventures, de négoces et de massacres a probablement sombré dans les solitudes rugueuses de l'Ouest.

Il y a moins d'une vie d'homme, l'Ouest était encore une aventure. Les Indiens du Montana remportèrent leur dernière grande victoire en 1876 et ils ne furent définitivement cantonnés dans leurs réserves qu'après 1890. La piste de l'Oregon et le télégraphe, qui traversa l'Amérique avant la voie ferrée, furent les enjeux de combats interminables dont l'un des pivots était le fort Larramie (déformation du vieux nom militaire français La Ramée), dans le Wyoming. Les westerns, quand on y réfléchit, nous racontent une histoire presque contemporaine et des aventures dont la trame existait encore sous Jules Grévy et même sous Emile Loubet. Il est inévitable qu'un passé si proche ait laissé des traces sérieuses sur la structure sociale, les idées politiques et les mœurs.

L'homme de l'Ouest, fils ou petit-fils de *settler*, est certainement demeuré le plus individualiste, le plus aventureux, le plus nomade, le plus optimiste et le plus indépendant des Américains. Bien qu'il ait été entraîné par le raz de marée en faveur d'Eisenhower, il vote couramment démocrate : Truman, en 1948, a emporté les 4 Etats dont il est question dans ce chapitre, ainsi que l'Utah, le Nevada, le Nouveau Mexique et l'Arizona. Toutefois, l'homme de l'Ouest se montre en général hostile aux interventions gouvernementales dans les affaires économiques et il pense que chacun doit être assez grand pour marcher sur ses pieds. Producteur d'argent, il s'est battu avec sauvagerie, mais en vain, pour que l'argent reste un étalon monétaire et pour que l'Amérique « ne soit pas crucifiée sur une croix d'or ». L'appui qu'il a reçu du parti démocrate dans cette lutte est peut-être la raison d'une orientation politique qui, depuis le socialisme rooseveltien et le Fair Deal de Truman, va au rebours de son conservatisme. Son hostilité contre l'Est, détenteur des capitaux et prêteur sordide, a beaucoup perdu de sa raison d'être depuis qu'il s'est lui-même enrichi, mais elle subsiste comme une tradition et garde aux opinions de l'Ouest un accent agressif. Dans cette Amérique soi-disant sans passé, presque tout s'éclaire et s'explique par le passé.

En face du monde extérieur, l'homme de l'Ouest resta longtemps retranché dans un isolationnisme rigide. Le fameux sénateur Borah, prototype et prophète des ennemis de l'Europe, était un produit de l'Idaho ; le dernier acte de sa vie publique fut un immense service rendu à Hitler lorsque, en juillet 1939, il fit ajourner la levée de l'embargo sur les armes en donnant au Congrès sa garantie personnelle que la guerre n'éclaterait pas cette année-là. Jeannette Rankin, la première des *congresswomen* et le seul membre du Congrès à voter contre l'intervention en 1917, venait du Montana, de même qu'un des principaux neutralistes de la deuxième guerre mondiale, l'ex-sénateur Burton K. Wheeler. Plus récemment, Henry Wallace a trouvé dans l'Ouest des appuis (et même un colistier en la personne du sénateur cowboy de l'Idaho, Glen Taylor) presque uniquement parce que sa dénonciation du plan Marshall paraissait faire suite à la doctrine d'isolement de William Borah. Ces points de vue évoluent, mais lentement, et l'Ouest dans son ensemble peut être considéré — à la différence de la Californie — comme un bloc d'hostilité aux collaborations transatlantiques des Etats-Unis. So ninfluence dans la politique internationale est d'ailleurs très supérieure à son importance intrinsèque : les 8 Etats dits « Mountain States » détiennent 16 fauteuils de sénateurs, soit près de 20 % du Sénat, alors qu'ils représentent à peine 3 % de la population du pays.

Le romantisme de l'Ouest est prosaïquement lié à l'une de ses principales activités économiques : l'élevage. Il est clair que le destin de cette région est d'engendrer la bête à cornes. Elle fut le terrain de parcours des grandes hordes de bisons du continent dont l'homme rouge vivait et que l'homme blanc détruisit jusqu'au dernier spécimen. Mais l'homme blanc, à son tour, a créé son troupeau, probablement supérieur en nombre et immensément supérieur en valeur à ce qui fut anéanti. Le Montana, l'Idaho et le Wyoming nourrissent chacun près ou plus d'un million de têtes de bétail, sans parler d'un nombre à peu près égal de moutons. Et le bétail, dans l'Ouest de l'Amérique, produit à son tour ce personnage archaïque et fascinant : le cow-boy.

Tout compte fait, et son nom même le fait savoir, c'est un vacher. Mais quel vacher ! Un jour, à l'O.N.U., Vichinsky l'offensa par une remarque désobligeante. Vingt-quatre heures plus tard, devant les pelouses de Lake Success, une douzaine de longs gaillards, portant des sombreros et des pantalons de toile bleue serrés aux hanches, tournaient en rond en brandissant des pancartes qui apportaient à l'ancien procureur des procès de Moscou la réponse épicée des cow-boys. On se renseigna : ce n'étaient pas des figurants, mais d'authentiques cavaliers arrivés de l'Ouest en avion pour relever l'outrage qui leur avait été fait. S'ils ne rehaussèrent pas la popularité du cow-boy aux yeux de l'Amérique, c'est uniquement parce qu'elle est déjà au zénith.

Le cow-boy fait un très rude métier. Le soin d'un troupeau dont la valeur atteint des dizaines de milliers de dollars est un travail qui ne tolère aucune fantaisie et n'autorise guère de repos. Il marque les bêtes, les conduit de pâturage en pâturage, favorise leur reproduction, aide les mères, assiste les petits, capture les animaux mûrs pour l'abattoir et entretient des milles et

des milles de clôtures. Il a une chambre au « ranch »,
mais couche le plus souvent dans un « waggon » et
prend ses repas en plein air. Il endure le climat violent
des Rocheuses et ses luttes contre les neiges qui cernent
les troupeaux et les menacent d'inanition prennent parfois un caractère épique. Il a en général six, sept ou
même dix et douze chevaux qu'il monte à tour de rôle.
C'est presque toujours un taciturne, bien qu'il ne soit
pas impossible de trouver un cow-boy hâbleur. Il se
marie assez rarement et, lorsqu'il s'y décide, trouve
d'ordinaire sa compagne par le canal d'un *lonely hearts
club*. Mais le mariage du cow-boy est rarement heureux,
les femmes s'accoutumant mal à l'absence presque perpétuelle de l'époux. Il gagne peu : de 100 à 200 dollars
par mois, ce qui est à New York le salaire d'un garçon
de courses de seize ans. Mais il dépense moins encore,
et il est fréquent que les vieux cow-boys aient de sérieux
comptes en banque, surtout s'ils se défendent au jeu.

Comme toutes les figures popularisées à l'excès, le
cow-boy est en partie décrit et en partie trahi par les
deux spectacles dont il est l'acteur principal, le film et
le rodéo. Le film cow-boy est assez connu hors d'Amérique pour qu'il soit suffisant de le mentionner. Le
rodéo, au contraire, s'exporte peu. C'est un déploiement
de force et d'agilité, basé sur la monte de chevaux sauvages (*backing bronco*) et sur une sorte de lutte à mains
plates entre l'homme et l'animal. Le cow-boy contraint
un taureau à se coucher par une torsion de la tête qui,
poussée jusqu'au bout, froisserait et déchirerait les
muscles du cou. Sans avoir rien de commun avec les
taureaux de combat élevés en Espagne et au Mexique, les
bêtes sont assez puissantes et assez dangereuses pour
que la lutte ait un caractère poignant. Les troupes qui
parcourent les grandes villes — New York a une saison
de rodéo — sont composées de professionnels, mais le
rodéo est tout aussi populaire dans les bourgades de
l'Ouest, où il se déroule entre de véritables vachers. Il
représente une survivance très forte de l'instinct de
prouesse et de compétition. Il est aussi une revanche
momentanée sur l'isolement et, à ce titre, peut induire

en erreur. Ceux qui, parcourant l'Ouest l'été, sont témoins de ces joutes, avec leur complément de guitares et de quadrilles, sont tentés de conclure que le cow-boy vit une existence insouciante, facile et gaie — alors qu'il est en réalité un solitaire et rude travailleur.

On retrouvera le cow-boy au Texas, où il garde des troupeaux encore plus immenses que dans le Montana. Il est l'un des types humains caractéristiques et traditionnels de l'Ouest, en même temps qu'un des individus dont la vie, liée au cheval, a le moins changé. Au contraire, les conditions modernes ont profondément transformé son devancier dans les Rocheuses : le mineur.

A une exception près, toutefois. Dans tout l'Ouest, de la Californie au Colorado, il survit encore des chercheurs d'or. Ces acharnés (qui n'ont rien de commun avec les grandes exploitations aurifères) sont presque toujours des vieillards, et ils lavent le sable des cours d'eau avec la pelle et la calebasse, comme les grands ancêtres de 1849. Bien qu'elle soit d'une incertitude grandiose, cette occupation parvient encore à nourrir un homme sobre, sur une base de profit évaluée à moins de 5 dollars par jour. En outre, elle garde une petite fenêtre ouverte sur la chance, ce qui est plus important que la régularité quotidienne du pain.

Mais l'or qui fut tout, n'est presque plus rien. L'Ouest, Californie comprise, en produit une trentaine de millions de dollars, dont plus du tiers dans le Colorado. Cela ne représente qu'une fraction insignifiante de ses ressources extractives, un simple grain de mil à côté du cuivre, du plomb, du zinc, du molybdène, de l'uranium, etc. L'étain seul manque à cette collection de métaux non ferreux, à laquelle s'ajoutent par ailleurs d'insondables réserves de houille dans le Wyoming et de pétrole dans le triangle Colorado-Nevada-Arizona. L'Amérique n'a même pas achevé l'inventaire des dons qu'elle a reçus du ciel.

Chacune des villes minières de l'Ouest a une histoire colorée, heurtée, violente, souvent sanglante, qu'on déplore de ne pouvoir raconter en détail. Certaines s'accrochent à des montagnes et d'autres sont perdues dans de grandioses chaos géographiques à travers lesquels elles déroulent les fils d'Ariane de leurs transporteurs. Toutes ont connu d'extraordinaires aventuriers et des caractères inoubliables de conquistadors, de spéculateurs, de prédicateurs, de sheriffs, de bandits et de prostituées. Quelques-unes, devenues prudes, cherchent à faire oublier leur passé. Elles ont tort, car il est beau. C'est le passé individualiste de l'Amérique conquérante, que l'Amérique administrative d'aujourd'hui n'est pas certaine d'égaler.

Butte, dans le Montana, est une sorte de résumé et de symbole. La « butte » dont elle vit est une colline de cuivre dont l'Anaconda Copper Company a tiré, en un demi-siècle, la valeur gigantesque de 4 milliards de dollars de minerai. Rien, c'est vrai, n'est plus laid et rien, c'est encore vrai, ne fut plus terrible. La ville, dominée par une longue arête de montagne, est la plus sordide de toute l'Amérique. Le sol même sur lequel elle est construite n'est pas stable, en raison des 6 000 kilomètres de galeries qui le taraudent. A plusieurs reprises, des immeubles se sont écroulés et personne n'est absolument sûr de retrouver, le soir, la maison qu'il a quittée le matin. Le cuivre, sournoisement vénéneux, légèrement satanique, a posé sur le site sa malédiction. Le labeur dans ces mines fut longtemps épuisant et il n'a pas cessé complètement d'être malsain. Les effluves du sulfure de cuivre brûlent les chairs. Les hommes travaillent dans une boue chaude provoquée par l'exploitation « humide », nécessité à la fois technique et sanitaire. La silicose, néanmoins, n'a pas cessé ses ravages et la mortalité reste anormalement élevée.

Mi-slave et mi-irlandaise, la population de Butte se rattrape de ces rudesses par l'alcool et le plaisir. C'est un fait connu que la prohibition n'y fut jamais en vigueur, comme si Butte (Montana) eût joui d'un privilège d'exterritorialité devant les anges gardiens du dix-huitième amendement. Le jeu est une autre tolérance et la prostitution en est encore une autre. Pendant la guerre, les autorités militaires qui fermèrent le Stockade de Reno, se contentèrent de placer des M. P. devant Mercury Street, qu'une mythologie locale plus exacte nomme Venus Alley. Les courtisanes (mais c'est un bien grand nom) sont encore là, au rez-de-chaussée, derrière de petits rideaux à carreaux, et elles signalent leur disponibilité en grattant de l'ongle sur la vitre. Pour l'Europe, cette offre discrète de services paraît peu de chose, mais, pour l'Amérique, c'est un ébahissement. Il n'y a pas cependant si longtemps que la prostitution était florissante dans tout l'Ouest.

Un autre aspect de l'histoire de Butte, ce sont les luttes sociales. Le syndicalisme américain y est né. Le syndicat des Mineurs de Butte, constitué dès 1881, s'élargit dès 1900 en une Fédération des Mineurs de l'Ouest et dès 1905 en une Fédération mondiale des Travailleurs. Les grandes grèves commencèrent en 1892 et la violence les accompagna toujours ; 1917 fut une année tragique, avec l'incendie d'un puits qui suffoqua 164 mineurs, et la loi martiale dans les rues. La dernière conflagration se produisit en 1946 : une grève, une émeute, le pillage des magasins, le siège du quartier résidentiel, la populace régnant pendant soixante heures et un enfant tué d'une balle perdue.

La mine est rude, c'est une loi. Le Colorado dont l'extraction principale est le zinc, connut aussi de sanglantes collisions et même, en 1914, le massacre de 21 mineurs par la milice exaspérée d'être lapidée. C'était encore l'époque où le capitalisme se défendait ouvertement et durement. Les choses ont changé. L'Idaho, où l'exploitation du plomb argentifère est plus récente, n'eut jamais de troubles comparables à ceux de ses voisins.

Ces Etats des montagnes sont faiblement peuplés. Le Wyoming (capitale Cheyenne) n'a que 330 000 habitants et ne devance que l'Alaska sur la liste des étoiles par ordre d'importance. Le Montana, grand comme l'Allemagne, mais riche seulement de 702 000 hommes, a l'une des plus faibles densités du continent et sa capitale, Helena, est un village. L'Idaho (capitale Boise City), rattaché d'un côté aux Etats du Pacifique et, de l'autre, au noyau de vie mormon, est un peu plus dense, bien que sa population selon les estimations faites en 1966, n'ait pas atteint 700 000 âmes. L'Etat le plus important des Rocheuses, le Colorado, n'est encore que le trentième sur 50, avec 1 977 000 habitants, soit le cinquième de New York City. Mais il s'enorgueillit de Denver (491 000 habitants, et centre d'une agglomération qui dépasse le million), dont 42 parcs et une consommation quotidienne de 320 millions de litres d'eau font une oasis de montagnes au milieu d'un plateau roux.

Ce qui changea l'Ouest, c'est l'immense système hydraulique en cours de réalisation. J'ai parlé des vastes aménagements de la Central Valley californienne et du bassin de la Columbia. Je parlerai du Boulder Dam et de la Missouri Valley Authority. Des travaux à peine moins considérables ont été exécutés ou sont en cours d'exécution dans la haute vallée du Colorado. A Green Mountain, un tunnel de 20 kilomètres de long capte les eaux du fleuve, les détourne de leur cours vers l'Atlantique à travers le Continental Divide, et les contraint à irriguer les pentes orientales assoiffées des Rocheuses. A lui seul l'Etat du Colorado possède 1 300 barrages servant à l'irrigation et à la production d'énergie. Ces ouvrages donnent progressivement à l'agriculture de l'Ouest des conditions que la nature lui refusait. Elle était soumise à la culture extensive, au *dry farming*, à l'incertitude des rendements. Elle se concentre et s'intensifie. Au-dessus des mines d'or, d'argent, de cuivre, de zinc, de plomb, de sel, de phosphate, de molybdène, d'uranium, etc., des mines de blé, de luzerne, de betteraves sont en train de naître dans l'Ouest.

VII

SUD-OUEST :

ARIZONA — NEW MEXICO — OKLAHOMA

Avant la promotion de l'Alaska et de Hawaii, les trois cadets de la famille américaine étaient l'Arizona, le New Mexico et l'Oklahoma. L'Oklahoma est tout juste sexagénaire, ayant été élevé au rang d'Etat le 16 novembre 1907. Les deux autres, presque des jumeaux, dépassent de peu la cinquantaine : le New Mexico est né le 6 janvier 1912 et l'Arizona, le 14 du mois suivant. Avec l'énorme Texas, qui fait l'objet d'un chapitre spécial, ces trois très jeunes personnes forment ce qu'on appelle le Sud-Ouest, entité vaste et vague s'étendant des flots du golfe du Mexique aux chaînes riveraines du Pacifique. Nulle part les Etats-Unis ne sont plus étroits, et nulle part la nature et les hommes n'ont accumulé des contrastes plus radicaux.

Ce Sud-Ouest, c'est à la fois le pays d'Amérique le plus jeune et le plus vieux, le plus pauvre et le plus riche, le plus éclatant et le plus gris ; c'est le pays des Indiens, des Mexicains, des artistes, des poitrinaires, des chercheurs de pétrole, des faiseurs de pluie, des chasseurs de serpents à sonnettes, des assembleurs de bombes atomiques, des contrebandiers d'hommes, des marchands de bois pétrifiés, des plus récents millionnaires, des conducteurs de mules et des constructeurs de fusées ; c'est le pays des *Painted Deserts*, et de la steppe couleur de cendre, du cactus et du coton, des usines les plus récentes et des vestiges archéologiques les plus anciens, des couchers de soleil verts et des tempêtes de poussière qui ensevelissent le soleil pendant des jours. On s'excuse, dans cet univers, de ne lui consacrer que quelques pages, alors qu'il mérite un livre pour chacun de ses aspects.

L'Arizona éclate de romantisme. Sur cette terre d'érosion puissante, l'histoire du globe se lit pendant un milliard d'années. Les forces de la nature ont creusé des tranchées gigantesques, ouvert des entrailles béantes, construit des ponts vertigineux, sculpté des milliers d'aiguilles, déchiqueté des arêtes et arasé des sommets. Une extraordinaire variété d'oxydes métalliques a donné au paysage minéral toutes les couleurs de la palette, jusqu'au rouge violent, au noir d'ébène et au vert de l'été. Les eaux chargées de sels minéraux ont pétrifié des forêts englouties, que l'usure du sol rend à la lumière sous la forme d'immenses troncs d'onyx. Un ciel ardent, rayonnant sur ces splendeurs, fait de l'Arizona la région la plus brûlante des Etats-Unis, mais son air est si tonique que les tuberculeux y trouvent le salut dans les plus beaux sanatoriums du monde. Au surplus, quand la montagne se hausse à une altitude suffisante, le Jura apparaît au milieu du Sahara et la neige, parfois, confronte son éclat avec celui des sables blancs étendus à ses pieds. Près de Flagstaff, l'hiver, on fait du ski sur les pentes du mont San Francisco, pendant que Phœnix et Tucson, les deux villes les plus chaudes des Etats-Unis, continuent d'enregistrer des températures supérieures à celles de Miami.

La merveille des merveilles est naturellement le Grand Canyon du Colorado. Pendant 400 kilomètres tortueux, tantôt il s'étrangle et tantôt il s'élargit. Le fleuve rendu muet par la distance verticale, coule toujours à plus de 1 000 mètres et quelquefois à près de 2 000 mètres au-dessous du plateau. Rien au monde n'est comparable à cette fantastique entaille et il n'est pas rare que des visiteurs, saisis de stupeur, fondent en larmes devant un spectacle dont toutes les descriptions et toutes les photographies sont impuissantes à atténuer le choc. Mais l'esprit studieux des Américains a fait de cette écrasante curiosité naturelle une petite Université. A Canyon Lodge, dans une salle de conférences suspendue au-dessus de l'abîme, des professeurs font des cours de géologie et les touristes prennent des notes, en partageant leur attention entre le tableau noir et la grande baie vitrée qui porte leurs regards jusqu'aux escarpements pourpres de l'autre flanc.

Cent milles en aval, un mur de Cyclope arrête l'élan du Rio Colorado. Vu d'avion, il paraît s'arc-bouter à la montagne pour épauler la pression des 4 400 000 mètres cubes d'eau qu'il retient. Ce mur géant est le Hoover Dam, plus généralement connu sous le nom de Boulder Dam, le plus haut barrage d'Amérique (200 mètres) et le nœud stratégique de la richesse pour une grande partie du Sud-Ouest.

En Europe, le Boulder Dam aurait peut-être provoqué une guerre. En Amérique, il n'a entraîné qu'une dispute. Dans une région où l'eau a cent fois plus de valeur que le sol, le lac qu'il a fait naître représente un trésor colossal pour 4 Etats perpétuellement assoiffés. La Californie, toute proche, réclamait la plus grosse part au nom de sa richesse et de ses besoins, cependant que le Nevada basait ses revendications sur son aridité et que l'Utah fondait les siennes sur la quote-part que ses propres rivières fournissent au Colorado. La querelle a été tranchée par un partage qui ne satisfait personne mais qui laisse à l'Arizona environ le tiers des déversoirs, soit la possibilité de fournir chaque année environ un mètre d'eau à un quart de million d'hectares. L'agriculture et l'arboriculture — des primeurs, des amandes, des oranges, des dattes, de l'alfa — ont fait aussitôt un bond prodigieux. Certaines terres cultivées dans de magnifiques conditions scientifiques produisent jusqu'à huit récoltes par an.

**
*

La jeunesse du Sud-Ouest est saisissante. J'ai vu à Tucson, il y a quelques années, un vieillard, gardien de la loge maçonnique, qu'on présentait comme le premier homme blanc né dans l'Arizona. A la même époque, on célébrait un shériff qui, poursuivant deux voleurs dans le désert, avait été mordu par un serpent à sonnette. Il fit saigner la blessure, la cautérisa avec la flamme de son briquet, continua à suivre les traces des deux malfaiteurs, les surprit dans leur sommeil, leur enchaîna les mains, jeta la clef des menottes dans un ravin, signifia à ses captifs que leur seule chance de ne pas mourir de faim avec leurs mains entravées consistait à se servir de leurs jambes libres pour aller lui chercher du secours, puis, paralysé par le venin, se coucha et attendit — magnifique scénario de western, aventure contemporaine pleine du romantisme du Wild West, de l'Ouest sauvage, encore si proche de l'Ouest actuel.

En 1870, date du premier recensement, le Territoire de l'Arizona comptait moins de 10 000 habitants. L'année suivante, dans la vallée de la Salt River, en plein pays indien, quelques cabanes ravagées par un incendie célébrèrent leur reconstruction en prenant le nom de Phœnix. Vingt-cinq ans plus tard, Phœnix n'avait encore que 300 âmes... dans la mesure où l'on pouvait attribuer une âme aux aventuriers qui la peuplaient. L'essor vint d'une manière progressive, accélérée, puis fulgurante. Le recensement de 1930 trouva à Phœnix 48 000 habitants ; celui de 1940, 65 000 ; celui de 1950, 106 000 — mais ce n'étaient encore que des bonds modestes à côté de l'envolée dont le recensement de 1960 devait témoigner. Quatre-vingt-dix-huitième ville des Etats-Unis dix ans auparavant, Phœnix bondit au trente-neuvième rang, avec 430 159 habitants, soit un accroissement phénoménal de 320 %, bien supérieur à celui de Dallas, Houston et San Diego dont la croissance s'exprime par 55,58 et 64 % ; bien supérieur même à celui d'El Paso

(Texas) et de Tampa (Floride) dont la population a cependant plus que doublé pendant ces dix mêmes années. Dans une Amérique qui donne par ailleurs des signes de maturité, il subsiste des zones de croissance aussi extraordinaires qu'au siècle dernier. Chicago dans sa plus grande vigueur ne connut jamais un coefficient d'accroissement aussi fort que celui de Phœnix. Aujourd'hui Phœnix est à la tête d'une agglomération dont la population est estimée à 838 000 âmes.

Pour y revenir le moins possible par la suite, et pour en dégager dès maintenant la signification générale, il est intéressant d'indiquer l'évolution des 50 principales villes américaines telle qu'elle résulte du recensement de 1960. Le tableau suivant énumère parallèlement les 20 d'entre elles dont la population a décru et les 30 dont la population s'est accrue pendant la dernière décennie.

En déclin :	*En accroissement :*
Philadelphie — Détroit	Los Angeles — Houston
New York — Chicago	Milwaukee — Dallas
Baltimore — Cleveland	Nouvelle Orléans
Washington — Saint-Louis	San Antonio — Seattle
San Francisco — Boston	San Diego — Memphis
Pittsburgh — Buffalo	Denver — Atlanta
Cincinnati — Minneapolis	Indianapolis — Kansas City
Newark — Portland	Colombus — Phœnix
Oakland — Rochester	Louisville — Fort Worth
Saint-Paul — Jersey City.	Birmingham — Long Beach
	Oklahoma City — Toledo
	Omaha — Honolulu
	Akron — Miami — Norfolk
	El Paso — Tampa — Tulsa
	Dayton.

Tableau remarquable, peut-être le document le plus significatif qu'on puisse produire sur l'évolution courante des Etats-Unis et dont les estimations de 1966 confirment les conclusions. Parmi les villes en nette régression ou en stagnation, on peut aujourd'hui en effet ranger Columbus, Toledo, Akron, Louisville, Birmingham, Atlanta, Memphis, Dallas, Kansas City... Les gran-

des villes en déclin sont en majorité des villes de l'Est
et du Centre. Certains reculs sont importants, comme
celui de Boston, passant de 801 000 habitants en 1950, à
670 000 en 1960 et 616 326 en 1966. En fait, pour les
métropoles géantes du Nord-Est, cet amaigrissement
n'est qu'apparent : New York, Chicago, Philadelphie,
Detroit, et même Boston à un moindre degré, ont continué leur progression démographique par l'extension de
leur zone urbaine. Les facilités de communications —
les autoroutes débouchant par exemple au cœur des agglomérations, alors que chez nous elles s'arrêtent prudemment à l'entrée de la ville — le goût des Américains
pour la petite maison individuelle au jardin non clos,
expliquent cette explosion des grandes cités à laquelle on
assiste depuis le début du siècle. Entre les deux derniers recensements de 1950 et 1960, Philadelphie a ainsi
perdu 5,4 % de sa population, mais sa zone urbaine en a
gagné 18,4 %. Cette extension des cités-jardins s'accom-
pagnant de l'abandon d'une zone annulaire, située au
contact direct du centre des affaires, et rapidement enva-
hie par les minorités ethniques, a poussé les municipalités à entreprendre le remodelage des vieux quartiers.
Les « étés chauds » avec leur cortège de violences ont
achevé de convaincre ceux qui hésitaient devant les frais
d'un tel programme, du danger permanent représenté
par ces ghettos, noirs le plus souvent (les émeutes sont
en général le triste apanage des villes du Nord-Est
atlantique). Avec l'aide du gouvernement fédéral qui couvre grosso modo les deux tiers des dépenses engagées, la
rénovation urbaine a démarré avec le concours des plus
grands architectes : Mies Van der Rohe à Detroit, Baltimore... A Chicago, les deux tours cylindriques de
« Marina City » comprennent plusieurs niveaux : une
construction basse qui couvre toutes les installations
communautaires : centre sportif, restaurant, locaux commerciaux, piscine... puis vingt étages de garages offrant
900 places et une cinquantaine d'étages réservés à des
appartements luxueux (près de 500 par tour).
  Le fait que les Etats dans lesquels sont situés ces
colosses urbains apparemment en régression, New York

State, Illinois, Massachusetts, Michigan, etc. n'ont pas en général, perdu d'habitants, confirmerait, s'il en était besoin, ce phénomène. Il est vrai qu'ils n'ont même pas, d'ordinaire, gardé le bénéfice net de leur accroissement démographique naturel, et que, prenant le rôle que l'Europe a tenu si longtemps, ils ont été des zones d'émigration au profit d'autres parties du pays.

La liste de droite, au contraire, compte une majorité de villes appartenant aux Etats côtiers, dont certaines ont gagné des habitants à un rythme souvent rapide et même vertigineux.

Stagnation de l'Est et des Grandes Plaines, montée conjointe de l'Ouest et du Sud, marche de plus en plus massive de l'Amérique vers les pays du soleil, conformément à ce qui semble la règle de toutes les nations modernes — ce sont des données qu'il est bon de garder présentes à l'esprit.

Pour en revenir à Phœnix, son développement industriel, base de sa croissance-éclair, est entièrement dirigé dans le sens des techniques récentes. Aucune usine vieille ou noire n'alourdit et n'enlaidit un essor qui est celui de l'aéronautique, de la télémécanique, de l'électronique, des machines-cerveau ; 16 des plus grandes firmes américaines ont construit des établissements importants dans la région. La sécheresse de l'air, l'absence de poussières industrielles sont des éléments qui entrent en ligne de compte lorsqu'il s'agit d'engins extrêmement délicats, comme, par exemple, les têtes chercheuses des fusées antiaériennes. Il ne serait pas surprenant que Phœnix, manufacturière de missiles, soit devenue le plus vital, sinon le plus grand, des arsenaux américains. Mais elle n'a pas perdu son air de ville de vacances, avec son été perpétuel, ses passants sans veston, ses rues immaculées, ses parcs et ses quartiers résidentiels où l'on compte positivement une piscine par maison. Ce qui était récemment encore un luxe de star hollywoodienne fait partie, en Arizona, de l'équipement standard d'un employé moyen.

**

Cet Etat d'avant-garde, ce désert si rapidement verdoyant fut représenté au Sénat de Washington par un homme qui ne souffre pas d'autre qualificatif que celui de conservateur. A la convention républicaine de 1960, Barry Goldwater combattit la déviation libérale de Richard Nixon et lutta énergiquement pour faire prévaloir un programme de stricte orthodoxie économique. Eloquent et entraînant, juif converti au protestantisme, petit-fils de colporteurs qui firent le coup de feu contre les Indiens et les bandits de grands chemins, Goldwater a inspiré à la législature de l'Arizona une loi garantissant la liberté du travail, ce qui a déchaîné contre lui les immenses forces syndicales dont il sera question plus loin.

Inversement, toute une partie de l'opinion considère Goldwater comme le rempart de l'américanisme traditionnel et comme le chef de la révolte individualiste contre le socialisme grandissant. Il admoneste son parti : « Nous collectionnons les défaites parce que nous n'avons pas le courage de proclamer nos principes. J'en fais la preuve dans l'Arizona, l'un des rares Etats ou le républicanisme soit en progrès depuis quelques années. » On l'oppose aux « républicains modernes ». Il répond : « J'ai fondé une chaîne de grands magasins. Je bâtis des maisons. Je suis major-général de réserve dans l'aviation. J'ai piloté 70 types d'avions et je continue à piloter tous les modèles de jets, depuis les chasseurs jusqu'aux quadri-réacteurs KC135. Si je ne suis pas un républicain moderne, que vous faut-il ? » Mais la politique a ses nomenclatures qui n'ont rien à voir avec les qualifications invoquées par Barry Goldwater. Les événements le prouvent. Choisi comme candidat présidentiel par la convention républicaine de San Francisco, Barry Goldwater infligea à son parti en 1964, une cuisante défaite : Lyndon B. Johnson l'emporta par 43 129 000 voix contre 27 178 000.

**

Le Nouveau-Mexique ne connaît pas une fortune aussi brillante que l'Arizona. Beaucoup plus peuplé au siècle dernier, il s'est laissé dépasser au recensement de 1960. Sa ville principale, Albuquerque, se développe avec vigueur, mais sa capitale, Santa Fé, reste somnolente et charmante dans son vieux vêtement espagnol.

L'Etat, fort vaste, le sixième par ordre d'étendue, est une steppe sévère, enneigée l'hiver, torride l'été, riche d'ailleurs en beautés et en excentricités naturelles. Avec une salle souterraine d'un kilomètre de long les grottes de Carlsbad passent pour les cavernes les plus vastes découvertes jusqu'ici dans le monde entier. Le Rio Grande s'encaisse entre d'admirables falaises polychromes avant d'aller servir de frontière entre le Texas et le Mexique. On trouva dans la solitude du Nouveau Mexique le polygone nécessaire à l'expérimentation de la bombe atomique. Elle explosa pour la première fois, à l'aube du 16 juillet 1945, à l'aube d'une ère nouvelle de l'histoire humaine, dans la réserve militaire d'Alamogordo, illuminant d'un éclat supra-terrestre la chaîne de la Sangre de Cristo. L'explosif venait de l'usine de séparation isotopique d'Oakridge, dans le Tennessee, mais l'engin avait été assemblé au Nouveau-Mexique, à Los Alamos, où l'existence d'un camp permanent de boy-scouts avait conduit la Commission du Projet Manhattan a établir l'une de ses bases secrètes. Une ville atomique de 15 000 habitants s'y est établie autour d'un Laboratoire National géré conjointement par la Commission de l'Energie Atomique et par l'Université de Californie.

Beaucoup plus important que le Nouveau-Mexique, l'Oklahoma commence à l'est dans la chaîne des Ozarks, rugueuse, boisée et secrète. Il s'achève à l'ouest par un fond de lac desséché, horizontal, poudreux, sans arbres, lacéré par le vent. Je me souviens de l'avoir traversé au milieu de trombes de poussière errant comme des fantômes blêmes. Chaque année, les tornades font des victimes dans cette plaine sans abri. On est ici dans une grande région agricole, venant directement après le Kansas et le North Dakota pour la récolte du froment. Mais il n'est pas encore dit qu'on ait eu raison de dépouiller de son manteau d'herbe, de livrer à la charrue cette terre sensible à l'érosion.

La plus récente bataille de la prohibition s'est livrée dans l'Oklahoma. Contrairement à ce que croient beaucoup d'Européens, la question n'a pas été tranchée en 1933 par l'abrogation du dix-huitième amendement. La prohibition a cessé d'être une obligation générale, mais les Etats et même les comtés restent maîtres de leurs lois concernant l'alcool. Une bataille régionale s'est engagée presque partout, les « secs » ne cédant le terrain que pied à pied. Finalement, la plupart des Etats ont adopté un régime de liberté sauf 16, qui ont soumis l'alcool à un contrôle basé sur le monopole de la vente au détail et 3, le Kansas, le Mississipi et l'Oklahoma qui restèrent obstinément prohibitionnistes. Puis le Kansas fléchit à son tour, et la lutte des secs et des humides se concentra sur l'Oklahoma. Le 7 avril 1959 fut un jour décisif, et, pour les ennemis de l'alcool un jour de deuil. Par 396 845 voix contre 314 380, un référendum décida l'abrogation de la clause antialcoolique inscrite dans la constitution de l'Etat. Il ne restait plus qu'un seul « sec », l'archisudiste Mississipi qui se décida à franchir le pas en 1966 — mais plusieurs millions d'Américains vivent encore sous des lois locales prohibant l'alcool. Le voyageur qui s'entend refuser un verre de bière, « *sorry, we're dry* », ne doit pas s'imaginer qu'il est revenu de trente ans en arrière ; ce n'est qu'une manifestation de l'autonomie des communautés.

L'Oklahoma précède et annonce le Texas. Il a découpé sur son grand voisin une *panhandle* de 250 kilomètres de long que les Texans ont la magnanimité de ne pas lui reprocher. Le pétrole, absent depuis Los Angeles, reparaît. A Oklahoma-City, des derricks se dressent même sur la pelouse du Capitole. Et l'on voit des rentiers en manche de chemise, lisant le journal dans leur jardin, pendant que, derrière eux, une pompe diligente tire leur revenu du sol. Dans l'heureuse Amérique, la propriété descend dans les couches géologiques et c'est le contraire d'une malédiction que d'avoir du pétrole sous les pieds.

**

Le Sud-Ouest fut le témoin d'une épopée et il reste le théâtre d'un drame. L'épopée fut celle des Espagnols ; le drame est celui des Indiens.

Ces prodigieux Espagnols, ce n'est pas seulement l'Arizona et le Nouveau-Mexique qu'ils ont foulés sur le territoire des Etats-Unis. L'un d'eux, Hernando de Soto, découvrit le Mississipi. D'autres ont colonisé la Floride. D'autres ont couvert la Californie de missions et d'autres encore ont pénétré dans le Colorado. Mais, en Californie, en Floride, dans le Colorado, les Espagnols n'ont laissé que des noms géographiques et quelques rares clochers. Dans le Sud-Ouest, avant tout au Nouveau-Mexique, ils ont, au contraire, laissé des traces humaines profondes et le souvenir impérissable d'une histoire qui fut grandiose et mouvementée.

Il est impossible, quand on parcourt les sierras désertiques qui cernent Santa Fé, de ne pas rêver. Comment pouvaient-ils aller si loin, ces hidalgos du XVIe siècle corsetés de fer, et comment osaient-ils s'aventurer dans des régions aussi hostiles ? Pourtant, l'histoire est là. Dès 1519, l'année même où Cortez conquit le Mexique, un certain Alonso Alvarez de Pinedo découvrit le Rio Grande. En 1528, un prodigieux personnage portant le nom incroyable de Cabeza de Vaca fut capturé par les Indiens sur la côte du Golfe, resta sept ans en captivité, s'évada, traversa tout le continent jusqu'à la basse Californie et trouva le moyen de survivre pour écrire le premier journal d'exploration du Sud-Ouest. En 1539, le franciscain Marcos de Niza parcourut seul et sans arme ce qui est aujourd'hui l'Arizona. Une méprise, le pisé ou « adobe » des maisons indiennes brillant au soleil, lui fit relater qu'il revenait d'un pays où les murs étaient d'argent. Dès l'année suivante, une formidable armée, 1 200 hommes conduits par Vasquez de Coronado, sortit du Mexique et se mit en marche vers le mirage. Elle marcha deux ans, s'avança jusqu'au Kansas, revint sans avoir trouvé de métaux précieux, mais non sans avoir ouvert la voie aux 92 expéditions espagnoles qui, en deux siècles à peine, sillonnèrent le continent américain. En 1598, au nom de Philippe II, qui était déjà mort de l'autre côté de l'horizon, Don Juan Onate prit solennellement possession du pays qu'il appela la Nouvelle-Espagne. Où commençait-elle ? Où finissait-elle ? Personne ne se souciait de le savoir. Elle s'étendait à l'infini, sous toutes les pistes du soleil.

La première capitale fut San Juan. La deuxième fut Santa Fé, fondée en 1610, dix ans avant que les Pèlerins de la *Maryflower* — ces illustres tard venus — débarquassent dans la baie de Plymouth. La vie s'organisa à l'espagnole, avec ses notaires, ses alguazils, ses confréries, ses pénitents, ses mantilles et ses jalousies. Il fallait toujours des mois pour venir de Mexico ou de San Agustin, en Floride, première ville des futurs Etats-Unis et pivot de la domination espagnole au nord de la Vera Cruz. Encore une fois, comment passaient-ils, comment voyageaient-ils, les Castillans, sur des pistes à peine tracées, au milieu de tribus indiennes belliqueuses et braves ? Même sur place, nous sommes incapables aujourd'hui de revivre par l'imagination leurs fabuleux parcours. Et les relations qu'ils ont laissées sont si peu dramatisées qu'elles donnent l'impression d'une déconcertante facilité.

Avec les Indiens, leurs sujets, ils étaient à la fois terribles et débonnaires. Ils ne cherchaient pas à s'emparer des terres, mais ils exigeaient les âmes. En 1680, une grande révolte éclata contre ces conquérants d'absolu. Les dieux indiens renversés se redressèrent. En cinq jours, 5 000 Pueblos s'emparèrent de Santa Fé. La Nouvelle-Espagne s'accrocha à El Paso sur le Rio Grande, y végéta douze ans, puis partit vers la reconquête. Elle reprit Santa Fé, retrouva le palais presque intact des capitaines-généraux, reconstruisit une cathédrale qui dure encore, fit une place-jardin qui est toujours là et marqua la ville d'une empreinte ineffaçable. En 1821, elle se continua par le Mexique, mais rien, en apparence, ne fut changé. Le changement attendit jusqu'en 1848, l'année où les Etats-Unis annexèrent en bloc le Nouveau-Mexique, l'Arizona et la Californie. On apprend aux élèves des High Schools que le droit fut sauf, parce que le gouvernement de Washington, après avoir chassé les Mexicains par les armes, leur paya 15 millions de dollars pour qu'ils missent leur signature en bas de la cession. C'est, en effet, une différence avec Bismarck, qui exigeait à la fois des Alsaciens-Lorrains et des indemnités, mais il ne faut tout de même pas exagérer la démonstration.

Ce qui est resté du long séjour de l'Espagne et du Mexique, ce sont les « greasers ». Le surnom n'est pas flatteur. Il signifie littéralement « les graisseux », mais il est mieux traduit en français par l'expression vulgaire : « les dégueulasses ». Très peu, ou peut-être pas du tout, sont des Espagnols de sang pur. Presque tous, ou tous, sont des métis. Mais ils ont sucé les mœurs espagnoles, aiment le farniente, mangent des plats pimentés et conservent pour la guitare une persistante tendresse. Dans le langage de ces laissés pour compte de la conquête, les envahisseurs venus du Nord (ils forment aujourd'hui 70 % de la population) sont les « Anglos ». Chaque ville, chaque bourgade du Nouveau-Mexique est en partie double : un quartier « anglo », un quartier « greaser ». Le premier est d'une laideur tragique ; le second est d'une pauvreté choquante. Dans le premier, des toits de tôle ondulée, miroitant sous le virulent soleil, recouvrent des frigidaires et des installations d'air conditionné. Dans le second, des vérandas pourries servent de terreau à des plantes grimpantes. Les deux quartiers ou les deux mondes ne se connaissent pas et, cordialement, se méprisent. Mais les « Anglos » ont la richesse, l'influence, la politique. Beaucoup sont cependant des arrivants de fraîche date. L'un des récents gouverneurs de New Mexico, John J. Dempsey, était un ancien serre-frein du métro de New York, débarqué à Santa Fé avec une valise de fibrane et qui fit fortune comme les « carpet-baggers » après la guerre de Sécession.

✷✷

La coexistence dans le Nouveau-Mexique de deux populations différentes et hostiles est un des échecs du fameux creuset, du *melting-pot* américain. Ce n'est ni le seul ni le plus tragique. Le Sud-Ouest lui-même présente une situation plus grave et plus difficile : il fut et demeure la scène principale du problème indien.

Il existe des Indiens dans toute l'Amérique. Le recensement officiel en trouve dans les 50 Etats, mais souvent en nombre symbolique : 14 dans le Delaware, 16 dans le Vermont, 25 en Virginie occidentale, 44 dans le Kentucky (où ils furent des milliers), 73 dans le Maryland, etc. Même dans l'Est, on trouve partout de minuscules réserves, quelques dizaines d'individus bistrés vivant autour d'une école et d'un drug-store. Dans certaines régions du Sud, les Indiens deviennent un peu plus nombreux, comme dans les Carolines, où ils sont près de 25 000. A cette exception près, la masse des populations indiennes a été refoulée depuis longtemps à l'Ouest, et même très à l'Ouest, du Mississipi. En gros, il existe deux grands groupes : celui du Nord-Ouest (Algonquins, Iroquois et Sioux) et celui du Sud-Ouest. Les premiers — 100 000 environ — se trouvent surtout dans le Wisconsin, le Minnesota, le Dakota, le Montana, le Washington. Les seconds habitent la Californie, l'Arizona, le New Mexico et l'Oklahoma. Ce sont les plus nombreux (près de 200 000), généralement les plus pauvres et d'ordinaire les plus purs. La plus haute proportion de sang indien, évaluée avec une précision qui laisse rêver à 97,9 %, se trouve chez les Pimas de l'Arizona, alors que les ethnologues estiment que le métissage, pour l'ensemble du monde indien, dépasse 60 %.

Ce monde indien est d'une terrifiante complexité. Il se compose de 96 tribus parlant 41 langues. Il représente 5 ou 6 niveaux de civilisation correspondant, suivant les théories modernes, aux différentes migrations, échelonnées sur des dizaines de siècles, qui ont franchi le détroit de Behring. Les spécialistes qui ont l'immense courage de se jeter dans ce labyrinthe déterrent quelques fils conducteurs. Il leur paraît démontré, par exemple, que les Indiens sédentaires du New Mexico, les Pueblos, descendent des fameux « faiseurs de paniers » dont on a retrouvé les maisons à appartements, hautes de 5 ou 6 étages, collées aux flancs inaccessibles de la Mesa Verde. Mais beaucoup de chaînons manquent et la plupart des explications ne sont que des hypothèses. Il est excessivement difficile d'écrire l'histoire de peuples qui ne connaissaient pas l'écriture et qui ne se sont jamais souciés de laisser d'annales à la postérité.

Ce qui est clair, tout au moins dans ses grandes lignes, c'est le dur destin des Indiens depuis l'apparition de l'homme blanc. Aujourd'hui, en Amérique, un certain remords est à la mode, mais les expressions en auraient fortement surpris les ancêtres, et même les grands-pères des Américains actuels. Toutes les descriptions qu'ils ont laissées des Indiens sont uniformes : des bourreaux, des sadiques et surtout des voleurs et des fourbes. Ils donnaient leur parole, et ils ne la tenaient jamais. Ils vendaient leurs terres et, lorsqu'on les leur avait payées, ils essayaient de les reprendre par la force. Souvent même, ils vendaient ce qui ne leur appartenait pas. L'exemple le plus fameux est celui de Manhattan. Tout le monde sait que les Hollandais achetèrent l'île, en 1626, pour la valeur de 24 dollars de quincaillerie, mais tout le monde ne sait pas que Peter Minuit, lorsqu'il voulut prendre paisiblement possession de son acquisition, s'aperçut que ses vendeurs avaient déguerpi et qu'une tribu insoupçonnée occupait les lieux. Après avoir payé Manhattan, il dut le conquérir, si bien que le marché généralement cité comme le plus léonin de l'histoire fut en réalité une duperie. Le fond de la question est que les Indiens n'avaient aucune notion de la propriété du sol et pas davantage celle d'un contrat à la manière européenne. Sans parler des autres différences, ces incompatibilités faisaient de la lutte entre les Peaux-Rouges et les peaux blanches une question d'extermination.

Les Européens conquirent l'Amérique avant tout par la force du nombre. Le vieux cliché d'une poignée de blancs assaillis par des hordes rouges est magnifique, mais faux. Théodore Roosevelt, dans son histoire de la conquête de l'Ouest, admet que les blancs furent les plus nombreux, dans quatre rencontres au moins sur cinq. Quand le valeureux chef séminole Assunwha se rendit, en 1843, après ce qui est encore officiellement considéré comme une « guerre indienne », il avait avec lui 70 guerriers — contre lesquels les Etats-Unis avaient envoyé 1 735 généraux, officiers et soldats. Même au XVIIᵉ siècle et au XVIIIᵉ siècle beaucoup de tribus étaient si faibles qu'elles ne pouvaient pas envisager la perte de plus d'une dizaine de braves sans compromettre leur survie. Les spécialistes calculent qu'il existait 864 000 Peaux-Rouges sur les territoires actuels du Canada et des Etats-Unis l'année où Jacques Cartier pénétra dans le Saint-Laurent. Ce chiffre, même s'il ne faut pas prendre sa précision au pied de la lettre, est une des clés de l'histoire. Il a fallu aux hommes rouges un courage et une aptitude guerrière extraordinaires pour résister aussi longtemps qu'ils l'ont fait. On est confondu de songer qu'en 1765, quelques années avant la Déclaration d'Indépendance, une contre-offensive indienne parvint à 50 milles de Baltimore et qu'Annapolis éleva en toute hâte des fortifications.

Aucune politique ne parut possible en dehors de celle qui consistait à exclure les Indiens de l'est des Etats-Unis. Cette migration forcée occupe la première moitié du XIXᵉ siècle. Les épisodes les plus pathétiques se rattachent à la déportation des cinq tribus civilisées — les Chocaws, les Chickasaws, les Cherokees, les Creeks et les Séminoles — qui occupaient la Floride, le Mississipi et la Louisiane. Elles avaient des écoles, des métiers, une écriture et la même religion que les blancs ; elles demandèrent maintes fois aux autorités fédérales des instituteurs, des conseillers et des maréchaux-ferrants : elles offrirent d'assurer elles-mêmes leur police et, pour prouver qu'il ne s'agissait pas d'une promesse en l'air, elles livrèrent des meurtriers et coupèrent le poing à des voleurs. Leur but était de rester dans leurs grands marécages natals en compagnie des flamands roses et des alligators. Tout fut inutile. Par petits paquets de 200 ou 300, sur des bateaux qui remontaient le Mississipi, l'Arkansas, la Canadian et la Red Rivers, les cinq tribus civilisées furent déportées dans l'Oklahoma. Elles sortaient d'une région aquatique où la terre n'existe qu'à l'état de boue, et elles se retrouvèrent dans une région désertique où la terre n'existe qu'à l'état de poussière. Rien ne les avait préparées à ce changement et, pendant des années, en attendant une adaptation difficile, le gouvernement fédéral dut les nourrir sur la base misérable de 3 cents et demi — 18 centimes d'avant 1914 — par tête et par jour. Aujourd'hui encore, dans le folklore des Choctaws et de leurs frères d'infortune, l'itinéraire de l'arrachement est connu sous un nom bouleversant : la piste des pleurs.

Les premières réserves indiennes, toutefois furent vastes et quelquefois fertiles. L'Ouest paraissait immense et son peuplement improbable. On laissa aux « premiers Américains » des étendues plus que suffisantes pour leur permettre de faire paître leurs troupeaux. Mais la pression blanche ne fut pas longue à se faire sentir sur ces grands îlots primitifs. Les nouveaux Américains, faméliques de terres neuves, prirent largement leur revanche des violations de foi jurée qu'ils avaient tant reprochées aux Indiens. Par la violence, la ruse et quelquefois le vol, les réserves indiennes se ratatinèrent. Elles couvrent aujourd'hui 53 millions d'acres. Elles en couvraient, en 1887, 137 millions.

Le cas type est celui de l'Oklahoma. Le nom même qui lui fut donné — Okla : peuple, Homa : rouge — semblait le désigner comme l'asile inviolable de la race vaincue. Les cinq tribus civilisées, qui avaient fini par retrouver un équilibre, paraissaient pouvoir servir de noyaux progressistes au milieu des communautés moins avancées. Il fut question de créer là un Etat indien qui aurait pu prendre sa place dans l'Union, au même titre que le Massachusetts des puritains ou le Minnesota des Suédois. Mais les cris des pionniers retentirent plus haut que cette velléité. En 1889, le Congrès ouvrit le territoire

indien à la colonisation blanche. Le 22 avril de cette
année-là, à midi, Oklahoma City se composait d'une station du Santa Fe Railroad dont les salles d'attente et les
bureaux tenaient dans un vieux wagon de marchandises
amputé de ses roues. Au coucher du soleil, les tentes
des 10 000 immigrants couvraient la plaine autour du
vieux wagon sédentarisé. L'une des villes les plus prospères de l'Amérique — 588 000 habitants aux dernières
estimations — était née en quelques heures, sans attendre la découverte du pétrole, qui ne se produisit que
trente ans plus tard. Mais le rêve d'un Etat indien avait
vécu.

Il n'est pas facile d'expliquer en quelques pages l'état
actuel du problème indien. La loi de la diversité qui régit
l'histoire des Peaux-Rouges se continue aujourd'hui par
une grande variété de situations. Simplifier serait trahir.
Et beaucoup de voyageurs, Américains aussi bien qu'Européens, qui ont traversé rapidement les territoires
indiens du Sud-Ouest ont considérablement simplifié.

Reprenez l'Oklahoma. Le recensement de 1950 y a
trouvé 53 769 Indiens. Le recensement de 1940 en avait
trouvé 63 125. La conclusion rapide est que le nombre des
Indiens dans l'Oklahoma a diminué de 10 000 en dix
ans, après avoir déjà diminué de 30 000 pendant les dix
années précédentes. Rien n'est plus faux. Il existe en
réalité dans l'Etat au moins 120 000 Indiens — mais les
recenseurs ne classent comme tels que les individus soumis à un statut spécial. On trouve à Tulsa, à Enid, à
Oklahoma City, des avocats, des journalistes, des médecins, des commerçants, des employés, des ouvriers de
race indienne qui, juridiquement et pratiquement, n'appartiennent plus à la minorité indienne. Les fermiers sont
dans le même cas. Pour tous ceux-là, le problème est résolu
par l'assimilation. Le préjugé de la couleur n'existe
même pas à leur encontre. Un Américain qui tomberait
du haut mal en apprenant qu'une goutte lointaine de sang
noir tache ses artères avoue une grand-mère indienne,
non seulement sans gêne, mais avec une certaine fierté.
Et le déclin numérique des « Peaux-Rouges » dans l'Etat
d'Oklahoma prouve tout simplement que le nombre des

Indiens entrant dans les circuits normaux de la civilisation américaine s'accroît rapidement. Il est inutile
d'ajouter que la plupart d'entre eux viennent des cinq
tribus civilisées, cet échelon supérieur de la culture et
de la capacité dans le monde indien.

Mais un abîme existe entre la bourgeoisie indienne
d'Oklahoma City et les Indiens des Réserves — ceux qu'on
appelle les « Indiens à la couverture » — les *blanket
Indians*.

Eux sont légalement des mineurs. Ils sont administrés par l'Office des Affaires indiennes de Washington.
Leur organisation est toujours basée sur le clan. Leurs
terres appartiennent collectivement à la tribu et l'appro-
priation individuelle en est interdite. Ils ne paient pas
d'impôts, mais, au moins dans l'Arizona et le Nouveau-
Mexique, cette franchise fiscale les dépouille du droit de
vote, que les lois locales n'accordent qu'aux contribuables.
Ils ont combattu pendant la deuxième guerre mondiale
— alors qu'ils avaient été exemptés de la conscription
en 1917 — mais l'impôt du sang n'est pas encore reconnu
comme un ersatz de l'impôt tout court à Phœnix et à
Santa Fé. Aucun empêchement légal ne leur interdit, il
est vrai, de sortir de leurs réserves et de prendre le
statut commun des Américains. Mais les obstacles administratifs sont considérables et, surtout, l'aventure de la
liberté est terrifiante, sinon inconcevable, pour ces primitifs. Ils restent enchaînés à leurs réserves, non par
des fils de fer barbelés qui n'existent pas, mais par les
liens invisibles de la tradition et de l'appréhension.

Le plus grave, c'est la misère. Les Réserves, réduites,
comme on l'a vu, par l'âpreté colonisatrice, sont le plus
souvent des plateaux dénudés où l'herbe ne se reconsti-
tue qu'avec lenteur. Evidemment, il peut survenir un
coup de chance fantastique, comme celui des Osages
sous les pieds desquels on trouva des réserves de pétrole
évaluées à plusieurs milliards de dollars et qui se répar-
tirent, une année, 22 millions de dollars de « royalties »
à raison de 13 400 dollars (5 millions de francs) par tête
d'homme, de femme et d'enfant. Mais cette histoire
miraculeuse n'est qu'un épisode. Le lot commun des

Indiens est l'aridité. Leur principale industrie est l'élevage du mouton — et le Service forestier des Etats-Unis, alarmé par la dégradation des sols et par l'altération du régime des eaux, fait des efforts constants pour réduire l'effectif des troupeaux. Il est parvenu, en donnant des raisons techniquement excellentes, à les faire diminuer d'un quart.

Or, c'est justement le moment où les tribus indiennes, après avoir tendu apparemment vers la disparition, se remettent à proliférer et à s'accroître. Voici encore une notion sur l'Amérique que les Européens doivent reviser, l'une de ces innombrables vérités qui sont devenues des erreurs en vieillissant : la race indienne aux Etats-Unis n'est plus une race mourante ; c'est une race qui repart.

Des 864 000 Peaux-Rouges de l'époque de Jacques Cartier, il restait en 1865 (date du premier recensement) 294 000 Indiens courbés et soumis. Leur nombre diminua encore au cours des années suivantes, probablement par l'effet de ce désespoir qui retire leur énergie vitale aux races fraîchement vaincues : 248 000 en 1890, 235 000 en 1900. Le peuple indien paraissait bien entrer au tombeau.

Brusquement, d'un seul coup, le courant se renversa. Un tournant invisible avait été franchi. L'hygiène n'avait pas beaucoup augmenté, l'assistance médicale ne s'était pas beaucoup développée, la sujétion ne s'était pas relâchée, la misère n'avait pas décru, et cependant la natalité se mit à augmenter, la mortalité à fléchir, la tuberculose à se raréfier et l'accablement à disparaître. L'incertitude qui existe au sujet de la définition du mot « Indien » et la querelle qu'elle entretient entre le Bureau de Recensement et le Bureau des Affaires indiennes ne permettent pas d'avancer des chiffres tout à fait précis, mais on peut admettre que les Indiens ont dépassé le demi-million; avec une natalité de 30 %, la race indienne n'est plus une race en voie de disparition. La Confédération des Navajos, par exemple, qui compte environ 60 000 membres, s'accroît d'un millier de têtes d'hommes par an. Alors qu'on l'oblige à réduire le nombre de ses têtes de bétail !

C'est dans l'Arizona et le New Mexico que la condition des Indiens atteint son niveau le plus bas. A l'exception des Pueblos du Rio Grande, qui vivent dans 17 villages de boue séchée (70 à l'époque des Espagnols) et de quelques communautés minuscules, comme les 160 Havampais du Grand Canyon, toutes les tribus de cette région sont nomades ou semi-nomades. L'une d'elles, celle des Apaches, forte de 5 000 âmes environ, porte un nom qui fut terrible et garde encore une contenance farouche. Un autre groupe, celui des Hopis, caractérisés par le ruban rouge dont ils ceignent leurs cheveux courts, ont des mœurs plus douces et associent à l'élevage la culture des citrouilles, du tournesol et des haricots. Le bloc le plus important et probablement le plus misérable forme la grande Confédération des Navajos. D'eux on peut presque dire qu'ils éclipsent le problème indien. Lorsque celui-ci s'évoque en Amérique, c'est presque toujours sous les traits des Navajos qu'il surgit.

Leur Réserve est vaste : 15 millions d'acres. Mais si pauvre qu'il faut 160 acres — l'étendue d'une bonne ferme de Nouvelle-Angleterre — pour nourrir un cheval ; 200 ou 300 moutons seraient nécessaires pour faire vivre décemment une famille et il est exceptionnel qu'un Navajo en possède plus de 50. « Les Navajos, a écrit un ministre dans un rapport au Congrès, vivent dans un état abject de pauvreté. » Leur revenu hebdomadaire est évalué à 1 dollar 50 par tête, soit à peine le salaire horaire d'un ouvrier qualifié. L'hiver, ils ont froid parce qu'ils manquent de couvertures et ils connaissent la faim en toute saison. Ils n'ont pas de routes et ils n'ont guère de puits. Très peu comprennent l'anglais, 80 % sont illettrés et 15 000 jeunes Navajos ne reçoivent aucune instruction, bien que le traité de 1868, par lequel ils ont fait leur soumission, leur ait promis une école pour 50 enfants d'âge scolaire. L'homme blanc a certainement manqué à ses engagements, et sa carence est impardonnable. Mais il faut bien reconnaître que la situation fondamentale n'aurait pas été différente si toutes les

clauses du traité de 1868 avaient été respectées. La
détresse des Navajos serait un peu moins cruelle ; le
problème des Navajos et de tous les Indiens des réserves
resterait entier.

Le nomadisme a des exigences terribles. Les 894 000
Indiens supposés de l'époque de Jacques Cartier avaient
pour terrain de parcours tout un continent, ce qui ne
les préservait d'ailleurs pas de guerres acharnées dont
les meilleurs territoires de pâture et de chasse étaient
l'enjeu. Pour permettre aux survivants de leurs descendants, de continuer l'existence ancestrale, il faudrait leur
rendre des étendues encore plus immenses, et en tout
cas plus riches que celles qui leur ont été laissées. A
défaut de cette solution impossible, la seule issue est de
les fixer au sol, en faisant de ces pasteurs des cultivateurs. Mais on rencontre aussitôt leur méfiance et leur
faible pouvoir d'adaptation. « Pourquoi, demandent-ils,
voulez-vous que nous cultivions la terre ? Nos pères ne
l'ont jamais fait. » Sur leurs réserves, ils s'opposent aux
travaux hydrauliques, aux barrages — peut-être avec la
crainte légitime d'attirer l'éternel envahisseur et l'idée
fortifiée par l'expérience que toute modification est pour
eux une aggravation. Derrière leur masque impassible,
leur hautaine et magnifique expression, ils sont excessivement ombrageux et demeurent extraordinairement primitifs. Cela ne signifie pas qu'ils soient simples, loin de
là. Ils ont des pratiques religieuses compliquées, des coutumes bizarres, des frayeurs déconcertantes, d'étonnantes
différences de tribu à tribu et de clan à clan. Chez les
Navajos, par exemple, 50 clans au moins font de la Confédération un décourageant écheveau de rivalités, mais il
faut être un super-expert, et encore ! pour dire la différence existant entre un Debehglihzhini (mouton noir),
un Maheebeshghezni (piste de coyote) et un Teshnahbah-
bilthni (rocher penchant). Représentant l'un des échelons
les plus bas de la civilisation indienne — en dépit de
leurs brillantes aptitudes artistiques — les Navajos sont
probablement plus éloignés des Choctaws et des Creeks
que ceux-ci de l'homme blanc. C'est pourquoi l'assimilation qui donne d'excellents résultats dans l'Oklahoma,

n'ouvre à peu près aucune issue en Arizona. Sur ces terres splendides et désolées, le principal obstacle à la solution du problème indien est l'Indien.

Le touriste, dont la conscience est légère, se console avec du pittoresque. Une fois par an, les Hopis, les Apaches, les Pimas, les Papagos, les Navajos et jusqu'aux Taïos sédentaires du Rio Grande se rassemblent à Flagstaff, dans l'Arizona. Ils donnent ce qu'on appelle un Pow Vow, c'est-à-dire un spectacle élaboré de danses rituelles et guerrières pour lequel ressortent les armes, les costumes et les maquillages d'antan. Des fêtes analogues ont lieu dans d'autres villes, notamment à Gallup, Nouveau-Mexique, mais celle de Flagstaff est la plus symbolique et voici pourquoi : en 1876, des immigrants marchant vers l'Ouest, campèrent au pied du mont San Francisco, organisèrent des réjouissances de demandèrent aux Indiens de s'y joindre, créant ainsi la tradition du Pow Vow annuel de Flagstaff. Le motif de la liesse des blancs, c'était la date : 4 juillet. Depuis soixante-quinze ans, les vaincus célèbrent ainsi, en déployant les fastes de leur civilisation détruite, le jour de triomphe et de gloire des conquérants.

VIII

TEXAS

« Le Texas occupe la totalité du continent de l'Amérique du Nord, à l'exception d'une petite fraction qu'il laisse au Mexique, aux Etats-Unis et au Canada. Il est bordé à l'est par l'Atlantique et par tous les Océans, à l'exception du Pacifique. Il est bordé à l'ouest par le Pacifique et par la Voie Lactée... »

Cette description se trouve dans l'*Almanach du Texas*. Les Texans en sont si satisfaits qu'ils remettent généralement un exemplaire de l'*Almanach* aux étrangers qu'ils veulent renseigner objectivement. Il contient une multitude d'autres détails, comme celui-ci : « Si tous les porcs du Texas étaient un seul porc, celui-ci aurait creusé le canal de Panama en trois coups de groin. » Et encore cette admirable formule : « La grandeur du Texas est telle qu'elle empêche les Texans de dormir. »

L'un des conseils que les pères texans sont censés donner à leurs fils est le suivant : « Ne demande jamais à quelqu'un quel est son pays. S'il est Texan, il le dira ; s'il ne l'est pas, à quoi bon le vexer ? »

Lorsqu'un Texan va à Chicago ou à Saint-Louis, il dit : « Je vais aux Etats-Unis. » En mai 1945, un journal de Dallas imprima que les troupes du Texas avaient vaincu l'Allemagne, avec le concours de leurs alliés. Bien qu'il n'existe pas d'industrie automobile au Texas, on rencontre sur les routes américaines des voitures portant ce papillon : « Construite au Texas par des Texans. » Un soir, dans un salon d'un hôtel de Fort-Worth, un journaliste local disait à l'auteur de ce livre que les usines d'aviation de la ville étaient les plus grandes d'Amérique ; une jeune fille qui lisait dans le fauteuil d'à côté leva la tête et corrigea : *in the world...*

Les Texans ont, en Amérique, le même genre de réputation que les Marseillais en France. Il existe des recueils d'histoires texanes, dont voici un échantillon : En Nouvelle-Angleterre, on enterrait un quidam ; le pasteur demanda si quelqu'un ne voulait pas prononcer un bout d'éloge funèbre, mais personne ne se proposa, le défunt ayant été un homme peu aimé ; alors un Texan qui se trouvait là par hasard fendit la foule : « Je ne veux pas, commença-t-il, laisser passer cette occasion de vous dire quelques mots du Texas... »

La gasconnade texane amuse l'Amérique et, quelquefois, l'irrite un peu. En 1948, une chanson fit fureur dans les 47 autres États : « Ah ! je suis las d'entendre parler du Texas !... » Le premier mouvement du Texas fut de faire un malheur, mais il se consola en pensant que le libelle musical avait été dicté par une noire jalousie. Quatre ans plus tard, un roman d'Edna Ferber, *Giant*, provoqua la même explosion de fureur texane. « La diffamation du Texas, écrivit un journal, est devenue une profession. »

L'une des occupations favorites des Texans est de dresser la liste de leurs grands hommes. Elle commence par les deux fondateurs, Stephen F. Austin et Sam Houston, et elle s'arrête — provisoirement — par-delà Dwight D. Eisenhower, à Lyndon B. Johnson. Eisenhower, en vérité, appartient au Kansas et il n'est né dans le Texas que par accident, mais les Texans sont trop amateurs de gloire pour laisser perdre un aussi grand nom. Celui d'Eisenhower confirme d'ailleurs une règle : la tradition du Texas est belliqueuse et la plupart de ses enfants illustres sont des militaires, ou tout au moins des hom-

mes d'action. Peu de penseurs, reconnaît l'écrivain
texan J. Frank Dobie, mais, en revanche, le colonel Bowie
qui dessina le couteau de combat portant le nom de
« bowie knife ». Et les Texas Rangers, fameux chasseurs
de bandits et de Mexicains ! Et l'Académie militaire du
Texas qui donna plus d'officiers à l'Amérique que West
Point ! Et les volontaires de 1941, si nombreux qu'on
appelait l'aviation canadienne The Royal Texan Air
Force ! Et les 172 généraux texans qui, en 1944 et 1945,
conduisirent les armées du Texas et leurs auxiliaires à la
victoire ! Oui, toute l'histoire du Texas est martiale. Le
plus haut monument de pierre du monde — 570 pieds,
soit 15 de plus que le Washington Memorial — se dresse
à San Jacinto, près de Houston, et il commémore une
victoire des Texans. Si une autre nation militaire — les
Etats-Unis par exemple — tentait d'élever à ses faits
d'armes une pyramide encore plus haute, il est hors de
doute que le Texas soutiendrait la concurrence et qu'il
la poursuivrait jusqu'au ciel.

Au début du Texas se trouve El Alamo. En 1836, 187
Texans enfermés dans les ruines sans toit du couvent
d'El Alamo, à San Antonio, résistèrent pendant treize
jours à 5 000 réguliers mexicains, en tuèrent 1 500 et moururent tous, les six derniers fusillés par un adversaire
sans magnanimité. Comme le dit superbement l'histoire
texane : « Aux Thermopyles, il y eut un messager du
désastre ; à El Alamo, il n'y en eut point. »

L'épisode d'El Alamo, demeuré avec une vivacité extraordinaire le premier motif du patriotisme texan, fait
partie d'une dure lutte contre le Mexique. Celui-ci possédait le Texas et n'en faisait rien. Des colons, venus des
Etats-Unis, se mirent à en faire quelque chose. Quand ils
eurent assez de l'anarchie et de la corruption mexi-
caines, ils se soulevèrent contre les maîtres nominaux
du pays. El Alamo fut le combat d'avant-garde, héroïque et malheureux, de cette guerre apparemment inégale. Mais, deux mois plus tard, Sam Houston mit exactement vingt minutes pour écraser l'armée mexicaine du
général-président Santa Anna, à l'endroit même que le
colossal monument de pierre signale aujourd'hui aux

myriades d'avions volant vers Houston. Puis les Texans se firent une république à eux.

Cette république indépendante du Texas dura dix ans. Elle fut reconnue par les Etats-Unis, la Grande-Bretagne, la Hollande, la France — qui eut pendant deux ans un ministre plénipotentiaire à Austin. Elle aurait très bien pu vivre. Elle serait même devenue sans aucun doute un grand pays américain. Mais elle eut la sagesse (la sagesse dans l'orgueil, trait texan) de préférer la fédération à l'isolement. L'étoile solitaire qui était son emblème resta sur le drapeau du Texas, mais la République s'incorpora librement aux Etats-Unis et devint (en 1846) la 28e étoile du drapeau américain.

La singularité de cette réunion est la deuxième grande assise du patriotisme texan. En dehors des 13 colonies signataires de la Déclaration d'Indépendance, le Texas est le seul territoire qui se soit agrégé aux Etats-Unis *par contrat*. Il n'a pas été conquis comme la Californie. Il n'a pas eu à faire son apprentissage d'Etat, comme l'Ohio, l'Illinois, le Kansas et 33 autres grands ou petits. Il a négocié d'égal à égal et signé un traité qui commençait par le protocole traditionnnel et solennel : « Entre les deux Hautes Parties Contractantes, il a été convenu ce qui suit... » Il va sans dire que ce chapitre important de l'histoire universelle est comme la *Chanson de Roland* d'El Alamo, minutieusement appris aux petits Texans.

Une clause du traité de 1846 permet au Texas de se subdiviser, lorsqu'il le jugera bon, en 5 Etats. Cinq Etats, en termes de politique américaine, cela fait 10 sénateurs — au lieu de 2. Cela fait aussi 5 gouverneurs, 5 législatures, 5 administrations, beaucoup plus d'emplois publics, beaucoup plus d'influence sur le marché des affaires nationales et internationales. Il est extraordinaire, il est même prodigieux, il est surtout révélateur, que le Texas ne se soit jamais prévalu de cet article inouï. Orgueil encore. On ne découpe pas une étoile. On peut partager un drapeau, mais on ne peut pas se partager El Alamo.

La seule chose que les Texans veulent absolument qu'on sache bien, c'est qu'ils ne sont pas comme les autres. Il faut qu'il soit clairement entendu qu'ils sont

des phénomènes, non pas les ressortissants d'un des 50
Etats, mais les citoyens d'une grande République, et
avant tout des Américains *contractuels*. Voilà pourquoi
ce n'est ni tout à fait une fantaisie ni tout à fait une
vantardise lorsqu'ils disent assez drôlement : « Nous
allons aux Etats-Unis... »

*
**

Ils disent aussi : « Les autres ont des Etats ; nous,
Texans, avons un Empire. » C'est vrai.

A lui seul, le Texas couvre le douzième de la superficie
des Etats-Unis. La France, le pays le plus vaste de l'Europe occidentale, mesure 212 659 milles carrés ; le Texas
en mesure 267 339. Il représente autant de territoire que
l'Allemagne et la Pologne réunies, ou encore que l'Allemagne, la Suisse, l'Autriche, la Hongrie et la Tchécoslovaquie mises ensemble. Pour faire un Texas, 2 Italies
ne suffiraient pas et pas davantage 3 Royaumes-Unis de
Grande-Bretagne et d'Irlande du Nord. La péninsule ibé-
rique, Espagne et Portugal, y parviendrait, à condition
de l'agrandir de tous les départements français du Sud-
Ouest. L'Alaska, c'est vrai, est encore beaucoup plus
grand. Mais, malgré son élévation au rang d'Etat, l'Alaska
reste un désert pour ours blancs, tandis que le Texas...

Les distances sont énormes. D'El Paso, corne occidentale du Texas, à Beaumont, qui touche la Louisiane, on
mesure 1 300 kilomètres à vol d'oiseau. On relève la même
distance de Texline, sommet de l'angle nord-ouest, à
Brownsville, où le Rio Grande rejoint la mer. Deux
fleuves plus longs que le Rhin, le Brazos et le Colorado
(deuxième de ce nom), naissent au Texas et s'achèvent
dans le golfe du Mexique sans avoir quitté le Texas un
seul instant. De ville à ville, les parcours prennent des
journées. San Antonio et Houston paraissent, sur la carte,
des voisines, mais il y a entre elles autant de route
qu'entre Bordeaux et Marseille. Dallas-El Paso est un
plus long voyage que Paris-Berlin. La plupart des comparaisons par lesquelles on peut rendre concrètes les
dimensions du Texas sortent, on le voit, des frontières

politiques de l'Europe. Pour démontrer aux Européens l'étroitesse archaïque de leurs cadres nationaux, il n'est même pas nécessaire de prendre les Etats-Unis ; le Texas suffit.

Une telle immensité a naturellement une géographie complète. Ici, cependant, on rencontre une singularité américaine qu'il n'est pas mauvais d'entourer d'un cercle rouge parce qu'elle est significative : il n'existe pas un seul bon traité de géographie du Texas, pas plus qu'il n'existe un manuel satisfaisant de géographie générale des Etats-Unis. Ce grand pays, devenu infiniment studieux et même scolaire, a laissé dans son enseignement et dans ses travaux scientifiques cette lacune. Dans beaucoup d'écoles, la géographie est une matière facultative et — ainsi qu'une enquête récente l'a établi — certaines Universités, foyers rayonnants de culture et de savoir, n'ont même pas une chaire consacrée à la description méthodique de l'Amérique et du monde. L'Américain moderne peut se définir ainsi : un monsieur de plus en plus décoré qui redemande du lait glacé et qui ignore la géographie.

La seule manière effective de savoir comment le Texas est fait, c'est de le parcourir. Il commence à l'ouest par des montagnes de 3 000 mètres et il s'achève à l'est dans des lagunes. Il possède des étendues aussi désertiques que le Sahara et des marécages à alligators semblables à ceux du Congo. A Corpus Christi, règne le climat de la Floride et à El Paso, celui du Grand Canyon. Les steppes interminables du centre nourrissent leurs troupeaux d'une herbe rare et, dans la « Vallée Magique » du Rio Grande, on retrouve le genre de cultures intenses, pressées, forcées de la Central Valley californienne. A Amarillo il tombe trois fois moins d'eau dans une année normale que sur l'île de Galveston. Dans les années anormales, il en tombe sept ou huit fois moins. C'est alors que surviennent les désastres du « Dust Bowl », les fantastiques tempêtes de poussière qui attaquent la couche de terre arable et convertissent en nuages noirs des millions de tonnes de sol.

Le vent est le citoyen d'honneur du Texas. Le vent

d'hiver, le « Northern », est un super-mistral, un sirocco
glacé, capable d'abaisser la température comme un passage d'icebergs. « Avez-vous, demande-t-on, des cyclones
au Texas ? — Peuh ! répondent les Texans, ils sont
balayés et rejetés à la mer par notre Northern. » Les
hurricanes du Golfe parviennent néanmoins à prévaloir
contre le Northern, et celle de 1900, aidée par un raz de
marée, fit 6 000 victimes à Galveston. Ce fut la plus
grande catastrophe du genre dans l'histoire des Etats-
Unis : encore un superlatif texan.

Le Texas a un plus grand nombre de fermes (384 000)
et une plus grande superficie cultivée qu'aucun autre
Etat. Il en tire un revenu (près de 3 milliards de dollars) qui n'est surpassé nulle part, bien qu'il soit presque
égalé par la Californie, l'Iowa et l'Illinois. La variété de
ses cultures est extraordinaire. Il moissonne, avec quinze
fois moins de paysans, autant de blé que la France. Il
porte la première récolte d'arachides, d'épinards et de
noix de pecan des Etats-Unis, la deuxième récolte de
melons et la troisième récolte de tabac. Il élève les deux
tiers des plants de roses qui fleurissent l'Amérique. Il
possède de grandes rizières qu'il cultive à la machine,
dans des conditions qui étonneraient considérablement
les fellahs des deltas asiatiques. Mais il est surtout et
avant tout le pays du coton et le pays du bétail.

Le coton n'est plus — n'est plus nulle part — ce qu'il
fut. L'époque où le monde entier dépendait du Sud des
Etats-Unis pour se vêtir est révolue. Une nouvelle guerre
de Sécession n'arrêterait plus les broches du Lancashire
et ne plongerait pas l'Angleterre dans une famine presque
aussi angoissante que celle du pain. Au Texas même, où
les fluctuations des cours découragent les planteurs, le
coton recule régulièrement. Il demeure néanmoins la
culture principale ; 1 mètre sur 3 des étoffes de coton
portées ou utilisées par les Américaines pousse au Texas.

Le bétail est beaucoup plus important. Il existe au
Texas 10 757 000 bêtes à cornes, juste quelques milliers
de têtes de plus que d'habitants. Le record régional, et
mondial comme toujours, appartient au Brewster County
qui recensait en 1960 66 333 bovidés pour 6 478 animaux

humains seulement. Troupeaux prodigieux. Ils emplissent le Texas d'une migration animale incessante et d'une nostalgique poésie.

On imagine mal l'étendue des domaines sur lesquels les cow-boys poussent cet énorme cheptel. Un ranch est souvent une province dont la capitale est une véritable ville éparse sur la plaine. Beaucoup de ranches couvrent plus de 50 000 hectares et le plus grand de tous, le King Ranch, en couvre 125 000, qui nourrissent 500 000 têtes de bétail. Entre les pâturages d'un même ranch, il y a parfois autant de distance qu'entre Orléans et Paris. La plus grande invention moderne, pour les éleveurs du Texas, est le fil de fer barbelé qui fut breveté en 1876 par un nommé Joseph Glidden, de Chicago. Il a seul permis de compartimenter l'étendue ; 5 000 kilomètres de clôtures sur une seule exploitation ne constituent pas une rareté au Texas.

Le bœuf n'est pas indigène en Amérique, pas plus que le cheval, le chien ou le poulet. La première race de bovins introduite par les Espagnols se composait d'animaux à longues cornes dont l'unique qualité était une résistance héroïque à la faim et à la soif. Les éleveurs texans les ont progressivement remplacés par des Hereford au visage blanc dont la forme évolue de plus en plus vers celle d'un parallélépipède de viande. Le cubisme est la mode bovine du Texas — sauf dans les régions les plus arides où l'on a acclimaté le bœuf bossu de l'Inde, afin de pouvoir tirer parti du sol jusqu'à la limite extrême du désert.

Malgré son immense agriculture et son élevage colossal, le Texas est avant tout un pays urbain. Sur les 10 752 000 habitants qu'il compte actuellement (6 414 000 en 1950, 7 667 060 en 1960), plus de 5 millions vivent dans de grandes villes : Dallas, Houston, Fort Worth, San Antonio, Austin (la capitale), Corpus Christi, El Paso, Beaumont, Port-Arthur. Aucun Etat d'Amérique ne s'est donné une couronne aussi originale, aussi variée et aussi neuve de cités. Les plus belles ne sont pas celles qui renferment le plus de passé — passé mexicain de misère et de crasse — mais celles qui, au contraire, en contiennent le moins. Villes sans tache — *stainless,* comme les grands Pullman modernes. Villes sans une pierre noire et sans fumées industrielles parce qu'elles brûlent du pétrole au lieu de brûler du charbon. Villes à peine connues de l'Europe parce qu'elles ont le défaut splendide d'être trop jeunes. Métropoles de l'avenir, certainement destinées à éclipser les noms légèrement défraîchis, mais installés dans les mémoires, de Boston, de Philadelphie et de Baltimore. Une trinité de rivales ardentes les domine : Dallas, poussée à partir de 1841 comme un tournesol dans la plaine ; Fort Worth, issue en 1849 d'un poste militaire ; Houston, née en 1836 d'un ruisseau fangeux.

Dallas (435 000 habitants en 1950, 672 000 en 1960), devenue le centre d'une agglomération de 1 352 000 âmes, a la prétention d'être appelée le Paris du Texas — lequel possède déjà le plus grand des huit ou dix Paris d'Amérique (20 000 habitants). Mais il n'est rien au monde que Houston et Fort Worth repoussent plus violemment. Ils accusent Dallas d'être un monceau de snobisme et lui reconnaissent tout au plus le droit de se comparer à Boston, ce qui est bien entendu un outrage. L'animosité est spécialement vive entre Dallas et Fort Worth qui n'ont pas 50 kilomètres de distance entre elles deux. A l'échelle du Texas, c'est un pas de coq, mais toute tentative pour désigner Dallas et Fort Worth comme des villes jumelles est assurée de provoquer une double et violente explosion. On leur avait fait à mi-chemin un aérodrome commun, mais son nom, « Dallas Fort Worth Airport », fut si intolérable à la seconde qu'elle dépensa 11 500 000 dollars pour se construire sa propre gare aérienne. Dallas en fit immédiatement autant et les pistes aériennes désertées de Midway ne subsistent que comme la preuve d'une incompatibilité interurbaine d'humeur.

Si le socialisme n'était pas une chimère, Dallas serait un îlot de bonheur. François-Marie-Charles Fourier installa tout à côté, à La Réunion, son Phalanstère dans lequel chacun devait être heureux par le choix libre et spontané de son utilité sociale. L'Amérique du XIXe siècle fut le champ d'expérience de la plupart des utopies européennes — depuis Champ d'Asile, colonie militaire de Grouchy, jusqu'à New Harmony, paradis coopératif de Robert Owen. Elles avaient, sur une terre vierge, les mêmes chances que l'individualisme économique, et toutes, cependant, firent faillite. Le Phalanstère de La Réunion se disloqua au bout de quelques années, sans laisser aucune trace dans l'histoire ni même dans la mémoire de Dallas.

Le coton fit la prospérité de Dallas, mais celle-ci a survécu au déclin du coton. La ville est un nid de grandes fortunes assez hautaines et ses clubs de millionnaires sont parmi les plus exclusifs des Etats-Unis. Elle investit de plus en plus son opulence dans des activités distinguées comme la Bourse, la culture des arts et la mode. Hollywood — mais à la différence de New York, docilement soumise aux couturiers parisiens — Dallas prétend créer une mode américaine autonome. Mode texane, somptueuse, flamboyante, toute pénétrée des thèmes colorés du Mexique et de l'Ouest. Les grands magasins Neiman Marcus se flattent d'être des plus luxueux du monde, et il est fort possible qu'ils aient raison.

Le 22 novembre 1963, à 12 h 30 heure locale, Dallas, — surclassant ainsi définitivement Fort Worth — est entrée dans l'histoire. Non par un de ces hauts faits dont le blason d'une ville, fût-elle texane, peut s'enorgueillir. Si Dallas devait ajouter quelque chose à ses armes, ce serait une tache de sang, de ce sang qui coula par une des plus radieuses journées du lumineux automne texan, où fut commis le plus horrible attentat que le monde ait jamais connu...

Ce jour-là, un jeune et beau couple, élégant et racé, qui forçait la sympathie populaire — même en ce Texas hostile politiquement — vit son bonheur détruit au lendemain de son dixième anniversaire de mariage. Le 35e — et le plus jeune — Président des Etats-Unis, John F. Kennedy, s'effondrait mortellement blessé dans les bras de sa jeune femme qu'il éclaboussait de sang et de cervelle.

L'horreur des minutes qui suivirent, la confusion de ces heures où le Vice-Président Lyndon B. Johnson, un Texan, devint le 36e Président, n'ont pas leur place ici, non plus que les circonstances qui rendirent le crime possible. Mais l'Amérique traumatisée, le monde bouleversé n'oublient pas la vision tragique de la frêle silhouette de Jackie Kennedy, émergeant de l'avion qui ramenait le cercueil de son mari. Son tailleur rose — cet élégant modèle de Chanel que le Président avait choisi qu'elle portât ce jour-là — était maculé du sang de l'homme qu'elle aimait, et disait toute l'horreur de la tragédie qu'elle venait de vivre.

C'est cette image qui, obscurcissant le dur soleil du Texas, plane désormais sur Dallas, cette Dallas où la moyenne annuelle des meurtres est le double de la moyenne nationale, où certaines années l'on assassine autant de gens que dans toute l'Angleterre...

Cinq ans après le crime, les conclusions des sept membres de la commission Warren après dix mois d'enquête, l'audition de 552 témoins et la publication d'un lourd rapport de 888 pages, laissent encore le monde incrédule. Pourquoi ? Comment ce lâche assassinat ? Mais le lourd climat de violence et d'hystérie qui régnait à Dallas cet automne-là explique bien des choses dans une ville où la vente des armes à feu est libre...

A côté de Dallas, Fort Worth (638 000 habitants) exagère la rudesse. Elle se donne le titre de « Porte de l'Ouest ». Elle est, en tout cas, la grande ville américaine où l'on voit le plus de larges chapeaux, d'éperons en étoile et de souliers brodés. Poussé par ses cow-boys, le bétail, l'immense bétail du Texas, afflue ici pour y mourir. Les plus grands abattoirs du monde ne sont pas à Chicago, comme toute l'Europe continue certainement de le croire ; ils sont à Fort Worth. Sur d'autres quartiers de la ville, flotte la poussière blonde du froment.

Les trois quarts du blé moissonné au Texas viennent s'accumuler dans des silos hauts comme des gratte-ciel.

La diversité de ses industries et son exubérant esprit d'entreprise donnent peut-être à Fort Worth une chance de gagner un jour la course des trois cités. Mais le premier rang appartient certainement pour quelques années encore à Houston. Non seulement elle est la plus grande (1 740 000 habitants), mais c'est elle qui grandit le plus rapidement. Elle s'est multipliée par trois et demi depuis 1930 et par vingt-cinq depuis 1900. Elle avait le numéro 14 sur la liste des grandes villes en 1950 ; elle le garde en 1966, devançant néanmoins en une seule décade Milwaukee et la Nouvelle-Orléans pour ne citer qu'elles. Dans ces rêves orgueilleux, elle entrevoit l'époque où elle concurrencera Philadelphie, Chicago, New York même. L'Europe, où les hiérarchies urbaines se sont cristallisées comme les autres, ne connaît pas ces luttes des grandes villes, mais elles emplissent l'Amérique d'une incessante compétition.

L'une des fiertés des villes américaines est leur *skyline*, c'est-à-dire la silhouette que leur donnent leurs hauts buildings sur la toile de fond du ciel. New York étant mise hors concours, il n'est pas facile à un juge impartial de décerner ce prix de beauté. Le *skyline* de San Francisco est sublime ; celui de Philadelphie est majestueux ; celui de Chicago est presque grandiose et celui de Cleveland est un émerveillement pour les yeux. Mais celui de Houston a plus que le droit d'entrer dans la compétition. Sa chance est, une fois de plus, dans sa jeunesse. Les architectes n'ont pas tâtonné, n'ont pas copié, n'ont pas érigé de fausses cathédrales et n'ont pas tenté à tout prix d'escalader les nuages en poussant vers les profondeurs du ciel de longs et étroits poignards. Ils ont placé des masses géométriques puissamment équilibrées. L'immeuble le plus haut de Houston n'a que 135 mètres (25 de moins que le sommet de Dallas, ce qui est tout de même un peu vexant), mais l'ensemble du *skyline* l'emporte incontestablement par son harmonie. Il est parfaitement possible que Houston, compromis heureux entre l'étendue et l'altitude, plus ramassée

que Los Angeles, moins resserrée que New York, soit
la formule à peu près accomplie de la cité d'aujourd'hui.

Cette Houston, située à plus de 60 kilomètres des
rivages, eut toujours l'ambition d'être un port de mer.
Elle essaya longtemps d'y réussir par l'entremise d'une
sorte d'arroyo sans profondeur nommé Buffalo Bayou.
Quand elle fut lasse de draguer sans cesse ce filet de
boue liquide, elle prit le Buffalo par les cornes et se
creusa une véritable canal maritime large de 100 mètres
et profond de 12. Cette grande route d'eau fit instantanément de Houston avec son avant-port de Galveston,
le quatrième port des Etats-Unis. Avec Galveston et Texas
City pour avant-ports, la région est devenue un foyer
de navigation plus intense que les bouches de l'Elbe ou
de l'Escaut. C'est à Texas City, le 16 avril 1947, que le
cargo français *Grandcamp* explosa en chargeant des
nitrates et gratifia le Texas d'une catastrophe à son
échelle : 512 morts. Comme le désastre fut attribué à
la négligence de l'équipage, il en reste sur place une
amertume contre le pavillon français.

La carte humaine et économique de l'Amérique se
modifie si rapidement que l'information de l'homme
moyen est impuissante à suivre son évolution. Jusqu'à
une date récente, le Texas fut essentiellement agricole.
En 1940, on n'y comptait pas encore 180 000 emplois
industriels : on en comptait, vingt ans après, près du
quintuple répartis entre 10 000 établissements et 700
branches d'industries. Houston, qui n'avait pas une che-
minée d'usine il y a quarante ans, devient l'une des
grandes agglomérations industrielles du monde. La chimie américaine s'y regroupe et s'y reconstruit, montant
en flèche par la formidable fortune des produits de synthèse, fibres artificielles, plastiques, etc.

Le moteur de ce mouvement ultra-rapide n'est pas le
charbon, comme dans les régions manufacturières classiques ; c'est le pétrole. La chimie texane est une pétro-

chimie dont la croissance s'exprime par des investissements annuels de l'ordre de 300 millions de dollars. Le
deuxième stade de l'enrichissement par le pétrole est
arrivé pour le Texas : après le bénéfice de l'extraction,
les bénéfices de l'utilisation.

Le sol du Texas est percé d'environ 190 000 puits ;
25 000 sont forés chaque année, mais à peu près autant
s'épuisent et sont abandonnés. Le nombre immense de
ces trous, conséquence d'une faible perméabilité des
roches-réservoir, établit, au détriment des Etats-Unis,
un vif contraste avec le Moyen-Orient. Pour une fois, le
Texas doit renoncer à un record : celui de la productivité des puits de pétrole — en dépit des très grands
efforts techniques, pompage, injection d'eau, réinjection
de gaz, etc., par quoi cette productivité est stimulée. On
arrive à extraire 80 % de l'huile, alors que 20 % était
considéré comme un chiffre satisfaisant il y a quarante
ans. Mais les investissements et les prix de revient sont
lourds.

Il sort des 190 000 puits texans une moyenne d'un milliard de barils de pétrole par an. A raison de 42 gallons
de 3,75 litres, cela représente 160 milliards de litres, soit
près d'un sixième de kilomètre cube. En poids, plus de
140 millions de tonnes et, en valeur, entre 3 et 4 milliards de dollars. Chiffres gigantesques, auxquels on
ajoute de la signification en disant ceci : le Texas, à lui
seul, représente la moitié de la production de l'U.R.S.S.

On ignora que le Texas flottait sur un lac de pétrole
jusqu'en 1901. Cette année-là, un entêté portant le nom
français de Lucas voulut prouver (près de la ville au
nom également français de Beaumont) que son Texas
n'avait rien à envier à la Pennsylvanie. Il fora 3 puits qui
s'avérèrent aussi secs qu'un vieil os. En s'endettant
jusqu'à l'âme, il commença un quatrième puits qu'il jura
de pousser jusqu'au centre de la terre s'il le fallait.
Quand la sonde atteignit 1 000 pieds, une détonation semblable à un coup de canon retentit et un geyser de
liquide visqueux jaillit du sol. Une prodigieuse aventure
commençait.

La Pennsylvanie était encore le grand Etat pétrolifère, mais des rivaux couraient sur ses traces, dans la fièvre de prospection qui gagnait l'Amérique. A partir de 1910, la Californie devança tout le monde. Victoire éphémère. L'élan du Texas était irrésistible ; 1935 consacra la défaite du Pacifique devant le golfe du Mexique. Les années suivantes accrurent la marge d'avance du Texas. Actuellement, la hiérarchie des Etats devant le pétrole s'écrit ainsi : Texas, 1 073 millions de barils ; Louisiane, 674 ; Californie, 344 ; Oklahoma, 225 ; Wyoming, 131 ; New Mexico, 124 ; Kansas, 104 ; Illinois, 62 ; Mississipi, 55 ; Montana, 35 ; Colorado, 34 ; Arkansas, 24 ; Michigan, 14.

Le premier trait de ce tableau est son gigantisme. La production intérieure des Etats-Unis est voisine de 3 milliards de barils, soit environ 410 millions de tonnes, près du quart de la production mondiale. Il s'y ajoute un flot de gaz naturel, atteignant 485 milliards de mètres cubes par an, soit plus du triple que le second producteur, l'U.R.S.S., et 80 ou 90 fois plus que n'en produit le fameux gisement français de Lacq. Le gaz naturel joue dans l'économie américaine un rôle majeur, fournissant plus du tiers de l'énergie consommée et surpassant, non seulement la houille blanche (4 % seulement), mais même la houille tout court. Un réseau de *gas lines* de 928 000 kilomètres en 1963 couvre le territoire national, traverse l'Amérique de part en part, amène dans les foyers domestiques de New York le gaz du Texas. Cet apport d'un fluide riche, d'utilisation souple et commode, réduit les besoins relatifs en fuel oils, incite par conséquent l'industrie américaine du raffinage à produire la plus forte proportion possible de carburants légers par l'extension maximum du cracking.

Texas en tête, l'Amérique domine donc la production comme l'utilisation du pétrole. Toutefois, la proportion qu'elle représente par rapport au reste du monde va se réduisant. Le quart d'aujourd'hui était plus d'une moitié il y a 20 ans. Désormais, le Moyen-Orient surclasse l'Amérique, 447 millions de tonnes contre 410, et le

Venezuela, 176 millions, se rapproche plus lentement qu'on pouvait le supposer. Le tableau devient moins avantageux encore si l'on considère les réserves : 55 milliards de tonnes, soit 60 % des réserves mondiales connues, pour le Moyen-Orient, et 31 452 millions de barils seulement pour les Etats-Unis. Suivant le Geological Survey, l'Amérique ne peut subvenir à sa consommation d'hydrocarbures que pour une période de seize à trente-quatre années en ce qui concerne le pétrole et de trente-huit à cinquante-neuf années en ce qui concerne le gaz naturel.

Ce problème de ressources est, en vérité, posé depuis longtemps. L'épuisement imminent des gisements de pétrole a provoqué une suite de prédictions calamiteuses — et, régulièrement, de nouvelles trouvailles ont reculé les échéances. Quand la Pennsylvanie fut en cours d'assèchement, la Californie se couvrit de puits ; quand la Californie s'essouffla, le Texas prit son essor ; quand le Texas ne parut plus suffire à des besoins immensément accrus, l'Oklahoma arriva à la rescousse. La dernière alerte se produisit en 1946-1947. Le pétrole venait de remporter une nouvelle victoire en prenant la place du charbon en tête de toutes les sources d'énergie. Ce qu'on n'avait même pas envisagé se produisait : les besoins de l'après-guerre dépassant les besoins de la guerre et le superboom de la paix venant s'ajouter au boom des hostilités. Une fois de plus, les prophètes peignirent l'Amérique frappée par le tarissement du pétrole comme l'Egypte par l'une de ses plaies. Une fois de plus, la générosité de la nature à l'égard des Etats-Unis se vérifia. Le Sud, dont personne n'attendait rien, assura la nouvelle relève. Il produisait 30 millions de barils en 1935 ; il en produit deux milliards.

L'appauvrissement de ses gisements est l'une des raisons qui ont jeté l'Amérique dans la course mondiale au pétrole. Jadis exportatrice, elle fait appel d'ores et déjà à un contingent de pétrole d'outre-mer. Celui-ci venant à manquer à son tour, il lui resterait la ressource de ses schistes bitumineux, dont l'exploitation a été

entreprise à titre expérimental, et dont les ressources
en pétrole captif sont peut-être dix fois celles des réserves de pétrole libre. Au delà encore, l'Amérique aurait
à sa disposition des quantités gigantesques de charbon
convertible en combustibles liquides par l'hydrogénation.
Car la profonde réserve énergétique de l'Amérique est
la houille, provisoirement tombée en désuétude. Des
bassins vierges, facilement exploitables, existent dans
28 Etats. L'inventaire général du sous-sol attribue au
pétrole certainement récupérable 170 quatrillions d'unités
énergétiques, contre 180 au gaz naturel, 1 200 aux schistes
et 7 623 à la houille — soit 1,86 % du total au premier,
1,96 % au second, 13,70 % aux troisièmes et 83,06 % à
la quatrième. En étendant l'inventaire aux « ultimate
reserves », le chiffre d'unités énergétiques charbonnières
s'élève à 25 400 quatrillions. Sur ces bases, l'Amérique
est approvisionnée en charbon pour une période de quatre cent quatre-vingt-quatre à mille six cent douze ans.
C'est de très loin le meilleur bilan énergétique du monde
et de quoi attendre tranquillement le moment où l'atome
deviendra la source générale de l'énergie.

L'Amérique avait construit pendant la guerre quelques
usines d'hydrogénation de la houille. L'alerte de 1946-
1947 conduisit à l'établissement d'un plan beaucoup plus
ambitieux, tenu en réserve pour toute éventualité. Elle
conduisit également à une entreprise d'une singulière
hardiesse : l'exploitation des pétroles de la mer.

Il ne s'agit pas d'exploitations marginales dépassant
timidement la ligne du rivage. Des derricks au pied dans
l'eau, il en existe des centaines en Californie et les Russes
eux-mêmes en poussent depuis longtemps sur les petits
fonds de la Caspienne. Le nouveau pétrole marin se
trouve dans le golfe du Mexique, hors de vue des côtes,
au large de la Louisiane et du Texas. Pour l'exploiter,
il est nécessaire de construire des îles artificielles à deux
étages, dont l'un est une station de pompage, et l'autre
un hôtel pour les 54 personnes dont se compose en
moyenne l'équipage d'un puits. Des hurricanes, qui ne
sont rien moins que les sœurs des typhons des mers de

Chine, parcourent cette étendue marine et les ingénieurs sont obligés de tenir compte de vents atteignant 125 ou 150 milles à l'heure. Soixante-quinze plates-formes fixes, dont les plus hardies s'avancent à 27 milles (50 kilomètres) du rivage, sont construites. On en prévoit plusieurs centaines et l'on compte atteindre partout les fonds de 200 mètres qui se trouvent en moyenne à 60 milles du littoral.

Une querelle juridique s'est greffée sur cet exploit technique. A qui appartiennent les pétroles du fond de la mer ? Selon l'ancien droit international, qui faisait cesser la souveraineté des nations à 3 milles de la terre ferme, ils devraient être la propriété indivise de tous les peuples de l'univers. Mais l'Amérique a revisé unilatéralement cette notion, d'ailleurs archaïque, depuis que la portée des canons dépasse celle des batteries basses de Nelson. Les pétroles du golfe sont à elle, c'est entendu. Restait à savoir s'ils étaient le bien du gouvernement fédéral ou celui des Etats.

Le Texas s'est battu comme à El Alamo pour faire prévaloir la seconde interprétation. Mais la Cour Suprême, machine centralisatrice, analogue aux légistes des vieux rois français, a jugé contre le Texas. Le gouverneur, Allan Shivers, accueillit la sentence en disant : « C'est un cas de sécession. » Sans aller aussi loin, les conséquences politiques furent sérieuses. En 1952, Shiver se rallia à Eisenhower. Démocrate en vertu de son passé sudiste, patrie des grands leaders démocrates qu'étaient alors le président de la Chambre Sam Rayburn, et les sénateurs Connally et Johnson, le Texas vola sous les drapeaux du général. Il lui resta fidèle quatre ans plus tard. De toute manière, le Texas s'était vengé contre les démocrates d'avoir perdu ses pétroles d'en-dessous de la mer. Il pouvait dès lors rentrer dans le rang, ce qu'il fit sans plus attendre aux élections de 1960. Avec Connally comme gouverneur, et le Texan Lyndon B. Johnson au poste suprême, le Texas est redevenu fidèle à sa tradition politique démocrate.

En ce qui concerne le pétrole, cause indirecte de tous

ces bouleversements électoraux, le dernier mot n'est sans doute pas dit. Les pétroles terriens du Texas sont peut-être à leur apogée, c'est-à-dire à la veille de leur déclin. Peut-être, au contraire, l'Etoile solitaire recèle-t-elle encore des nappes vierges. Avec le pétrole, le dernier mot n'est pas vite dit. Les procédés de détection scientifiques ont fait de grands progrès, mais ils n'indiquent encore que la probabilité du pétrole ou, comme dit le langage du métier, les « trappes » où l'huile brute a des chances de s'être accumulée. Sa recherche reste empreinte d'une glorieuse incertitude qui l'apparente au sport, au jeu et à l'amour. Aujourd'hui encore, il faut forer en moyenne 4 puits « secs » avant de trouver 1 puits « humide ». Sur l'une des plus grandes industries humaines, la loi de la chance continue de régner.

Des centaines d'hommes fouillent le sol du Texas avec l'espoir invincible d'en faire jaillir de nouvelles fontaines d'or liquide. Ces sourciers du pétrole ne sont pas tous, ne sont même pas pour la plupart au service des grandes compagnies. Certains constituent de petites sociétés de prospection et beaucoup d'autres sont de simples particuliers. Ils portent le nom de *wildcatters,* le *wildcatting* désignant en Amérique toutes les entreprises qui sortent des règles usuelles du bon sens. De l'avis des banques, qui refusent régulièrement leur concours, leur industrie est de la même nature que l'achat de billets de loterie. Si l'homme gagne, il gagne bien. Si la veine n'est pas de son côté, il ne lui reste, au bout d'un temps très court, qu'à louer ses bras sur les champs pétrolifères en s'enrôlant parmi les ouvriers les plus exposés et les plus barbouillés du monde, les « drillers ». Mais, heureux ou malchanceux, un wildcatter quitte rarement le métier et le Texas. L'or liquide, comme l'or solide, ne lâche pas celui qu'il a saisi.

Le *wildcatter* doit d'abord obtenir une concession du propriétaire du sol. Celui-ci demande quelquefois une redevance, mais c'est généralement lui qui va au devant du prospecteur. Le meilleur numéro de la loterie, au fond, c'est le sien. Si le pétrole jaillit de son champ, la convention finale lui réserve d'ordinaire 1 galon sur 8 d'huile brute sans qu'il ait eu à prendre un risque ou à faire un autre geste que celui d'apposer sa signature au bas d'un contrat. Le montant des royalties ainsi versées depuis 1919 approche de 3 milliards de dollars et il n'est pas surprenant, dans ces conditions, que les deux tiers de l'immense Texas soient sous des accords de prospection.

Quand le *wildcatter* a fait jaillir l'huile — très souvent avec un outillage de fortune — il lui reste à être un bon négociateur de ses droits. Quelques-uns exploitent eux-mêmes les gisements qu'ils ont découverts et, de prospecteurs, deviennent producteurs. Mais ceux qui ont réellement le *wildcatting* dans le sang — presque tous — vendent leur contrat à une société d'exploitation et transportent ailleurs leurs sondes et leur chance. Les profits peuvent être énormes. La concurrence pour l'acquisition de sources nouvelles est toujours vive entre les grandes compagnies (Texaco, Gulf, Humble, Esso, Mobiloil, etc.) et les centaines de producteurs indépendants qui font du pétrole l'une des industries les plus ouvertes d'Amérique. Le fisc lui-même, le terrible fisc, amène son pavillon à mi-mât devant la réussite du prospecteur. Une loi de 1927, dictée par la soif du pétrole, permet à celui-ci de déduire 27,5 % de son revenu brut, en contrepartie des risques qu'il assume. Dans un pays dévasté par l'impôt, c'est une prime mirifique. Elle a permis quelques grandes fortunes et elle est, à ce titre, attaquée par les maniaques de l'égalité. Il est hors de doute cependant que, sans le jeu frénétique des *wildcatters*, les Etats-Unis auraient déjà été étreints par la disette de pétrole. Grâce à l'individualisme économique qu'ils représentent et à la compétition des sociétés distributrices, l'essence — sang de l'organisme américain — est le seul produit de grande consommation qui n'ait pas sensiblement augmenté depuis quinze ans.

Il importe peu — sauf pour les capitalistes intéressés — que toutes les prévisions d'il y a quelques années se soient avérées fausses et que la crise mondiale frappant l'industrie du pétrole ait été celle de la surabondance, alors qu'on attendait la pénurie. Toute l'histoire pétrolière est faite de cycles déconcertants. En 1956, l'obstruction du canal de Suez, conséquence de l'expédition punitive franco-anglaise, avait entraîné une disette d'hydrocarbures, la réapparition du rationnement en Europe et les vives protestations d'une Amérique qu'on invitait à limiter sa consommation pour se substituer au Moyen-Orient. Trois ans plus tard, la découverte de nouvelles sources dans le monde entier créait l'angoisse de l'étouffement. Le trop succédait au trop peu, les investissements hâtifs des années précédentes alourdissaient les bilans des sociétés, les meilleures valeurs pétrolières baissaient d'un tiers et la plainte du Texas se faisait entendre aussi bien contre les importations de pétroles exotiques que contre celles de petites voitures étrangères, trop économes de carburant. Mais ceux qui voient les perspectives lointaines ne se laissent pas abuser par ces excédents. La consommation mondiale de pétrole, 19 millions de barils par jour en 1960, le double en 1967, doit atteindre 70 millions de barils en 1975.

La plupart des grandes fortunes du Texas sont basées sur le pétrole. Le plus riche des Texans, et l'un des individus les plus riches d'Amérique, Roy Cullen, est un pétrolier. Il était évalué à 275 millions de dollars jusqu'au jour où, répétant les gestes historiques de Rockefeller et de Ford, il donna d'un seul coup 180 millions de dollars au Centre de Recherches médicales de Houston. Un autre grand riche, qui fut un authentique *wildcatter*, est Glenn McCarthy. A vingt ans, pauvre et beau, il enleva la fille d'un millionnaire, mais le père, furieux, laissa à la romance son caractère de mariage d'amour en serrant les cordons de sa bourse. Glenn, pour nourrir sa jeune femme, se fit blanchisseur, puis pompiste dans une station d'essence. Dès qu'il eut quelques dollars, il commença son *wildcatting*. Selon la coutume et la loi des probabilités, le premier puits qu'il fora fut sec. Il s'en fallut de peu que le second ne fût tragique. Un incendie faillit carboniser McCarthy et l'écroulement d'une plate-forme faillit l'assommer. Lorsqu'il trouva le pétrole, peu de jours après son vingt-troisième anniversaire, il était si près de l'extrémité de ses ressources qu'il n'avait plus que son père comme ouvrier. Trente ans plus tard, à peine quinquagénaire, McCarthy règne sur ce qu'on appelle en Amérique un Empire. Il possède sa propre compagnie pétrolière, une maison de 700 000 dollars, le super-hôtel Shamrock de Houston, un ranch de 5 000 hectares et une chaîne d'usines de produits chimiques. Il fut ruiné au moins une fois, rétablit une situation désespérée et donne encore le vertige à son entourage par la hardiesse de ses combinaisons financières. Il jouit de la vie comme un joueur seul sait le faire, boit et se querelle comme l'Irlandais qu'il est resté, s'entoure de parasites, conduit sa voiture à 200 à l'heure, voyage dans son quadrimoteur particulier, sans cesser de considérer les choses et les hommes avec l'étrange sourire de ses yeux obliques et rusés. Il deviendra peut-être l'homme le plus riche du monde et il sombrera peut-être dans un krach. Quiconque fut un *wildcatter* est un *wildcatter* à perpétuité.

Les McCarthy furent fréquents en Amérique au siècle dernier. Ils font encore partie du paysage social américain tel que beaucoup d'Européens continuent de se le peindre. En réalité, sauf au Texas, ils ont disparu. Les fortunes construites, détruites, reconstruites ; l'enrichissement individuel rapide et gigantesque ; la réussite industrielle semblable au coup de Bourse ; le destin prodigieux des Rockefeller, des Carnegie, des Ford et des Astor ; toutes ces brillantes images de l'Amérique capitaliste sont entrées dans le passé. Il est encore possible de créer de très grandes affaires, mais il n'est plus possible de bâtir de très grandes fortunes. L'impôt l'interdit. Le fisc, ce fauve qui existait à peine il y a seulement quarante ans, est devenu le compagnon de table qui dévore les meilleurs morceaux. A 50 000 dollars de revenu, il prend la moitié. Dans les très hautes tranches, il exige 93 %. Pour garder 1 million de dollars, il faut en « faire » 12 ou 15. Les chances offertes à l'initiative et au goût du risque ont, en outre, énormément décru en face d'un Etat fédéral qui surveille tout, contrôle tout, intervient dans tout et entretient des centaines de « lawyers » prêts à se mettre en campagne au moindre soupçon de trust. Si Carnegie et Rockefeller avaient vécu de nos jours, ils auraient laissé à leurs héritiers quelques millions de dollars. Au lieu d'un milliard.

En 1960, selon les tables du fisc américain (qu'on fraude très peu), il n'existe plus aux Etats-Unis que 223 personnes, sur 175 millions, jouissant d'un revenu brut supérieur à 1 million de dollars. En 1914, quand le dollar valait au moins 3 dollars actues, on en comptait 100. En 1920, on en comptait 200. En 1929, leur nombre atteignit 500. La crise de cette année-là survint comme une débâcle, comme un Niagara de millionnaires. Du bataillon sacré des 500, il resta 33 survivants. L'effectif s'est un peu reconstitué depuis cette catastrophe, mais le dollar s'est sensiblement déprécié et, surtout, la razzia du fisc a monstrueusement augmenté. En tout et pour tout, il subsiste, croit-on, 7 Américains seulement qui peuvent se permettre de dépenser 1 million de dollars par an sans s'appauvrir.

Quant aux simples millionnaires, c'est-à-dire aux particuliers possédant une fortune globale de 1 million de dollars, ils étaient 21 000 au mois d'octobre 1929 et 7 000 le mois suivant. Ils sont aujourd'hui une vingtaine de milliers. L'Amérique s'est guérie de la crise, la richesse nationale a doublé, le dollar s'est dévalué de moitié, et cependant l'effectif des riches, aussi bien que celui des super-riches, n'a même pas rejoint son niveau d'il y a un quart de siècle. Les *nouveaux* millionnaires de l'Amérique ne sont plus des individus, mais les masses dont le standing social et le pouvoir d'achat ont énormément augmenté.

Même au Texas, au reste, les fortunes neuves sont très loin d'atteindre les dimensions de leurs devancières. Le pétrolier Roy Cullen a gagné 275 millions de dollars, mais le pétrolier Rockefeller en avait accumulé 2 milliards. Jesse Jones, le bâtisseur de Houston, s'est infiniment moins enrichi que les Astor, barons du sol new-yorkais. Le type du nouveau riche texan n'est pas le milliardaire classique, mais le *wildcatter* heureux, le fermier dont la terre a sué du pétrole, le ranchero dont le bétail a prospéré, le spéculateur immobilier qui a joué avec succès sur la fièvre de construction. Ils n'ont pas de yachts longs comme des paquebots et ne se font pas construire des copies du château de Blois. En dehors d'une exception comme le flamboyant Glenn McCarthy, ils sont effacés et presque anonymes. Ils n'enfièvrent plus l'imagination des petits vendeurs de journaux, qui ont cessé de croire qu'ils avaient 1 milliard de dollars dans leurs paquets de feuilles imprimées. De même que les étoiles de Hollywood ne sont que le faible reflet de la génération précédente, les millionnaires texans ne sont que les successeurs affaiblis des colosses du capital. L'Amérique morte brille encore un peu au Texas, mais ce n'est que le dernier rayon d'un astre éteint.

*
**

Effacés et anonymes les petits millionnaires texans, à moins qu'ils ne se lancent dans la carrière politique, suivant l'exemple de Lyndon Baines Johnson.

Sa fortune, il l'a lui-même acquise, à la différence des Kennedy suffisamment dotés par leur père pour qu'il ne soit jamais question d'argent dans leur vie. Il fut casseur de cailloux, laveur de vaisselle, liftier, et crut qu'il accédait à la bourgeoisie lorsqu'il décrocha, à 22 ans, un poste d'instituteur à Houston. La politique lui apporta, dans le sillage de Franklin Roosevelt, le pouvoir et l'argent. Appelé à Washington en 1931 par le richissime sénateur Kleberg, ami de son père, c'est grâce à un autre ami paternel, Sam Rayburn, qu'il devient administrateur pour le Texas de l'Administration Nationale de la Jeunesse. Il est élu député du Texas pour la première fois en 1937, sur le thème électoral du New Deal. Après un premier échec en 1941, une nouvelle tentative en 1948 fait de lui un sénateur du Texas, au terme d'une dure campagne (il n'a que 87 voix de majorité) où il a l'originalité d'utiliser l'hélicoptère pour joindre ses élec-

teurs. Sénateur à 40 ans, il est quatre ans plus tard le leader des démocrates et devient cinq ans après le chef de la
majorité au Sénat, poste où il déploya la plus diabo-
lique habileté qu'on ait jamais vue. Le Parlement n'avait
jamais eu personnalité si habile à modifier un texte pour
qu'il recueille la majorité des suffrages, si versée dans
l'art de marchander et d'enjôler. Mal servi par une voix
sourde, au fort accent du Sud, Lyndon Johnson déploie
dans le dialogue une parole persuasive qui lui assura,
en son temps, son ascendant exceptionnel au Congrès.

Une carrière politique interrompue seulement par la
guerre, où il servit comme officier de marine avec une
bravoure qui lui valut de recevoir des mains de
Mac Arthur lui-même, la médaille des braves, la Silver
Star, lui a fait gravir en une trentaine d'années tous
les échelons du *cursus honorum.*

Lyndon Johnson est le 8e président qui doit au décès
de son titulaire d'assumer la plus haute charge d'Amérique. Il est le premier président sudiste depuis la
Guerre de Sécession. Surnommée Lady Bird (la Cocci-
nelle), la Première Dame des Etats-Unis — née Claudia
Taylor — est elle aussi originaire du Texas. Avec les
Johnson, l'américanisme fait sa rentrée à la Maison
Blanche, et l'atmosphère provinciale des règnes de Truman et Eisenhower s'y est reconstituée après que le
cosmopolitisme que John et Jacqueline Kennedy y avaient
introduit, en fut sorti avec eux. Cet américanisme des
Johnson est si grand que, partageant apparemment l'irritation de Dwight et Mamie Eisenhower devant la manie
des noms étrangers, ils débaptisèrent la maison achetée
par eux à Washington. Elle était « Les Ormes », elle
devint « The Elms ».

Lady Bird, que son mari épousa à San Antonio en 1934,
après une cour pressante faite à coups de télégrammes
et d'appels téléphoniques, est la fille d'un planteur de
coton et commerçant d'Austin ; née à Carnack (Texas),
diplômée de l'Université du Texas, elle a travaillé efficacement à l'édification de la fortune personnelle du
ménage. Partis d'une petite station radio d'Austin, les
Johnson sont aujourd'hui à la tête d'une chaîne de radio-

diffusion, de quatre ranches de gros bétail et d'un confortable portefeuille de valeurs boursières. Lady Bird est aujourd'hui encore la collaboratrice la plus proche de son mari. Elle veilla farouchement sur lui pendant qu'il luttait contre la mort au Bethesda Naval Hospital où il fut hospitalisé le 2 juillet 1955 pour une attaque cardiaque. Ce n'est qu'au mois de décembre, après une longue convalescence au L.B.J. ranch, que Lyndon Johnson put reprendre ses activités.

Lady Bird semble n'avoir jamais été parfaitement à l'aise dans le milieu un peu compassé de Washington, et elle a probablement joué, par son secret désir de retourner dans leur ranch, un rôle décisif dans la détermination de son mari d'abandonner la présidence. L'ami et confident de toujours de Lyndon Johnson, le gouverneur du Texas John Connally, contribua sans doute lui aussi à décider le président, lorsqu'il annonça, l'année dernière, qu'il ne se représenterait pas à un troisième mandat.

Depuis octobre 1967, un projet de déclaration de retrait avait été préparé et Johnson y fit à maintes reprises des allusions sybillines, qui semblaient simplement faire partie des contradictions habituelles du plus secret des présidents. Car on le savait immensément fier de son poste, dont il appréciait la pompe et les avantages. Lui-même n'a jamais caché qu'il aimait le pouvoir. Mais ce Texan assoiffé d'action — qui a tellement souffert pendant sa vice-présidence d'un effacement si contraire à sa nature — est aussi un homme irritable et susceptible, très émotif, que les critiques dont il a sans cesse été l'objet ont sans aucun doute profondément meurtri. Ce n'est que le 31 mars 1968, après un ultime regard vers Lady Bird, assise en coulisse, qu'il se décida à lire, sur le Télé Prompter, le texte décisif annonçant son retrait de la vie publique, après quarante ans consacrés au service de l'Etat.

Quel sera le jugement de l'Histoire ? Lyndon B. Johnson est un homme d'action dont l'arme est la parole. Sa décision de 1960 d'accepter la vice-présidence montre la profondeur de cet esprit complexe et rusé. A son habitude, L.B.J. avant de se décider, commença par la tournée de coups de téléphone qui lui était habituelle avant de prendre une grave décision. Mais il est hors de doute qu'il avait déjà compris que sa position de leader de la majorité serait moins confortable avec un John Kennedy qu'avec un Eisenhower. Son sens aigu de la situation du parti démocrate dans le Sud lui montra peut-être en la vice-présidence le moyen de maintenir l'alliance entre les conservateurs sudistes et les libéraux du Nord. Contre l'avis de ses amis, ces considérations lui firent accepter un poste si peu conforme à son tempérament à la fois énergique, orgueilleux et émotif.

Quelle qu'ait été son amertume devant son peu d'utilité, L.B.J. resta très fidèle et coopératif, ce qui est un magnifique exemple du triomphe de la volonté personnelle. Ses nombreux voyages à l'étranger — il visita 33 pays — lui donnèrent cette formation diplomatique qui lui manquait alors.

C'est un vice-président parfaitement préparé à sa tâche qui, rééditant l'exploit de Truman, fut élu en 1964, en partie grâce aux voix des 21 millions de Noirs et aux 48 discours colorés d'accent texan que Lady Bird prononça dans les Etats du Sud. Au lieu de revenir sur la politique de Kennedy, c'est à lui qu'il appartint de poursuivre l'action des droits civiques. Le New Dealer échoua par contre dans son projet de la « Grande Société », pour une bonne part en raison de cette guerre du Vietnam héritée de son prédécesseur.

Etrange paradoxe, ce libéral laissera un souvenir honni de ceux qui se considèrent comme de vrais libéraux. Et le 31 mars, son adieu à la présidence fut marqué à Wall Street par plus de 17 millions de transactions, record battu du Black Friday de 1929, mais à la hausse...

IX

KANSAS - NEBRASKA - SOUTH DAKOTA
NORTH DAKOTA

C'est peut-être la région la plus pathétique de l'Amérique — celle où l'homme a le plus souffert, lutté et désespéré. A plusieurs reprises, il fut presque chassé par la nature ; il revint chaque fois, persévérant et à la fin triomphant. Mais il est resté soumis à la loi de la rudesse et la menace de catastrophes naturelles n'a pas cessé de peser sur lui.

Quand, au début du XIXᵉ siècle, les explorateurs Zebulon Pike et Stephen Long reconnurent la région, ils lui donnèrent le nom de Great American Desert, qu'elle garda dans les atlas pendant cinquante ans. « Elle est, écrivit Long dans son rapport, à peu près impropre à l'agriculture et inhabitable par une population de cultivateurs. » Prophétie remarquable ! La moitié du pain américain vient aujourd'hui de l'ex-Great American Desert et les quatre cinquièmes des près de 13 millions d'êtres humains qui l'habitent vivent directement ou indirectement du sol. Mais cette victoire fut précédée d'une épopée.

Le centre d'un grand continent est toujours terrible. En Afrique cela s'appelle le Sahara. En Asie, cela s'appelle le Tibet et le Gobi. Le centre du continent américain — situé géographiquement dans le North Dakota, le centre des Etats-Unis se trouvant dans le Kansas — ne fait pas exception. Rien ne lui manque : le froid écrasant, la chaleur accablante, le vent intempérant, la neige ensevelissante et la sécheresse drastique. La moyenne des températures de janvier à Bismarck (North Dakota) est de — 15 degrés centigrades et la moyenne de juillet est de + 25, mais les écarts extrêmes sont de 50 au-dessous à 50 au-dessus. L'hiver est extraordinairement long, toutes les nuits d'avril étant en général des nuits de gel. L'été, ultra-court, est extraordinairement brutal. Dans une localité du Kansas, pendant la grande sécheresse de 1934, le thermomètre resta pendant quatre-vingt-six jours consécutifs au-dessus de 100 degrés Fahrenheit, qui font à peu près 40 degrés centigrades. La neige, par contre, tombe couramment au mois de septembre, et elle est parfaitement capable de tomber en août si le cœur lui en dit.

Les pionniers qui s'établirent dans le Grand Désert, rebaptisé du nom plus engageant de Grandes Plaines, venaient soit d'une Europe beaucoup plus clémente, soit de l'Est des Etats-Unis où l'océan tempère les rudesses du bloc continental. Ils allaient de l'avant, poussés par cette confiance aujourd'hui presque inexplicable qui fut le moteur secret de la croissance américaine pendant cent ans. Ils ne soupçonnaient pas ce qui les attendait, ni vers quelles luttes les conduisaient leurs « prairie shooners », leurs lourds chariots bâchés de vert.

Stuart Henry, racontant l'histoire de la conquête des Grandes Plaines, décrit l'invasion des sauterelles qui, en 1874, dévora le Kansas. « On imagina des machines, poussées par des chevaux, qui ramassaient les sauterelles par tonneaux pour les brûler. C'était absurde : elles étaient des myriades. En une semaine, les champs de blé, les jardins, les buissons furent mangés jusqu'au sol. Quand l'automne arriva sur les campagnes dévastées, la population désespéra en constatant que les insectes prenaient leurs quartiers d'hiver, creusant de grands trous dans le sol pour être sur place dès le retour du printemps... La terreur provoquée par l'invasion des criquets était accrue par le fait que le climat du Kansas était exagérément sec. Les vieux Kansans jubilaient en répétant leurs avertissements : « Ce n'est pas un pays pour l'agriculture. Trop sec. Tout juste bon pour le bétail. Et ces idiots venus de l'Est détruisent l'herbe à buffles avec leurs labours ! »

De ces idiots, certains capitulèrent. A plusieurs reprises, les prairie-schooners rebroussèrent chemin vers l'Est, comme les équipages d'une armée vaincue. Le journaliste William Allan White vit passer quelques-uns des fuyards, à Emporia, en 1887. « Ils venaient du Kansas occidental... Ils n'avaient quitté leurs déserts qu'après dix ans d'une lutte acharnée qui laissait ses cicatrices sur leur visage et ses coups sur leur corps. Ils avaient connu des mois et des mois sans pluie. Ils s'étaient usé les yeux à épier les nuages qui flottaient au-dessus de leur tête, venant du Sud-Ouest, et qui disparaissaient après quelques coups de tonnerre, au coucher du soleil... Ils étaient passés ici avec tant d'espoir et ils repassaient désespérés... »

Vu de loin et de haut, la conquête de l'Amérique paraît un mouvement irrésistible et harmonieux. Au niveau du détail, le tableau change. La marée montait vers l'Ouest, mais les vagues qui la composaient étaient pleines de tourbillons et de reculs. Le peuplement des Dakota par exemple, fut une tragédie. Il commença vers 1885, comme une grande foire joyeuse, sous l'impulsion des lois qui donnaient à tout *settler* 160, puis 320 acres de terre gratuite. Les alouettes de ce miroir n'étaient pas seulement des terriens, mais des ouvriers, des employés, des manœuvres, des immigrants misérables, venant droit des cités européennes, et qui ne s'étaient jamais baissés jusqu'au sol. Une première sécheresse, commençant en 1890, en découragea quelques-uns, sans arrêter l'afflux de nouveaux candidats à la propriété et à la liberté. Une seconde sécheresse, au milieu de la guerre mondiale, frappa le pays comme une malédiction biblique. En 1915, le Dakota du Nord produisit 151 millions de boisseaux de blé ; en 1916 il en produisit 39 millions et les bonnes récoltes suivantes se firent attendre jusqu'en 1921. On

revit des champs abandonnés, la fuite de l'homme devant
le sol, et l'on entendit à nouveau le cri périodique du
Grand Désert. « Ces terres ne sont pas faites pour la
charrue. »

La vérité, c'est qu'elle ne sont faites que périodiquement — mais alors magnifiquement — pour la charrue.
L'un des cycles de la nature qui paraît le mieux établi
est l'alternance des périodes de sécheresse et des périodes
d'humidité dans les régions comprises entre le Mississipi
et les Rocheuses. Après les désastres de 1915-1920 — et
une magnifique prospérité au cours des années suivantes
— un nouveau désastre commença en 1930 et dura jusqu'en 1936. Une fois de plus, une succession d'étés secs
livra la terre arable devenue pulvérulente aux grands
vents continentaux. Certains jours, des villes aussi éloi-
gnées que New York et Atlanta virent leur ciel souillé
par des brumes qui n'étaient rien d'autre que la terre
à blé des Grandes Plaines. Sur Chicago seulement, on
estime qu'il tomba la quantité incroyable de 12 millions
de tonnes de sol. Les Dakotas furent sauvagement dénudés, et l'érosion éolienne s'étendit à tout le centre des
Etats-Unis, y compris l'Oklahoma et le Texas ; 300 000 personnes quittèrent les régions dévastées où le gouvernement fédéral dépensa en mesures de défense et de secours
plus d'un milliard et demi de dollars.

Le cycle humide revint en 1936 et, au cours des quinze
années suivantes, les récoltes des Grandes Plaines contri-
buèrent à sauver le monde de la faim. Mais, fondée sur
les précédents de 1874, 1890, 1915, 1930, la conviction est
bien ancrée chez les fermiers qu'ils doivent s'attendre
à une récurrence de la sécheresse au bout d'une période
variant de quinze à vingt-cinq ans. En 1950, effectivement,
on vit reparaître les années de pluviométrie insuffisante.
Leur répétition produisit un assèchement progressif du
sol qui, en 1956, conduisit à une semi-catastrophe. Le
New Mexico, l'ouest du Texas, l'Oklahoma, le Kansas,
l'Iowa revirent leur bétail mourir de soif et enregistrèrent
à nouveau le dramatique phénomène de la destruction
des sols par l'érosion éolienne. Une fois de plus, des
mesures législatives furent votées précipitamment pour

reconvertir des terres arables en pâtures. Mais les années suivantes furent normalement arrosées, et l'émotion s'apaisa.

**
*

L'érosion du sol, conséquence de la sécheresse, est considérée par les spécialistes comme l'une des menaces les plus graves pour la nation. La mise en culture des Grandes Plaines, dépouillées par la charrue de leur manteau d'herbes, est couramment donnée comme son explication. Mais le phénomène n'est pas particulier à l'Amérique du Nord. Les « vents jaunes », qui font à Pékin la nuit à midi, ne sont pas autre chose que les dépouilles arrachées aussi bien aux terres cultivées du Shensi qu'aux terres désertiques du Gobi. En outre, le martyre de la terre avait commencé bien avant que les premiers pionniers n'eussent enfoncé un soc dans le continent américain. Tous les premiers voyageurs parlent de tempêtes de poussière géantes, de même que les premiers navigateurs qui ont longé les côtes américaines parlent d'immenses incendies lointains qui rabattaient vers la mer de grands nuages noirs. Les forêts brûlaient et la terre s'envolait avant l'homme blanc. Dans les Grandes Plaines elles-mêmes, les « Badlands », qui forment une île désertique, grandiose et alarmante, étaient certainement dénudées depuis des siècles quand Colomb fit surgir le Nouveau Monde. Il est possible qu'un échauffement, un durcissement et un assèchement général du climat rendent la terre plus vulnérable dans le monde entier au moment même où la prolifération désordonnée des hommes (plus de 130 000 êtres humains de plus dans le monde *chaque jour*) accroît d'une manière dramatique le besoin universel de pain.

L'homme, toutefois, aide les forces destructrices de la nature. Les fermiers des Grandes Plaines, dans leur rebondissement perpétuel vers l'optimisme, n'ont pas tardé à dédaigner les conseils de prudence qui leur sont donnés depuis la catastrophe de 1930. On leur recommande le *strip farming* (les cultures en bande) qui diminue les effets dévastateurs du vent ; mais ils reviennent presque irrésistiblement au *block farming* qui permet une utilisation plus rationnelle du matériel agricole. Rien n'est grave aussi longtemps que le cycle humide persiste, mais une nouvelle grande sécheresse trouverait les Grandes Plaines aussi exposées qu'il y a vingt ans.

Les eaux sont aussi sauvages que le vent. La majeure partie des Grandes Plaines est le domaine du plus brutal et du plus inconstant des fleuves américains, le Missouri. Il entra dans l'histoire des hommes blancs en terrorisant par sa violence et par les végétations arrachées qu'il charriait les deux cœurs, pourtant intrépides, qui s'aventurèrent les premiers sur ses eaux : Jacques Marquette, missionnaire, et Louis Joliet, trappeur. « De toutes les choses variables de la création, écrivit deux cents ans plus tard un journaliste, les plus imprévisibles sont le verdict d'un jury, l'humeur d'une femme et l'état du Missouri. » Il est limoneux et tortueux, sans grâce et sans charme, presque insignifiant d'aspect et cependant terrible par ses emportements et ses déportements. Victime d'une injustice, simple affluent du Mississipi, alors qu'il surpasse celui-ci de 1 500 milles, il a la méchanceté sournoise et l'instabilité des aigris. Ses tributaires, le Yellowstone, la Cheyenne River, le Little Missouri, la Platte River, ne valent pas mieux ou sont pires. Cela compose une famille bizarre de cours d'eau colériques qui changent de lit comme un enfant change de jouet, dévastent les vallées comme un frénétique lacère ses vêtements et arrachent aux Grandes Plaines des quantités immenses d'humus ; 100 millions de tonnes d'alluvions (selon d'autres estimations 800 millions) s'en vont chaque année au fil du Missouri, et la Louisiane est construite avec les débris du Montana et du Nebraska.

L'Amérique s'est mise au problème du Missouri comme elle s'était mise au problème de la Columbia et au problème du Tennessee. De tous les spectacles qu'elle offre au monde, aucun n'est plus impressionnant que la lutte du grand pays contre ses grands fleuves. Le cas du Missouri était à la fois le plus vaste et le plus ardu. L'étendue territoriale que la M.V.A. (Missouri Valley

Authority) a prise sous son contrôle recouvrirait facilement la France, et même le Texas. Elle englobe en totalité ou en partie 10 Etats dont 3 sont des montagnes : Montana, Colorado, Wyoming, et les 7 autres des plaines : le Nebraska, les 2 Dakotas, le Kansas, l'Iowa, le Missouri et le Minnesota. Pour certains, il s'agissait d'empêcher qu'ils ne soient desséchés, et, pour les autres, qu'ils ne soient inondés. A tous il fallait donner des eaux stables, des terres d'irrigation et du courant électrique. Tâche épineuse, dont les difficultés n'étaient pas seulement techniques. Le Missouri, comme le Tennessee et la Columbia, est un problème politique qui confronte le socialisme et la libre entreprise, le droit fédéral et les droits des Etats.

Au reste, pour le Missouri comme pour la Columbia et le Tennessee, la cause est entendue et les polémiques n'ont plus qu'un intérêt rétrospectif. En 1950, le corps des ingénieurs du génie a entrepris les cinq grands barrages qui, achevés en 1958, ont fait de la rivière sauvage un escalier placide aux longues marches douces. L'immense épaisseur des sédiments rendait impossible l'enrochement d'ouvrages en maçonnerie ; on a donc développé la technique des barrages en terre, construits autour d'un noyau d'argile imperméable — technique qui fut reprise en France sur la Durance et en Egypte, sur le Nil. Les digues de Garrison Dam, de Fort Peck, de Fort Randall, etc., sont des colosses de plusieurs kilomètres d'épaisseur, barrant la vallée comme des collines. Complétées par 27 ouvrages secondaires, elles donnent naissance à une douzaine de milliards de kilowatts-heure par an, créent par l'irrigation 24 000 fermes nouvelles couvrant une superficie de 2 millions d'acres et donnent un complément d'arrosage à 60 000 fermes déjà existantes, mais chroniquement assoiffées. Nulle part n'est plus visible l'évolution rapide qui stabilise les agriculteurs américains et qui, des pionniers qu'ils étaient, luttant et pariant contre les caprices de la nature, fait des jardiniers.

**

Les Grandes Plaines ont déjà tenu, dans l'histoire mondiale de l'agriculture, un rôle énorme. Elles furent, au siècle dernier, le champ d'expérimentation et d'application d'une des révolutions de notre époque : le machinisme agricole. Toutes les inventions qui ont brusquement multiplié la productivité de l'homme rural sont américaines : aussi bien la faucheuse de Manning, en 1831, que la moissonneuse-lieuse de Cyrus McCormick, en 1834, que le cultivateur à disques de Mellon, en 1878, que la batteuse de Matteson, en 1888, que le tracteur à chenilles de Holt, en 1900. La rareté et la cherté de la main-d'œuvre, l'étendue des exploitations posaient des problèmes que résolut coup sur coup l'admirable ingéniosité d'une Amérique dont la capacité créatrice ne monta jamais plus haut.

Toutefois, cette agriculture tôt mécanisée resta extensive. Elle cherchait la production de masse dans les surfaces plus que dans les rendements. Elle vivait des réserves d'humus accumulées dans un continent que l'homme avait à peine égratigné. Elle ignorait l'engrais, les assolements, les façons culturales prudentes du vieux monde économe de ses sols. Les Grandes Plaines suppléaient à tout par leur immensité.

Une nouvelle révolution est en cours : celle de la chimie. La consommation d'engrais chimiques a doublé à deux reprises entre 1940 et 1960, et elle continue d'augmenter de 10 % chaque année. L'utilisation des insecticides, désherbants, vitamines, antibiotiques, hormones, enzymes, etc., tant dans la production végétale que dans l'élevage, transforme la technique et l'économie agricoles. Certains désherbants détruisent 20 millions de plantes parasitaires à l'hectare en une seule application, et certaines hormones réduisent de 5 livres à 2 livres et demie la quantité d'aliments composés nécessaire pour produire une livre de poulet. L'étalon classique, le rendement de froment à l'hectare, donne la mesure des transformations de l'agriculture américaine : il était de 15 quintaux pendant la période 1937-1941 ; il est aujourd'hui supérieur à 25 quintaux — c'est-à-dire qu'il s'approche des moyennes européennes. L'agriculture américaine perd rapidement son caractère extensif. Les superficies cultivées diminuent chaque année, mais la production, et surtout la capacité de production augmentent sans cesse. Le nombre d'heures de travail nécessaire pour produire 100 boisseaux de froment a décru de 373 en 1800 et de 152 en 1880 à moins de 20.

Ces faits ont des conséquences multiples. En premier lieu, les thèses malthusiennes sont démenties une fois de plus. « L'humanité, écrivait il y a quelques années un néo-malthusien, crèvera de quincaillerie et manquera de pain. » C'est justement où la quincaillerie regorge que le pain est abondant. On opposait la capacité d'extension indéfinie de l'industrie à une croissance agricole limitée par les lois de la nature ; c'est le contraire qui est vrai : il est plus facile et plus rapide de multiplier la productivité des champs que celle des manufactures. Le spectre, ou plutôt la réalité, de la famine existe bien pour les peuples d'Asie et d'Afrique ; il n'existe pas pour les peuples d'Europe et d'Amérique du Nord, ce qu'il faut bien se résigner à expliquer par une différence de capacité entre les deux groupes de peuples. La population américaine augmente à une vitesse complètement imprévue : 75 millions en 1900, 130 millions en 1940, 200 millions en 1968 — et cependant, le problème de l'Amérique n'est pas de produire assez de nourriture pour ses enfants présents et à venir ; il est de n'en pas produire trop. Il n'est pas d'affecter à la culture du sol des bras supplémentaires pour faire face aux besoins nouveaux ; il est d'en retirer les bras en excès.

Avant 1850, chaque fermier américain nourrissait et vêtait un de ses compatriotes ; en 1940, il en nourrissait et en vêtait 10 ; en 1968, il peut en nourrir et vêtir 26. Et le problème reste le même : non pas stimuler, mais freiner ; non pas encourager l'homme à rester au sol, mais l'aider à le quitter.

Chaque année, la population agricole des Etats-Unis diminue de 800 000 têtes ; 1 800 000 fermes ont disparu depuis vingt-cinq ans. Plus d'un million de fermes, estime-t-on, doivent encore disparaître dans les années à venir, leur revenu étant insuffisant. Les districts purement ruraux voient décroître régulièrement le nombre de leurs habitants. Les Etats à forte prédominance agricole sont stationnaires, ou, s'ils s'accroissent, c'est uniquement parce que l'industrialisation crée plus d'emplois que la démobilisation agricole n'en fait disparaître. Le Kansas, par exemple, est passé de 1 905 000 à 2 160 000 habitants entre les deux derniers recensements, mais le Kansas est aussi devenu le siège de grandes industries aéronautiques, le premier constructeur d'avions légers de la nation et, dans ses comptes, les salaires des ouvriers dépassent les revenus des fermiers. On eût passé pour un farceur en faisant cette prévision il y a vingt ans.

Ce mouvement rapide ne l'est pas encore assez. Deux millions de fermiers américains restent chroniquement en surnombre. Ils sont les premiers à payer pour l'anomalie économique qu'ils représentent, le revenu de ces marginaux étant en règle générale sensiblement inférieur à un bon salaire industriel. Ils constituent le ferment le plus amer de l'énorme mécontentement qui emplit les campagnes américaines depuis plusieurs années.

La cible favorite de ce mécontentement est l'homme qu'Eisenhower choisit en 1952 pour le poste de secrétaire à l'Agriculture, le Mormon Ezra Taft Benson. Nul, en principe, ne pouvait être plus agréable aux fermiers. L'Eglise à laquelle il appartient, pour laquelle il fut missionnaire, de laquelle il reste prêtre, croit par excellence aux vertus de la terre et tient l'agriculture pour la seule profession complètement digne d'un saint du Dernier Jour. Lui-même, Benson, petit exploitant dans l'Idaho, fut county agent, c'est-à-dire conseiller agricole, puis il dirigea, dans les couloirs du Congrès, ce qu'on appelle le farming lobby, le lobby vert, l'organisation chargée de faire pression sur les sénateurs et les représentants en faveur des fermiers. Cependant, il fallut l'entêtement et l'horreur du changement caractéristiques d'Eisenhower pour que ce pur agrarien soit maintenu à son poste pendant huit années contre des fureurs qui firent redouter, à certains moments, un attentat. On reconnut ensuite que cet homme abhorré avait été un très habile ministre, qu'il avait trouvé les meilleurs palliatifs possibles et probablement évité une catastrophe en plaçant hors d'Amérique une partie des surplus agricoles pour l'énorme montant nominal de 10 milliards et demi de dollars — en dépit des protestations des producteurs européens contre ce dumping à couverture humanitaire. Mais il fallut que Benson arrivât à la veille de sa retraite pour que cet hommage lui fût rendu.

Aucune habileté ne peut assainir l'agriculture américaine. Elle est littéralement maintenue par des étais d'or. La politique de soutien des cours entraîne la constitution de stocks fabuleux, conséquence inévitable de la surproduction qu'elle entretient. La C.C.C. (Commodity Credit Corporation) investit chaque année des milliards de dollars d'argent public pour bâtir des montagnes de produits agricoles dont personne n'a l'emploi et dont la conservation pose des problèmes inextricables. En 1960, l'Amérique avait sur les bras 1 277 millions de boisseaux de froment, 1 529 millions de boisseaux de maïs, 8 700 000 balles de coton, la valeur d'un quart de milliard de dollars de lait en poudre et des quantités correspondantes de soya, de sorgho, de tabac, etc.

Aussi avec quel soulagement les Etats-Unis apprirent-ils en 1965 que, pour la première fois depuis trente ans, leurs stocks de surplus de produits agricoles avaient pu être considérablement réduits (entre autres moyens par de généreux dons à certains pays mal nourris).

Après avoir pendant des années imaginé des mesures législatives, telle la *soil bank* qui consistait à payer les cultivateurs pour qu'ils ne cultivent pas, pour restreindre artificiellement les surfaces ensemencées, le président Johnson a demandé récemment aux producteurs agricoles d'accroître leur effort.

L'agriculture américaine est entrée à nouveau dans une ère de prospérité. La population agricole est tombée de 17 % à 6,5 % du total en vingt ans, tandis que le revenu fermier atteint le record de 4 150 dollars en 1965.

Le revenu individuel agricole a augmenté de 35 % dans la période 1960-1965, alors qu'il n'a progressé que de 20 % pour l'ensemble de la population.

Selon les divisions classiques de la géographie américaine, les Grandes Plaines s'étendent jusqu'au Mississipi. En gros, elles s'inclinent de l'Ouest à l'Est comme un toit en pente douce. Il ne serait pas tout à fait exact d'imaginer que cette immensité est absolument plate et les habitants du Kansas eux-mêmes tiennent à faire savoir qu'ils ont dans leur Etat des collines qui paraissent hautes au patriotisme local. Le sud de l'Etat du Missouri est fortement vallonné par les dernières pentes des monts Ozarks, cependant que les Black Hills du South Dakota parviennent avec un certain succès à se faire appeler Black Mountains. Toutefois, le relief reste l'exception. Il s'agit bien dans l'ensemble d'une étendue rase, de cette prairie qui fascina l'imagination et usa les jambes des premiers Blancs. L'arbre est un inconnu, sauf dans le fond des vallées et autour des grandes fermes tristes où il n'est qu'un invité d'honneur. Les Grandes Plaines pourtant se révèlent hospitalières aux arbres, ainsi qu'en témoignent les expériences de plantation de rideaux d'arbres dans le cadre de la lutte contre l'érosion des sols. Peut-être formeront-elles un jour un bocage aux larges mailles ? L'insecte est nombreux, puissant et gênant. La faune sauvage — qu'on connaît en Amérique par les cadavres jonchant les routes — est humble et pour ainsi dire incorporée au sol. Sauf dans le sud du Missouri, où l'on broie des myriades de petites tortues, ce qu'on écrase sur les routes des Grandes Plaines, ce sont des taupes, des mulots, des lapins, des chiens de prairie (ne pas confondre avec le coyote, qui est un loup), bêtes gratteuses, fouisseuses, rongeuses, parcimonieuses et déshydratées. Le véritable être vivant des Grandes Plaines c'est la terre, fertile et malmenée, qui engendre et qui souffre sous les brutalités du climat.

Une frontière naturelle traverse cette étendue. Elle est

étrange parce qu'elle est rectiligne, tracée par l'homme et respectée par la nature, bien qu'elle ne soit matérialisée par aucune ligne d'eau ni de relief. Quand vous approchez de Topeka (Kansas) sur la route fédérale n° 40 ou de Jamestown (North Dakota) sur la route fédérale n° 10, rien de vous avertit que vous allez franchir un méridien, et cependant il est tout à fait évident que vous changez de milieu. A l'ouest, le pays est un dur parchemin et, à l'est, un tissu beaucoup plus moelleux. A l'est la végétation est optimiste et, à l'ouest, elle est rétive. A l'ouest, l'agriculture est une loterie et, à l'est, une industrie. Cet extraordinaire méridien est en réalité une frontière d'humidité. A Dodge City (Kansas occidental), il tombe 55 centimètres de pluie par an et à Kansas City, 80 centimètres. Cela dit tout.

Les deux tiers des Grandes Plaines s'étendent à l'ouest du 98e méridien, mais les quatre cinquièmes des habitants des Grandes Plaines — quelque 10 millions sur 13 000 000 — vivent à l'est. La majeure partie des Dakotas, du Nebraska et du Kansas se trouve au couchant du 98e méridien, alors que la totalité du Missouri et de l'Iowa se trouve au levant. On consacrera le chapitre suivant à ces deux derniers Etats, très importants. Quelques traits suffiront pour caractériser les quatre premiers — à commencer par le Kansas dont le plus grand titre de gloire récent est d'avoir produit Eisenhower.

Il est né dans le Texas, mais ce ne fut qu'un accident, lié à une phase de malchance paternelle. La maison de bois où il a grandi se trouve à Abilene (prononcez A-beu-line), presque au centre du Kansas, qui est lui-même le centre des Etats-Unis. Elle s'élève à la lisière sud de la petite ville, à l'endroit où la rue venant de Main Street se réduit à un chemin de terre, avant d'aller se perdre dans les champs illimités. L'admiration nationale en a fait un sanctuaire, mais elle ne pouvait être plus typique de l'habitation moyenne d'une famille moyenne dans le pays d'Amérique le plus parfaitement américain.

La famille et le milieu d'enfance et de jeunesse sont cependant indispensables à l'explication d'Eisenhower. Lorsqu'il prit progressivement conscience du monde dans la dernière décade du siècle dernier, Abilene commençait à peine à se refroidir. La bourgade avait été l'une de ces localités-champignons que la civilisation poussait en avant-garde dans sa marche vers l'Ouest. Elle fut un repaire de voleurs de bétail jusqu'au moment où un justicier de la prairie, le shérif Wild Bill Hichkock, purgea la région en tuant de sa main jusqu'à cent malfaiteurs. Le chemin de fer arriva ensuite et, pendant cinq ou six ans, Abilene fut le terminus provisoire de l'Union Pacific Railroad. De grands abattoirs y surgirent, vers lesquels des centaines de cow-boys poussèrent leurs hordes de bœufs cornus et bossus. Le cadre classique de l'Ouest entourait une activité bruyante que le travail des bouchers baignait d'une odeur de sang : les saloons, les tripots, les bordels, le bureau de poste en planches, l'hôtel aux galeries extérieures, quelques églises timides et quelques « general stores » où l'on vendait tout le nécessaire d'une vie simplifiée. L'un de ces derniers devait être, pendant quelque temps, celui de David Eisenhower, père du général.

David était arrivé dans le Kansas, en 1878, à l'âge de quinze ans, et ses deux premières impressions avaient été le vent éternel des Grandes Plaines et le prix, 5 cents, 5 sous français de l'époque, de la douzaine d'œufs. Il n'arrivait pas seul, mais dans une famille qui faisait partie elle-même d'une migration collective. On venait de Pennsylvanie et l'on appartenait à une de ces sectes si curieuses qui conservent en Amérique l'Europe du XVIᵉ siècle, les Brethren in Christ, cousins des Amisches, eux-mêmes reliés aux Anabaptistes qui prennent leurs sources dans l'hérésie farouche de Zwingle, en 1523. Les Brethren étaient si résolument pacifiques que leur vénération pour Lincoln et une horreur profonde de l'esclavage ne purent déterminer aucun des Eisenhower à prendre les armes pendant la guerre de Sécession. Ils plongeaient encore dans le germanisme par tout ce qu'ils avaient de religieux, c'est-à-dire l'essentiel, et l'allemand était leur latin.

Mais ces Brethren qui partirent pour le Kansas au nombre d'environ 200 n'avaient rien de commun avec les immigrants arrivant directement d'Europe pour affronter la sévérité des Grandes Plaines avec leur inexpérience et leur dénuement. La transplantation se fit dans une aisance relative et Jacob Eisenhower, le père de David, lui-même futur père de Dwight D., se trouva bientôt le maître d'une des grandes fermes à laquelle il donna matériellement une architecture et une organisation rappelant sa Pennsylvanie allemande. C'était une sorte de pasteur réputé pour sa piété et sa science biblique, et il eut la sagesse de surmonter sa déception lorsque David, seul parmi une nombreuse progéniture, voulut s'évader de la terre à laquelle tous les Eisenhower étaient voués. On envoya le rebelle à une petite Université rurale, Lane College, où il apprit le grec. Celui qui fut président des Etats-Unis se souvient qu'il y avait à la maison trois Bibles, que l'une d'elles était en grec et que c'était celle-là que son père lisait.

L'helléniste, cependant, bifurqua. Ayant contracté à la fois le goût du mariage et celui du commerce, il épousa Ida Elizabeth Stover et, associé avec un nommé Milton Good, ouvrit à Abilene un magasin de vêtements et de quincaillerie. Le moment ou l'endroit étaient mal choisis, le rail avait dépassé Abilene depuis longtemps et l'importance de la localité n'avait pas survécu à la perte de sa dignité de terminus. Les abattoirs étaient fermés, les cow-boys s'étaient raréfiés et la ville de l'ouest tumultueuse et colorée entrait rapidement dans la peau d'une bourgade rurale somnolente. Moins de trois ans suffirent pour conduire Milton Good et David Eisenhower à la faillite. C'est alors que ce dernier quitta Abilene et s'établit à Denison dans le Texas où il avait trouvé un petit emploi au chemin de fer.

Eisenhower naquit à Denison le 14 octobre 1890. Mais, pour son père, le Texas n'avait jamais été qu'un exil. Dès que le souvenir de la faillite de 1888 eut été estompé

7

et qu'un emploi régulier se fut offert à lui, David revint au Kansas avec sa famille accrue. A six mois, sur les bras de sa mère, un grand homme fit sa première entrée à Abilene. La date exacte de cet événement est d'ailleurs perdue.

La condition économique des Eisenhower n'était ni brillante, ni destinée à le devenir. L'échec de sa première aventure commerciale avait tué net l'ambition de David qui se contenta jusqu'au bout de ses jours de la gérance d'une laiterie, la *Belle Springs Creamery* fondée par les Brethren. Il fut long à atteindre le salaire de 100 dollars par mois, soit 500 francs-or, qui représentait dans le Kansas de l'époque la fin des soucis matériels les plus pressants. Six fils cependant furent élevés sur ce petit revenu. Tous firent leur carrière comme pharmacien, ingénieur, chimiste, avocat, banquier, président d'Université et Président des Etats-Unis.

Le surnom d' « Ike » qu'un d'eux rendit célèbre, leur appartenait en commun. On le distinguait par des adjectifs. A l'école publique d'Abilene, l'aîné, Arthur, fut « Big Ike » et le second, Edgar, « Little Ike ». Quand arriva le tour de Dwight David, il fut caractérisé, non par son format, mais par son aspect : « Ugly Ike » — Ike-le-laid. Cela tenait à ses oreilles décollées et à son teint grêlé de taches de rousseur.

Cent dollars par mois ne suffisaient pas à chausser huit paires de pieds. Les « Ikes » grandirent pieds nus. Grâce à leur nombre, ils formaient à eux seuls une association qui leur conférait une puissance particulière dans les luttes juvéniles entre le North Side et le South Side d'Abilene. Une certaine signification sociale s'associait à ces pugilats de gamins, North Side (au nord des voies de l'Union Pacific) étant le quartier de la petite bourgeoisie, tandis que South Side était le quartier des pauvres. Par surcroît, les Ikes, fils d'un père dont la vie était un échec, représentaient une branche prolétarisée au milieu des Eisenhower devenus, avec une rapidité prodigieuse, des fermiers prospères. Si Dwight D. avait tourné au révolutionnaire, on trouverait dans ce fait de lumineuses explications.

Aucun présage, aucune prouesse et même aucune promesse ne marquèrent l'enfance et la jeunesse d'Eisenhower. Smoky Hill River, le cours d'eau quelquefois terrible qui traverse Abilene, faillit mettre un terme prématuré à sa carrière en l'entraînant dans le léger bachot qu'il s'était construit mais elle le déposa, comme Moïse, dans une touffe de roseaux. Aucun voyage n'élargit l'horizon du jeune homme qui n'eut sous les yeux, jusqu'à sa vingtième année accomplie, que la plaine horizontale comme la mer.

L'entrée d'Ike dans la vie militaire fut elle-même un hasard, ou peut-être faudrait-il dire un miracle. A cette époque, dans cette région, un uniforme était aussi rare qu'un éléphant blanc et l'idée de revêtir l'habit militaire était la chose la plus proche de l'aliénation mentale dans l'esprit d'un jeune homme. Il y songea faute d'entrevoir un autre emploi de lui-même correspondant à des goûts qui n'allaient ni vers l'agriculture, ni vers l'industrie, ni vers une profession libérale.

Il fut aussi inspiré par la rencontre d'un nommé Everett E. Hazlitt junior qui venait d'être admis à l'Académie navale d'Annapolis. Ce fut d'ailleurs l'Académie navale qu'il demanda au sénateur républicain Bristow lequel — suivant le curieux système américain — disposait d'une place dans chacune des deux grandes écoles militaires. Lorsqu'il reçut son admission à West-Point, au lieu de celle qu'il attendait, il faillit la décliner. Il l'accepta parce qu'il avait dépassé vingt ans et que le problème de faire quelque chose était réellement devenu sérieux.

Ici, il faudrait décrire la stupeur familiale. Frustré de toute ambition terrestre, le père — le père qui lisait le grec — s'était concentré sur la méditation et la dialectique religieuses. Il s'était éloigné du credo des Brethren, mais il continuait de baigner dans l'antimilitarisme et dans le pacifisme entourant toute la gamme des sectes pennsylvaniennes depuis les Quakers jusqu'aux Mennonites. La pieuse mère partageait ses répugnances en leur donnant une amplification sentimentale. Pendant longtemps, la pensée du projet militaire de son troisième fils suffit à la faire fondre en larmes. Toutes sortes de pressions furent exercées sur Dwight pour qu'il abandonnât son idée choquante de devenir officier. On évita de mettre trop en avant les arguments d'ordre religieux, mais l'on insista sur le non-sens d'une carrière qui, depuis la soumission du dernier Indien, avait perdu toute raison d'être. « Il n'y a aucun avenir dans l'armée » : cet avertissement fut prodigué à Ike, lequel répondait en démontrant ses chances d'arriver au grade de lieutenant-colonel malgré l'âge avancé de son admission à West-Point. Finalement, à l'automne de 1911, la moitié de l'Amérique se déroula devant les yeux de l'enfant du Kansas jusqu'au grandiose fleuve Hudson que surplombe, presque en vue de New York, le séminaire militaire des Etats-Unis.

Ni la carrière militaire ni la carrière politique d'Eisenhower n'entrent dans le cadre de ce livre. Au regard du Kansas, l'aventure la plus extraordinaire fut celle qui éleva le général au rang de libérateur, puis de défenseur de l'Europe, faisant de lui le symbole complet de l'intervention des Etats-Unis outre-océan. Car son Kansas, centre de l'Amérique, est tout naturellement le cœur de l'isolationnisme. Dans ces plaines immenses, le monde extérieur est encore à des distances infinies. La sécheresse, le vent, les récoltes, les lourdes machines qui coupent, battent et ensachent le blé, la vie intense des communautés religieuses, la vie sérieuse des collectivités administratives, le silo plus haut que le clocher et le château d'eau plus haut que le silo, composent réellement un univers en soi. Les graves fermiers en combinaison bleue détestent d'en détourner leur pensée pour la transporter sur les complications harassantes de continents que pendant tant d'années ils avaient réussi à oublier.

L'aventure du monde moderne entraîna Ike bien loin de cet univers si particulier. Général et Président, il ne s'est guère souvenu de son Kansas d'enfance. Il est venu une fois à Abilene inaugurer le musée établi dans sa maison familiale, mais c'est au Colorado, pays natal de sa femme, Mamie Doud, qu'il allait chercher ses longues détentes, et c'est dans la Pennsylvanie de ses ancêtres, près du champ de bataille sur lequel sombra la fortune de la Sécession, qu'il a aménagé sa maison d'ancien président et de vieux soldat. Toutefois, le Kansas lui a fortement imprimé la marque des Grandes Plaines. Il n'existe pas une trace de cosmopolitisme dans un homme qui a commandé une armée de 20 nations, avant de devenir le chef d'une coalition qui chevauche le globe. Tout ce qu'il aime est américain, et tout ce qui n'est pas américain le met dans un état de résistance. Il est irrité par l'usage d'un mot étranger dans une conversation ou dans un écrit. Le monde qu'il a dû embrasser chaque jour pendant huit ans n'a jamais cessé d'être pour lui un devoir. Il visita plus de pays qu'aucun autre président des Etats-Unis, mais il est douteux qu'il se soit réellement intéressé à un seul — de même qu'il ne s'était pas intéressé à la France pendant l'année qu'il y passa, jeune capitaine, comme membre de la Commission américaine des Champs de Bataille. De longues années plus tard, un écrivain américain, visitant sa résidence de commandant en chef de l'Otan, nota qu'il n'existait absolument rien de français ou d'européen autour des Eisenhower et qu'ils avaient tout simplement transporté un coin d'Amérique près de Paris. Souvent des femmes réagissent contre l'américanisme trop exclusif des hommes, se laissent entraîner par la curiosité ou par la mode vers des horizons plus ouverts — mais ce ne fut jamais le cas de Mme Eisenhower qui resta toujours rigidement dans le conformisme national. A l'époque même où le général-candidat disait que la France avait perdu sa fibre morale, la générale son épouse déclarait qu'elle avait essayé quelquefois des robes françaises, mais qu'elle les trouvait incommodes et qu'elle était revenue tout de suite à la confection américaine. La Maison-Blanche des Eisenhower ne s'ouvrit jamais à rien d'étranger, sinon pour l'exécution des devoirs officiels ou pour l'accomplissement des tâches protocolaires. Si Ike a jamais lu un auteur étranger, c'est assurément il y a fort longtemps. Au reste, il lit peu et presque uniquement des westerns.

Ces notations ne sont pas tout à fait sans importance. La fibre isolationniste, la fibre kansane d'Eisenhower explique plus d'un trait de l'alliance occidentale telle qu'elle fut pratiquée pendant huit ans. Elle fut effective, mais sans chaleur sauf celle qu'y put mettre Foster Dulles qui, lui, connaissait, comprenait l'Europe et l'aimait. Entre la France, l'Angleterre, l'Allemagne, les relations d'alliance sont toujours affectées d'un coefficient sentimental, positif ou négatif, qui modifie fréquemment des attitudes qui ne devraient être dictées que par l'utilité commune. On ne vit naître rien d'analogue entre l'Amérique et l'Europe pendant le double consulat d'Eisenhower. Dans deux grandes crises, celle de l'expédition de Suez, celle de l'éruption nationaliste au Congo, l'Amérique ne prit la peine d'aucun ménagement à l'égard de ses alliés européens. S'il était survenu des crises plus graves encore, il est presque sûr qu'elle eût consulté son intérêt national, sans faire entrer en ligne de compte autrement que d'une manière indirecte la responsabilité qu'elle assume pour tout l'Occident.

Le Kansas (2 250 000 habitants ; capitale Topeka) porte le surnom d'Etat-tournesol — Sunflower State — mais il est en réalité l'Etat-froment. Il produit le cinquième de tout le blé d'hiver de l'Amérique et possède, à Kansas City, le plus grand élévateur à grains du monde. Ce Kansas City (Kansas) appartient à la même agglomération urbaine que Kansas City (Missouri), mais il s'agit naturellement de deux villes distinctes, puisqu'elles relèvent de deux Etats différents. Pendant longtemps, la grande originalité de la ville double fut que l'alcool était licite à Kansas (Missouri) mais illicite à Kansas City (Kansas) de sorte qu'il suffisait de traverser une rue pour avoir le droit de faire son plein de bière ou de whisky. Cœur puritain de l'Amérique, le Kansas avait été le premier Etat à inscrire la prohibition dans sa Constitution, dès 1880, et il la conserva jusqu'en 1948. Après l'alcool, le tabac fut menacé à son tour et la vente des cigarettes un moment interdite dans les endroits publics.

Politiquement, le Kansas a une histoire agitée. Il fut dès avant la guerre de Sécession un champ de bataille sanglant entre le Nord et le Sud et le lieu de passage du « chemin de fer » qui acheminait les esclaves évadés vers la liberté. Les républicains y exercèrent un contrôle qui fut interrompu pendant une brève période par un parti agrarien, mais qui se reconstitua ensuite avec tant de fermeté que le Kansas devint un symbole de républicanisme égal à celui du Maine ou du Vermont en Nouvelle-Angleterre. Il donna ses voix à Wilson, en 1912, mais il s'agissait d'une élection triangulaire et il vota encore pour le même Wilson en 1916 parce qu'il avait « tenu l'Amérique en dehors d'une guerre » — dans laquelle il devait la conduire l'année suivante. En 1932, rendu enragé par la mévente des produits agricoles, le Kansas vota pour Roosevelt. Quatre ans plus tard, le parti républicain se choisit pour candidat le propre gouverneur de l'Etat, Al Landon, mais le Kansas impénitent confirma son vote rooseveltien. Il redevint républicain en 1944, mais, en 1956, tout en votant pour Eisenhower, il se donna un gouverneur démocrate, qu'il confirma deux ans et quatre ans plus tard. En 1966, le Kansas a encore un gouverneur démocrate, Robert Docking, mais ses représentants et ses sénateurs sont républicains...

Ces fluctuations se retrouvent dans tous les autres Etats des Grandes Plaines. Aussi longtemps qu'elles ne furent que rurales, et aussi longtemps que les fermiers eurent le sentiment d'être le tuf de la nation, les Grandes Plaines exprimèrent par leurs suffrages républicains indéfectibles leur conservatisme et leur contentement. Les feux tournants actuels viennent avant tout du malaise terrien.

Au nord du Kansas, le Nebraska (1 398 000 habitants, capitale Lincoln) est l'un des Etats sur lesquels il est le plus difficile d'écrire. Même en Amérique, l'obscurité qui l'entoure est presque totale. Son nom signifie en indien « Rivière Plate », et la longue rivière qui le traverse s'appelle aussi en anglais Platte River. Ce qu'il y a de moins plat est encore la plaine qui fait, en quelques endroits, des efforts louables pour se boursoufler. A l'ouest, à la lisière des Badlands, des dunes apparaissent et progressent comme une menace. Cependant, l'Etat est prospère et le restera aussi longtemps qu'un nouveau cycle sec ne s'abattra pas sur les Grandes Plaines. Le revenu moyen par tête est supérieur à celui du Kansas. L'élevage est intense, grâce au maïs dont la culture surpasse celle du blé. La seule grande ville du Nebraska, Omaha (275 000 habitants) est un vaste abattoir. Elle devint célèbre un moment en prêtant son nom à l'une des plages de débarquement en Normandie. Mais elle reste étonnée de sa croissance et de son importance et, dans ses grandes rues droites, garde ses airs gauches de paysanne parmi les cités.

L'importance vitale du Nebraska vient d'une raison complètement étrangère à l'Etat lui-même. Près d'Omaha, se trouve le poste de commandement du Strategic Air Command. Le centre des Etats-Unis, le centre du continent nord-américain sont tout proches, et c'est pour utiliser au maximum le bouclier de la distance qu'on a installé au milieu des Grandes Plaines l'organisme dont dépend au premier chef la survie du monde libre. La portée des fusées intercontinentales a rendu cette protection illusoire, mais le poste de commandement du S.A.C. s'est incrusté dans une masse de béton à l'épreuve de tous les engins thermo-nucléaires. La salle d'opérations (War Room) est un hall de 50 mètres de long, 12 de large, 8 de haut, dans laquelle un réseau de chemin de fer en miniature fait voyager des cartes géantes et des plates-formes coulissantes sur lesquelles des auxiliaires d'état-major munis de radios portatives retracent les moindres mouvements d'une flotte aérienne disséminée dans le monde entier. Un ordinateur IBM704, colossal cerveau électronique, servi et nourri par une foule d'appareils accessoires, effectue 40 000 opérations à la seconde pour être en mesure de dire instantanément quel serait, par exemple, le meilleur plan de vol pour attaquer Magnitogorsk ou quel appareil pourrait le plus avantageusement prendre la relève du bombardier XYZ abattu en cours de mission. Rien, pas même l'air, ne pénètre dans ce sanctuaire de la force la plus terrible, sans être filtré et scruté. Le P.C. peut en quelque sorte plonger comme un sous-marin, en fermant ses portes blindées. Il a des vivres pour trente jours, plusieurs puits artésiens, une centrale électrique autonome, des sas permettant d'entrer et de sortir sous les précautions les plus rigoureuses, un système de conditionnement qui renouvelle l'air en le privant éventuellement de ses particules radio-actives, tout en maintenant une température constante et une certaine humidité. Les murs et les plafonds sont insonorisés ; l'éclairage au néon ne produit presque pas d'ombre ; les hommes circulent à pas feutrés et, d'eux-mêmes, baissent la voix ; un ronronnement de machines crée une quiétude d'autant plus irréelle que rien ne serait changé si la plus grande catastrophe de l'histoire dévastait le monde. Tout simplement, une pendule enregistreuse rouge vif, pendant à l'extrémité de longues tiges, au milieu de sept pendules grises, indiquerait la durée de la guerre nucléaire, dont elle attend le déclenchement au zéro de son cadran. Elle est graduée jusqu'à cent heures, et il n'existe pas de cadrans pour les années, les mois et les jours... comme si la durée de la guerre futuriste ne pouvait pas s'étendre au-delà de cinq levers de soleil.

Le Strategic Air Command fut créé par Truman pour être la grande force de frappe, le grand outil de rétorsion de l'Amérique. Son premier chef, le général Curtiss Emerson LeMay, était un plébéien aux manières d'ouragan qui comptait dans ses états de service la mise au point du bombardement sur zone, l'incendie de Tokio et le pont aérien de Berlin : il ne cessa jamais de soutenir que les Russes connaîtraient la présence de ses bombardiers au-dessus de leurs têtes au moment où les bombes commenceraient à pleuvoir. Le premier appareil du S.A.C. était cependant l'un des avions les plus décriés qui eussent jamais été construits par l'industrie aéronautique : le lourd hexamoteur B36, dit « Sitting duck », canard assis, affligé d'une foule de maladies mystérieuses et plus lent, avec ses 480 kilomètres-heure, que le B29 qu'il remplaçait. L'ère de la réaction fit entrer en service le B47 et le B52, plus le ravitailleur KC135, en attendant

un B58 dont la construction commença en 1960 et un
B70 se profilant dans un avenir plus lointain. A la fin du
règne d'Eisenhower, le S.A.C. comptait 250 000 hommes,
4 000 bombardiers et ravitailleurs, 44 bases en Amérique,
26 bases hors d'Amérique, et il dépensait 18 % du budget
militaire des Etats-Unis.

Les jours du S.A.C. à base d'aviation sont naturellement comptés. Devant l'entrée du Q.G. d'Omaha, une
fusée Atlas dressée sur sa base évoque l'engin qui commence à succéder aux grands bombardiers. Cependant,
les stratèges américains soutenaient encore en 1960 que
l'avion resterait pour plusieurs années l'arme stratégique
fondamentale, le véhicule le plus sûr des armes atomiques et thermo-nucléaires. Dirigés du souterrain
d'Omaha, les B47 et les B52 tournaient sans cesse autour
du monde et, soit en l'air soit au sol, un tiers au moins
d'entre eux étaient aptes à tout moment à s'élancer vers
des objectifs désignés et étudiés à l'avance. Un formidable instrument, un simple téléphone de bureau peint
en rouge comme la pendule fatale, posé sur une table de
la War Room, devant un officier toujours présent, symbolise cette capacité d'intervention instantanée. Le seul
geste de soulever le combiné déclencherait une alerte
générale sur toutes les bases du S.A.C. Un mot conventionnel articulé devant le microphone jetterait en l'air,
dans un délai de quelques minutes, plusieurs centaines
de bombardiers atomiques dont les équipages vivent en
bloc, dormant, mangeant, se divertissant ensemble, avec
une station-wagon les suivant comme leur ombre pour
les ruer vers leurs appareils dont les réacteurs sont toujours chauds. Le successeur actuel de Le May, Joseph
J. Nazzaro, ou, à son défaut, l'officier général de garde,
a le droit ou plutôt le devoir de prononcer ce mot
retentissant s'il estime qu'une menace s'approche du
territoire des Etats-Unis ou de leurs alliés... Toutefois,
ce mot retentissant ne serait pas encore le mot fatal.
Les bombardiers ont pour consigne de revenir à leur
base après un temps de vol déterminé — sauf s'ils
reçoivent entre-temps l'ordre positif de continuer leur
route et de poursuivre leur mission. Cet ordre, seul le

Président des Etats-Unis peut le donner. Où qu'il soit, à quelque moment que ce soit, un officier muni des moyens de transmission appropriés se trouve à proximité immédiate du chef suprême, prêt à lui transmettre le message d'alerte du Strategic Air Command et à retourner à celui-ci la décision sans appel. Le puissant G.O. enfoui dans la bonne terre à blé du Nebraska, n'est pas un organe de responsabilité ; elle repose intégralement sur l'élu que la démocratie américaine a désigné.

**
*

Au nord du Nebraska, le South Dakota (650 000 habitants, capitale Pierre) est conservateur et indifférent. Sa ville principale, Sioux Falls, fut un centre de divorces, précurseur de Reno, mais un retour offensif du puritanisme resserra la législation et tua dans l'œuf cette industrie impure. Il ne reste au Dakota du Sud qu'une extraordinaire abondance de faisans qui permettent à Sioux Falls de se dire la capitale mondiale de ce gibier. En dehors de cette savoureuse particularité, l'Etat possède les Black Hills, éperon escarpé et boisé que les Rocheuses poussent dans les Grandes Plaines comme une dernière pointe agressive. On a sculpté quatre sommets à la ressemblance approximative de George Washington, de Jefferson, de Lincoln et de Théodore Roosevelt. Ces quatre plus hautes statues du monde (150 mètres) sont les témoignages de notre culture qui auraient les plus grandes chances de parvenir aux siècles futurs si un cataclysme emportait notre civilisation. Ils constituent involontairement un rappel à la prudence pour les savants qui tentent d'interpréter les géants de l'île de Pâques ou les figures hittites des plateaux d'Asie.

On retrouve la vie, le mouvement et même le tumulte dans le North Dakota (650 000 habitants, capitale Bismarck). Les originalités abondent. La première se trouve à Bismarck même : dans une bourgade, à l'échelle des Etats-Unis, de 30 000 habitants, qui dispose pour s'étendre de toute l'immensité de la prairie, le patriotisme des

North Dakotans a élevé un Capitole de 20 étages. La ville même fut nommée Bismarck pour attirer les immigrants allemands, et il fut un temps où les compagnies de navigation délivraient des billets directs Brême-Bismarck. Les Allemands forment, en conséquence, une fraction considérable (30 %) de la population, mais les Scandinaves (40 %) les surpassent encore. Il faut des races nordiques pour habiter cette plaine balayée par les blizzards d'hiver. Bismarck et Fargo disputent à Duluth (Minnesota) le titre de ville la plus froide des Etats-Unis. L'analyse attentive des bulletins météorologiques paraît conférer à Bismarck cette palme glacée.

Ce Dakota du Nord fut toujours un aimant pour de fortes personnalités. Théodore Roosevelt, cavalier, trappeur et impérialiste, y établit un ranch dont la maison de rondins est conservée au pied du Capitole vertical de Bismarck. L'inventeur du kodak, D. H. Houston, y cultiva la terre et le nom même de l'appareil qu'il imagina est une anagramme approximative du mot Dakota. Mais aucun « settler » ne fut plus pittoresque et ne passa plus près de la grande réussite que le marquis français Charles de Morès. Entraîné dans les Dakotas par sa magnifique femme américaine — dont une localité fait survivre le prénom de Médora — il fut subjugué par la beauté désertique des Badlands, cousines lointaines du Sahara où il devait trouver douze ans plus tard une mort d'explorateur. Il apporta avec lui une idée, destinée à produire une industrie d'un milliard de dollars, en imaginant de mettre en boîte la viande des Dakotas pour la faire parvenir plus facilement aux consommateurs de l'Est. Pendant trois ans, de 1884 à 1887, il fut sur le chemin des grandes fortunes américaines, avec son usine de conserves et son troupeau de 14 000 têtes de bétail. Mais le duelliste et l'extravagant qui étaient en lui se réveillèrent. Son faste prématuré affaiblit son entreprise. Ses querelles avec ses voisins, incapables de comprendre son esprit tumultueux et d'admettre les clôtures dont il entourait ses terres, lui rendirent l'existence difficile et même dangereuse. Il quitta les Dakotas et l'Amérique, laissant derrière lui un château de 28 pièces qu'un guide montre aujourd'hui aux touristes en les priant de remarquer la magnificence du Frenchman.

Les luttes politiques du North Dakota sont célèbres. L'un des sénateurs américains les plus vigoureux, William Langer — totalitaire de l'isolationnisme — vint de là. On cite l'exemple de trois gouverneurs élus et déposés en cinq mois par un verdict populaire. Langer lui-même fut condamné à dix-huit mois de prison pour collecte illégale de fonds électoraux, puis absous. Bien qu'il soit foncièrement républicain (20 000 voix de majorité pour Dewey en 1948, le double pour Ike en 1956), le North Dakota s'est laissé entraîner à des expériences de socialisme d'Etat qui se traduisent par la possession publique d'une banque, de silos et de moulins et par l'assurance obligatoire des fermiers contre la grêle. Mais la rudesse du climat et les difficultés de l'agriculture compromettent les chances de développement de cette entreprenante communauté.

X

MISSOURI — IOWA

Les deux enfants les plus célèbres du Missouri furent longtemps Samuel L. Clemens, plus connu sous son pseudonyme de Mark Twain, et un bandit romantique nommé Jesse James. Puis un garçon de charrue entra à la Maison-Blanche, et relégua l'humoriste et le hors-la-loi au second plan.

Né le 8 mai 1884, Harry S. Truman a accompli ses quatre-vingts ans en 1964, devenant la même année, par la mort de Herbert Clark Hoover, le plus âgé des anciens présidents vivants. Le parti démocrate et le parti républicain possèdent donc encore chacun une relique présidentielle, Eisenhower, né en 1890, étant le benjamin des ex-locataires de la Maison-Blanche. Il est excessivement rare que le nombre de trois anciens présidents vivants ait été dépassé, bien que Lincoln, en 1861, ait pu saluer cinq de ses prédécesseurs, Buchanan, Pierce, Fillmore, Tyler et Van Buren, toujours du bon côté de la tombe. Il est encore plus rare qu'un ancien président reprenne du service dans la vie publique, les quelques exceptions comme celle de John Quincy Adams, étant fort anciennes. Quand la plus lourde charge du monde est tombée des épaules d'un homme, il ne se survit que comme témoin de son passé.

Les années de retraite de Truman ont apporté peu
d'éclaircissements sur sa carrière présidentielle. Il écrivit
des Mémoires qui furent très discutés et se tint à l'écart
des polémiques qui se poursuivent encore sur sa double
décision historique : l'utilisation de la bombe atomique
et l'intervention en Corée. Le parti démocrate lui rendit
les honneurs rituels, mais le tint le plus possible à l'écart.
Impulsif et imprudent, il avait laissé jusque chez les
siens des morsures brûlantes et, lorsqu'il songea à reprendre un siège au Sénat, il trouva devant lui des oppositions
décourageantes. Il s'enferma dans une attitude chagrine,
paraissant à New York, évitant systématiquement
Washington, mortifié de ne pouvoir refuser des invitations
à la Maison-Blanche qu'il ne recevait pas. Mais il conserva toujours une certaine popularité dans les couches
modestes de la nation. En 1960, des milliers d'électeurs
écrivirent aux leaders démocrates qu'ils devaient redé-
signer le père Truman, le plus jeune d'eux tous, et que
l'élection serait dans le sac.

L'histoire de Harry-le-Missourien est l'une des sagas de
l'Amérique contemporaine. Avant les élections de 1948,
le parti démocrate l'a racontée aux électeurs comme on
raconte les contes de fées aux tout petits enfants : dans
un livre d'images dont chaque vignette était édifiante
et chaque ligne attendrissante. Le but était d'identifier
l'homme au peuple. « Regardez, disait-on ; c'est un Américain comme vous ; il est parti du dernier échelon ; il
a peiné, souffert, combattu et même échoué ; il n'a pas
eu d'autres chances que celles que la démocratie offre
à tous ses enfants ; reconnaissez-vous en lui et réélisez-
le : l'homme qui vient du cœur géographique et des
entrailles sociales de l'Amérique ne peut ni vous tromper,
ni vous décevoir. »

La conclusion mise à part, le symbole était juste et le
portrait ressemblant. Truman est typique. Si sa vie avait
tourné autrement, si le vent de la chance n'avait pas
soufflé dans ses voiles, il serait aujourd'hui soit un juge
retraité, soit un fermier, soit un commerçant, et personne dans tout le Missouri n'aurait même l'idée, en le
voyant, d'une force politique perdue. Car aucun signe

visible ne l'a jamais marqué pour un grand rôle. Il n'a
jamais rien écrit, en dehors de quelques lettres intem-
pestives. Il n'a attaché son nom à aucune grande œuvre,
ni à aucune grande idée pendant la longue période de
son ascension. Il resta secondaire jusqu'au moment où il
devint suprême et obscur jusqu'à l'instant précis où il
devint illustre. Et il devint illustre et suprême, non pas
en vertu d'un haut fait, mais en vertu d'un décès.

Les ascendants de Truman furent poussés jusque dans
l'ouest du Missouri par la grande migration de 1845. Les
quatre familles où il prend sa source arrivèrent à peu
près à la fois dans le Jackson County, que Kansas City
a aujourd'hui en partie recouvert. Elles venaient du
Kentucky comme les parents d'Abraham Lincoln — mais
ceux-ci, étant partis plus tôt, allèrent moins loin et ne
franchirent pas le Mississipi. Au-delà, la lignée de Truman prend probablement sa souche dans les Iles Britanniques, mais personne n'est en état d'établir un arbre
généalogique satisfaisant. En conséquence, Truman est
le premier des 36 présidents dont l'américanisme héréditaire n'a pas de date précise et dont les origines
européennes se perdent dans la nuit des temps.

Il existe entre Harry S. Truman et son successeur
Dwight D. Eisenhower un certain nombre de ressemblances qui surgissent presque toutes d'une communauté
d'origine géographique. Entre Abilene (Kansas) et Lamar
(Missouri) où un médecin de campagne mit Harry au
monde pour la somme de 15 dollars, le 8 mai 1884, on
compte moins de 200 milles, distance insignifiante à
l'échelle des Grandes Plaines. Avant Ike, Truman fut
d'ailleurs le Président dont le lieu de naissance détenait
le record de longitude occidentale. A la différence de ses
prédécesseurs, — Roosevelt, qui franchit l'océan sur les
genoux de sa nurse ; Hoover, grand ingénieur international et même Coolidge, qui fit une partie de sa carrière
à Boston — Harry Truman ne subit aucune des influences
de l'Est, et à plus forte raison aucune influence transatlantique. Il vit la mer pour la première fois lorsqu'il la
traversa, en 1917, sous le grand chapeau kaki. Il connut
de la France ce que pouvait en apercevoir un capitaine

d'artillerie servant dans le corps expéditionnaire américain. Par la suite, aucun voyage de tourisme ou d'étude ne l'entraîna au-delà des frontières de l'Amérique. Entre l'Argonne de 1918 et le Potsdam de 1945, le contact direct du monde extérieur lui fit totalement défaut.

L'absence de toute culture est un autre trait distinctif de Truman. Il faut remonter jusqu'aux présidents-pionniers du XIXe siècle pour lui trouver un prédécesseur sans le moindre bagage universitaire. Il fréquenta l'école jusqu'à sa treizième année et, beaucoup plus tard, ayant été élu juge et considérant qu'un peu de droit « ne pouvait pas faire de mal », il suivit quelques cours du soir à l'Ecole de Droit de Kansas City. Il n'est même pas un autodidacte, le terme impliquant une volonté systématique de s'instruire qui ne fut jamais un impératif dans la vie de Truman. Ses lectures sont courtes et superficielles, sa syntaxe est défectueuse et le banquier démocrate Bernard Baruch le qualifia d'homme « inculte et grossier ». Il donne cependant des exemples de prétention intellectuelle basée d'ordinaire sur une connaissance de l'histoire dont il s'exagère la profondeur. Il est doué pour la musique et joue convenablement du Mozart et du Chopin au piano. En matière d'art, ses idées sont tranchantes et sommaires : attiré par des journalistes dans le piège d'une discussion artistique, il déclara que les impressionnistes français représentaient « l'école des œufs au jambon » et que le talent d'un peintre consistait à reproduire fidèlement tous les détails.

Les inaptitudes de Truman s'étendent à la vie pratique. Son très complaisant biographe, Jonathan Daniels, a révélé qu'il avait acquis en 1916 une concession pétrolifère dans le Kansas, mais qu'il n'en avait tiré que des pertes. Son échec dans la bonneterie est plus connu. Le magasin de chemises et cravates qu'il ouvrit après sa démobilisation, dans la 12e Rue de Kansas City, fit en deux ans une faillite de 25 000 dollars. Suivant le récit officiel du parti démocrate, Truman fut ruiné par les républicains — lesquels, de 1920 à 1922, laissèrent le prix du blé tomber de 2 dollars 15 à 88 cents et retirèrent ainsi aux agriculteurs du Middle West la possibilité de renouveler leur linge de corps. Mais d'innombrables petits commerçants, parmi lesquel beaucoup de marchands de chemises du Missouri, survécurent à une brève dépression qui n'emporta que les plus maladroits.

La faillite de 1922 fut l'événement le plus heureux de toute la vie d'Harry Truman. Elle le mit — à trente-cinq ans — sur sa véritable voie : la politique professionnelle. Une assez forte tradition familiale l'y portait, les Truman, aussi bien que les Young de la branche maternelle, ayant toujours été d'actifs militants démocrates. Comme le Missouri est un Etat du demi-sud, cette ligne démocrate penchait vers le conservatisme, après avoir été fortement orientée vers l'esclavagisme et la sécession. Lincoln était un objet d'exécration, au point que Mrs. Truman mère, morte en 1947, ne voulut jamais coucher à la Maison-Blanche par crainte de dormir dans la même chambre que l'ombre du Fléau du Sud. Dans le passé de Harry lui-même, il existe une certaine histoire d'adhésion au Ku-Klux-Klan qui a coûté de laborieuses explications à ses amis libéraux.

Le premier patron politique de Truman, Tom Pendergast, fut une arme de polémique beaucoup plus lourde. L'histoire jette une lumière profonde sur certains aspects généraux de la vie publique américaine, en même temps que sur la carrière particulière de Truman.

La politique est, en Amérique, un immense business. Elle représente des centaines de milliers d'emplois qui se donnent soit par la faveur des électeurs, soit par la faveur des hommes qui manœuvrent les électeurs. Elle représente le maniement de sommes gigantesques, et la nature humaine ne serait pas la nature humaine si une certaine quantité de corruption ne s'était pas introduite dans ce grand trafic d'argent. Traditionnellement, la politique la plus véreuse est la municipale. La lutte pour le pouvoir dans les cités a fait naître des organisations qu'on appelle des « machines », qui se chargent d'orienter la démocratie par d'autres moyens que l'honnête persuasion. Depuis trente ans, cette féodalité municipale est en cours de démantèlement, mais, à l'époque où Truman failli se trouva sans ressources, elle atteignait probablement son apogée. Et nulle « machine » n'était plus puissante, plus complète, plus parfaite que celle qui permettait à Tom Pendergast de gouverner Kansas City.

L'homme était formidable. Avec une musculature herculéenne et des mains énormes, il avait des yeux minuscules, des oreilles étalées, un nez aplati et un élargissement du visage qui lui donnait un air de froide férocité. Mais, semble-t-il, Truman ne le vit jamais sous ce jour. De toutes les déclarations déconcertantes qu'il a faites dans sa vie, aucune n'est plus abasourdissante que sa comparaison de Staline et de Pendergast. « L'oncle Joe, dit-il après Potsdam, m'a rappelé le boss Tom. » Ç'aurait pu être une satire sauvage, mais, à ce moment-là et dans la bouche de Harry, c'était un compliment qui voulait exprimer la bonhomie, le calme et le prestige physique du dictateur.

En 1920, le pouvoir de Pendergast à Kansas City était totalitaire. Il partait des bas-fonds crapuleux et escaladait les 30 étages de City Hall. Il falsifiait les élections et faisait voter les morts sur une échelle dont Marseille n'a jamais approché. Il dépassait le périmètre municipal et asservissait si étroitement le Missouri qu'on appelait la petite capitale de l'Etat, Jefferson City, la « Case de l'Oncle Tom ». Un réseau de canalisations souterraines drainait vers le « boss » Pendergast les profits de la puissance. Il possédait, entre autres sources de richesses, une fabrique de ciment ; la Ready Mixed Concrete Company, soumissionnaire naturellement exclusif de toutes les fournitures municipales. Aucune ville au monde n'a certainement englouti autant de ciment que Kansas City. On y montre aux visiteurs le Brush Creek, un paisible ruisseau de 1,40 m de large, « contenu » sur plusieurs kilomètres par deux digues de béton de 20 mètres d'épaisseur.

Comme toutes « les machines », celle de Pendergast reposait en dernière analyse sur la terreur. La clé de son fonctionnement était le soutien mutuel du banditisme et de la politique. Le jeu, l'exploitation de la prostitution, toutes les formes du rackett étaient ouvertement tolérées par les autorités qui, en échange, et sous l'arbitrage du « boss », jouissaient de la protection du milieu. Le cycle des violences et des vengeances entraînait une mortalité par le revolver qui n'était sur-passée nulle part. Malgré la disparition de Pendergast et un certain changement dans les mœurs, il reste encore assez de cette tradition pour que 25 assassinats politico-crapuleux aient été enregistrés à Kansas City en dix ans. Les deux plus récents qui ont entraîné la mort de Charles Binaggio, successeur occulte de Pendergast, et de son garde du corps, ont eu lieu, le 6 avril 1950, au Club Démocrate qui se trouve symboliquement boule-vard Truman.

« Le plus cruel libelle contre Harry Truman, écrit le suave biographe Jonathan Daniels, est l'histoire d'un petit capitaine d'artillerie, insolvable et sans emploi, lancé dans la vie publique par un parti politique cor-rompu. » L'intention de ceux qui ont utilisé Pendergast contre Truman était peut-être diffamatoire, mais cela n'empêche pas les faits d'être les faits. Nul autre que Tom Pendergast ne désigna Harry Truman comme juge et comme agent-voyer (c'est-à-dire électoral) du Jackson County. « Truman, dit Daniels, apportait à Pendergast plus que Pendergast ne lui apportait. » Dans un sens, c'est vrai : il apportait au coquin une intégrité person-nelle sur laquelle aucun soupçon ne s'est jamais élevé, et rien n'est plus utile qu'une blancheur pour un frau-deur. La rémunération, au reste, fut équitable. Après avoir éprouvé pendant douze ans la fidélité de Truman, Pendergast le désigna pour le Sénat, lui fabriqua une majorité magnifique de 400 000 voix et l'envoya à Was-hington avec la consigne de « garder la bouche fermée jusqu'au moment où il connaîtrait les ficelles et de répondre au courrier ». L'élection ne fut pas loin d'être un scandale national et la malignité washingtonienne transposa l'appellation protocolaire « The gentleman from Missouri » en « The gentleman from Pendergast ».

L'éblouissante carrière de Tom Pendergast était des-tinée à mal firir. Le patron de Kansas City tomba dans les excès funestes du turf et se fit une habitude quo-tidienne de risquer 50 000 dollars sur les jambes faillibles des chevaux. Les campagnes intrépides de Roy Roberts, directeur du *Kansas City Star*, ébranlèrent son pouvoir et le besoin d'argent l'entraîna à de tragiques imprudences. Un pot-de-vin de 430 000 dollars, oublié sur sa déclaration de revenus, fut sa pierre d'achoppement. Condamné à quinze mois de prison pour fraude fiscale, il sortit brisé du pénitencier fédéral de Leavenworth. Mais lorsqu'il fut porté en terre, le 28 janvier 1945, un homme aux yeux rougis qui n'était rien moins que le vice-président des Etats-Unis, suivait le cercueil. Truman, fidèle jusqu'au bout, rendait l'hommage funèbre à celui qui l'avait fait. Il existe sans doute peu d'exemples d'un tel mélange d'amoralité politique et de courage personnel.

Le courage est un trait de Truman. La chance en est un autre. La déroute de Pendergast et la révision des listes électorales truquées du Missouri auraient dû le balayer, mais il surnagea au renouvellement sénatorial de 1940 avec une majorité de misère de 7 000 voix. Personne, cependant, n'avait alors dans l'esprit qu'il pût être un jour Président des Etats-Unis. En 1944 encore, Roosevelt le connaissait à peine et Truman, de son côté, n'aimait ni Roosevelt, ni la famille Roosevelt, ni le milieu Roosevelt, ni peut-être même les idées Roosevelt. Mais à la convention démocrate de Philadelphie, il s'agissait de se débarrasser du vice-président Henry Wallace dont les sentiments de gauche effervescents gênaient la nouvelle ligne politique du Président. On prit Truman parce qu'il ne portait ombrage à personne et sans même songer que le visage déjà moribond du titulaire faisait du suppléant un héritier fatal.

Nul ne peut être plus Missourien que Truman. Comme la plupart des Américains, avant tout ceux du centre et de l'ouest, il a au plus haut degré le patriotisme de son Etat. Le journal qu'il lit avec son jus d'orange de 6 heures du matin est le *Star,* de Kansas City, qu'on lui faisait parvenir à la Maison-Blanche par un courrier spécial. Président de toute l'Amérique, et par conséquent roi sans couronne du super-américanisme qu'est le base-ball, il ne cachait pas son extrême partialité pour les

Cardinaux de Saint-Louis. Il composait son entourage intime de Missouriens dont le plus discuté était son aide de camp, le général Vaughan, un copain d'enfance qui lui donnait des tuyaux de courses et lui prenait quelques paris. Lorsque l'Amérique n'eut plus en service actif qu'un seul cuirassé, il exigea que ce fût le *Missouri* et déclara que le *Missouri* resterait en service aussi longtemps que lui. Il a tous les goûts typiques de ses compatriotes, préfère le maïs au froment, le bourbon au scotch et les cravates bariolées aux cravates unies. Le dur climat des Grandes Plaines et les quinze années d'enfance passées sur la ferme paternelle lui ont donné une santé qui n'eut pas de précédent à la Maison-Blanche, cette tueuse d'hommes. « J'entrerais encore, dit-il, dans mon uniforme de la première guerre mondiale, à condition qu'on en recouse solidement les boutons. »

Cette référence à l'uniforme est fréquente dans la conversation de Truman. Il est assez significatif que ses quelques mois de vie militaire lui aient laissé ses souvenirs les plus intacts et les plus chéris. Jeune, il aurait eu la vocation des armes, et, d'après une histoire sujette à caution, aurait été refusé à West-Point en raison de sa myopie. Ses services pendant la première guerre mondiale paraissent avoir été l'objet d'une exagération que l'on peut attribuer au zèle de la propagande démocrate. Une fois, il sauva sa batterie ; une autre fois, il tint ferme « pendant que les Français fuyaient » et, cette fois-là ou encore une autre, il se trouva seul avec ses canons en face d'une furieuse offensive allemande, qu'il arrêta. Une version beaucoup plus sobre (et probablement véridique) soutient que la batterie D du 219e régiment d'artillerie de campagne commandée par le capitaine Truman tira sa première salve dix minutes avant l'armistice du 11 novembre 1918. L'historique officiel du régiment prouve, en tout cas, que la batterie en question n'eut pas un seul tué au feu pendant la campagne. Mais Truman débuta dans la « machine » de Pendergast avec le titre d'ancien combattant et cette qualification professionnelle implique toujours une optique particulière des faits d'armes. Même à la Maison-Blanche, il conserva le goût éminemment américain des associations d'anciens soldats et les vétérans de la batterie D — tous Missouriens — lui ont toujours formé une petite famille militaire prolongée.

Dans le Missouri, la ville de Truman est Independence, qui fut fondée par les Mormons à l'époque des grandes convulsions de la secte. Kansas City, voisine et tentaculaire, l'a éclipsée, mais Independence conserve encore une individualité et le titre de chef-lieu du Jackson County. Une vaste maison de bois, dont le style est qualifié de victorien alors qu'il n'est que prétentieux, perd peu à peu son nom de Gates Mansion pour prendre celui de Truman Home. Elle fut construite par un fabricant de biscuits, grand-père de Mrs. Truman, et elle entra par le mariage dans le patrimoine du Président. Il y vit toujours.

Bien que Bess Wallace Truman n'ait que dix mois de moins que son époux, leur union fut différée jusqu'en 1919, alors que leur rencontre remontait à la fin du siècle précédent. Les deux familles, par un point d'honneur un peu puéril, contestent que cette longue attente fût une conséquence de la pauvreté du prétendant, mais il est incontestable que Bess Wallace était d'un niveau social supérieur à celui de Harry. Elle appartient à cette moyenne bourgeoisie américaine beaucoup plus imbue de préjugés que la simplification européenne appliquée à l'Amérique n'a coutume de l'imaginer. Partout dans le monde, une ville de 10 000 habitants est une ville de 10 000 habitants, et une demoiselle qui vit dans une maison à tourelles — fussent-elles en bois — est un objectif difficile pour un fils de fermier.

Quand Harry Truman présentait Bess dans ses campagnes électorales, il avait coutume de dire « Voici le boss » (patron). Cette plaisanterie, malgré son usure, provoquait infailliblement de grands rires parce qu'elle exprimait une réalité conjugale au moins fréquente en Amérique. Elle relève de la psychologie populaire rustique et rusée qui faisait de Truman un incomparable collecteur de suffrages. Mais c'était une autre question de savoir si Bess était réellement le « boss ». Elle fut hostile à la candidature de son mari au Sénat, puis à sa candidature à la vice-présidence. Pendant de longues années, alors que le ménage vivait dans 5 pièces à 120 dollars par mois de Connecticut Avenue, elle se déclara en exil à Washington. Plus récemment, elle insista pour que Harry mît volontairement un terme à sa carrière présidentielle en déclinant un troisième mandat.

Truman aimait la Maison-Blanche. Alors que tant de présidents ont gémi sous leur fardeau, l'indestructible Missourien a porté pendant huit terribles années la charge la plus lourde du monde sans donner un signe de fatigue ou de lassitude. Le côté vigoureux de son esprit s'était développé en un autoritarisme qui trouvait de profondes satisfactions dans le pouvoir immense qu'il exerçait. Après avoir recueilli humblement la succession de Roosevelt, il avait acquis progressivement la conviction d'être un « bon » puis un « grand » Président. Il a, d'autre part, une sincérité sommaire et violente qui lui faisait considérer comme un réel péril national le retour des républicains au pouvoir. Il a néanmoins refusé d'être le candidat démocrate de 1952. Mais il eut de la peine à pardonner à son parti d'avoir choisi Adlai Stevenson pour le poste dont il ne voulait pas.

Entre Truman et Stevenson, une antipathie ouverte n'a jamais cessé de régner. Pour le second, le premier est un politicien de bas étage et, pour le premier, le second était un snob. Steve était à peine élevé sur le pavois de la candidature qu'il déclarait vouloir se passer des conseils du Président sortant, à quoi l'explosif Harry répliqua que, dans ces conditions, le parti démocrate ne devait pas compter sur son concours dans la campagne qui s'ouvrait. Mais les premières exhibitions de Stevenson — dans l'Etat ouvrier du Michigan — furent si piteuses que les chefs syndicalistes revinrent faire le siège de Harry et l'arrachèrent à sa dissidence. Les trains électoraux touchaient au terme de leur carrière ; l'intellectuel Stevenson, comptant sur la télévision, avait renoncé à ce coûteux véhicule de propagande, mais Truman exigea son estrade roulante et connut une fois encore la griserie de parcourir l'Amérique dans le bruit des essieux. Ce chant du cygne fut un chef-d'œuvre. Il semblait, au début que la personnalité d'Ike fût inattaquable : Truman, méthodiquement, découronna le héros ; contesta la valeur de ses services militaires, mit en doute son intelligence politique, puis son intelligence tout court ; découvrit en lui l'instrument de Wall Street chargé de ramener la crise de 1932, l'époque où les chômeurs « vendaient des pommes dans la rue » ; et finalement l'accusa d'être un raciste et un nazi. Mais le courant qui entraînait l'Amérique était trop fort. Harry Truman connut le crève-cœur de voir son propre Missouri donner ses voix au général républicain.

La campagne suivante, 1956, remit en présence Eisenhower et Stevenson sans que Truman tentât d'y jouer un rôle. En 1960, il fit un effort pour écarter, et Stevenson, et une autre bête noire surgie du clan des privilégiés de la fortune, John Kennedy. On exprimait des suppositions sur le rôle que jouerait le Vatican dans une Amérique gouvernée par un président catholique, mais personne ne parlait ouvertement du père Kennedy, ex-ambassadeur à la Cour de Saint-James, pur milliardaire, redouté et détesté. « *Its not the Pope I'm worried about*, dit Truman, *it's the Pop.* » Il poussait contre les deux favoris de la convention démocrate le Missourien d'adoption, William Stuart Symington, dont il avait fait la carrière en le prenant comme secrétaire à l'Air puis en l'asseyant dans un fauteuil de sénateur. « Stu », beau et terne, aurait pu être accepté comme le « second compromis du Missouri » — le premier ayant été une cote mal taillée en 1820 au sujet de l'esclavage — si le tournoi triangulaire Kennedy - Johnston - Stevenson avait bloqué la convention démocrate. Les choses tournèrent autrement. Ce fut sans doute la dernière bataille politique de Harry Truman.

L'histoire fera une peinture étonnée de cet homme si inférieur par tant d'apparences à la fonction qu'il occupa. Cependant, sa présidence fut féconde et, à certains égards, brillante. Il hérita d'une situation obérée par les monstrueuses erreurs de Franklin Roosevelt et il eut à traverser la période dramatique pendant laquelle la

Russie seule disposait d'une puissance militaire. Tout
d'abord, il arrêta l'impérialisme soviétique. La doctrine
Truman, l'intervention en Grèce, le plan Marshall,
l'alliance atlantique, le couloir aérien de Berlin, l'intervention en Corée, le réarmement américain, furent des
actes positifs de résistance qui changèrent le cours des
événements. La perte de la Tchécoslovaquie et celle de
la Chine s'inscrivirent à la page négative du bilan qui
comporta sans nul doute un nombre important de fautes.
Malgré tout, le sens général du règne de Truman est le
rétablissement de l'équilibre des forces mondiales. Il
n'est pas prouvé, il n'est même pas probable qu'un
homme plus instruit et mieux préparé à la haute politique aurait fait mieux que l'ancien petit paysan du
Barton County.

*
**

Si Kansas City fut la couveuse politique de Truman,
ce n'est pas pour autant la ville la plus importante du
Missouri. Le titre appartient à Saint-Louis, dixième des
grandes villes américaines avec 2 284 000 habitants, dont
698 000 seulement dans Saint-Louis City. La loi des oppositions et des rivalités, déjà maintes fois rencontrée —
Los Angeles contre San Francisco, Portland contre
Seattle, Houston contre Dallas, etc. — s'impose une fois
de plus. Dans le Missouri, Kansas City est le Far West
et Saint-Louis l'Extrême-Orient. L'une est jeune, et
l'autre — datant de 1764 — appartient à l'antiquité américaine. L'une fut une grande pécheresse, même avant
Pendergast, alors que Saint-Louis a une tradition de respectabilité qu'elle doit peut-être à la protection sancti-
fiante de son beau nom.

L'épisode le plus curieux, dans l'histoire de la ville,
c'est sa fondation. Il est grand qu'elle s'appelle Saint-
Louis, mais il serait juste qu'elle s'appelât Chouteau.
Ce Chouteau (Auguste) avait exactement treize ans lors-

qu'il arrêta la petite troupe de Français et d'Indiens qu'il commandait près de l'endroit où un immense pont à péage franchit aujourd'hui le Mississipi. Il décida qu'il avait trouvé le site de l'établissement permanent que la maison Maxent, Laclède et Compagnie, de Nouvelle-Orléans, voulait établir dans la vallée moyenne du grand fleuve, et il mit aussitôt ses hommes à débroussailler l'emplacement.

Lorsque Laclède arriva, quelques jours plus tard, il ratifia le choix d'Auguste Chouteau, son beau-fils, mais il donna à la ville à naître le nom du roi patron de son roi.

Saint-Louis appartient ainsi à l'expansion coloniale française dans cette partie de l'Amérique. Mais son cas n'est pas isolé. Il existe dans le Missouri un Saint-Charles, un Saint-Joseph, une Sainte-Geneviève, un Cape Girardeau (du nom légèrement déformé de l'enseigne Girardot), un Versailles et une Bonne-Terre ; — de même qu'il existe une Belleville et une Belle-Plaine dans le Kansas ; — et une autre Belle-Plaine, un La Mare, un Dubuque (du nom d'un trappeur venu du Canada) et un Des Moines dans l'Iowa ; — et une nouvelle Belleville, un Crève-Cœur, un Des Plaines, un La Salle, un La Grange, un Marseille, un Paris, une Rochelle dans l'Illinois ; — et encore un Saint-Clair, un Saint-Ignace, un Sault-Sainte-Marie, un nouveau Saint-Louis et un nouveau Saint-Joseph dans le Michigan ; — sans parler des villes évocatrices du Wisconsin et du Minnesota : Fond du Lac, Eau Claire, Prairie du Chien, Lac qui Parle, et aussi Marinette, La Crosse, Beloit, Racine enfin qui dédie au poète 100 000 Raciniens qui n'ont jamais lu *Phèdre*. D'autres noms géographiques, aujourd'hui assez drôlement prononcés, comme Marais des Cygnes ou Plateau du Coteau du Missouri, entretiennent le souvenir des Français qui s'installèrent dans les Grandes Plaines avec le ferme propos d'y rester. Toutefois, à la différence des colons anglo-saxons, ils ne s'attaquèrent pas au sol. Ils s'interdisaient même de s'attaquer au sol, leur but étant le négoce, qui exigeait la paix avec les Indiens, et non la culture qui entraînait la guerre. Si la France avait triomphé dans les luttes coloniales du XVIIIe siècle, l'Amérique serait aujourd'hui un pays de civilisation mixte, comparable probablement à l'Afrique du Nord. La nation indienne, quand elle étudiera l'histoire, pourra mettre au rang de ses désastres la défaite de Montcalm et le traité de Paris.

Métropole d'un Empire aux rênes flottantes, Saint-Louis fut pendant de longues années une sorte de faubourg de Nouvelle-Orléans. Les créoles français qui s'y établirent transportèrent au cœur d'un continent sauvage leur goût du bien-vivre, leurs vices, leur politesse et aussi leurs esclaves. Mais ces épicuriens dans le relatif étaient aussi des gaillards rudes et entreprenants. Allant à la richesse rapide, ils concentraient leur intérêt sur les fourrures. Vingt-huit traités avec 28 confédérations indiennes leur assurèrent un monopole qui couvrit pacifiquement le territoire d'une dizaine d'Etats actuels. Le capitaine Saint-Ange de Belleville commandait Saint-Louis, mais la puissance réelle appartenait à l'intrépide Auguste Chouteau poussé d'enfant-prodige en homme d'élite. Ce fut lui et son demi-frère Jean-Pierre qui ouvrirent les pistes de l'Ouest et épaulèrent la pénétration européenne vers le Kansas, les Dakotas et l'Oregon. Les changements de statut politique, la cession de la Louisiane à l'Espagne en 1770, puis sa vente aux Etats-Unis en 1803, après un bref retour à la France, n'altérèrent pas le caractère français de Saint-Louis. L'empire commercial survécut un demi-siècle à l'Empire politique anéanti.

Ce qui effaça le Saint-Louis français, ce furent les immigrations massives du XIXe siècle. Contre le nombre, rien ne prévaut. La ville et la région furent recouvertes d'une épaisse couche humaine venant d'abord en majeure partie de la Virginie et du Kentucky, venant ensuite directement d'Europe. Les vieilles familles françaises — Duchemin, Tremblée, Marmillon, Rivet, etc. — furent submergées et il ne reste à peu près aucune trace du chapitre d'histoire ouvert par les treize ans d'Auguste Chouteau.

L'ancienneté de la ville, cependant, réagit sur son

comportement. Il est classique de comparer Saint-Louis
à Boston, et, sans doute pour que la comparaison soit
mieux fondée, Saint-Louis s'empare des industries — les
chaussures en tête — que la métropole en décadence
de la Nouvelle-Angleterre laisse échapper. Toutefois, ce
n'est pas une ville aventurière, comme il en existe tant
aux Etats-Unis. C'est une ville prudente, mesurée, embour-
geoisée, toujours plus tournée vers le commerce que vers
l'industrie, ouverte aux tentations artistiques, respectueuse des traditions comme la fête burlesque du Prophète Voilé (réplique du Carnaval de New Orléans) et
fière d'un des plus grands et plus respectables journaux
d'Amérique, le *Saint-Louis Post Dispatch*. Elle est mis-
sourienne puisqu'elle appartient au Missouri, mais elle
élève ses prétentions jusqu'à se désigner elle-même
comme l'expression la plus totale et comme le symbole
le plus parfait de l'Amérique. Elle en est, dit-elle, la
plaque tournante. Elle en est, dit-elle encore, le grand
marché. Elle fut enfin la première ville des Etats-Unis
conquise par l'aviation. Le premier meeting aérien y eut
lieu en 1910 et les cinq premiers pilotes qui formèrent
le noyau de l'aviation américaine venaient de Saint-Louis.
C'est en hommage à ces audaces que Charles Lindberg
donna au monoplan qu'il pilota à travers l'Atlantique son
nom historique : *Spirit of St-Louis*.

*
**

Le Missouri est par sa superficie le dix-neuvième des
50 Etats, et par sa population (4 508 000 habitants), le
treizième. L'Iowa, son voisin du Nord est sensiblement
moins vaste et moins peuplé (2 747 000 habitants). Il
possède une ville de plus de 200 000 âmes, Des Moines,
à la fois métropole et capitale de l'Etat ; mais il est peu
probable qu'il se soit jamais trouvé un touriste pour se
donner comme buts Des Moines ou l'Iowa en général. Le
voyageur qui traverse cette région n'a que le désir

d'échapper le plus vite possible à sa monotonie. Pourtant, l'un des piliers de l'Amérique se trouve là. C'est du maïs qu'il s'agit.

Le continent américain a donné à la civilisation moderne trois plantes fondamentales : la pomme de terre, le tabac, le maïs. Pour l'Amérique, sinon pour le reste du monde, le maïs est sans contredit la plus importante des trois. Son nom américain est en lui-même un témoignage : « corn », et non « maize », comme un anglais correct l'exigerait. Le blé, en Europe occidentale, c'est le froment. En Amérique, c'est le maïs. Les chiffres expliquent et justifient cette adaptation du vocabulaire : l'Amérique produit 136 millions de tonnes de pommes de terre et 36 millions de tonnes de froment ; elle récolte plus de 104 millions de tonnes de maïs.

Le mystère du maïs est l'un des problèmes de l'histoire. Il n'existe nulle part à l'état sauvage. Même quand les Européens le découvrirent, dans les petits champs indiens du XVIe siècle, il représentait, au dire des spécialistes, une plante hautement civilisée. Beaucoup plus civilisée, en tout cas, que les peuplades qui le faisaient croître, ce qui renforce l'hypothèse d'une race antérieure plus savante qui, exterminée ou dégénérée, a légué le maïs au monde actuel par l'intermédiaire des Hurons.

Les Européens cultivèrent le maïs parce qu'ils virent les Indiens le cultiver et parce qu'il n'existait pas d'autre moyen de sauver les chétives premières colonies de la famine. La nécessité est devenu une habitude, puis une immense industrie. Partout, en Amérique, on fait du maïs. Mais l'Ouest et l'Est n'en produisent que des quantités relativement minuscules. Le maïs, comme tous les autres américanismes, est surtout vigoureux dans le centre. Ce qu'on appelle le « cornbelt », la Ceinture du maïs, comprend en totalité ou en partie les Etats suivants : South Dakota, Minnesota, Wisconsin, Illinois, Indiana, Ohio, Missouri, Kansas, Nebraska et Iowa. Le centre de ce centre est Iowa. Son surnom même, Cornbusher State, permet de le traduire approximativement en français : l'Etat-maïs.

Ce maïs providentiel est devenu le cauchemar agricole n° 1 de l'Amérique. L'amélioration des méthodes de cul-

ture, les progrès incessants de l'hybridation ont entraîné
une augmentation continue des rendements et une prodigieuse inflation de maïs. Les récoltes d'il y a dix ans, déjà
excédentaires par rapport aux besoins, ne dépassaient
guère 3 milliards de boisseaux, alors que celle de 1959
s'est élevée à 4 402 476 000 boisseaux, chiffre-record.
L'année précédente, par voie de référendum, on avait
offert aux fermiers un barème améliorant à leur profit
le soutien des prix s'ils consentaient à une réduction
importante de leurs superficies plantées en maïs. Ils préférèrent conserver leur liberté et jeter un nouvel excédent dans des stocks déjà accablants.

Le maïs fut l'occasion d'une des premières prises de
contact entre l'U.R.S.S. et les Etats-Unis. L'été de 1955
vit dans les champs brûlants de l'Iowa un groupe de
Russes aux pantalons en patte d'éléphant disparaissant
au milieu de la vigoureuse céréale américaine. « Franchement, reconnut le chef de la délégation, Vladimir
Matchevitch, nous n'arrivions pas à lever les bras à la hauteur des tiges. » Sorti de son continent d'origine, le maïs
a pris une certaine place dans l'agriculture mondiale,
mais ce n'est qu'à une date récente que quelques-uns des
pays producteurs ont songé à rénover sa culture par les
méthodes américaines. Sur l'ordre de l'Ukrainien
Khrouchtchev, dont le pays natal a tant de traits de
ressemblance avec les Grandes Plaines, Matchevitch
acheta 200 000 livres de semences à Garst and Thomas.
Moins de cinq ans plus tard, l'imprévisible se produisit :
Khrouchtchev lui-même apparut dans l'Iowa au milieu
d'une formidable caravane de presse. Les plus grands
budgets de publicité n'auraient pu assurer à la ferme
et à la station d'hybridation de Roswell Garst la célébrité qu'elle connut.

L'homme est un évangéliste qui croit à l'avènement de
la prospérité universelle. Son programme est de mettre de
la viande une fois par jour dans toutes les marmites
du monde. Il existe une heureuse concordance entre cet
idéal philanthropique et les intérêts d'un propriétaire
de 1 200 hectares consacrés à la production de semences
et à l'amélioration des races de bétail. Garst est l'un des

agrariens qui harcèlent le gouvernement fédéral pour des cours de soutien toujours plus élevés, ayant comme réponse à l'argument de la surproduction les millions d'estomacs qui ne demandent qu'à être emplis gratuitement par le travail des fermiers américains. Il alla en Russie trois fois, à titre de conseiller technique, prêcha la réconciliation par l'agriculture, mais refusa toujours de satisfaire la curiosité des reporters lui demandant le montant de son chiffre d'affaires avec les Soviets. Tout au moins Khrouchtchev vit-il chez lui une maison authentique de fermier des Grandes Plaines, car la réussite de ses entreprises n'a pas incité Garst à modifier l'habitation de bois où il vit la même vie large et rustique que ses compatriotes terriens.

L'Iowa est le plus cultivé des Cinquante ; 97 % de son sol portent des moissons. Cela donne à ses 200 000 fermes une valeur colossale de 3 à 4 milliards de dollars et cela fait de ses fermiers des ploutocrates. Le danger, comme toujours, est dans l'excès ; 3 % laissés à la nature, ce n'est peut-être pas une proportion équitable et le maïs partage avec deux autres plantes américaines, le coton et le tabac, la propriété singulière d'être un grand useur de sol. Les Indiens, qui grattaient la terre avec des cornes d'élan, furent, dit-on, stupéfaits et consternés lorsqu'ils virent les blancs la retourner avec du fer. Les services chargés de la conservation des sols américains ont retrouvé la vieille crainte indienne et font aujourd'hui des efforts pour convaincre les producteurs de maïs de la nécessité d'une certaine étendue de prairies. Mais l'herbe est de l'herbe, et le maïs est de l'or.

Son utilisation n'est plus, comme jadis, un problème. Le maïs est très positivement de la viande qui pousse dans les champs. Le rigoureux élevage américain ne laisse au hasard du métabolisme qu'une part minuscule, et l'équation maïs-viande a l'exactitude d'un théorème : 10 livres de maïs font 1 livre de bœuf ; 6 livres de maïs font 1 livre de porc. Si l'alimentation américaine est la plus riche du monde (170 livres de viande par an et par tête), c'est au Corn Belt qu'elle le doit. Les immensités du Texas et du Montana ont besoin de la culture concentrée et intensive de l'Iowa pour faire face au gigantisme du consommateur ; 25 % des bêtes à cornes et 50 % des cochons grandissent dans le Corn Belt, qui ne représente même pas 10 % de la superficie des Etats-Unis.

L'Iowa, pour son compte, est à la tête de tous les progrès. En fait, c'est une usine. Extraire le maïs du sol est une première opération industrielle qui a donné lieu aux tours de force techniques de l'hybridation et porté le rendement moyen de 35 boisseaux à l'acre à 80 (l'Indiana atteint, chiffre record, 100 boisseaux à l'acre, soit un peu plus du double.) La seconde phase industrielle est l'engloutissement du maïs par toutes les espèces animales susceptibles de servir à la nutrition humaine. Parmi ces pourvoyeuses, la volaille est à une place d'honneur. Près de 1 sur 10 des poulets dévorés en Amérique vient de l'Iowa et la ponte annuelle des œufs atteint le chiffre, de 3 616 milliards, phénoménal pour un seul Etat, mais battu par la Californie et la Georgie avec, respectivement, 7 664 et 4 501 milliards, (66 450 millions pour toute l'Amérique). En conséquence, chaque Américain mange en moyenne plus d'un œuf par jour et le poulet est un plat d'ouvrier. Devant cette magnifique abondance alimentaire, avec toute la force, la santé et la démocratie qu'elle représente, la question de savoir si les poulets de l'Iowa sont légèrement moins savoureux que les poulardes de Bresse est d'une parfaite futilité.

Rien n'est plus uniforme que l'Iowa. La nature l'a construit avec un niveau d'eau et l'homme l'a mis sous la dictature de la ligne droite. En apparence, la population a épousé cette monotonie et cette rigidité. Nulle part au monde, les règles du conformisme ne sont plus strictes. L'alcool, soumis à des règlements soupçonneux, ne peut être vendu que dans des magasins d'Etat et les bars sont interdits par la loi. Bien que les catholiques aient 4 diocèses, ils représentent à peine 1 habitant sur 10 et le nombre des Juifs, assez élevé dans le Missouri, tombe dans l'Iowa à un chiffre dérisoire. Il est admis que le cœur protestant de l'Amérique se trouve là. Le sérieux qui règne sur la vie individuelle est implacable, mais d'un autre côté, l'instruction est extrêmement répandue et l'analphabétisme, qui survit si étrangement au milieu de la prospérité américaine (4 % d'illettrés), a été complètement éliminé. Et, comme il arrive fréquemment dans les milieux très fortement comprimés par les disciplines sociales, l'Iowa est un producteur classique de fortes, et parfois d'excentriques personnalités.

XI

MINNESOTA — WISCONSIN

On connaît mal le coureur des bois certainement très remarquable qu'était Etienne Brûlé. On sait seulement qu'en 1615, il conduisit Samuel de Champlain jusqu'à une immense étendue d'eau. Champlain porta quelques gouttes à ses lèvres et, dans l'inspiration du premier moment, trouva un nom pour baptiser l'événement géographique que son guide venait de lui présenter. « C'est, dit-il, la mer Douce. » Mais ceux qui vinrent après lui préférèrent dire : « Les Grands Lacs. »

C'est dommage. Le terme « lac », même avec l'adjectif amplificateur dont il est accompagné, comporte quelque chose de restrictif. Il entraîne une idée inexacte. Au bord du Michigan, et même de l'Ontario, l'impression ressentie n'est pas celle d'une enclave d'eau au milieu d'une masse continentale, mais l'impression de liberté et d'immensité que donne la mer.

Ce qui manque évidemment — et ce qui est irremplaçable — c'est l'odeur d'iode et de sel. Son absence est probablement la raison qui entraîna les hommes blancs venus de l'Atlantique à prendre des libertés irrespectueuses avec les Grands Lacs. Ils payèrent cher l'erreur de lancer sur leurs eaux des navires sommaires. On a peine à admettre l'évaluation suivant laquelle le seul lac Erié aurait englouti plus de 100 000 personnes et, dans la seule année 1850, 1 095 vaisseaux. Mais les désastres connus avec certitude suffisent à faire des Grands Lacs un cimetière marin. Pour ne citer qu'un exemple, une tempête de 1913, sur le Supérieur et le Huron, entraîna le naufrage des grands steamers *Henry B. Smith, John McGean, Charles S. Price, Isaac M. Scott, Hydrus* et *Argus,* avec une perte totale de plusieurs centaines de vies.

Les déchaînements des Grands Lacs américains s'apparentent à ceux de certaines mers intérieures européennes, comme la mer Noire et la mer de Marmara. Cela commence avec une redoutable soudaineté. En outre, la tempête n'a pour ainsi dire pas de plan. La mer — il est difficile de dire le lac — est littéralement démontée. Les vagues, courtes, pressées et incohérentes, viennent de partout, mettent en échec les procédés ordinaires de la navigation par gros temps. Conformément à la règle, le plus dangereux des Grands Lacs est le moins profond, l'Ontario, où la sonde ne descend nulle part à plus de 75 mètres. S'il est un endroit qui, au centre d'un continent, ressemble à la Manche, c'est là.

A eux tous, les cinq Grands Lacs ont une superficie du même ordre de grandeur que la Baltique. Le plus grand, le lac Supérieur, est la plus vaste surface d'eau du globe qui n'ait pas droit au nom de mer. Le lac Huron et le lac Michigan, presque égaux, sont deux fois plus étendus que le lac Baïkal et à peine moins vastes que la mer d'Aral. L'Erié et l'Ontario contiendraient facilement le lac Ladoga et le lac Onega. Rien de comparable à cette extraordinaire combinaison n'existe dans le monde entier. Du centre même de l'Amérique, un gigantesque escalier d'eau descend par quatre paliers successifs vers l'Océan.

Le trafic que portent les Grands Lacs a besoin d'être exprimé par quelques faits frappants. Il est supérieur à l'ensemble du cabotage sur les côtes américaines de l'Atlantique, du golfe du Mexique et du Pacifique. Il n'est pas loin d'égaler la navigation internationale des Etats-Unis. Les deux premiers ports d'Amérique sont bien

New York et Philadelphie, mais ensuite nous voyons apparaître, concurremment avec les ports atlantiques, les ports des Grands Lacs dont Duluth (fondé comme par hasard par le Français du Luth), à l'extrémité occidentale du lac Supérieur, qui arrive au 6ᵉ rang avec Toledo. Ces deux ports lacustres dépassent le tonnage de Gênes et de Hambourg. Le Soo Canal, entre le lac Supérieur et le lac Huron, a un mouvement plus important que Suez ou Panama. Il faut préciser qu'il ne s'agit pas d'un trafic fluvial à base de remorqueurs et de péniches, mais d'immenses et lourds navires de haut bord dépassant couramment 10 000 tonnes. La seule différence avec la navigation océanique, c'est qu'on ne dit pas « bâbord » et « tribord », mais gauche et droite, et que la vitesse horaire se compte en milles terrestres et non en nœuds.

Sans les Grands Lacs, l'histoire de l'Amérique n'aurait pas été ce qu'elle fut et la structure de l'Amérique ne serait pas ce qu'elle est. Ils ont attiré l'homme comme une dépression barométrique attire le vent. Ils ont constitué une sorte de relais dans la marche vers l'Ouest et ils ont entraîné la formation d'un milieu politique très tôt dégagé des influences atlantiques, donc européennes. L'Amérique, comme le monde antique, s'est constituée en grande partie autour d'une Méditerranée. Mais la Méditerranée classique a entretenu la diversité de ses riverains, alors que les Grands Lacs ont fait dans une large mesure l'unité des leurs. Même du côté canadien, les régions qui se rapprochent le plus des Etats-Unis par leur aspect et leur esprit sont celles des Grands Lacs.

On admet qu'ils furent creusés par les glaciers. La même glaciation entraîna la formation d'au moins 40 000 autres lacs qui font tout autour d'eux une immense écumoire. Mais, à la différence de beaucoup parmi les petits, aucun des cinq Grands n'est réellement beau. Ils ont quelques cordons de dunes littorales qui ne manquent pas de charme, mais ils ont surtout de longues grèves mornes et des hauts-fonds d'où s'élève l'odeur écœurante des grandes masses d'eau douce remuées. Ce sont des plaines liquides utilitaires qui seraient plus utiles encore si la rigueur du climat ne les solidifiait quatre ou cinq mois par an. Alors, la fantastique navigation des Grands Lacs s'arrête et les équipages de leur puissante marine marchande mettent sac à terre. Beaucoup d'hommes s'en vont passer l'hiver en Floride et d'autres, parmi les jeunes, s'inscrivent dans les écoles de navigation pour préparer un diplôme d'officier. Mais très peu éprouvent le besoin d'aller faire un intérim d'eau salée. La population flottante des Grands Lacs, dont la situation économique est brillante, a un complexe de supériorité à l'égard des marins de la mer profonde. C'est un article de foi qu'un commandant de paquebot océanique serait incapable de conduire son bateau de Gary à Duluth, alors qu'un skipper des Grands Lacs n'a rien à apprendre entre New York et Liverpool.

L'idée de relier cette mer Douce à la mer Océane par une grande voie navigable est aussi vieille que la découverte des Grands Lacs. Elle a pris corps, en 1959, dans l'un des travaux publics les plus gigantesques de notre époque : le canal maritime du Saint-Laurent.

Le Saint-Laurent est le déversoir des Grands Lacs. Il naît au débouché du lac Ontario, dans le dédale verdoyant des Mille Iles, et s'achève 1 000 kilomètres plus loin, par l'un des estuaires les plus larges du monde. Mais l'on peut voir la géographie d'une manière différente et dire que les Grands Lacs eux-mêmes ne sont que les élargissements locaux d'un grand système fluvial s'étendant des Grandes Plaines à l'Atlantique. Ils n'ont aucun affluent important, comparable à ce qu'est par exemple la Volga pour la Caspienne, mais, à l'aide d'un écheveau de courtes rivières, ils drainent un bassin plus vaste que la moitié de la France. L'eau qu'ils recueillent descend deux grandes marches. La première est une dénivellation de 8 mètres entre le lac Supérieur et le lac Huron. La seconde est une chute de 30 mètres — le Niagara — entre le lac Erié et le lac Ontario. Puis, jusqu'à Montréal, le Saint-Laurent proprement dit se brise sans cesse dans des rapides ou divague dans des lacs sans profondeur.

Lorsque Jacques Cartier l'eut découvert, en 1536, il crut avoir trouvé le Grand Passage entre l'Atlantique et la mer Vermeille. Il le remonta avec ardeur, jusqu'au moment où son rêve fut arrêté par des eaux tourbillonnantes. Quelqu'un donna à cette impasse un nom ironique : la Chine. Il lui est resté. C'est toujours le premier obstacle d'aval sur la route des Sept Mers aux Grands Lacs.

Dès 1700, les Jésuites français du Canada creusèrent un petit canal contournant les rapides de Lachine. Progressivement, un chenal navigable fut aménagé dans le lit du Saint-Laurent. Puis les petits navires qui accédaient au lac Ontario, deuxième façade aquatique de l'Etat de New York, purent être pris dans le canal Welland qui (en territoire canadien) compense les chutes du Niagara. Mais leur tirant d'eau ne devait pas dépasser 14 pieds et, dès qu'ils atteignaient un certain tonnage, ils devaient être déchargés à Québec ou à Montréal. La navigation maritime des Grands Lacs, par contraste avec leur énorme navigation d'eau douce, restait fractionnelle et malaisée.

Cependant, l'imagination restait surexcitée. Chicago, port de mer ! Les agglomérations industrielles du cœur de l'Amérique reliées directement aux Océans ! La Méditerranée du Nouveau Monde ouverte comme la Méditerranée de l'Ancien ! Par le cul-de-sac percé de Chicago, la navigation des Grands Lacs atteint le bassin du Mississipi, dessert des régions d'où proviennent 65 % de toutes les exportations des Etats-Unis. On modifierait la géographie physique et économique en faisant sauter une fois pour toutes le bouchon du Saint-Laurent, en incorporant les Grands Lacs dans les mers.

Mais une voix puissante s'éleva : celle de New York. La fonction historique de la grande ville est de servir d'intermédiaire entre les Etats-Unis et l'Europe. Le canal maritime du Saint-Laurent la tournait, la dépossédait d'un monopole, établissait des contacts immédiats entre

le Rhin et le Mississipi, entre la Ruhr et l'Illinois, entre
Londres et Detroit. New York est puissamment jalou-
sée dans toute l'Amérique et il ne manque pas de prophètes pour lui prédire le sort de Babylone. Elle hausse
les épaules, mais elle est extrêmement sensible à tout ce
qui paraît menacer sa suprématie. Contre le *Saint-
Lawrence Seaway*, elle fit un effort prodigieux. Elle mobilisa et fédéra les syndicalistes et les capitalistes, les
dockers des ports de l'Est et les firmes de Wall Street,
les politiciens élus par les Porto-Ricains de Harlem et les
compagnies de chemins de fer. Vainement, plusieurs présidents successifs donnèrent-ils leur agrément au projet
du Saint-Laurent. Les représentants de New York au
Congrès mirent toutes les tentatives en échec.

Ce fut le Canada qui eut raison de Métropolis. Il voulait son *Seaway*. Il le vota en 1951, patienta encore trois
ans, puis signifia au gouvernement des Etats-Unis son
intention de construire le canal tout seul. On dut s'incliner devant une menace dont l'exécution eût mis toute
la navigation maritime des Grands Lacs sous le contrôle
du Dominion. Le 13 mai 1954, le président Eisenhower
signait la Loi 358 associant les Etats-Unis au Canada
pour la construction du canal, et le 25 avril 1959, il inau-
gurait la nouvelle voie d'eau aux côtés de la reine
Elizabeth.

Le spectacle ne laisse pas d'être étonnant. De grands
pétroliers, d'énormes cargos ont l'air de naviguer au
milieu des rapides qui, jadis, arrêtaient les canoés
d'écorce des coureurs de bois. Construites dans le lit
même du fleuve, les écluses Saint-Lambert, Sainte-Cathe-
rine, Beauharnois, Snell, Eisenhower et Iroquois élèvent
de 70 mètres des navires de 25 000 tonnes. Accessoirement, la station hydro-électrique de Beauharnois extrait
des eaux captées du Saint-Laurent plus de courant que
le Grand Coulee Dam, faisant naître, à cheval sur les
deux pays voisins, un puissant noyau industriel.

Les premiers mois d'exploitation du Seaway ont été
plutôt décevants. Les marins d'eau douce n'avaient pas
tort lorsqu'ils disaient que leur navigation est plus difficile que celle des vagues salées. De nombreuses ava-

ries ont été enregistrées et de multiples embouteillages ont ralenti le trafic. Le canal Welland, insuffisamment modernisé, empêtré dans sept écluses anciennes, a joué le rôle de goulot de bouteille, de même que les seuils insuffisamment profonds qui séparent les lacs Erié, Huron et Michigan. Les compagnies, qui s'étaient bousculées pour s'enrôler dans la navigation du Seaway, ont toutes confessé leur déception et certaines, comme la Grace Line, ont réduit ou suspendu leurs services. On avait escompté un trafic de 25 millions de tonnes ; il n'a pas dépassé 20 millions. Ce n'est pas encore cette fois que New York sera transformée en Pompéi.

Mais les plus grands débuts sont difficiles. L'avenir du *Seaway* est assuré, ne serait-ce que par les transports de minerais de plus en plus nombreux qui viennent d'outre-mer pour alimenter la métallurgie américaine. Il est même facile de prévoir que le dernier chapitre de la navigation maritime des Grands Lacs n'est pas achevé. Le canal est vaste ; on découvrira bientôt qu'il ne l'est pas assez.

Huit Etats sont riverains des Grands Lacs. Leur énumération suffit pour caractériser la puissance de rassemblement de la mer Douce et pour donner une idée de toutes les activités qu'elle harmonise : Minnesota, Wisconsin, Illinois, Indiana, Michigan, Ohio, Pennsylvanie et New York. Sur les 100 plus grandes villes des Etats-Unis, 18 (dont Chicago et Detroit) sont assises directement sur les berges des Grands Lacs et 20 autres (dont Pittsburgh et New York) appartiennent à ce qu'on peut appeler leur hinterland. Si l'on y ajoute une douzaine de grandes villes canadiennes (dont Toronto), on arrive à un immense foyer de richesses et peut-être à celui des districts du monde qui pèse le plus lourd.

La coutume, toutefois, réserve le nom de Lake States aux six premiers des Etats énumérés ci-dessus. Si leur unité est certaine, leur variété est grande. Chacun des

Lake States a une forte personnalité. L'Ohio est un résumé de l'Amérique presque parfait. Le Michigan, qui fait rouler tout un monde, joue dans la vie américaine un rôle primordial. L'Indiana est un chaînon curieux, un agent de liaison comparable au lac Erié, qui est le sien. L'Illinois, avec Chicago, est l'un des cœurs de l'Amérique — qui présente la singularité organique d'en avoir plusieurs. Le Wisconsin, à la fois très éloigné et très proche de l'Europe, se colore d'un des folklores les plus vigoureux des Etats-Unis. Le Minnesota, à certains égards le plus hybride et à d'autres égards le plus cohérent des six, garde des traits d'Ouest, mais l'économie et la pente du terrain le tournent vers les Grands Lacs, eux-mêmes orientés vers l'Est.

C'est de ces deux derniers qu'on parlera tout d'abord. Brièvement, non pas faute de matière, mais parce que la crainte de développements excessifs impose de les ramener à quelques traits.

L'un et l'autre sont de grands Etats. Réunis, ils couvriraient exactement les deux tiers de la France, bien que la population n'atteigne que 3 567 000 âmes dans le Minnesota et 4 161 000 dans le Wisconsin, dont la frange méridionale se confond avec la grande banlieue de Chicago. Dans le Minnesota, près de la frontière canadienne, d'immenses espaces sont encore presque vierges d'habitants.

La plaine ondulée et le chaos lacustre se disputent le paysage. Le Wisconsin, dont la production principale est le lait, dénombre 7 000 lacs et le Minnesota, plus de 10 000. Le nord de ce dernier Etat n'est pas l'Amérique, mais la Suède ou la Finlande, avec de longs chapelets d'eau et d'étroites margelles de roches qui, aux temps géologiques, furent les moraines des glaciers. Cette topographie déconcerta tellement les premiers voyageurs français, fils de la Normandie et de la Saintonge, qu'ils donnèrent à toute une région le nom de Lac des Mille Lacs. Ceux qui leur succédèrent furent moins surpris, car la plupart venaient de Scandinavie. Ils prouvent une fois de plus que les Européens expatriés en Amérique y cherchèrent avant tout leur Europe particulière : des paysages, des climats, des végétations et des métiers analogues à ceux qu'ils avaient quittés.

Par contraste avec les Grandes Plaines, où l'arbre est un inconnu, tout au plus un invité, les régions glaciaires des Grands Lacs appartenaient à la forêt. En 1870, celle-ci couvrait les quatre cinquièmes du Wisconsin et la quasi-totalité du Minnesota. Elle fut massacrée d'une manière sauvage et stupide. L'exploitation aveugle, dirigée par les « barons du bois », s'accompagnait d'une négligence criminelle dont les conséquences ordinaires étaient de gigantesques incendies. L'un d'eux, en 1894, fit 400 victimes et un autre, en 1871, brûla 6 comtés et 1 152 personnes, dans une région qui ne devait pourtant pas être surpeuplée. Toute la mise en valeur de l'Amérique, anarchique et grandiose, s'est déroulée à travers ce genre de catastrophes démesurées, comme si le feu avait brûlé plus vite et comme si l'eau avait été plus brutale dans un Nouveau Monde que des hommes avides et expéditifs arrachaient à la sauvagerie. Le contraste avec les minutieuses précautions actuelles, avec la surveillance jalouse des Services Forestiers, avec tout le réseau de guet qui épie au-dessus de la mer des arbres la moindre fumée, est une excellente illustration des transformations américaines. Mais les forêts saccagées, l'arbre traité comme un butin, et non comme une moisson, sont longs à se reconstituer.

La légende d'un hercule américain, Paul Bunyan, bûcheron colossal, est associé principalement au Wisconsin et au Minnesota. Mais il parcourut apparemment toute l'Amérique, puisqu'on lui attribue, entre des milliers d'exploits le Grand Canyon du Colorado : ce jour-là, il avait, dit-on, laissé traîner derrière lui son pic ! On ne sait pas exactement quel personnage réel servit de support à ce demi-dieu et il est bien possible que Paul Bunyan soit né sans père, autour des feux de campement, à une époque où les radios portatives ne dispensaient pas les hommes des forêts d'avoir de l'imagination. Il est assez saisissant de penser qu'en plein XIXe siècle, l'aventure américaine créait ses mythes et qu'ils ressemblaient à ceux que l'aventure grecque avait créés trente siècles auparavant. Paul Bunyan est le plus connu, mais plusieurs Etats ont dans leur folklore des héros légendaires toujours caractérisés par une force immense et fréquemment par une capacité prodigieuse de whisky.

Après le paysage glaciaire, les lacs et le climat, un trait encore apparente le Minnesota à la Scandinavie : le fer. A la nuit polaire près (la latitude n'étant après tout que celle de Tours) la région au nord de Duluth est l'équivalent de la Laponie suédoise. La fameuse colline de fer de Kiruna a une réplique élargie dans la Mesabi Range, qui fut attribuée aux Etats-Unis, et non au Canada, par une erreur cartographique ; 80 % du minerai américain, environ 48 millions de tonnes-métal — soit le sixième de la production mondiale, la moitié de celle de l'U.R.S.S. — viennent du Mesabi Range dans le Minnesota, et c'est avant tout du minerai de fer à destination de Gary, d'Erié ou de Pittsburgh que les grands ports de Duluth, de Superior et de Two Harbors engouffrent dans les cales des cargos des Grands Lacs. Quand le fer ne s'exploite pas en découpant les collines, il s'extrait à ciel ouvert d'immenses carrières qui modifient la topographie du Minnesota en créant de gigantesques dépressions artificielles. Quelques-unes des plus grandes se trouvent autour de la petite ville d'Eveleth où, dit-on, il fut difficile d'établir un cimetière parce qu'on ne trouvait pas un emplacement qui ne fût de l'oxyde de fer. Ces excavations profondes de 100 mètres, longues et larges de plusieurs kilomètres, sont les plus grands trous que la main des hommes ait jamais creusés.

Le prix de revient du minerai, et par suite, celui de l'acier, se ressentent de cette exploitation à la fois gigantesque et simplifiée. L'une des chances de l'Amérique est la facilité d'accès aux matières premières fondamentales. Le fer en carrière du Minnesota est le complément des épaisses veines de charbon de la Pennsylvanie et du pétrole relativement aisé à atteindre du Texas.

Toutefois, les gisements riverains des Grands Lacs donnent des signes d'épuisement et, soucieux de garder des réserves de matières premières stratégiques dans le sol national, le gouvernement américain songe plutôt à en limiter qu'à en accroître l'extraction. Vingt-cinq millions de tonnes-métal supplémentaires sont importées du Labrador, du Venezuela et du Brésil principalement.

**

La capitale du Minnesota est Saint-Paul (300 000 habitants). La plus grande ville du Minnesota est Minneapolis (520 000 habitants). Elles se touchent et, sur les horaires des compagnies aériennes, elles s'appellent Twin Cities — les Villes Jumelles. Leur rivalité est naturellement incorrigible mais, avec la forêt et les lacs incorporés à l'urbanisme, elles sont toutes les deux des Stockholm. Les prévisions de 1966 attribuent aux Villes Jumelles une population de 1 629 000 âmes, soit un accroissement de 10 % par rapport au dernier recensement.

Milwaukee (1 131 000 habitants), métropole — mais non capitale — du Wisconsin, fut au contraire, et reste dans une large mesure, un Munich. Le style, l'esprit, l'accent, parfois encore la langue, sont allemands. L'industrie la plus célèbre — celle qui, suivant un slogan publicitaire, « rendit Milwaukee fameux » — est la brasserie. Elle est puissamment aidée par une consommation locale qui atteint un tonneau de bière par tête et par an. Il est admis par tous les chroniqueurs locaux que le caractère allemand de la ville s'est beaucoup estompé, mais les *beer-gardens*, les *beer parties*, les *lieder* et le *gemütlichkeit*, restent des traits importants de Milwaukee et du Wisconsin en général.

Cette compacte colonie germanique installée sur les Grands Lacs provoqua parfois des inquiétudes. Elle entra dans les plans de Hitler qui berça l'idée extravagante de fomenter une nouvelle guerre de Sécession avec les Germano-Américains. Elle fut travaillée par des associations pro-nazies comme le *Bund*, que le gouvernement américain dut mettre hors la loi. Elle s'assimilait mal, en raison de la fantastique cohésion dont les Allemands sont capables lorsqu'ils sont en nombre et qu'ils ont gardé leur cadre de vie. Elle participa certainement

aux grands mouvements de gonflement de la nation allemande, comme un lac participe sur une échelle réduite
à la marée d'un océan. Mais le danger, s'il a existé, est
maintenant au passé. La masse allemande du Wisconsin est moins compacte et il s'en faut de beaucoup que
Milwaukee ne recense aujourd'hui les 80 % d'Allemands
qui, en 1900, en faisaient réellement une ville du Reich.
Une forte immigration polonaise est venue diluer le cail-
lot germanique qui s'était agglutiné à l'ouest du lac
Michigan. L'américanisation a pris progressivement ses
droits. Le « melting pot », à la longue et non sans de
grandes difficultés, a amolli et liquéfié son lingot allemand.

Le Wisconsin est l'Etat-laiterie — « Dairy State ». Il
compte moitié autant de vaches laitières, 2 180 000, que
d'habitants. Il produit près de la moitié des fromages et
plus du quart du lait condensé ou du lait en poudre consommé aux Etats-Unis. Rôle insigne, dans un pays où le
lait est presque l'objet d'un culte, presque un brevet
d'américanisme, presque un symbole de vertu.

Nul pays au monde ne consomme autant de produits
laitiers et nul, surtout, ne manie le lait avec des mains
plus pures. Les lois du Wisconsin et de maint autre
Etat ne se contentent pas de prescrire la pasteurisation,
l'homogénéisation, la réfrigération, le contrôle des matières grasses et le contrôle individuel des animaux ; elles
interdisent en outre à quiconque est en mauvaise santé
de manipuler le lait ou d'entrer dans les étables. Le Code
National du Lait impose des précautions d'ensemble,
mais les bureaux d'hygiène municipaux renchérissent
régulièrement et exercent leur propre contrôle. L'étonnant, c'est que, après toutes les manipulations qu'il
subit, le lait reste, de l'aveu unanime, l'un des produits
américains les plus savoureux.

Le Wisconsin confirme ce qui a été dit précédemment
pour les Etats des Grandes Plaines. C'est, dans la clas-
sification américaine, un grand Etat rural. Cependant,
il tire à peine de son agriculture le quart du revenu
que lui procure son industrie : 1 394 millions de dollars
contre 5 300.

⁂

Le Wisconsin est remarquable par ses singularités politiques. Milwaukee est la seule très grande ville américaine qui fut administrée — mal — par les socialistes : ils s'installèrent à City Hall en 1910 et ils en furent expulsés, sans avoir été en mesure de faire trop de dommages, deux ans plus tard. Un phénomène beaucoup plus original, et qui laissa des traces dans l'ensemble de la vie publique américaine, fut suscité par Robert La Follette, souvent qualifié de Lincoln inachevé. Ce rural, auquel il ne restait rien de son origine évidemment française, fut pendant près d'un demi-siècle l'un des agitateurs les plus puissants que l'Amérique ait jamais produits. Ses campagnes contre les grands intérêts capitalistes, et surtout les compagnies de chemins de fer, font partie de l'histoire générale des Etats-Unis. Avant Wallace, et après Théodore Roosevelt, il fonda un parti progressiste et obtint 5 millions de voix à l'élection présidentielle de 1924. Il fut le héros et l'idole du Wisconsin. Il est presque superflu d'ajouter qu'il fut un opposant farouche à l'intervention américaine en 1917, et, trois ans plus tard, à la ratification du traité de Versailles qui eût entraîné la participation des Etats-Unis à la S.D.N.

La Follette, mort en 1925, légua son siège de sénateur à l'un de ses fils. Celui-ci, après l'avoir occupé pendant de longues années, fut brusquement écarté en 1946 par un jeune athlète surgi du néant politique en vertu de quelques services de guerre dans les « Marines » du Pacifique et d'une capacité combative redoutable : Joseph McCarthy.

Les hommes passent vite. Parlant du Minnesota, dans les premières éditions de ce livre, j'avais tracé un long portrait d'un de ses enfants qui paraissait promis à un brillant avenir et qui, en tout cas, entretenait autour du nom de Harold Stassen une rumeur de célébrité. Je crois pouvoir le supprimer, Stassen, géant maladroit, étant retombé dans l'obscurité, après avoir manqué toutes ses chances. J'avais également parlé longuement de Joseph Raymond

McCarthy, sénateur du Wisconsin, alors objet de réprobation pour la plus grande partie du monde, mais objet d'admiration pour plusieurs millions d'Américains. Le 2 mai 1957, à l'hôpital Walter Reid, près de Washington, McCarthy achevait une vie qu'il avait écourtée par de lourds excès de boisson. Politiquement, il était déjà mort depuis trois ans. Le 2 décembre 1954, par 67 voix contre 22, le Sénat avait voté contre lui une motion de censure. Le vote ne comportait aucune sanction positive, pas même la déchéance d'un siège qui n'était pas renouvelable avant quatre ans. Cependant, McCarthy ne se releva jamais de la flétrissure de ses pairs. Il disparut de la vie publique et l'oubli commençait à le recouvrir lorsqu'il mourut.

Le « McCarthysme » ne fut pas sans quelque justification. L'Amérique a toujours ignoré le communisme des masses, mais elle connut un communisme d'infiltration qui, à certaines époques, atteignit les organes supérieurs de l'Etat. Le commencement de cette gangrène se date facilement : 1932, le début de l'ère rooseveltienne, l'invasion des agences du New Deal par de jeunes intellectuels qui, devant une crise économique dévastatrice, avaient conclu à la condamnation du capitalisme. Les services soviétiques, installés en Amérique depuis 1920, exploitèrent ces ferveurs désintéressées. Au lieu de les utiliser dans la propagande et dans l'action ouverte, ils les utilisèrent dans l'espionnage et, ce qui est plus subtil, dans la diffusion d'une pensée et d'un état d'esprit favorables aux Soviets. Pendant la guerre, cette action au bénéfice du grand allié se confondit chez certains avec le devoir patriotique et atteignit une extraordinaire ampleur. L'Amérique, fort mal préparée à la méfiance, fut surabondamment trahie et retrahie, parfois par des hommes placés aux postes les plus élevés et protégés par la confiance des premiers personnages de l'Etat.

Mais la réaction s'était déjà produite, les choses étaient en grande partie remises à leur place quand le jeune sénateur du Wisconsin entra en scène. Assoiffé de bruit, il commit d'emblée la faute de donner à sa campagne une base chimérique et un ton beaucoup trop élevé. Sa vie, dès lors, ne fut plus qu'une relance fiévreuse pour soutenir le scandale qu'il avait provoqué. Il était battu d'avance dans cette tentative désespérée.

Joseph Raymond McCarthy avait grandi rudement et dans une attitude de combat contre la vie. Son enfance dans une petite ferme du Wisconsin, au milieu de six frères et sœurs, côtoya la misère et, dès seize ans, il essaya d'y échapper en créant un élevage de volailles dans lequel il échoua. Il trouva une place de commis d'épicier, puis, comme Stassen, mais plus laborieusement encore que Stassen, il se hissa jusqu'à l'Université. Sa préparation scientifique insuffisante lui interdisant d'être ingénieur, il prit un degré en droit, tout en exerçant une variété de métiers, y compris ceux de cuisinier et de placier en monuments funéraires. Fait pour la politique, elle le happa. Il était juge en 1941, quand la guerre éclata, et il redevint juge en 1945 lorsqu'elle s'acheva. L'optique européenne a quelque peine à se représenter un homme emporté et tout d'une pièce comme McCarthy sur le siège d'un tribunal, mais c'est l'un des hasards auxquels s'expose la démocratie américaine en soumettant les fonctions judiciaires à l'élection.

Le juge devint U. S. Senator, comme il a été dit plus haut. C'était en 1946. Pendant deux ans, le nom de McCarthy resta obscur. Il surgit tout à coup en pleine actualité nationale lorsque l'Amérique fut frappée au front par une révélation bouleversante. « J'ai ici, en main, déclarait le jeune sénateur McCarthy, dans un discours prononcé à Wheeling, les noms de 205 personnes connues par le secrétaire d'Etat comme membres du parti communiste et qui néanmoins travaillent au State Department pour définir et appliquer la politique américaine. » Cela parut effrayant, mais plausible. La trahison, on le savait, fusait de toutes parts et Dean Acheson portait déjà la lourde suspicion d'une indulgence systématique, peut-être même d'une véritable complicité intellectuelle, à l'égard des extrémistes. L'opinion, d'une seule voix, réclama les 205 noms mentionnés à Wheeling, mais elle consentit à prendre patience lorsque McCarthy fit connaître qu'il les réservait pour le Sénat. Pendant les dix jours qui séparaient de la réunion du Congrès, l'Amérique vécut dans une attente à la fois angoissée et indignée.

Le Sénat se réunit. Déjà McCarthy, dans un discours ultérieur, avait modifié sa déclaration de Wheeling, ramenant ses 205 traîtres à « 81 cas, dont 3 principaux ». Lorsqu'on lui demanda de passer du collectif au nominatif, il ergota. Les quelques hommes qu'il désigna, comme Alger Hiss, comme Owen Lattimore, étaient déjà l'objet d'enquêtes publiques et, quant aux autres, McCarthy renvoya les curieux aux archives secrètes du State Department, qu'Acheson et Truman refusaient d'ouvrir. Un comité sénatorial, présidé par le sénateur Tydings, aboutit à la conclusion que rien n'étayait les allégations de McCarthy, lequel répondit en criant que Millard Tydings obéissait à ses maîtres, les communistes. C'était un sénateur démocrate fort conservateur et très solidement retranché dans son bel Etat du Maryland : il fut écrasé, au renouvellement de 1950, par un nouveau venu.

Le « McCarthysme » avait prouvé sa force. Il continua de s'exercer, pendant les deux années qui suivirent, avec une violence inlassable. Tout était loin d'être faux dans les dénonciations du sénateur du Wisconsin mais le « McCarthysme » n'en était pas moins une chaîne fantastique d'exagérations, de falsifications, de calomnies, d'interprétations frauduleuses et quelquefois de mensonges à l'état pur. Le général Georges Marshall, par exemple, a certainement commis en Chine des erreurs funestes, mais lorsque McCarthy, dans un long discours, puis dans une longue brochure, l'accusa tout uniment d'être un « traître », il y eut, au Congrès et dans l'Amérique entière, un sursaut de stupeur. William Benton, sénateur du Connecticut, mit en jeu une procédure destinée à expulser McCarthy du Sénat, et les encouragements qu'il reçut ne vinrent pas uniquement du côté démocrate. Tous ceux qui étaient excédés du dénonciateur comptaient surtout, au reste, sur l'élection de 1952 pour s'en débarrasser. Son mandat était soumis au renouvellement et un effort immense fut tenté contre lui.

Cet effort échoua complètement. Le concurrent de

McCarthy à l'élection primaire du Wisconsin, un avocat républicain nommé Leonard F. Schmitt, mena une campagne ardente, restant des heures d'affilée à la télévision pour répondre aux questions qui lui étaient posées par téléphone. Joe McCarthy, au contraire, terrassé par une opération, ne put prendre la parole en public qu'une seule fois. Son silence l'emporta sur la loquacité de Schmitt par une majorité des trois quarts.

Consolidé dans son Etat, McCarthy alla dans le Connecticut combattre William Benton, l'homme qui prétendait le chasser du Sénat. Benton perdit son propre siège, ce qui acheva de donner à la victoire du « McCarthysme » tout son sens.

Mais ce fut l'apogée. Court d'esprit et de talent, McCarthy n'avait pas l'intelligence politique nécessaire pour aiguiller sur des voies plus raisonnables le courant populaire qu'il avait provoqué. Ses dénonciations devinrent de moins en moins plausibles et ses campagnes heurtèrent de plus en plus des puissances qu'un homme moyennement prudent aurait ménagées. Il s'attaqua à l'armée, trouva une résistance inattendue, tomba dans les pièges qui lui furent tendus et acheva sa trajectoire de météore dans le burlesque, avec la défense de son informateur bénévole, le soldat de deuxième classe Schine, dont les états de persécution n'allaient pas au-delà de deux jours de consigne pour absence irrégulière. Mais toute l'Amérique fut suspendue pendant des semaines à la Commission d'enquête qui s'ensuivit.

La télévision donna le coup de grâce. Elle permit aux Américains de mesurer celui que beaucoup d'entre eux considéraient comme un grand patriote ou, en tout cas, comme un homme utile. Son visage ingrat, sa parole rauque et freinée par d'innombrables répétitions, sa mauvaise foi flagrante emportèrent la conviction nationale. Soutenu par la confiance de millions de braves gens, il était invulnérable. Frappé de suspicion dans la conscience de ceux qui avaient cru en lui, il ne fut rapidement qu'une épave contre laquelle les vengeances commençaient à s'exercer lorsque la mort la leur arracha.

Une décennie après sa disparition, un nouveau McCarthy occupe la scène politique. Eugene McCarthy, entré au Congrès deux ans après son homonyme, vient de se lancer dans la course à la présidence. En vingt ans de carrière politique, jamais son nom n'avait encore attiré l'attention, et sa seule intervention avait été un débat télévisé l'opposant à celui qui s'était donné pour tâche d'extirper d'Amérique les germes du communisme. Il n'avait d'ailleurs pas eu le dessus dans cette joute oratoire.

Sa candidature a brusquement fait de lui une figure politique majeure, et même s'il n'est pas élu président en 1968, ou même en 1972, il sera une force avec laquelle il faudra désormais compter. Irlandais et catholique comme Kennedy, il se peut que son apparence affable — trop affable peut-être pour ne pas être accusée d'être doucereuse — soit un reste de ses neuf mois de noviciat dans l'abbaye bénédictine de Collegeville. Eugene McCarthy renonça toutefois à suivre les voies du Seigneur pour épouser une institutrice, Abigaïl Quigley. Depuis, le couple vit dignement et simplement, avec ses trois enfants, du traitement du sénateur (environ 150 000 F) et de quelques droits d'auteur. Ce ne sont pourtant pas les œuvres préférées de McCarthy qui sont éditées : le sénateur du Minnesota est en effet poète. On put s'en rendre compte lors de son discours du 23 mars, à Milwaukee — discours qui fit de lui un candidat sérieux à la présidence. En une demi-heure, il nomma quatre poètes et conclut par une citation de Walt Whitman devenue un de ses thèmes majeurs : « Poètes à venir, et orateurs à venir, chanteurs, et tous ceux d'entre vous qui devez venir... levez-vous, levez-vous, car vous devez me justifier ; vous devez répondre. »

Plus de cinquante poèmes, tapés par lui dans son bureau du Sénat, attendent d'être publiés. Et McCarthy vient de découvrir que le peuple auquel il s'adresse, s'intéresse également à la poésie...

A cinquante-deux ans, Eugène McCarthy n'a aucun des atouts qui sont les sources traditionnelles du pouvoir politique : patronage du parti, grande richesse ou aura personnelle. Effacé, discret, s'adressant au peuple et non au parti démocrate, le sénateur McCarthy critique la politique de Johnson, en particulier celle menée au Viêt-nam, en des termes mesurés et au nom de scrupules religieux qui font une impression profonde sur ses auditeurs. Je veux qu'ils m'écoutent et non qu'ils vocifèrent, dit-il, et il déclare volontiers qu'il est l'homme des situations complexes... En convaincra-t-il l'Amérique et sera-t-il son premier président-poète ?

La question peut se poser depuis l'entrée en lice d'un autre citoyen célèbre du Minnesota, le vice-président Hubert Horatio Humphrey. La convention démocrate de Chicago aura à fixer son choix entre deux hommes : McCarthy et Humphrey.

Bien que natif du Dakota du Sud, le vice-président Humphrey a commencé sa carrière politique comme maire de Minneapolis en 1945, et, en 1948, il devenait également sénateur du Minnesota. En 1956, il fut battu à la vice-présidence par Estes Kefauver (un autre candidat malheureux s'appelait alors John Kennedy). A nouveau candidat à l'investiture démocrate en 1960, il se retira après le vote de la Virginie occidentale en faveur de John Kennedy, et déclara alors qu'il ne voulait pas de la vice-présidence. Il prit d'ailleurs parti pour Adlaï Stevenson, et ne put en conséquence être choisi comme co-listier par John Kennedy, bien que celui-ci en ait eu la tentation.

D'origine modeste, un diplôme de pharmacien obtenu à l'Université de Denver lui permit de diriger le drug-store familiale. Un séjour aux universités de Louisiane et du Minnesota lui permit ensuite de faire des études de sciences économiques et politiques, qui furent interrompues un temps, pendant la crise des années 30. Un court passage dans l'enseignement lui permit de développer des dons oratoires certains : un puissant organe de tribun, une élocution parfaite, une faconde intarissable, un style percutant font de lui un parfait candidat.

Mais cet homme plein de vitalité, de courage et de charme, à l'intelligence vive et au jugement avisé, qui a commencé sa carrière sénatoriale comme champion de toutes les causes libérales — il signa à Moscou l'arrêt des expériences nucléaires — porte le lourd handicap d'avoir soutenu inconditionnellement le président Johnson. L'image du libéral s'est effacée, et à cinquante-sept ans, il apparaît comme celui qui a appuyé la politique des faucons au Viêt-nam. Mais il a gagné le soutien des chefs syndicaux — peut-être pas celui des syndiqués — du big business, en même temps qu'il bénéficie du soutien du président en exercice. Soutien non négligeable depuis le 31 mars : la décision alors annoncée du Président Johnson de suspendre partiellement les bombardements du Viêt-nam du Nord, et de ne pas solliciter un renouvellement de son mandat a fait remonter sa popularité.

XII

ILLINOIS — INDIANA

Chicago est l'une des villes les plus orgueilleuses du monde. On dit d'elle qu'elle ne donnerait pas un dollar du reste de l'Amérique et pas un cent du reste de l'univers. Elle a conscience d'être le siège d'un empire dans l'Empire. Elle se sait la tête et le cœur de la partie la plus essentielle et la plus typiquement américaine des Etats-Unis. Elle règne sur les Grandes Plaines et sur les Grands Lacs. Elle considère deux Etats, l'Illinois et l'Indiana, comme sa propre banlieue et une quinzaine d'autres, s'étendant jusqu'à la lointaine Louisiane, comme son hinterland. Elle est le plus grand marché de céréales du monde. Elle fabrique la majeure partie du chewing-gum que mâchonnent les mâchoires américaines. Elle met quotidiennement dans du fer-blanc plusieurs milliers de bœufs et de porcs qui lui arrivent de tous les points cardinaux. Elle possède, dans ses banlieues industrielles d'East Chicago et de Gary, quelques-uns des hauts fourneaux et quelques-unes des aciéries les plus grandioses de la nation. Elle compte 135 parcs qu'elle fait entretenir par un service forestier urbain. Sa façade de 50 kilomètres sur le lac Michigan est l'un des plus beaux paysages construits de main d'homme et elle appelle magni-

fiquement la vaste portion du continent sur laquelle elle
rayonne Chicagoland.

Chicago, toutefois, n'a pas réalisé son ambition suprême
et il est maintenant certain qu'elle n'y parviendra jamais.
Les Chicagoans de 1900 annonçaient avec une tranquille
certitude que leur ville dépasserait New York et serait
la plus grande du monde avant 1950 ; 1950 est venu et
reparti. L'écart des deux cités, qui était de 1 700 000 habitants au début du siècle, est passé à 4 millions, et Chicago
n'est toujours que la huitième ou dixième ville de la
terre, et de plus en plus dépassée par des métropoles
grandissantes comme Calcutta ou Sao Paulo. Le recensement de 1960 a même introduit dans l'histoire de Chicago une pénible nouveauté : le déclin. On lui compta
3 492 945 habitants seulement, contre les 3 620 962 de
1950 (et les estimations actuelles ne lui donnent encore
que 3 537 000 habitants). Il était dès lors manifeste, devant
la croissance de Los Angeles, que Chicago ne resterait
pas la deuxième ville des Etats-Unis. L'écart, qui était de
1 892 000 en 1940 et de 1 602 000 en 1950, était tombé à
1 044 000 en 1960. Chicago ne manquait pas de faire
savoir que son léger déclin numérique ne signifiait pas
une diminution d'importance, mais un mouvement vers
ses magnifiques banlieues, ce qui est en Amérique un
signe d'enrichissement. En fait, ce mouvement vers la
banlieue ressemble fort à une fuite : celle des Blancs
devant la montée des Noirs qui occupent le West Side
(300 000 habitants) et le South Side (600 000 habitants),
à l'ouest et au sud du Loop, le cœur de Chicago. Comme
New York avec laquelle elle offre de plus en plus de
ressemblance sur ce point, la ville sert en effet de plaque
tournante aux Noirs qui continuent à fuir le Sud. Trois
blocs d'immeubles y « noircissent » chaque mois. Et le
ghetto noir, comme celui de Harlem, s'y ferme de plus
en plus aux Blancs. Il n'en est pas moins vrai que le
Middle West, dont Chicago reflète les fluctuations, n'est
plus désormais que sur une pente légèrement montante
succédant à une ascension verticale. Les estimations de
1968 qui lui attribuent 6 732 000 habitants contre
6 789 000 à sa rivale Los Angeles, consacrent le fait.

Après une bouillonnante jeunesse a commencé une puissante maturité, mais l'Amérique galopante est ailleurs.

C'est une controverse que de savoir s'il faut découvrir Chicago par l'avion ou par le chemin de fer. La réponse correcte est incontestablement : le chemin de fer. L'avion donne le spectacle, mais le train donne l'explication. L'arrivée à Chicago est en soi un voyage à travers les prodigieuses banlieues industrielles et le formidable complexe ferroviaire que Chicago fut et reste avant tout. Il arrive à Chicago plus de trains en vingt-quatre heures qu'il n'en arrive en trois jours dans n'importe laquelle des métropoles d'Europe. Vingt-deux grandes lignes et dix-sept lignes de banlieue dessinent autour de la ville et dans la ville un enchevêtrement fantastique et, avec leurs gares, leurs dépôts, leurs ateliers, leurs triages, couvrent des espaces stupéfiants. Les premières portent tous les noms illustres de l'épopée américaine du rail : Baltimore and Ohio, Chesapeake and Ohio, New York Central, Chicago Great Western, Illinois Central, Topeka and Santa Fé, etc. Leur convergence fait de Chicago la plaque tournante de l'Amérique. Mais cette convergence a fait d'abord et avant tout Chicago elle-même. C'est la fille la plus authentique de la locomotive et du rail.

Le chemin de fer américain eut longtemps, garde encore une poésie et une signification dont l'Europe n'offre aucun équivalent. La lutte contre la distance fut, depuis l'origine, une obsession nationale et elle s'est incorporée dans l'histoire des Etats-Unis avec un pittoresque incomparable. La « fièvre des canaux » caractérisa le début du XIXᵉ siècle et la construction du canal de l'Erié, première jonction de l'Atlantique et des Grands Lacs, est considérée à juste raison par les historiens américains comme un événement plus mémorable qu'une bataille ou un traité de paix. Le bateau à vapeur fut une révolution qui fait de Robert Fulton un personnage beaucoup plus important qu'une quinzaine au moins des 35 successeurs de George Washington. Mais le chemin de fer, en attendant l'auto et l'avion, fut la première réponse décisive de l'homme aux milliers de milles de déserts de forêts, de montagnes et de marais qui rendaient le peuplement de l'Amérique un calvaire. Il construisit littéralement le Nouveau Monde. Il est à l'origine de la plupart des villes, ou tout au moins à la base de leur développement. On se souvient qu'il créa Los Angeles. Il créa aussi l'immensité de Chicago.

La vocation de Chicago comme plaque tournante des communications américaines est telle qu'après avoir été la plus grande gare des Etats-Unis, elle en est devenue le plus grand port aérien. On avait créé O'Hare International Airport, venant à la rescousse du vieil aéroport municipal datant de 1927, avec la conviction de dépasser pour de longues années le développement des besoins : en fait, il est en état d'agrandissement perpétuel et dut être complètement remanié pour faire face à la mise en service des avions à réaction. Le nombre d'opérations commerciales annuelles, atterrissages ou envols, approche de 350 000, soit une moyenne commerciale de près d'un millier par jour. L'Europe gravement retardataire dans ce domaine, n'a aucune idée de l'immensité de ce trafic aérien. Il pose le problème de l'encombrement du ciel. Le triangle aérien le plus dangereux du monde, pour les risques de collision encourus, est Washington - New York - Chicago. Il va de soi, au reste, que le titre d'International donné à O'Hare est une appellation de courtoisie. Chicago est reliée à de nombreuses villes étrangères mais les neuf dixièmes de son fantastique trafic aérien se font à l'intérieur.

Le *Saint-Lawrence Seaway* a conduit Chicago à se créer son port de mer, Calumet Harbor, à l'extrémité méridionale de la ville. Il lui manque l'odeur salée des embruns, mais des navires battant pavillon des principales nations du monde et portant sur eux la rouille de l'Atlantique viennent s'amarrer aux quais de Chicago, comme pour démontrer que l'isolationnisme classique de la grande ville a pris fin.

*

Le centre de Chicago s'appelle The Loop — la Boucle — et tire son nom des chemins de fer aériens, ou Elevated

Railroad, ou plus brièvement « El », qui l'entourent comme un bruyant archaïsme. Car la grande ville n'a commencé son métro qu'en 1940, et elle n'a réussi à en mettre en service que quelques kilomètres, ce qui lui donne l'originalité d'un des systèmes de transports en commun les plus arriérés du monde. Mais The Loop, topographiquement un simple rectangle d'une quinzaine de rues, n'a probablement pour rival, dans l'ordre de l'importance commerciale et de la valeur du terrain, que quelques quartiers de Manhattan. On évalue à 450 000 le nombre des acheteurs qui pénètrent chaque jour dans ce petit quadrilatère et à 500 millions de dollars la somme qu'ils y laissent chaque année. Quand les magasins ferment leurs portes et que le peuple des employés s'est écoulé par des tramways insuffisants, le Loop a la prétention de devenir un centre nocturne de lumière et de plaisir. Mais le patriotisme local seul peut soutenir qu'il rivalise avec Broadway. Les nuits de Chicago, et Chicago elle-même ont, malgré tout, un certain provincialisme. On est la capitale du Middle West, mais on manque quand même de ce quelque chose qui fait connaître d'emblée au voyageur la dignité mondiale d'une cité.

Près du Loop, coule la Chicago River. Etrange cours d'eau. Pour la géographie puérile et honnête, elle se jette dans le lac Michigan, mais, en réalité, c'est le lac Michigan qui se jette dans la Chicago River. Par des dragages et des pompages, Chicago a retourné le sens de sa rivière urbaine pour alimenter un canal industriel. Très loin au nord, sur l'autre rive des Grands Lacs, le Dominion du Canada proteste contre cette altération des lois naturelles qui fait baisser un niveau d'eau pourvu d'un statut international. Chicago voudrait augmenter le volume de sa ponction, mais le gouvernement fédéral s'y oppose, en raison des convenances qu'il faut garder avec le voisin du nord. Cette querelle n'est pas faite pour diminuer le sentiment antibritannique qui est la nuance dominante de la xénophobie de Chicago.

Chicago a la même prétention que deux ou trois grandes capitales : tout le monde y est allé, y est ou y ira. « Si vous cherchez quelqu'un dont vous ne connaissez ni l'adresse ni le pays, dit un proverbe, mettez-vous au coin de Randolph et de State Streets ; il finira par passer. » Mais Chicago affecte de mépriser ce monde qu'elle prétend attirer à l'égal de New York, de Londres et de Paris. « Une bataille de chiens dans Michigan Avenue, dit l'A. B. C. du journalisme local, a plus d'importance qu'une guerre dans les Balkans. » La formule n'est pas neuve, ayant été employée il y a près de cent ans, au bénéfice de la place de l'Opéra, par le directeur du *Temps*, Adrien Hébrard. Depuis lors, les guerres dans les Balkans et leurs conséquences ont enlevé à la place de l'Opéra une grande partie de son importance, et il n'est pas démontré que l'arrogance de Chicago soit plus intelligente que l'ancienne futilité de Paris.

Près du tiers des Chicagoans ne sont pas nés aux Etats-Unis. Les masses de souche polonaise et italienne font de l'archi-diocèse catholique de Chicago le plus important d'Amérique. La ville noire, Bronzeville, est, nous l'avons déjà dit, avec 30 % de la population totale, au moins aussi peuplée que le Harlem new-yorkais et elle est réputée l'endroit du globe où vivent le plus de nègres à l'hectare, ce qui est facile à croire en raison de la surpopulation de ses taudis, encore accrue par l'extension des autoroutes. Rien d'étonnant donc à ce que la campagne contre la ségrégation scolaire, animée par le pasteur Martin Luther King, y ait remporté en 1965 un tel succès... Fait encore unique dans l'histoire de Chicago, elle se termina le 26 juillet par une marche sur le City Hall, qui rassembla de 10 000 à 20 000 manifestants. Malgré ce caractère composite et international, Chicago fut la Mecque de l'isolationnisme. L'étranger y fut toujours accueilli au moins aussi bien, probablement mieux que dans aucune autre grande ville américaine, mais le monde dans son ensemble y était l'objet d'une hostilité systématique ou d'un effort archaïque d'oubli. C'est seulement à une date récente que ces sentiments ont commencé à changer progressivement. Il n'est pas dit qu'ils n'imprègnent pas encore beaucoup d'esprits.

Le drapeau de cet isolationnisme délibéré est le quotidien qui se dit dans sa manchette « le plus grand journal du monde », la *Chicago Daily Tribune,* du défunt colonel Robert Rutherford McCormick.

McCormick, le nom est illustre. C'est un Cyrus McCormick, de Chicago, qui inventa la moissonneuse et qui permit aux grandes plaines américaines de devenir une mer de froment. Mais Robert McCormick — qui gagna son titre de colonel en France, pendant la première guerre — était l'un des hommes les plus discutés et les plus détestés des Etats-Unis d'aujourd'hui. « *La Chicago Tribune,* a écrit le journaliste Warner H. Pierce, se distingue par un mépris total de la vérité. Elle fonctionne conformément au principe hitlérien qu'un mensonge — et spécialement un gros mensonge — acquiert les couleurs de la vérité lorsqu'il est répété un nombre de fois suffisant. » A dire vrai, les observateurs accoutumés aux excès de la presse dans certains pays d'Europe sont moins impressionnés que les journalistes américains par le bas niveau de la *Chicago Tribune.* En France, elle passerait simplement pour tendancieuse. Sa passion et souvent sa mauvaise foi sont néanmoins établies par de nombreux exemples. En novembre 1948, elle publia sous un titre énorme la défaite de Truman. Aucune répétition n'ayant, pour une fois, la moindre chance d'accréditer le « big lie », la *Tribune,* le lendemain, dut s'excuser. Mais elle ne put raconter à ses lecteurs qu'un ordre catégorique du « colonel » avait prévalu sur la prudence professionnelle de la rédaction et imposé un souhait comme un fait.

McCormick fut le dernier grand féodal de la presse aux Etats-Unis. L'avant-dernier était William Randolph Hearst, qui manqua de peu ses quatre-vingt-dix printemps. Mais Hearst s'était retiré depuis longtemps dans son nid d'aigle de San Simeon en Californie, alors que Robert McCormick prit place jusqu'au bout dans son fauteuil directorial et dictatorial, au vingt-quatrième étage de son gratte-ciel, derrière deux gardes du corps habillés en policiers. Personnellement, nul homme n'était plus affable. Jamais anti-Anglais ne ressembla davantage à un grand seigneur anglais. Il avait été élevé dans les collèges britanniques et il écrivit sur la bataille de Waterloo une étude dont le but est de placer Wellington sur un piédestal et Napoléon à son rang de petit général latin plutôt surfait. Pareillement, la propriété de McCormick, nommée Cantigny en souvenir de sa campagne de 1918, recevait continuellement les étrangers les plus distingués. La xénophobie est comme l'anglophobie : elle ne pénètre pas sur le terrain social.

L'autoritarisme de McCormick était d'une qualité épique. Une fois, il donna l'ordre d'effacer une étoile sur les drapeaux américains de la *Tribune* pour punir le Rhode Island d'un vote qui lui avait déplu. Pendant la campagne électorale de 1952, il prit parti contre Eisenhower avec une extrême violence. En pleine Convention républicaine, il rompit la règle d'or du parti en faisant écrire dans un éditorial qu'Eisenhower ne pouvait pas espérer que les « républicains » se rallieraient autour de lui s'il était désigné comme candidat. Il tint parole, personnellement, en soutenant la tentative de l'archi-isolationniste Hamilton Fish pour constituer un parti « américain » dissident du parti républicain que l'invasion des « internationalistes » a irrémédiablement perverti. Mais le nouveau parti ne fut qu'une velléité : il n'eut de candidat nulle part et l'hostilité persistante de la *Chicago Tribune* à l'égard d'Ike n'empêcha pas celui-ci d'enlever l'Illinois à une imposante majorité.

Robert McCormick est mort en 1956. Lui disparu, sa *Tribune* est devenue beaucoup plus ouverte aux idées nouvelles et infiniment moins tendancieuse — ce qui fut aussi le cas pour la presse Hearst après la mort de son fondateur. Mais il n'est pas dit que l'une et l'autre n'ont pas perdu en vigueur ce qu'elles ont gagné en conformisme. Il est frappant de constater combien les grandes personnalités originales de l'Amérique, avec leur mélange de génie et d'extravagance, sont peu remplacées. L'uniformité gagne dans une société qui fut brûlante d'individualisme et même d'excentricité. Ce n'est pas l'un des indices rassurants dans l'Amérique d'aujourd'hui.

*
**

La Convention républicaine qui désigna Eisenhower pour la Maison-Blanche siégea à Chicago en 1952. C'est également à Chicago que siégea quinze jours plus tard la Convention démocrate qui donna au général un concurrent nommé Stevenson. En 1956, les républicains s'en allèrent renommer Eisenhower à San Francisco, mais les démocrates restèrent fidèles à Chicago pour réinvestir Stevenson. En 1960, chassé-croisé : les démocrates demandèrent leur inspiration au Pacifique pour désigner Kennedy, cependant que les républicains choisissaient Nixon sur les rives du Michigan. Si en 1964 les républicains élurent à nouveau San Francisco pour y fixer malencontreusement leur choix sur le sénateur de l'Arizona, Barry Goldwater, le chassé-croisé n'alla pas plus avant ; les démocrates s'installèrent sur l'autre façade océanique, à Atlantic City, célèbre par son parc d'attractions, pour investir Johnson.

Le choix des villes « conventionnelles » résulte d'un arbitrage hôtelier et politique. Des compétitions s'engagent tous les quatre ans. Des conventions ont siégé à Philadelphie, à Saint-Louis, à Cincinnati, à Cleveland, à New York (rarement), et même dans des villes secondaires, comme Louisville (Kentucky) ou Charleston (South Carolina). La « côte », longtemps impraticable, à cause de la longueur du voyage ferroviaire, gagne en faveur grâce à l'avion — comme le montrent les conventions républicaines de 1956 et 1964 à San Francisco et la convention démocrate de 1960 à Los Angeles. Toutefois, Chicago gagne une fois sur deux. Depuis 1856, la plupart des gagnants de la course présidentielle, dont Abraham Lincoln, Ulysses S. Grant, Grover Cleveland, les deux Roosevelt, Dwight D. Eisenhower y ont été investis.

Les conventions politiques sont loin d'être les seules. Aucun pays ne connaît autant que les Etats-Unis des rassemblements professionnels ou philanthropiques. Certains ont des côtés franchement carnavalesques, comme les Shriners défilant en vêtements orientaux, quelquefois à dos de dromadaires, ou l'American Legion tirant un amusement intarissable des petits wagons français, « Hommes 40. Chevaux (en long) 8 », de la guerre 1917-1918. Le plus souvent, les conventions sont des réunions sérieuses et mornes, qui ne constituent même pas des vacances conjugales, car les femmes suivent en rangs serrés. Mais elles constituent un grand business. Elles font vivre une partie de l'hôtellerie américaine. Elles constituent l'une des industries de Chicago.

L'annuaire téléphonique de la ville enregistre 1 182 hôtels, dont beaucoup mourraient si des conventions ne se déroulaient pas sans interruption. Le grand concours agricole, admirable rassemblement d'animaux sélectionnés, doctorat de l'agriculture et de l'élevage, se déroule dans le même Cattle Palace qui voit la nomination des candidats à la présidence, mais il est beaucoup plus intéressant pour Chicago, puisqu'il a lieu chaque année. Il est difficile à une ville qui reçoit tant de visiteurs de se montrer trop puritaine, ce qui explique la tolérance dont bénéficient certains spectacles très déshabillés. La vertu doit faire quelques concessions à l'utilité.

L'homme dont le nom sortit de la Convention démocrate de Chicago, était lui-même un Chicagoan. Bien qu'il fût né par hasard à Los Angeles, il appartenait au North Shore, c'est-à-dire au milieu qui, pour le Middle West, ressemble le plus à une aristocratie. Millionnaire, il était déjà à ce stade historique et social où les portraits d'ancêtres appartiennent tout naturellement au cadre de la vie. Un grand-père homonyme, Adlai E. Stevenson, avait été le vice-président de Grover Cleveland, le seul démocrate qui, de 1860 à 1912, interrompit la longue succession des présidents républicains. Il émergea comme un météore de l'obscurité et provoqua un vif espoir suivi d'une grande déception. Quatre ans plus tard, il refit une tentative infructueuse, et, quatre autres années plus tard, il avait encore pour lui des sympathies qui se traduisirent par des manifestations bruyantes à la Convention démocrate de Los Angeles.

Avant 1948, le nom d'Adlai Stevenson était complètement étranger à la politique. Il n'avait jamais marqué de

la moindre originalité une vie onctueuse comme de l'huile.
A deux reprises, en 1932, au début de la fièvre rooseveltienne et en 1942, au début de la guerre, il avait interrompu une carrière facile d'avocat pour occuper à
Washington des postes administratifs secondaires. « Pauvre Adlai, disait sa femme, toujours l'assistant de quelqu'un ! » Elle-même, née Borden, d'une dynastie laitière,
ne dissimula jamais ses convictions républicaines et elle
divorça lorsque son mari commença à acquérir de la
notoriété dans une carrière et un parti politique qu'elle
désapprouvait. C'est d'ailleurs un fait significatif de l'évolution américaine que le divorce de Stevenson n'empêcha
pas sa nomination comme candidat et fut à peine, au
cours de la campagne électorale, un argument contre
lui.

L'année 1948, signalée par une série de scandales, marqua un profond ébranlement du parti républicain dans
l'Illinois. Les démocrates flairèrent la chance et se pré-
occupèrent de mettre en ligne leurs meilleurs candidats.
Il y eut une violente opposition lorsque le « boss » du
Cool County (où se trouve Chicago) proposa Adlai E. Stevenson pour le poste de gouverneur. A la vérité, Stevenson
eût préféré un mandat sénatorial, mais la route lui était
barrée par un politicien beaucoup plus chevronné que
lui. Résigné et désigné, il se trouva dans une situation
qu'il a dépeinte avec humour : candidat sans savoir
exactement ce que cela signifiait et sans fonds
électoraux — alors que ses principes, venant à la rescousse d'une avarice reconnue, lui interdisaient de faire
de la politique avec son propre argent. Il se lança quand
même dans la bagarre, et, à la surprise des politiciens
professionnels, obtint 600 000 voix de majorité contre le
gouverneur républicain sortant. C'était la première fois
qu'il affrontait le suffrage universel.

Pendant les quatre années suivantes, les leaders démocrates apprirent peu à peu qu'ils avaient à la résidence
de Springfield un candidat possible à la Maison-Blanche.
Les fonctions de gouverneur d'un grand Etat sont toujours considérées en Amérique comme l'une des meilleures
préparations à la charge suprême et les réalisations de

9

Stevenson dans l'Illinois — convenables, mais non pas exceptionnelles — reçurent une publicité qui éleva sa figure du plan local au plan régional. Lui, cependant, mystérieux et sarcastique aux dépens de lui-même, affirma qu'il ne désirait pas être candidat et qu'il n'admettrait même pas d'être plébiscité par son parti. Il n'est pas démontré que cette attitude fût seulement une habileté, certains accents de Stevenson permettant d'admettre qu'il désirait sincèrement ne pas courir le risque d'une charge en face de laquelle il se sentait disproportionné. « Je n'ai, déclara-t-il, ni la force physique, ni les aptitudes mentales nécessaires pour la présidence. Je supplie mes amis de ne pas me proposer comme candidat, et si je l'étais contre ma volonté, de ne pas voter pour moi. » Mais, peut-être en raison d'une indécision chronique, Stevenson ne prononça jamais le fameux refus du général Sherman : « Si vous me nommez, je refuserai la candidature et si vous m'élisez, je refuserai la fonction. » Lorsque la Convention de Chicago se réunit, en juillet 1952, il était clair qu'Adlai se laisserait forcer la main.

L'élu des démocrates aurait dû être Estes Kefauver. Lui seul arrivait à la Convention porté par un courant populaire, mesurable aux élections primaires qu'il avait affrontées. Kefauver, renforcé par Mrs. Kefauver, fut l'un des meilleurs ramasseurs de votes de la politique américaine. Aucun respect humain, aucun doute de soi n'affaiblissaient la quête forcenée de ce démagogue au physique ingrat. Mais l'opération géniale de publicité — la Commission d'Enquête sur le crime — qui l'avait imposé à l'attention nationale avait, du même coup, soulevé contre Kefauver les rancunes inexpiables des politiciens dont il avait étalé les turpitudes. Adlai Stevenson fut l'instrument de l'ostracisme dressé contre lui.

Sa nomination provoqua chez les démocrates des réactions variées. Son inexpérience et son intellectualité agressive alarmèrent les tacticiens électoraux. Lorsque, dans son discours d'acceptation, il parla de la « schizophrénie » du parti républicain, un mouvement d'étonnement et d'inquiétude parcourut la Convention démocrate. Mais d'autres éléments du parti crurent avoir trouvé en Stevenson une grande force politique nouvelle, un exemplaire nouveau des Caïus Gracchus qui, de tout temps, ont constitué l'idéal des factions avancées. Privilégié de la société, comme Roosevelt, il se silhouetta comme le continuateur de Roosevelt, en dépit de différences profondes apparentes entre les deux hommes. On entrevit, avec sa victoire, la rentrée à la Maison-Blanche de l'intelligence et surtout de l'esprit de système symbolisé par les économistes et les professeurs dont il s'entourait. Bien que Stevenson soit essentiellement un conservateur et qu'il ait fréquemment exprimé son hostilité au gonflement du gouvernement fédéral, il y avait en lui quelque chose qui polarisait le socialisme épars dans la société américaine. Il reçut plus d'appui des milieux progressistes et travaillistes qu'aucun autre candidat démocrate, sans en excepter Roosevelt. Pour la première fois, l'American Federation of Labor rompant avec la tradition de son fondateur Samuel Gompers, patronna une candidature présidentielle et le czar des mineurs, J.-L. Lewis, jadis républicain, fit campagne pour Stevenson.

Les appuis de celui-ci dans la bourgeoisie furent également considérables. Les Universités étaient toutes des foyers de stevensonisme, y compris Columbia qui, dans son ensemble, prit parti contre son président Dwight D. Eisenhower. De nombreux libéraux qui s'étaient d'abord prononcés pour ce dernier, changèrent d'attitude au cours de la campagne, créant l'impression d'un courant puissant et même irrésistible en faveur d'Adlai Stevenson — alors qu'il ne s'agissait que d'un mouvement superficiel limité à des milieux sociaux bruyants mais numériquement faibles. Le sérieux *New York Times* ayant donné son appui à Eisenhower avoua qu'il recevait neuf fois plus de lettres favorables à Stevenson qu'à son favori. Un engouement stevensonien prit naissance aux Etats-Unis et se propagea hors d'Amérique. Il se fondait sur l'éloquence du candidat démocrate, sur l'élévation de sa pensée et sur la dignité de sa campagne. Trop court pour son embonpoint, assez cocassement chauve, mal vêtu, tourmenté de mouvements nerveux, n'ayant pour sourire qu'un rictus automatique, Adlai Stevenson avait cependant à la télévision une sorte de beauté pathétique et des yeux émouvants. Son art oratoire ne ressemblait à celui d'aucun des politiciens américains. Lorsqu'on cherchait un terme de comparaison, on remontait jusqu'à Lincoln, à cause d'une certaine humilité ironique, bien qu'il n'y eût presque rien de commun entre le produit hautement intellectuel du North Shore et l'ancien fendeur de bois de Salem. Stevenson était, en réalité, un type d'homme rare en Amérique : concentré, casanier, doutant de lui-même, porté au pessimisme, tourmenté par le scrupule, plus incliné vers l'analyse que vers l'action et immensément soucieux de la perfection littéraire. Il ne se résigna jamais complètement à laisser écrire ses discours électoraux par des *ghost writers* et, en pleine campagne, se retira pendant trois jours à Springfield pour fignoler un discours, pendant que les comités démocrates le réclamaient à grands cris dans tout le pays.

Au total, cet homme de talent fut un détestable candidat. On en eut la révélation dès sa première tournée électorale, lorsqu'il parcourut le grand Etat industriel du Michigan au milieu de l'étonnement des foules ouvrières et de la consternation de leurs leaders. Le peuple ne comprenait pas ce qu'il disait et il fut loin de servir sa popularité en paraissant sur les estrades avec une semelle trouée dont la photographie fit le tour de l'Amérique. Les chefs syndicalistes intervinrent pour lui demander de simplifier son langage et de se débarrasser d'une ironie sans dividendes électoraux, mais ils firent surtout un effort pour ramener Harry Truman dans une bataille dont Stevenson voulait l'écarter. Si l'on sentit s'amoindrir un moment les chances d'Eisenhower, si la crainte d'une défaite pénétra dans le camp républicain, ce fut presque uniquement en raison de la campagne puissante et sans scrupules de Truman. Il s'était d'ailleurs convaincu lui-même et, le soir du 4 novembre, dans le train qui le ramenait de Kansas City à Washington, il s'endormit dans la confiance, alors que le pessimiste Stevenson qui n'avait jamais cru à sa victoire, s'installait à son bureau officiel de Springfield pour recevoir le coup fatal. Il le reçut d'ailleurs avec élégance : « Je suis, dit-il, trop grand

pour en pleurer, mais cela fait trop mal pour en rire. »
Puis il envoya à Eisenhower un télégramme de félici-
tations digne d'un gentleman.

En 1956, le comportement de Stevenson fut différent.
Il croyait avoir pris une leçon. On ne revit pas l'esthète
de 1952, ironisant sur lui-même et essayant de démolir la
statue d'Eisenhower avec quelques sarcasmes enveloppés
d'humour. Stevenson s'efforça d'être beaucoup plus direct
et beaucoup plus violent — mais il est difficile de forcer
un talent aussi accusé que le sien, et, à tout prendre, le
candidat de 1956 fut beaucoup plus mauvais que le
candidat de 1952. Le résultat fut également plus détestable encore. En 1952, Stevenson avait été mis en minorité
par 5 millions de voix, et il n'avait obtenu la majorité
que dans 9 Etats représentant 89 suffrages, contre les
442 de son concurrent. En 1956, la minorité populaire
de Stevenson atteignit près de 10 millions de voix. Il
regagna le Missouri, grâce à Truman, mais il perdit la
Louisiane, le Kentucky et la Virginie occidentale, 3 Etats
sudistes ou semi-sudistes, ce qui laissa le brillant libéral
avec 73 suffrages venant presque tous des esclavagistes
du Sud Profond. Il prit d'ailleurs sa seconde défaite avec
moins d'élégance que la première. Chose surprenante, il
croyait davantage à son succès. Le jugement politique
n'a jamais été le fort de cet homme d'esprit.

La tradition veut que les partis américains ne désignent
jamais pour une troisième tentative un candidat malheureux à deux reprises. Une seule exception fut faite en
faveur d'un grand orateur et démagogue, William Jen-
nings Bryan, qui fut battu en 1896, 1900 et 1908. On
essaya de s'affranchir de la règle une nouvelle fois en
faveur d'Adlai Stevenson. Les fidèles universitaires se
retrouvèrent solides au poste et le nom de Stevenson fut
endossé avec enthousiasme par Mme Roosevelt. Adlai
jura comme d'ordinaire qu'il ne voulait à aucun prix du
mandat dont on voulait le revêtir, ce que ses amis consi-
dérèrent comme une acceptation empressée. Mais le parti
démocrate voulait un homme nouveau. La campagne
« Stevenson pour Président » ne prit pas un réel essor.
Il est probable qu'il n'eût pas été un bon chef suprême.

Il manquait de la simplicité et de la brutalité nécessaires aux conducteurs de peuples. Avec son scrupule du détail et son souci de la forme, c'est tout juste s'il ne s'épuisait pas à gouverner l'Illinois dont les problèmes ne sont que des taupinières à côté du fardeau himalayen de la Maison-Blanche. Fort intelligent, il payait la rançon consistant à voir trop d'aspects à une question et il n'avait jamais pris une décision sans déchirement. Il portait, en outre, de graves et nobles angoisses, l'une des raisons pour lesquelles il se déroba si longtemps aux prières de son parti étant l'appréhension d'être un Président de guerre. Alors que le gouvernement des nations est fait de 5 % d'intelligence pure et de 95 % de résolution, Stevenson intervertit ces deux facteurs.

Il demeurait néanmoins sur la scène publique (jeune encore puisque né en 1900), avec une certaine expérience des affaires internationales, des amitiés fortes et quelquefois fanatiques, beaucoup d'intelligence, trop d'esprit et un charme dont il savait user. Il fit merveille à l'O.N.U. lorsque le président Kennedy l'y nomma ambassadeur pour le remercier de tout ce qu'il avait fait durant ces huit années pour que le parti démocrate devînt ce qu'il était.

A ce poste, il obtint en 1963 de l'administration Kennedy qu'elle fasse le pas qu'il avait longtemps souhaité en signant le traité bannissant les expériences atomiques dans l'atmosphère. Pendant quatre années et demie, il lutta pour renforcer l'organisation mondiale, mettant ses talents d'orateur au service de son pays tout en lui apportant le point de vue de l'O.N.U., jusqu'à ce qu'une crise cardiaque l'emportât, à Londres, le 14 juillet 1965.

*
**

L'histoire de Chicago a commencé sur sa rivière. Louis Joliet et le Père Marquette, revenant du Sud, y ont porté leur canoë pour retrouver la mer Douce qui devait les ramener aux établissements français du Saint-Laurent. Incidemment, et si étrange que cela puisse paraître, le nom de Chicago est français ou, si l'on préfère, c'est de l'indien phonétisé en français, si bien qu'aujourd'hui encore la première syllabe ne se prononce pas comme *chicken*, mais comme « chic ». Suivant les linguistes, le mot algonquin « Checagoan » voulait dire « fort » et s'appliquait à la rivière à cause de l'odeur violente des plantes alliacées qui croissaient dans son lit. Les Français qui s'accrochèrent là jusqu'à la fin du XVIIIᵉ siècle en firent Chicago, mais il n'est plus question de retrouver dans la Chicago River l'ail sauvage qui servit de parrain à la seconde ville des Etats-Unis.

L'histoire de Chicago est brutale et prodigieuse. Le fort Dearborn, qui fut son berceau américain, dut être évacué en 1812 sous la pression des Indiens et la population fut massacrée jusqu'au dernier nourrisson pendant qu'elle essayait de se replier sur Detroit. Les Blancs revinrent quelques années plus tard et, après une période d'incubation, le chemin de fer fit brusquement de Chicago une grande cité. Elle représenta, pour le XIXᵉ siècle, le type de la ville-champignon, le monstre de croissance s'étendant sur la plaine comme une inondation. En 1871, elle fut brûlée d'un coup de pied de vache, une lanterne renversée de cette manière dans l'étable d'une Mrs. O'Leary ayant enflammé 18 000 maisons. La reconstruction fut si rapide que, dans la décade de l'incendie, la population s'éleva de moins de 300 000 à plus de 500 000 habitants. Dix ans plus tard, entre 1880 et 1890, Chicago dépassa Philadelphie qui avait l'habitude, depuis l'Indépendance, d'être la seconde ville de la nation. Pendant longtemps encore, elle devait rester un chantier, un chaos, un entassement de taudis d'où jaillissaient des palais de millionnaires, un pandémonium ferroviaire plein de fumée et de sifflets, un milieu social en fermentation produisant l'attentat anarchiste de Haymarket et les émeutes raciales de South Side, une sorte de paradis des catastrophes dont l'apothéose fut l'incendie de l'Iroquois Theatre et ses 602 morts. Quand les Européens ne trouvèrent plus à New York ce qu'ils appelaient la folie américaine, ils allèrent la chercher à Chicago. Ils y découvrirent finalement le phénomène extraordinaire auquel la ville associa son nom pour toujours : les gangsters.

Le plus extraordinaire, dans le cas des gangsters de Chicago, c'est que la plupart des histoires écrites sur eux ne dépassaient pas la réalité. Pendant la prohibition, l'industrie de l'alcool illégal, dont le siège était à Chicago, fut peut-être un moment le premier business de la nation, et le revenu personnel d'Al Capone passe pour s'être élevé jusqu'à 2 millions de dollars *par semaine*. L'imprudence fatale des gangsters ne résida pas cependant dans l'échelle colossale sur laquelle ils violaient la loi, mais dans les boucheries — 7 tués d'une seule rafale, le jour de la Saint-Valentin 1928 — qui ameutèrent l'opinion. Le président Hoover donna personnellement l'ordre de liquider Al Capone, qui, saisi pour ses fraudes fiscales, fut envoyé au pénitencier d'Alcatraz. Son rival en célébrité, John Dillinger, fut abattu dans un cinéma de Chicago. Un peu de répression, et bien davantage encore la fin de la prohibition, modifièrent le gangstérisme et provoquèrent certainement son déclin. L'ont-ils fait disparaître ? C'est une autre question.

Il existe encore des gangsters à Chicago. La constatation en a été faite en 1951, de la manière la plus officielle, par la Commission d'Enquête Kefauver. Chicago est le siège d'un des deux grands « Syndicats » de l'illégalité organisée, le second étant celui de New York. Le « Syndicat » de Chicago n'est rien moins que la survivance de la bande d'Al Capone, et le caractère familial de la firme est attesté par la présence des quatre frères du héros défunt, ainsi que par les fonctions éminentes de son cousin, Charles Fischetti. A quelques exceptions près, comme celle du Tchèque Guzik, dit « Pouces Sales », les chefs et les membres du Syndicat sont des Italiens. La victoire de ceux-ci dans la lutte raciale, sous-jacente à la guerre civile du banditisme, n'a jamais été remise en question, et les gangs irlandais et juifs exterminés par Al Capone ne sont jamais ressuscités.

Suivant la Commission Kefauver, l'empire américain du crime avait sa capitale en Sicile et son empereur en la personne du bandit sicilien expulsé des Etats-Unis, Charles (dit « Lucky ») Luciano. L'organisation officiellement désignée sous le nom d'Union sicilienne, et plus

connue sous le nom de Mafia, domine les différents
« Syndicats », arbitre leurs querelles, délimite leurs
champs d'action et perçoit ses honoraires de juge de paix
sous forme d'une participation dans les profits. Luciano,
le plus grand gangster de l'époque post-caponienne, fut
arrêté un peu avant la guerre par le district-attorney de
New York, Thomas Dewey, mais gracié en 1946 par le
gouverneur de New York, Thomas Dewey, sous la condition qu'il quitterait l'Amérique et n'y reviendrait jamais.
Les motifs de son pardon furent les services qu'il rendit
en mettant les influences dont il disposait dans son
île natale au service du débarquement allié de 1943. Il
purgea de sa présence le territoire des Etats-Unis, mais
(si l'analyse assez romanesque de Kefauver est exacte),
il continua à y jouer un rôle plus grand qu'à aucun
moment de sa vie et comptait parmi les fleurons de sa
couronne occulte ce Chicago qui ne lui appartenait pas
à l'époque où il était un résident américain.

Les nouveaux gangsters ne ressemblent pas aux anciens.
Ils sont beaucoup moins sanguinaires, bien que l'élimi-
nation occasionnelle d'un gêneur ne puisse en aucun
cas les faire reculer. Ils n'ont pas, au même degré que
leurs grands ancêtres, un appareil de gardes du corps,
de mitraillettes et d'autos blindées. Ils ont, par contre,
des boucliers solides de respectabilité sous la forme de
professions avouables, de spéculations licites et de déclarations fiscales que leur établissent les plus retors des
experts. Ils vivent dans des quartiers résidentiels de
grand luxe, tel Charles Fischetti, dont le triplex (appar-
tement à trois étages) de La Salle Avenue est réputé
pour le plus somptueux de Chicago. Les affaires qu'ils
dirigent n'ont rien de commun par leur lourdeur et leur
vulnérabilité avec celles des *boot-leggers* des années 1920.
Ceux-ci devaient avoir des brasseries clandestines, des
distilleries dans les forêts, des hordes de camions, des
flottes de vedettes armées pour forcer le blocus et combattre la Coast Guard, des centaines de *speakeasies*
toujours à la merci d'un raid policier. Les nouveaux
gangsters se tiennent autant que possible beaucoup plus
près de la frontière toujours un peu vague entre le licite

et l'interdit. Ils s'occupent encore de prostitution et de
trafic des stupéfiants, mais avec beaucoup de prudence
et presque de répugnance. Ils ne travaillent plus dans le
kidnapping, forme de banditisme horrible qui les expo-
serait à une mise hors la loi. Ils ont surtout des night-
clubs, des machines à jouer, des casinos, des tripots et
des réseaux de bookmakers. Ils tirent l'essentiel de leurs
ressources, qui sont immenses, d'une forme de l'activité
humaine dont l'Amérique, n'est jamais parvenue à dire
clairement si elle était un péché ou une distraction, un
crime ou une industrie : le jeu.

On eut une extraordinaire représentation du gangstérisme américain dans son état actuel, au mois de novembre 1957, quand l'initiative d'un sergent de police rural
fit arrêter, dans le haut Etat de New York, 65 patrons
de l'Underworld réunis en conseil d'administration, sous
le couvert d'un *barbecue*, dans la villa d'un des leurs
nommé Joseph Barbara. Tous étaient venus en Cadillac.
Quelques-uns portaient des bretelles enrichies de dia-
mants. Leurs cravates valaient 25 dollars pièce et, ensemble, ils portaient sur eux plus de 100 000 dollars d'argent
de poche. Mais cinq seulement avaient moins de quarante ans, alors que trente-six avaient dépassé la cinquantaine. Ces quinquagénaires et sexagénaires avaient
connu les temps fabuleux d'Al Capone et de Dillinger
dans les rangs subalternes de l'armée du crime et, ayant
survécu à la haute mortalité du métier, ils avaient atteint
la fortune en prenant de l'avancement à l'ancienneté.
Mais ils étaient tous des bourgeois chauves, bedonnants,
dyspepsiques, asthmatiques ou cardiaques. Quand les
policiers cernèrent la ferme, quelques-uns essayèrent de
s'enfuir par les bois, mais ils furent incapables de soutenir
une poursuite ou de se dépêtrer des ronces. Aucun n'avait
une arme. Aucun ne tenta la moindre résistance. Conduits
au poste de police du comté, ils se mirent à parler de
leurs professions, de leurs familles, de leur respectabilité
et de leurs avocats. Tous Italiens, suivant la règle, ils
étaient cependant l'état-major même du crime organisé et
plusieurs, comme Vito Genovese ou Joseph Profuci, portaient des noms dignes de faire trembler.

Ce gangstérisme est une survivance, sérieusement
endommagée, d'une Amérique beaucoup plus brutale,
beaucoup plus individualiste, beaucoup plus proche de sa
violence originelle que l'actuelle. Cela ne veut pas dire
qu'il soit sans importance, ni que sa capacité de violence
ait disparu, ni qu'il ait complètement cessé de se renouveler. L'avocat général Paul Williams estime le revenu
des gangs à 2 280 millions de dollars, mais d'autres poussent l'évaluation jusqu'à 20 milliards, ce qui représenterait deux fois le chiffre d'affaires de la General Motors.
Un tel monceau d'argent a exigé la réglementation de la
profession et la création d'organes d'arbitrage, comme
le syndicat du crime, « Murder Inc. », mais l'Amérique
n'en redoute pas moins périodiquement une reprise de
la guerre des gangs — dont les victimes les plus nombreuses sont toujours d'inoffensifs passants. Quelques
jours avant le coup de filet de 1957, Alberto Anastasia,
ex-président de Murder Inc., avait trouvé une mort expéditive dans le fauteuil du coiffeur de l'hôtel Park Shera-
ton, où il avait l'habitude de se faire raser depuis quinze
ans, et un autre sexagénaire, le premier ministre de Gan-
gland, Frank Costello, avait échappé d'un souffle à une
exécution capitale. Mais les représailles en chaîne que
ces deux événements auraient présagées en d'autres temps
ne se produisirent pas. La répression et la prévention ont
d'ailleurs fait quelques progrès. Les 65 convives de Joseph
Barbara furent remis en liberté, comme il se doit, puisqu'ils n'avaient commis sur place aucun délit, mais, deux
ans plus tard, la plupart étaient sous les verrous pour
une multitude de bonnes raisons.

Il est juste d'ajouter qu'il s'agit là d'histoires new-
yorkaises. Les gangsters de Chicago, encore plus rassis
que ceux de l'Est, déplorèrent cet éclat publicitaire
donné à une profession qui s'est mise à aimer l'ombre.
La grande ville du Middle West entre de plus en plus dans
le sentier de la vertu. Elle eut pendant longtemps une
politique municipale assortie à son rang de capitale du
gangstérisme, et une série de maires qui, dignes du tableau
d'ensemble, n'en jouaient pas moins un rôle éminent
dans la vie publique nationale, puisque Anton Cormack

fut tué aux côtés de Franklin Roosevelt, dans un attentat dirigé contre ce dernier, et qu'Edward Kelly fut par la suite le grand électeur de Truman. Ces temps ne sont plus qu'un souvenir. Chicago n'est même plus la ville-record de la criminalité américaine. New York et Los Angeles la précèdent, et, si l'on prend les Etats, l'Illinois arrive derrière la Californie, l'Arizona, le Nevada, la Floride, le Colorado, le Nouveau-Mexique et le Texas. A l'autre extrémité, les Etats de criminalité minima sont les ruraux, comme le Wisconsin ou l'Iowa, et les sages petites collectivités de la Nouvelle-Angleterre, comme le New Hampshire, le Maine et le Vermont.

On retrouvera le gangstérisme dans le domaine où il a fait ses incursions les plus récentes, où il représente ses plus graves inconvénients civiques et politiques : le syndicalisme ouvrier. Chicago n'est à cet égard ni indemne ni notoire. Ce n'est certainement pas une sainte-nitouche, mais la couronne d'infamie qu'elle portait il y a une génération ne se justifie plus.

Derrière Chicago, qui accapare presque toute sa façade lacustre, s'étend le grand Etat de l'Illinois. Vers le Sud, il descend jusqu'au confluent du Mississipi et de l'Ohio. A Cairo, située à la jonction des deux grands fleuves, le printemps commence en février et une atmosphère sudiste s'étend sur la vieille petite ville dont l'histoire remonte à Charles Jussereau de Saint-Denis qui la fonda en 1702 et qui y mourut mystérieusement. Presque partout ailleurs, l'Illinois, dont la capitale est l'un des 13 Springfield des Etats-Unis, appartient au climat brutal et capricieux du Middle West. Il est néanmoins l'Etat agricole le plus riche par la valeur de ses fermes et par celle de ses récoltes. Ses 10 722 000 habitants le placent au cinquième rang, derrière la Californie, New York, la Pennsylvanie et le Texas. Chicago et ses banlieues prennent à peu près la moitié de cette population, et le reste se répartit entre les villes et les villages d'une des régions les plus riches et les plus fécondes de l'univers.

Le héros de l'Illinois est Abraham Lincoln. Son corps repose à Springfield, mais son ombre est partout. La route qui lui est dédiée suit l'itinéraire de sa vie, qui est aussi l'un des axes de l'histoire. Il était né dans le Kentucky, mais ses parents le portèrent dans l'Indiana, puis l'emmenèrent dans l'Illinois. Ils étaient de ces affamés d'Ouest, de ces types humains extraordinaires dont il est impossible de dire s'ils précédaient la civilisation ou s'ils la fuyaient. Ils défrichaient la forêt, luttaient contre la nature dans des conditions de dénuement indicibles, puis quand les routes, les médecins et les marchands commençaient à s'approcher d'eux, ils vendaient en toute hâte leurs clairières et attelaient leurs vieux chariots pour repartir vers l'occident.

La bourgade près de laquelle s'arrêtèrent finalement les Lincoln, et où Abraham passa une partie de sa jeunesse, New Salem, avait disparu, comme tant d'autres localités de cette époque. La piété américaine l'a minutieusement reconstruite, sur une falaise dominant la vallée du Sangamon, avec toutes ses maisons, son école, son auberge, son moulin, sa forge, son bureau de poste et l'épicerie où Lincoln fit faillite. C'est le sanctuaire de la mémoire la plus chère au peuple américain — plus chère même que celle de George Washington, parce que Washington, planteur virginien, était après tout un aristocrate, alors que Lincoln est réellement né au cœur de cette plèbe qui construisit la plus grande des nations.

A l'est de l'Illinois, s'étend l'Indiana, dont le nom se passe d'étymologie. Le Sud est une grande plaine agricole. Le Nord, banlieue industrielle de Chicago, est un puissant conglomérat métallurgique couvrant la région dite du Calumet, où il n'existait pas une seule cheminée d'usine il y a soixante ans. Au centre presque géométrique, se trouve Indianapolis (1 027 000 habitants dans l'agglomération) qui présente l'originalité assez rare d'être à la fois la capitale de l'Etat et sa principale cité. Contrairement à la plupart des villes du Middle West, elle est en progrès rapide grâce à son industrialisation. Tous les ans, au Memorial Day (30 mai), se court à Indianapolis la plus grande course d'automobiles du monde.

C'est à peu près la seule raison pour laquelle Indianapolis et l'Indiana sont connues en Amérique et un peu ailleurs. Le patriotisme local s'en plaint.

Mais l'Indiana (4 918 000 habitants) a la mauvaise fortune d'être situé au carrefour de trois géants : l'Illinois, l'Ohio et le Michigan. Même une haute maison n'attire pas les regards quand elle est serrée entre des gratte-ciel.

XIII

MICHIGAN

Rien ne désignait la ville de Detroit et l'Etat du Michigan pour être le siège de la plus importante et de la plus typique des industries américaines. L'automobile naissante aurait dû s'installer en Nouvelle-Angleterre, où il existait de longue date une tradition mécanique, une excellente main-d'œuvre et un outillage de précision. Mais les capitalistes de Boston et de Providence étaient, vers 1900, des messieurs en pantalon rayé qui ne concevaient pas une affaire sans la certitude d'un profit net d'au moins 6 % — alors qu'il y avait dans le Middle West des jeunes hommes aventureux qui s'appelaient C. W. Nash, W. P. Chrysler, R. E. Olds, Davis Buick, Louis Chevrolet, W. C. Durant et Henry Ford.

Ce qu'ils ont fait est grandiose. L'automobile naissante était une Européenne, avec des noms comme Daimler, Benz, Serpollet, de Dion, Panhard, etc. L'Amérique s'en empara et lui donna un développement gigantesque. En 1952, la production américaine représentait 73 % de la production mondiale et, sur les 65 millions de voitures qui roulaient dans le monde, plus de 45 millions circulaient aux Etats-Unis. Le redressement, les progrès de l'Europe ont modifié ces proportions et réduit la part de l'Amérique. En 1959, elle fabriqua 5 591 511 véhicules automobiles, mais la production mondiale approcha de 12 millions et, pour la première fois, l'Europe occidentale construisit plus d'autos que les Etats-Unis. De nos jours, les Etats-Unis ne fabriquent plus que 8 500 000 automobiles de tourisme, moins de la moitié de la production mondiale qui approche de 19 millions (18 900 000)

On peut concevoir l'Amérique sans l'avion, sans la télévision, sans le frigidaire, sans le coca-cola, sans la statue de la Liberté et, à la rigueur, sans le téléphone, mais on ne peut pas imaginer l'Amérique sans l'auto. En écrivant cela, ce n'est pas New York, Los Angeles ou Chicago qui sont en cause. L'auto, dans les grandes villes américaines, a la même signification que dans toutes les grandes villes du monde, et les embouteillages de Broadway, de Sunset Boulevard, de State Street ont leur pendant à Londres, à Paris et même à Bombay. Le miracle et l'ahurissement commencent hors de vue des gratte-ciel. Qu'il soit impossible d'arrêter sa voiture le long du trottoir de la 57e Rue n'est rien ; ce qui est quelque chose, c'est que Zanesville (Ohio) ou Clovis (New Mexico) soient aussi gorgées d'autos que les capitales européennes. Voilà ce qui donne à l'Amérique sa puissante originalité et sa puissance tout court.

Avant l'auto, et sur la foi de quelques voyageurs qui n'avaient pas crevé le décor urbain, les Européens croyaient déjà que l'Amérique était le pays de la trépidation. Profonde erreur. L'Amérique dormait. Des centaines de petites villes, des centaines de milliers de fermes, les deux tiers ou les trois quarts du pays étaient ensevelis dans un isolement dont les efforts héroïques du chemin de fer n'arrivaient pas à les tirer. Les routes étaient beaucoup plus mauvaises qu'en Europe occidentale, où une tradition gouvernementale et militaire vieille comme les Romains a toujours entretenu une voirie. Le fermier établi à 5 milles du chef-lieu du comté en était loin l'été et au diable l'hiver. Quand le mouvement des pionniers se fut ralenti ou arrêté, l'Amérique, trop vaste, fut menacée d'une sorte de paralysie. Malgré sa grande industrie naissante, elle était en passe de devenir un pays patriarcal, conforme d'ailleurs à l'idéal de Jefferson.

Buick, Nash, Olds, Durant, Chevrolet, Henry Ford, Detroit et le Michigan ont brisé ce début de torpeur.

L'auto est le grand agent de la mobilité américaine. Les neuf dixièmes des déplacements et plus de 95 % des déplacements utilitaires ont l'auto pour instrument. L'idée, encore accréditée en Europe, qu'elle représente un luxe, ou en tout cas qu'elle caractérise un niveau social, a complètement disparu. Dans les 12 plus grandes villes des Etats-Unis, 37 % des habitants n'ont pas d'auto, mais, dans les campagnes, la proportion des sans-auto tombe à 12 %, bien que le revenu moyen soit sensiblement moins élevé ; 77 % des ouvriers spécialisés possèdent une auto, mais quand on passe à la catégorie inférieure des ouvriers non qualifiés, le dosage des propriétaires de voitures, au lieu de décroître, s'élève à 81 %. Cela traduit simplement le fait que le manœuvre a un travail moins stable que l'outilleur et qu'en conséquence l'auto lui est plus nécessaire, de même qu'elle trouve plus d'emplois chez un rural que chez un citadin.

Les quelque quatre-vingts millions d'automobiles particulières des Etats-Unis, presque toutes filles du Michigan, ont produit un phénomène qui fut longtemps unique — mais qui l'est moins depuis que l'Europe connaît à son tour la multiplication des roues : la route américaine.

Elle resta longtemps inadéquate. Construite par les pouvoirs publics, alors que l'auto l'est par l'industrie privée, elle était régulièrement en retard d'une étape. Jusqu'aux années 50, aujourd'hui encore en quelques sections, les plus grands itinéraires américains, comme la route fédérale n° 1 du Maine à la Floride (from Pines to Palms), ou comme la fédérale n° 40, de l'Atlantique au Pacifique, demeuraient fort indignes d'un pays où le mouvement revêt tant d'importance. Les ferry-boats, longtemps imposés par la largeur des cours d'eau, représentaient de nombreux goulots de bouteille et l'étroitesse fréquente des chaussées rendait les dépassements difficiles en face d'un trafic inverse incessant. Dans les régions fortement peuplées, les encombrements, la traversée des localités, le nombre des poids lourds, leur énormité faisaient du voyage automobile une épreuve physique et nerveuse. La démagogie américaine était hostile aux auto-routes, accusées d'assécher les villes en les évitant. Il y eut réellement une période pendant laquelle l'engorge-ment routier menaça l'Amérique dans sa liberté de mou-vement et l'industrie automobile dans sa croissance.

Les mesures nécessaires furent prises. Les routes amé-ricaines sont traditionnellement réparties en trois caté-gories : Federal, State et Local Roads — mais un système de subventions fédérales fut imaginé au bénéfice des deux dernières classes. Un flot d'argent s'engouffra dans le réseau routier. Pour ses 5 600 000 kilomètres de routes, l'Amérique a dépensé, en 1959, la somme fabuleuse de 10 540 millions de dollars, 270 NF par tête d'habitant, dont 5 750 millions pour des travaux neufs. L'autoroute — 30 000 kilomètres en 1963, 66 000 en 1972 — avait déjà triomphé des objections futiles qui lui avaient été opposées : admise d'abord pour le dégagement des villes, elle fut expérimentée sur une grande échelle dans le magnifique Turnpike de Pennsylvanie, qui traverse les Alleghanies à l'aide de 7 tunnels éclairés d'une longueur totale de 10 milles. Elle se développa ensuite sous toutes ses formes, gratuite, payante, construite par le gouver-nement fédéral, les Etats ou des collectivités semi-publi-ques. Payante, son tarif usuel est de 1 cent au mille, correspondant environ à 0,03 NF au kilomètre. Il s'en faut que le réseau soit complet sur le plan national, mais, pour ne citer qu'un exemple, le grand New York Thruway, prolongé dans l'Ohio et l'Indiana, permet d'accéder aux grands centres du Middle West sur un ruban de ciment continu, sans une seule intersection. La réalisation du programme autoroutier se poursuit avec célérité, financée à 90 % par le gouvernement fédéral. Et simultanément de remarquables ouvrages d'art sont achevés. En 1964 ont été ainsi mis en service une nouvelle liaison routière à travers la baie de la Chesapeake et le « Verrazano-Narrows Bridge ». L'une et l'autre constituent deux records mondiaux.

De New York à Norfolk et aux Etats du Sud, la nou-velle voie combine sur 28 kilomètres ponts, îles arti-ficielles (quatre) et tunnels sous-marins.

Le pont Verrazano est depuis 1964 le plus grand pont suspendu du monde entier, avec une portée de 1 300 mètres, dépassant de quelque vingt mètres celle du fameux « Golden Gate Bridge » de San Francisco, soutenue par des piles jumelles, chacune d'une hauteur équivalente à un bâtiment de 70 étages. Sa réalisation a coûté 325 millions de dollars (1 625 milliards de francs). Son utilisation, en dehors du fait qu'il économisera 16 kilomètres, soit 30 minutes de parcours, aux voyageurs allant d'une rive à l'autre, décongestionnera Manhattan, en supprimant une bonne partie du transit entre New York et le New-Jersey.

Quelle soit bonne, moyenne, ou exécrable, ce qui est exaltant dans la route américaine, c'est sa vie. Jamais son activité ne se ralentit. La nuit, elle porte un peu moins de voitures, mais davantage de camions. L'Amérique vit sur ses grandes routes avec une intensité telle que le voyageur d'Europe a presque toujours l'impression que les bas-côtés sont des façades derrière lesquelles il n'y a rien. Ou bien encore que tous les Américains sont sur quatre roues et que les ateliers, les usines, les champs et les maisons doivent être déserts.

Cette route extraordinaire a créé ses institutions. L'une est le « dîner », forme simplifiée du restaurant qui s'est installé au début dans des wagons désaffectés et qui en a gardé le style. Une autre est le *motel*, ou *cabins*, ou *tourist court*, né dans l'Ouest, implanté dans l'Est, forme simplifiée de l'hôtel, consistant en bungalows devant lesquels on laisse sa voiture pour la nuit et qui, payés d'avance, vous délivrent de la servitude du portier, de la femme de chambre, du garage et des départs cérémonieux. Une troisième institution est le *drive in* dont les subdivisions sont variées, mais dont le principe est toujours d'entrer et d'être servi à son volant, quelquefois d'un repas, quelquefois des provisions de la semaine, quelquefois d'un film, et occasionnellement d'un office divin.

Les cinémas *drive in* compensent dans une certaine mesure la perte de clientèle et de recettes résultant de la désertion des salles par le public. Ils furent « inventés » en 1933 par un nommé Richard M. Hollingshead qui établit le premier dans sa ville natale de Camden, New Jersey. Au commencement de la guerre, il n'en existait pas 100 dans toute l'Amérique, mais leur nombre atteignit 400 dès 1947 et dépassa 3 000 en 1952. L'écran immense, dressé en plein air, assez visible de la route pour constituer un appât, mais assez défilé pour ne pas offrir un spectacle gratuit, est devenu un trait familier du paysage routier américain. Face à l'écran, un amphithéâtre en pente douce reçoit les automobiles et le son est conduit à l'intérieur de chaque véhicule par un haut-parleur. Quelques *drive in*, qui veulent rester ouverts pendant la saison froide, fournissent dans les mêmes conditions des bouches de chaleur. D'autres servent à bord des voitures des repas complets, lavent la lessive dans leurs launderettes, font le shopping de leurs clients et possèdent une installation pour chauffer les biberons des bébés. La nature de ces derniers services indique que la clientèle des *drive in* se compose pour une part de petits ménages qui trouvent commode et économique cette manière d'aller au cinéma. L'autre partie est constituée par des jeunes gens auxquels le *drive in* offre à la fois un spectacle et une intimité.

Les magasins *drive in* sont une forme plus récente encore de l'utilisation de la route. Ils ont commencé par des échoppes de fruits, de fleurs et de légumes, mais ils se développent par toutes les variétés de l'alimentation et par des apports croissants de la quincaillerie, de la nouveauté, de l'ameublement, etc. Cela représente un premier effort du commerce pour rattraper les 6 milliards de dollars de ventes (estimation des Chambres de Commerce) que l'encombrement des villes lui fait manquer parce que les candidats acheteurs ne trouvent nulle part un endroit pour laisser leur voiture en stationnement. Des maisons importantes ouvrent de plus en plus des succursales au-delà de la limite des faubourgs et la route américaine tend à se transformer en une rue.

Il est à peu près impossible de chiffrer l'activité économique que l'automobile représente aux Etats-Unis Un million de personnes environ travaillent à la construire, mais près du double travaillent à la vendre, à l'entretenir et à la ravitailler. Deux autres millions au bas mot sont employés dans l'extraction et le raffinage de l'essence, la production des matières premières, la construction et l'entretien des routes, la fabrication des accessoires, les assurances, etc. — sans même parler des médecins et des hôpitaux qui prennent soin des 1 100 000 blessures graves ou légères causées annuellement par l'auto. Mais le bloc le plus important des travailleurs qui vivent directement du volant est constitué par l'une des corporations les plus volumineuses et les plus pittoresques d'Amérique : les conducteurs de camions, ou *truckers*.

En 1959, ils étaient 5 047 000, soit le groupe de salariés le plus nombreux des Etats-Unis. Ils avaient parcouru huit fois la distance de la terre au soleil, soit 1 300 millions de kilomètres. Ils dépassaient de loin le trafic de toutes les voies ferrées américaines réunies. Ils avaient transporté la totalité du lait des 75 plus grandes villes, 97 % de leurs volailles et 65 % de leurs œufs frais. Ils avaient véhiculé jusqu'aux « dealers », sur d'énormes remorques à deux étages, la plupart des voitures produites par Detroit ; 71 % du bétail et plus de la moitié des autres produits agricoles de l'Amérique étaient passés sur leurs camions, ainsi que 25 % du charbon et 64 % des matériaux de construction. D'un côté à l'autre, leur mouvement incessant représente le système de transport le plus perfectionné et le plus souple du monde. Leur métier, en même temps, est d'une singulière dureté. Sur les routes surchargées, au milieu des automobilistes souvent maladroits, par tous les temps qu'amène et emporte le dur climat américain, ils sont tenus de maintenir une moyenne élevée et ils livrent une bataille incessante aux policiers de la route. Cela développe chez les *truckers* une habileté professionnelle extraordinaire, en même temps qu'un esprit indépendant et frondeur.

Au total, l'automobile américaine emploie directement entre 9 et 10 millions de personnes, sur les 72 500 000 travailleurs des Etats-Unis. Elle valorise la vie et accroît le rendement économique de toutes les autres. Sa diffusion est si grande que, dans plusieurs comtés, on recense plus de voitures particulières que de familles — au total, 80 % des ménages ont au moins une automobile —

et que le nombre de propriétaires de deux voitures atteint 25 % du chiffre total. La possession de deux voitures est en effet maintenant chose courante dans les familles de revenus moyens, et la publicité pour une troisième voiture — destinée aux jeunes — se développe avec succès. Toutefois, l'automobile américaine est stagnante — la production de 1967 accuse une baisse de 13 % sur l'année précédente — et, moins que Hollywood, mais comme Hollywood, traverse une crise due à une défaillance dans sa capacité d'adaptation.

*
**

Les premières voitures européennes commencèrent à arriver vers 1950. C'étaient des anglaises, rouges, nerveuses, bruyantes — généralement équipées d'un moteur américain — bolides incongrus dans un pays où la plus grande vitesse autorisée ne dépasse pas le 100 à l'heure. Les constructeurs de Detroit ne virent aucune raison d'être inquiets, même quelques années plus tard, quand les ventes européennes atteignirent quelques dixièmes de 1 % de leur chiffre d'affaires. On faisait depuis longtemps le procès de leurs fabrications. On leur disait que leurs voitures étaient trop grosses, trop ornées, trop chères à l'achat, trop coûteuses à la consommation, trop encombrantes sur la route et au parking, et d'ailleurs complètement dépourvues de toute espèce d'invention — si l'on faisait exception de quelques modifications de carrosserie uniquement destinées à démoder d'année en année des mécaniques rigoureusement identiques. On leur disait aussi que la règle de deux voitures par famille devenait de plus en plus générale et qu'il serait judicieux d'offrir des variantes à leurs salons roulants construits pour véhiculer huit personnes, alors que les neuf dixièmes des déplacements s'accomplissent avec un ou deux passagers seulement. Les constructeurs de Detroit répondaient avec superbe qu'ils n'avaient pas de leçons à recevoir. Ils connaissaient leur public. Les Américains voulaient des voitures longues et luxueuses, dans lesquelles les femmes trouvaient leur confort et les hommes leur orgueil. Si une deuxième voiture neuve était un peu lourde pour leurs disponibilités ils se fournissaient sur l'immense marché des « used cars », des voitures d'occasion. Ces assertions, précisaient-ils, n'étaient pas des affirmations gratuites, mais la traduction scientifique de la volonté des acheteurs telle qu'elle était enregistrée par leurs services d'étude des marchés. Qu'importaient quelques criailleries, et même l'engouement de quelques excentriques pour les boîtes à sardines d'importation ? Si les Européens gagnaient ainsi une poignée de dollars dont ils avaient grand besoin, eh bien ! tant mieux. Ce n'était pas digne de troubler la sérénité majestueuse de Detroit.

Jamais les voitures américaines ne furent plus longues, plus ailées et plus chromées...

Le filet des voitures européennes s'élargit et se popularisa. La Volkswagen fit son trou la première, vendit 35 000 voitures en 1955 et 50 000 en 1956. Alléchés, d'autres constructeurs firent leur apparition sur un marché qui leur avait semblé aussi inaccessible que la planète Mars. Comme Hollywood devant la multiplication des *sets* de T.V., Detroit continua de soutenir qu'il s'agissait d'une mode et qu'elle passerait.

Detroit ne montrait pas moins de dédain à l'égard des efforts de George W. Romney. Mormon, descendant d'un grand-père qui avait eu quatre épouses simultanées, sectateur et dignitaire de l'Eglise des Saints, ayant accompli ses deux années de service missionnaire en prêchant l'évangile de Joseph Smith aux Ecossais, Romney exhibait un dinosaure en porcelaine pour expliquer les raisons qui condamnaient ses successeurs, les automobiles de Detroit. « Il avait les plus belles grilles de radiateur de la préhistoire. Mais il est devenu si gros qu'il est mort... » Romney, directeur d'une firme indépendante et secondaire nommée Nash, l'avait fusionnée avec une firme également secondaire et indépendante nommée Hudson pour former American Motors et tenter l'aventure d'une automobile de dimensions raisonnables. Detroit se bornait à rappeler les échecs des tentatives antérieures et ne voyait dans American Motors que l'étape préliminaire à la disparition de deux nouvelles marques. A Wall Street, les actions tendaient déjà vers zéro...

Côte à côte, la Rambler de Romney et les voitures européennes envahirent les pâtures des dinosaures. En 1957, la vente de la première atteignit 88 000 et celle des secondes 259 000. L'année suivante, les chiffres respectifs furent de 200 000 et de 430 000. Les actions d'American Motors, tombées au voisinage de 5 dollars, commencèrent une ascension qui devait les porter aux environs de 100. En 1959, Romney fit plus que de doubler ses ventes, ce qui n'empêcha pas la construction européenne de connaître son année triomphale avec 668 070 voitures, soit 12 % des ventes totales. Le spectacle des Volkswagen, des Renault, des Fiat, des Hillman, des Mercédès, des Peugeot, des Volvo, etc., envahissant les rues et les routes est l'une des transformations les plus curieuses du paysage américain.

La réponse lente et laborieuse de Detroit consista à avaler son orgueil. Elle avait raillé George Romney ; elle le copia. Elle avait attendu sa chute ; elle lui prit la formule qu'il avait créée. Sa Rambler était un compromis dépourvu d'élégance, mais assez adroit, entre la voiture d'Europe et la voiture d'Amérique : ce fut exactement la conception dont procédèrent les autres voitures « compactes », la Falcon de Ford, la Lark de Studebaker, la Corvair de la G.M., etc. En 1960, ce genre de véhicules si péremptoirement condamné par les infaillibles services de prospection des marchés représentait 28 % de la production américaine et gagnait de jour en jour. Les ventes étrangères reculaient devant cette réplique, mais essentiellement dans le compartiment des importations provenant des filiales américaines en Europe, comme la Ford anglaise ou l'Opel. Au contraire, Volkswagen vendait, pendant les six premiers mois de l'année, 76 991 voitures, contre 54 564 dans la période correspondante de l'année précédente, cependant que Renault, n° 2, maintenait sa position, avec 38 874 ventes contre 38 683. La lutte continue, mais la versatilité de la clientèle américaine fait que ces ventes varient beaucoup d'une année à l'autre : 16 000 Renault en 1965, 20 000 R 10 en 1967...

Hollywood, Detroit... Le cinéma, l'automobile... **Pendant la même décade, les deux industries typiquement améri-caines ont connu des crises analogues provenant d'une excessive satisfaction de soi et d'un refus prolongé de s'adapter. Ce n'est pas une indication sans gravité sur l'état d'un capitalisme qui fut si entreprenant.**

***

Détroit se défend à peine d'être l'une des villes les moins gracieuses d'Amérique. Elle naquit d'un site straté-gique, à la jonction de l'Erié et du Huron, que relient la rivière Detroit et le morne lac Saint-Clair. Elle fut fondée, au nom de Louis XIV, par Antoine de La Motte Cadillac, dont le nom est passé à la postérité pour tout autre chose que ses talents d'explorateur. Il est faux qu'elle soit plate comme la main, étant beaucoup plus plate encore. Le cours tortueux de la Detroit River lui donne la particu-larité d'être, non au sud, mais au nord du Canada. Elle communique avec lui par un tunnel international abou-tissant à la ville canadienne de Windsor.

De 1920 à 1950, Detroit fut la quatrième ville des Etats-Unis. Elle avait grandi d'une manière imposante, portée par la fortune prodigieuse de l'industrie dont elle était le symbole mondial, doublant de 1910 à 1920, redoublant de 1920 à 1940. En 1950, elle atteignit 1 849 000 habitants, mais la croissance de Los Angeles lui fit perdre son qua-trième rang et le recensement de 1960 lui apporta la preuve cruelle de son déclin en la ramenant à 1 672 574 habitants, soit une perte de 170 000 âmes. Le fait que l'agglomération ait continué de croître, atteignant 4 060 000 habitants, s'explique par le même phénomène de noircissement qu'à Chicago. Au rythme actuel Detroit aura une majorité noire en 1970. La violence des émeutes raciales de juillet 1967, qui firent quarante morts, 2 000 blessés et 5 000 sans-abri, est éloquente. L'Amérique connut alors l'image d'une ville bombardée et 4 700 parachutistes de l'armée fédérale durent venir épauler les 8 000 gardes nationaux. Elle fait un effort pour diversifier ses activités, fabrique des machines-outils, des machines de bureau, des machines de ménage, etc., mais elle dépend trop essentiellement de l'industrie automobile pour n'être pas affectée par la stagnation de celle-ci.

Le colosse de cette industrie automobile est et demeure la General Motors Corporation, la plus grande société privée d'Amérique et du monde. Tous les chiffres qui la caractérisent sont astronomiques : employés, 660 997 ; chiffre d'affaires, 16 997 millions de dollars, soit 10 % de plus que le P.N.B. hollandais ; bénéfices nets, 1 734 millions ; production de véhicules, 4 448 668, etc. — en 1965. Elle fut organisée en 1908, quand W. C. Durant, un grand homme d'affaires succédant aux grands ingénieurs, réunit l'entreprise de David Buick et celle de R. R. Olds, que vint bientôt rejoindre la Cadillac Automobile Company, fondée par Henry Leland. Elle se subdivise aujourd'hui en 30 branches, et, bien trop vaste pour être contenue dans une seule ville, couvre de 120 usines la carte des Etats-Unis, sans préjudice de ses extensions à l'étranger. Outre des automobiles, elle produit des locomotives Diesel, des avions à réaction, des moteurs électriques, des machines à laver, des frigidaires, etc. Il est tout à fait remarquable de la diffusion de la fortune mobilière en Amérique que le nombre de ses actionnaires ait doublé depuis 1940 et il est non moins remarquable du matriarcat américain que 56 % d'entre eux soient des femmes.

Traditionnellement, la G. M. possède cinq marques de voitures : Cadillac, Buick, Oldsmobile, Pontiac, Chevrolet. Elle vient d'y ajouter la Corvair, pour se conformer à la nécessité des *compact cars*, et elle fabrique aussi l'Opel en Allemagne et la Vaux-hall en Angleterre. Cadillac, Oldsmobile et Corvair naissent à Detroit, mais Pontiac provient de la petite ville du même nom, tandis que Buick et Chevrolet sont originaires de Flint, où l'automobile eut pour précurseurs les chariots des pionniers et les landaus des élégants. L'idée directrice de la General Motors fut toujours de vendre à la fois la voiture la plus chère — Cadillac — et la voiture la meilleur marché — Chevrolet. Mais les bouleversements introduits par Romney et par les constructeurs européens placent les firmes dans des situations nouvelles et leur politique est loin d'être consolidée.

Loin derrière la G.M., viennent les deux autres groupes : Ford et Chrysler. Le premier réunit Ford, Mercury, et Lincoln — c'est-à-dire l'automobile populaire, l'automobile moyenne et l'automobile chère — plus la « compacte » Falcon. Le second se compose de Chrysler, de De Soto, de Dodge, de Plymouth, auxquels s'est ajoutée la « compacte » Valiant manufacturée par Plymouth. Réunis, Ford et Chrysler ne représentent pas la moitié de la General Motors. L'un des événements de la dernière décade fut l'introduction à Wall Street d'actions Ford. L'affaire était restée rigoureusement familiale, conformément à la volonté du vieil Henry, la Fondation Ford possédant la majorité du capital, et le pouvoir étant exercé par Henri II, petit-fils — converti au catholicisme — du tyran. La concession faite au capitalisme moderne et aux nécessités financières de l'entreprise n'a d'ailleurs guère changé le contrôle et n'a pas non plus provoqué l'enthousiasme boursier qu'on avait escompté. Ces temps sont révolus.

Quelques indépendants subsistent encore, comme Studebaker qui, après un joli succès dû à sa ligne, fut le premier à suivre Romney dans l'aventure des voitures réduites en mettant sa Lark sur le marché. Mais la seule firme dynamique de Detroit est celle du Mormon qui s'est mis en campagne pour tuer les dinosaures. Il n'est pas dit que ceux-ci aient fait de bonne grâce leur commencement de hara-kiri. Ils reprochent sourdement à Romney de conduire à un rétrécissement de l'industrie automobile par la dévalorisation générale des prix de vente et ils lui en veulent de la décision qu'il a prise de ne pas changer sa ligne tous les ans par une modification d'ailes ou d'ailerons. « Changer pour changer, a dit Romney, est une absurdité. » Les géants de Detroit n'acceptent pas qu'on bouleverse les principes du métier.

*
**

Si Detroit est le siège de la plus grande société capitaliste du monde, Detroit est également le siège du syndicat ouvrier le plus puissant du monde. La contrepartie de la G.M.C. est l'U.A.W. (United Automobile Workers). A certains égards, la situation de l'U.A.W. est même plus forte que celle de la G.M.C. Celle-ci contrôle plus de la moitié de l'industrie automobile, mais celui-là contrôle la totalité des travailleurs de l'automobile. Ce n'est plus le capital qui a mis de son côté la puissance et peut-être les excès de la concentration ; c'est le travail.

La force du syndicalisme à Detroit est récente. Il y a plus de trente ans, la loi qui dominait la grande ville était celle qu'avait imaginée et imposée Henry Ford : d'un côté, le haut salaire ; de l'autre, le patron de droit divin. Dès 1914, sous les reproches furibonds de l'industrie américaine tout entière, Ford avait annoncé que le salaire minimum dans ses ateliers serait de 5 dollars — 25 francs-or ! — par jour, et la nouvelle, courant à travers le monde, avait amené à Detroit des foules soulevées d'espérance comme celles de la ruée vers l'or. La promesse avait été tenue et l'exemple de Ford avait imposé à tous les patrons de l'automobile une politique extrêmement généreuse de rémunération. Par contre, le syndicalisme sous toutes ses formes était interdit, ou, plus exactement, il n'était pas toléré. Les descriptions emphatiques de cette époque par de stupides écrivains révolutionnaires comme Upton Sinclair ne méritent pas d'être prises au pied de la lettre et elles ne doivent pas faire oublier que Detroit commença d'être une ville de grande prospérité ouvrière avant que des adjudicataires ne prissent en monopole le bonheur des travailleurs. Mais Detroit fut effectivement une terre d'épreuves pour les meneurs et pour ceux qui les suivaient. Ces derniers étaient congédiés avec un minimum de procédure et il n'est pas absolument impossible que les premiers aient été quelquefois l'objet de sévices personnels — qu'ils ont bien rendus depuis.

Au début de 1936, l'United Automobile Workers, à demi clandestine, ne comptait pas 9 000 adhérents. La crise, commencée cinq ans plus tôt, avait réduit la moyenne des enveloppes de paie à 22 dollars par semaine, mais il y avait tant de chômeurs que la compétition pour le travail était devenue sauvage et que la docilité ouvrière était assurée par un salaire réduit aussi bien qu'elle l'avait été auparavant par un salaire enflé. Puis, il se produisit une véritable révolution. La vague de grèves insurrectionnelles suscitée en France par les élections de mai 1936 parut franchir l'Océan. La tactique — l'occupation des usines — était la même, et comme en France, les autorités se montrèrent chancelantes et irrésolues devant cette violation de la loi. Dans la fourmilière des villes industrielles du Michigan, l'instinctive violence américaine donna à la lutte des formes rudes et quelquefois sanglantes. Certains observateurs crurent que l'Amérique se précipitait dans une révolution prolétarienne et le gouverneur de l'Ontario avertit publiquement qu'il ne laisserait pas se propager au Canada « les désordres qui plongeaient les Etats-Unis presque dans l'anarchie ». Le calme ne revint qu'après la capitulation de la General Motors. Ce qu'elle accorda, après une grève de six semaines, était beaucoup plus important qu'un relèvement des salaires : la reconnaissance de l'U.A.W. comme la représentation du monde du travail. De 9 000 membres, l'effectif de l'Union s'éleva à un demi-million.

Le dernier homme à abattre fut Henry Ford. C'était un génie mécanique, mais plus encore un caractère fantastique. Ses partis pris étaient si effrayants qu'il faillit compromettre son immense création en s'entêtant pendant des années à ne vendre que des voitures noires. « Vous pouvez, disait le slogan de la firme, obtenir une Ford de la couleur que vous voudrez, à condition que ce soit le noir. » Une autre des phobies d'Henry Ford était le tabac, et quiconque fumait à l'intérieur de son empire, fût-ce le plus indispensable des collaborateurs, allait audevant d'une expulsion immédiate. Mais, chez le génial maniaque, la haine du syndicalisme l'emportait encore sur toutes les autres idées fixes. Il ne pouvait, disait-il, reconnaître à personne le droit de s'immiscer dans ce que Dieu lui avait donné. Son usine de River Rouge, à 9 milles du centre de Detroit — la plus concentrée et peut-être la mieux organisée d'Amérique — était entourée d'une muraille de Chine sur laquelle veillait l'homme de confiance, l'âme damnée, le compagnon à toute épreuve, le chef du personnel Harry Bennett. Ce puissant système défensif résista jusqu'en 1914, mais la menace de grèves désastreuses et la pression des pouvoirs publics finirent par le briser. L'U.A.W. pénétra dans la citadelle Ford et, en 1945, quand le vieil Henry eut abdiqué, la première décision du petit-fils et successeur fut le congédiement de Bennett. Ce jour-là, un âge industriel entra définitivement dans le passé.

La petite histoire de ces grands événements raconte que leur point de départ fut l'évanouissement d'une ouvrière polonaise à l'usine des freins Kelsey-Hayes. Cette syncope provoqua la grève spontanée d'une chaîne dont le personnel se plaignait d'être surmené. Mais, si la grève fut spontanée, la syncope ne l'était pas. Elle avait été imaginée et mise en scène par un jeune militant syndicaliste nommé Walter Reuther, alors simple secrétaire du West Side Local n° 174. Comme Reuther l'avait prévu, la direction s'adressa à lui pour remettre la chaîne au travail. Il entra dans l'usine et, au lieu de tenir sa promesse, enrégimenta les ouvriers dans son syndicat et organisa une grève sur le tas. La grève s'étendit de proche en proche, et Walter Reuther devint en quelques semaines l'un des grands chefs du « Labor ».

Né en 1907, il est aujourd'hui l'un des problèmes de l'Amérique. Certains croient qu'il entrera un jour à la Maison-Blanche et d'autres tiennent comme probable qu'il finira sous les balles d'un assassin. Il s'en fallut de peu, en 1948, que son destin ne penchât vers la deuxième branche de l'alternative. Il était assis chez lui, près de la fenêtre du living-room, quand une rafale de mitraillette brisa les vitres et cloua l'homme sur son fauteuil. Les voisins entendirent un bruit de moteur et virent une auto disparaître dans la nuit. Une année plus tard, presque jour pour jour, et dans des conditions absolument identiques, le frère cadet, Victor, fut à son tour pris pour cible. Il perdit un œil, comme son aîné avait perdu en partie l'usage d'un bras.

Les tenants et les aboutissants de la vendetta ouverte contre les Reuther plongent dans la zone d'ombre qui entoure le syndicalisme américain. Entre lui et le banditisme il existe des liens sur lesquels la Commission Kefauver elle-même n'a pas osé faire toute la lumière. Les traitements des dirigeants syndicaux sont si élevés que la compétition pour les postes de direction n'est pas uniquement une lutte idéologique. Chaque année des chefs syndicalistes sont abattus et leurs meurtriers sont rarement retrouvés. La loi du silence qui entoure ces attentats paraît s'étendre aux victimes elles-mêmes : dans le cas des frères Reuther l'U.A.W. offrit une prime spectaculaire de 250 000 dollars (1 250 000 NF) à quiconque ferait découvrir les assassins, mais le chef de la police de Detroit fut si impressionné par les réticences des deux frères qu'il parla de les soumettre au détecteur de mensonges. L'affaire se perdit dans les sables, mais la menace — patronale, communiste ou crapuleuse — qui pèse sur Walter Reuther n'est pas dissipée.

Il vient d'une souche allemande, ayant eu pour grandpère un Prussien antimilitariste — rare rencontre — qui émigra aux Etats-Unis afin de soustraire ses fils à l'armée du roi-empereur. Il grandit, avec trois frères, au foyer d'un ardent socialiste marié à une ardente luthérienne, si bien que sa jeunesse s'écoula dans une curieuse confluence de ferveur religieuse et de passion sociale. La mère faisait chanter des psaumes et le père organisait des meetings familiaux dans lesquels on débattait du juste et de l'injuste, de la liberté et de la tyrannie, du capital et du travail. Sa scolarité fut écourtée, mais il était, à vingt ans, un aristocrate de la classe ouvrière — un expert-outilleur chez Ford au salaire horaire de 1 dollar 10, ce qui représentait un gain quotidien de 220 francs Poincaré. Sa participation à des meetings socialistes entraîna son congédiement, et c'était l'époque où dans une Amérique au creux de la crise, certains se suicidaient en recevant ce verdict. Reuther interpréta

le sien comme une invitation à voir du pays. Avec son
frère Victor, il partit pour l'Europe où il voyagea à
bicyclette, couchant dans les granges et travaillant juste
assez pour ne pas tomber dans la catégorie des vagabonds. La France ne l'intéressa pas, l'Italie non plus, et
l'Angleterre à peine davantage. Son atavisme le portait
vers l'Allemagne, mais l'hitlérisme venait de prendre le
pouvoir et les Reuther, congénitalement liés aux milieux
d'extrême-gauche, côtoyèrent de graves difficultés. Ils
passèrent en Russie au moment où la Gestapo commençait à s'intéresser à eux. A Gorki, dans l'usine d'automobiles que le vieil Henry Ford avait eu l'ingéniosité d'équiper pour le gouvernement soviétique, ils trouvèrent l'emploi de leurs capacités. Walter, nommé moniteur, fut
chargé de former des outilleurs égaux à ceux de Detroit
en partant de jeunes paysans illettrés. « Ils gâchaient,
dit-il, une quantité de matériel incroyable, mais ils étaient
débordants de bonne volonté et de ferveur. »

La question s'est posée de savoir si Walter Reuther
fut lui-même gagné par cette ferveur. Il existe des lettres
de lui, retrouvées par ses adversaires, qui constituent
un éloge indéniable de l'U.R.S.S. Sans les répudier tout à
fait, Reuther prétend qu'elles ont été arrangées et inter-
prétées tendancieusement. Loin de se rallier au communisme, il se convainquit, dit-il, que le système industriel
soviétique est désespérément inférieur au capitalisme
américain. Lâchant Gorki, qui n'avait plus rien à lui
apprendre, il traversa la Sibérie où il entrevit les
« géants » métallurgiques naissant dans les Ourals. Il
rentra en Amérique en travaillant comme homme de
peine sur un bateau et revint à Detroit, en 1935, après
trois ans d'absence, juste à temps pour prendre sa chance
dans le bouleversement qui commençait.

... De longues années plus tard, l'ancien pèlerin de
l'U.R.S.S. se trouva face à face avec l'homme qui, entre-
temps, était devenu le chef tout puissant de l'U.R.S.S. Le
passage de Khrouchtchev à San Francisco coïncidait avec
une conférence nationale des chefs travaillistes, mais la
plupart d'entre eux déclinèrent la rencontre qui fut
suggérée en disant, avec George Meany, « qu'ils ne vou-

laient pas respirer le même air qu'un tyran. » Reuther entraîna six dissidents et la rencontre du syndicalisme américain et de l'autocratie soviétique eut lieu au-dessus de verres de bière et d'un poulet grillé. Elle fut orageuse. Parcourant l'Amérique, Nikita s'était rencontré avec les capitalistes dans des batailles de fleurs dont la loi de l'hospitalité et un calcul politique d'ailleurs faux voulaient qu'il sortît vainqueur. Les durs chefs du travail lui tinrent tête. Deux fois, il quitta la table en disant qu'on l'avait injurié, c'est-à-dire contredit. « Vous êtes, dit-il lui-même, les laquais du capital » et lorsqu'un des convives lui demanda pourquoi 3 millions de travailleurs avaient quitté l'Allemagne de l'Est, il ne trouva à répondre qu'un : « Buvez votre bière et laissez-moi tranquille. » Reuther, qui a le goût allemand de la controverse, essaya d'ouvrir une discussion sur le travail, le pouvoir et la liberté, mais il dut y renoncer et, dit-il, se contraindre pour que le déjeuner ne finît pas en pugilat. Le lendemain, la conférence syndicale acclama une réfugiée hongroise, Anna Kethly, qui s'était relevée de son lit d'hôpital pour protester contre la présence de Khrouchtchev aux Etats-Unis.

Pendant la bataille contre le patronat, Reuther, en raison de ses méthodes de combat, fut classé dans la fraction de gauche du syndicalisme militant. Quand la stabilisation succéda à l'offensive, il se classa de lui-même dans la fraction de droite. L'U.A.W. était saupoudrée de communistes et, sans appartenir au parti, les hommes qui tenaient les commandes, George Addes et Richard Frankensteen, penchaient lourdement de son côté. Reuther mena contre eux une lutte acharnée. Tempérée pendant la guerre, elle éclata avec fureur après la fin des hostilités. En 1945, la gauche parvint encore à sauver la situation, mais en 1946, au Congrès d'Atlantic City, une faible majorité porta Walter Reuther à la présidence de l'U.A.W. Deux ans plus tard, au Congrès de Milwaukee, 8 080 mandats contre 672 le confirmèrent dans ses fonctions. Les communistes et sympathisants ont été chassés de tous les postes de direction, mais des haines impitoyables se sont dressées contre Reuther.

Il accapara à nouveau les manchettes des journaux au mois de mai 1950. L'un des plus grands événements de l'histoire des relations entre le travail et le capital se produisit quand le million d'hommes de l'United Automobile Workers et le milliard de dollars de la General Motors signèrent un traité de paix de cinq ans. Une tête rousse, Walter P. Reuther, et une tête blanche, Charles E. Wilson, personnifiaient ces deux colosses. En gros, les hommes de Reuther s'engageaient à ne pas faire de grève pendant cinq ans, et, en échange, les dollars de Wilson s'engageaient à accorder aux hommes de Reuther des avantages automatiques et croissants. L'un de ces avantages est une retraite mensuelle de 30 000 à 40 000 anciens francs à soixante ans d'âge. Un second est une indemnité éventuelle de maladie de 10 000 à 16 000 anciens francs pas semaine. Un troisième est une augmentation annuelle des salaires sur la base d'un relèvement horaire de 16 francs au 1ᵉʳ juin de chaque année, cette dernière clause se cumulant d'ailleurs avec l'échelle mobile qui prémunit les travailleurs de la G.M. contre toute augmentation du coût de la vie.

Le traité Wilson - Reuther — prorogé et complété à différentes reprises — reçut un accueil généralement enthousiaste. Beaucoup le saluèrent comme une charte nouvelle des relations entre le capital et le travail. Une critique plus attentive a fait ressortir des inconvénients qui n'étaient pas apparus au premier abord, mais le document est en lui-même un témoignage d'une rare profondeur sur un pays et sur une époque. C'est pour ainsi dire le prisme au travers duquel on doit étudier l'Amérique d'aujourd'hui.

Il est significatif que les clauses principales du traité soient des clauses de sécurité : pension de retraite, indemnité de maladie. Il y a cinquante ans, des ouvriers américains auraient ri devant ce bienfait lointain et devant cet avantage hypothétique. Ils auraient demandé, à la place, des dollars immédiats. Ils vivaient dans l'idée qu'ils étaient assez grands pour pourvoir eux-mêmes aux lendemains. Même ceux qui avaient perdu l'espoir de gagner 1 million de dollars conservaient la notion virile que tout homme a sa chance et qu'il ne doit laisser à personne le soin de la jouer pour lui. Lorsqu'une crise survenait, ils l'acceptaient comme un coup dur, et, jusque dans les années 1920, ils éprouvaient du mépris pour les travailleurs anglais dont le *dole* avait fait des rentiers du chômage. Eux, les Américains, changeaient de région, changeaient de métier, faisaient quelquefois des émeutes, mais on ne pouvait pas dire qu'ils pussent dépendre de la charité publique et ils n'envisageaient pas d'être assurés contre la malchance ni prémunis par autrui contre les conséquences de l'âge. La vie était une aventure et un combat.

Aujourd'hui, à cette conception optimiste et individualiste s'est substituée une véritable faim de sécurité. Lorsqu'on offre au personnel d'une entreprise le choix entre une augmentation de salaire et une amélioration du régime des retraites, il prend presque toujours la seconde. Lorsqu'un homme perd son emploi, son premier soin est de passer au bureau du chômage où il est inscrit immédiatement pour une allocation hebdomadaire de 30 à 40 dollars, suivant les Etats. Les caisses doivent d'ailleurs traquer les resquilleurs qui trouvent plus doux de se faire 600 NF par mois en dormant que le double en suant. Des plaintes acerbes s'élèvent contre ces contrôles, car les travailleurs américains n'ont pas encore compris que l'homme ne peut pas recevoir une assistance quelle qu'elle soit sans y laisser un peu de sa dignité.

Le traité Wilson - Reuther n'est pas moins révélateur des tendances nouvelles du patronat américain. Autrefois, il était comme l'ouvrier : un dur. Il avait admis le haut salaire parce qu'il avait eu l'intelligence de comprendre que le haut salaire signifiait le grand pouvoir d'achat, mais il allait à la bataille sociale avec entrain. Aujourd'hui, la grève terrorise les patrons américains. Le traité Wilson - Reuther a coûté à la General Motors 2 milliards de dollars, mais la General Motors estime que ce n'est pas payer trop cher la promesse que les chaînes de Flint, de Pontiac et de Detroit ne s'arrêteront pas. Il est juste, au reste, d'ajouter qu'une considération très réaliste a aidé la G.M. à donner son assentiment : en signant, elle obligeait ses concurrents à passer par la même condition — ce qu'ils ont fait — et ses énormes bénéfices lui permettent de supporter le surcroît de charges beaucoup plus facilement qu'aucun d'entre eux. La puissance syndicaliste favorise ainsi la concentration patronale et les deux colosses de l'automobile s'épaulent mutuellement.

La convention avec la General Motors et celles qui l'ont suivie ont élargi le différend entre Reuther et les extrémistes du mouvement syndical. Pour ceux-ci, la paix contractuelle représente une brèche dans la continuité nécessaire de la lutte sociale et détruit la combativité ouvrière. « Comment, demandent-ils, obtiendrez-vous que les travailleurs restent actifs et qu'ils paient leurs cotisations dès lors qu'ils sont assurés d'une amélioration automatique de leur condition d'existence ? » La réponse de Reuther est le syndicat obligatoire. La bataille devient, en conséquence, juridique et politique, puisqu'il s'agit de savoir si la loi permettra que l'adhésion à un syndicat soit pour un travailleur la condition du droit à la vie.

Le contrat avec la General Motors, succédant à l'épuration de l'U.A.W., fit définitivement de Walter Reuther l'un des personnages-clés des Etats-Unis. Physiquement et moralement, c'est un homme de fer. Immensément sérieux. Ne boit pas, ne fume pas, ne joue pas et il lui arrive de parler contre les cartes avec une fureur qu'auraient aimée les Têtes rondes de Cromwell. Il est trop fort, trop concentré. Il aimait marcher dans la nuit d'un pas rapide, mais cet exercice est devenu malsain depuis que des assassins rôdent autour de lui. Il s'est fait installer, dans le sous-sol de sa maison de Detroit, un établi de menuisier et il rabote des planches quand il sent le besoin impérieux d'un délassement. Marié, aisé, il a des goûts d'intérieur qui épousent à la fois la *gemütlichkeit* allemande et le conformisme conjugal américain : il fait cuire la dinde du samedi et lave les assiettes du dimanche soir.

Avant tout, c'est un faiseur de plans. Sa vocation

est de mettre les problèmes en formules dès qu'il les aperçoit. Sa virtuosité le pousse constamment dans des domaines qui ne sont pas les siens. Pendant la guerre, il fit un plan pour transformer les usines de Detroit en fabriques d'avions et un autre plan pour renflouer *Normandie* brûlée et coulée le long d'un quai de New York. Après la guerre, prévoyant — comme les économistes de Staline — une crise grave, il fit un autre plan pour une réglementation générale de la production et des prix qui n'était guère moins que la condamnation à mort du libéralisme américain. Les techniciens de l'automobile, du renflouement et du crédit ne sont pas convaincus par les plans de Reuther, mais celui-ci possède un don de la présentation qui impressionne les foules et qui lui confirme la qualité la plus appréciée en Amérique, celle de « vendeur ». La première fois qu'il discuta avec Knudsen, alors président de la General Motors, l'immense Danois le regarda avec un éclair amusé du regard. « Jeune homme, lui dit-il, vous devriez travailler avec nous et vendre des autos d'occasion. — Pourquoi d'occasion ? demanda Reuther, complètement dépourvu d'humour. — Parce que, répondit Knudsen, vendre des autos neuves est à la portée de n'importe qui. »

Pour Knudsen, Reuther avait certainement fait un plan. Contrairement à d'autres leaders du travail, il ne trace pas une ligne infranchissable entre le pouvoir syndical et le pouvoir politique. Les buts du syndicalisme, pense-t-il, ne pourront être pleinement atteints que le jour où un parti travailliste aura amené à la tête de l'Etat ses hommes et ses conceptions. Faire surgir ce parti travailliste, pour en devenir le chef et remodeler l'Amérique, fut certainement, est peut-être encore le dessein de Walter Reuther.

L'histoire du syndicalisme américain est, comme il se doit, pleine de crises. Péniblement constitué, ne groupant encore qu'une faible fraction de la classe ouvrière, l'American Federation of Labor, A.F. of L., fut déchirée à partir de 1935 par un noyau agressif constitué dans son sein par le tsar des mineurs, John L. Lewis. En

1938, ce C.I.O., Committee of Industrial Organizations, expulsé de l'A.F. of L., se constitua en confédération distincte, mais fut promptement abandonné par son créateur qui reprit sa liberté à la tête de ses mineurs. Le travail organisé se composa désormais de trois familles, A.F. of L., C.I.O., Indépendants. Très approximativement, la première groupait les confédérations semi-ouvrières, comme les travailleurs de la confection, le personnel hôtelier, les transporteurs, les employés municipaux, les musiciens, etc., tandis que le second comprenait surtout les corporations strictement industrielles et qu'une grande variété de professions formaient l'éventail des Indépendants. Le syndicat de Reuther, l'U.A.W., United Automobile Workers, 950 000 adhérents environ, relevait du C.I.O. L'effectif global de celui-ci était de 5 à 6 millions d'adhérents, contre 8 millions environ à l'A.F. of L. et peut-être 3 millions aux Indépendants. L'addition montre combien le syndicalisme est encore minoritaire, dans un pays comptant plus de 72 millions de salariés.

Un premier pas fut franchi en 1952, quand Reuther fut élu président du C.I.O. Les négociations en vue d'une fusion avec l'A.F. of L., toujours en cours, toujours languissantes, toujours entravées par des rivalités de personnes et par des questions de prébendes, prirent un tour plus vigoureux. Le 4 décembre 1955, enfin, l'événement tant attendu se produisit. A.F. of L. et C.I.O. tinrent encore, à New York, deux conventions séparées, puis, se formant en cortèges distincts, se rejoignirent théâtralement dans la caserne du 42e régiment de la garde nationale de New York, près de Grand Central Station. Il ne pouvait être question tout à fait d'unification du monde du travail, puisque de puissantes corporations, comme les cheminots et les mineurs, manquaient au rassemblement — mais les deux centrales syndicales les plus importantes s'étaient rejointes une vingtaine d'années après s'être séparées.

On pouvait émettre des doutes sur la valeur d'une fusion qui n'avait pas été jusqu'à faire accepter un nom commun, de sorte que l'appellation A.F. of L. -

C.I.O. est usitée comme pour attester toujours qu'il s'agit d'une simple alliance. Les états d'esprit demeurent certes opposés et les luttes intra-confédérales se poursuivent sur les mêmes lignes que l'ancienne opposition. Reuther avait dû se résigner même à laisser la présidence de l'ensemble à George Meany, président de l'A.F. of L., qui a été apprenti plombier dans le Brooklyn de sa lointaine jeunesse, mais qui n'est plus depuis 1922 qu'un syndicaliste professionnel. En 1967 les divergences qui existaient entre les deux hommes apparurent au grand jour — lorsque Walter Reuther renonça à son poste de vice-président. Reuther avait pu espérer que l'âge de George Meany, soixante et onze ans, l'amènerait à se retirer rapidement. Mais Meany n'a jamais aussi bien contrôlé l'A.F.L. - C.I.O. et le président et le vice-président se heurtaient à propos du Viet-Nam par exemple, où Meany appuie la politique des bombardements, tant sa haine du communisme est grande.

Walter Reuther, au contraire, aurait voulu plus de force dans la lutte pour les droits civiques et contre la ségrégation dans l'apprentissage, qui dépend entièrement des syndicats. Reuther reprochait enfin à son rival de n'avoir pas su poursuivre la renaissance du syndicalisme américain amorcée au lendemain de la seconde guerre mondiale. Or, le syndicalisme américain traverse une crise sensible qui se traduit par une réduction de ses effectifs (environ 15 millions de membres en 1955, un peu plus de 13 millions dix ans plus tard, 14 248 000 en 1967) et une perte de son influence politique. Le syndicalisme a abandonné tout rôle de contestation : il traite d'égal à égal avec le patronat, tous deux parlant le même langage...

Au total, pas un pas ne paraît avoir été fait sur la route d'un parti travailliste américain. Il naîtra peut-être un jour, mais les cheveux rouges de Walter Reuther auront eu tout le temps de devenir complètement blancs.

*
**

Le syndicalisme américain pose des problèmes et il est lui-même plein de problèmes. Il dut, dans ses débuts, soutenir des luttes héroïques contre un patronat sûr de sa force et appuyé sans réserve sur la puissance politique et policière de l'Etat. Les premières grèves, celle des mines d'anthracite de Pennsylvanie, celle des Pullman de Chicago, celle des métiers de l'aiguille de New York, furent de hideuses et furieuses affaires. Il fallait aux meneurs un cœur intrépide. Leur activité entraînait automatiquement la perte de leur emploi, leur inscription sur une liste noire, des violences physiques allant parfois même jusqu'à l'assassinat et, en tout cas, une pauvreté dont les vétérans des luttes ouvrières se font gloire. « Nous faisions la quête dans un chapeau, raconte l'un d'eux, nous voyagions à la sauvette dans les trains de marchandises et notre idéal de restaurant de luxe était une cafeteria. » Le succès est venu à ce syndicalisme militant, et, avec lui, les abus de la richesse et de la puissance.

Aujourd'hui, les listes noires ne sont plus celles du patronat, mais celles des syndicats contre les ouvriers coupables d'un geste d'indépendance ou d'un écart de langage. Un mineur de Pennsylvanie, ayant dit que John Lewis était un « tyran », comparut devant une cour martiale, fut battu jusqu'à l'inconscience, congédié par son employeur et creva ensuite de misère dans le boycott qui le poursuivit. Le *picketting* a donné et donne lieu à des abus formidables, en vertu de la loi syndicale interdisant de franchir un picket, fût-il d'un seul homme, de sorte qu'il suffit d'une pancarte sur le dos d'un individu faisant les cent pas devant la porte d'un commerçant pour que celui-ci soit hors d'état de se faire livrer un mètre de tissu ou une bouteille de *seven-up*. L'intervention des syndicats dans la politique a entraîné pour les syndiqués d'autres servitudes. Jadis, ils restaient neutres ; maintenant, ils « endossent » les candidats démocrates, et prélèvent sur leurs adhérents une taxe électorale sans se préoccuper de connaître leurs opinions. De grandes plaintes sourdes s'élèvent dans les rangs contre ces procédés, mais il est excessivement rare qu'elles se fassent entendre publiquement. Les ouvriers américains ont trouvé des maîtres dans leurs protecteurs.

L'opulence des féodaux du travail est devenue insolente et leurs malversations sont légendaires. En 1957, une enquête du Sénat mit en lumière les comptes fantastiques du Syndicat des Teamsters et de son président David Beck. Questionné sur la maison qu'il habitait à Seattle, Beck parla en ces termes : « C'est une demeure agréable. J'ai une cuisine, une salle à manger, un bar, un salon, une salle de cinéma, un bureau, un atelier, trois chambres à coucher, un bain turc, une piscine, plus les logements de mes amis. » La « demeure agréable » avait été construite pour le « boss » avec l'argent du syndicat, puis rachetée au « boss » par le syndicat pour 163 215 dollars, mais le syndicat la laissait à la disposition du « boss », sa vie durant, avec une Cadillac, un chauffeur, une femme de chambre, une cuisinière et deux jardiniers. En outre, un traitement à vie de 50 000 dollars, sans préjudice d'une note de frais illimitée. Ce David Beck, gorille redoutable, avait commencé comme petit patron transporteur, puis, comprenant son époque, avait viré dans le syndicalisme. Il y avait gagné plusieurs millions de dollars.

Les colossales fortunes syndicales, filles de lourdes cotisations, permettent ces pillages somptueux. Avec ses 1 403 000 adhérents, payant en moyenne 5 dollars par an, le Syndicat des Teamsters perçoit un revenu annuel de 7 à 8 millions de dollars. Le siège social qu'il s'est fait construire à Washington se compose de trois étages de bureaux climatisés, d'un étage directorial revêtu des plus belles boiseries de la capitale, d'un auditorium de 500 fauteuils, d'un jardin suspendu et d'un restaurant où officie un cuisinier français. La Fraternité des Teamsters n'est pas cependant le plus riche des syndicats américains. Sa fortune s'élève à une cinquantaine de millions de dollars, mais elle n'atteint même pas la moitié de celles de plusieurs autres unions, ne serait-ce que celle de la confection pour dames, dont le vieux leader, David Dubinsky, est l'un des individus les plus astucieux des Etats-Unis. Biens de mainmorte colossaux, qui poseront de plus en plus des problèmes juridiques et fiscaux, et qui, dès maintenant, constituent pour le gangstérisme un appât et un aliment.

Dans l'enquête sénatoriale de 1957, David Beck était presque une figure rassurante. Il remuait de l'air, brandissait ses gros poings, tempêtait et tonitruait — mais il suait de peur, et ses énormes malversations, ses pillages éhontés des fonds syndicaux finissaient par ressembler à des galéjades. La figure inquiétante était celle d'un enfant de Detroit, Jimmy Hoffa. En lui apparaissait ce qui est la tare honteuse, le danger poignant du syndicalisme américain : sa collusion avec les gangsters.

A cette époque, Jimmy Hoffa n'était encore que vice-président des Teamsters. Mais il occupait à Detroit une position d'autant plus importante que le paon David Beck, fatigué de la monotonie d'Indianapolis, où il avait longtemps siégé, s'était transféré sur la côte du Pacifique. Tout le Middle West, tout l'Est, 90 millions d'habitants, des dizaines de milliers d'industries, le pain et le lait de la moitié des foyers de la nation se trouvaient dans le vice-royaume d'un homme de quarante ans, haut de 1 m 60, mâtiné de Juif et de Sud-Américain, qui s'était élevé, au milieu de la force physique, par un silence toujours menaçant, une réputation de bravoure à toute épreuve et une étrange capacité de répandre la terreur. Il ne cherche pas à provoquer de conflits du travail et préfère avoir auprès des employeurs la réputation d'un chef syndicaliste avec qui l'on peut s'entendre — de même qu'il se garde d'imiter l'ostentation ridicule de Beck, qu'il habite une maison de quelques milliers de dollars dans un quartier sans prétention de Detroit et qu'il n'a pas construit la fortune considérable qu'on lui suppose en plongeant de grosses mains dans les caisses syndicales. Mais il a organisé avec les puissances les plus modernes du crime un échange de services qui lui permet de dicter sa loi. Les teamsters servent aux gangsters de puissance d'argent et de moyen de pression sur les commerçants qui prétendent résister aux rackets. Les gangsters donnent aux teamsters (c'est-à-dire à Hoffa et à quelques chefs) le pouvoir physique et criminel dont ils ont besoin pour se maintenir contre toute espère d'opposition. Nous retrouverons cette symbiose sur le Waterfront de New York où s'étend la main de Jimmy Hoffa.

Il fut mis en accusation devant la Commission sénatoriale. Il fut dénoncé par les voix retentissantes des journaux et de la télévision. Il fut condamné par les principaux dirigeants du syndicalisme honnête, plus conscients que quiconque du scandale et plus convaincus que quiconque qu'il entraînera fatalement un jour une violente réaction nationale dont ils seront les premières victimes. Toutefois, il n'a pas encore été possible d'entreprendre contre Hoffa de poursuites judiciaires, tant il sait se débattre dans les filets de la loi. Le seul résultat de l'enquête fut d'éliminer David Beck — et de pousser Jimmy Hoffa dans sa place présidentielle. Il fut élu par les teamsters, contre une opposition symbolique, et, semble-t-il, dans des conditions parfaites de régularité. La plus grande puissance de Detroit n'est peut-être ni la General Motors, ni le syndicaliste à l'ancienne mode qu'est Reuther...

XIV

OHIO

L'Ohio fut le premier Etat du Middle West producteur de présidents. L'un des premiers, élu en 1868, fut Ulysses Simpson Grant qui, ayant manqué sa carrière militaire par amour des liqueurs fortes, n'était en 1860 qu'un vendeur à 800 dollars par an dans le magasin de cuirs de son beau-père — et que la guerre de Sécession porta d'abord à la tête des armées du Nord, puis à la Maison-Blanche. Vinrent ensuite en succession rapide Rutherford Birchard Hayes, James Abram Garfield, Benjamin Harrisson, William Howard Taft et Warren Gamaliel Harding. Des millions d'Américains espérèrent ardemment que la liste s'enrichirait d'un autre Ohioan et d'un autre Taft. Le parti républicain en décida autrement. Robert Alphonso Taft ne parvint jamais à se faire désigner comme candidat, et, après son quatrième échec, en 1952, il déclara solennellement qu'il y renonçait à jamais. Il n'eut pas le temps de manquer de parole. Un an plus tard, le 31 juillet 1953, un cancer l'emporta. Il fut l'un des 13 Américains dont la dépouille fut exposée dans la grande rotonde du Capitole, mais il choisit sa sépulture dans la terre de l'Ohio, près de sa ville natale de Cincinnati.

La chute de Taft à la Convention républicaine de 1952

fut réellement dramatique. Il croyait à son succès. Le premier jour, en costume gris clair, un œillet rouge à la boutonnière, il rayonnait d'une confiance qui s'appuyait sur des monceaux de télégrammes d'encouragement. Mais ses adversaires, organisés par Tom Dewey, manœuvrèrent d'une manière irrésistible. Ils enfoncèrent dans la tête des délégués indécis le clou que les républicains perdraient l'élection avec un candidat comme Taft. Or, la politique est une chose sérieuse dont dépendent d'immenses intérêts matériels et, pour commencer, des dizaines de milliers de *jobs*. Le parti républicain, absent du pouvoir depuis vingt ans, atteignait le moment où l'inanition le menaçait. La Convention céda à la crainte et choisit Eisenhower, alors que le cœur de la majorité des délégués parlait pour Taft.

Le père de Robert Taft pesait 312 livres. Il mourut président de la Cour Suprême, après avoir été gouverneur des Philippines et secrétaire d'Etat à la Guerre. Entre-temps, il avait occupé encore une autre fonction : celle de Président des Etats-Unis. Sans doute pour le malheur de Robert Alphonso Taft, son fils aîné. L'ambition de celui-ci, qui devait s'achever en banqueroute, venait d'une seule cause : il avait un père à égaler — et à venger.

Les Taft sont une grande et vieille famille. Ils figurèrent dans la fleur des pois de la Nouvelle-Angleterre. Mais, depuis trois générations, leur quartier général est Cincinnati, seconde ville de l'Ohio, fortement teintée d'influences allemandes et étape historique de la marche vers l'Ouest. William Howard Taft, père de Robert Alphonso, fut choisi par Théodore Roosevelt pour lui succéder à la Maison-Blanche lorsque cet instable génie préféra une grande chasse en Afrique à un nouveau mandat présidentiel. Mais, au bout de quelques mois, Teddy Roosevelt crut comprendre que l'homme intronisé par lui s'écartait de la politique qu'il lui avait tracée par son exemple. Des observations amicales, puis des réprimandes ne remirent pas l'hérétique dans le droit chemin, et Teddy ne réussit pas davantage à le faire excommunier par le parti républicain. Il prit donc la décision de fonder un nouveau parti pour se présenter contre le disciple infidèle. Celui-ci fut battu, mais Théodore Roosevelt le fut aussi, et le démocrate Wilson conquit la Maison-Blanche avec moins de 40 % des voix.

Cela se passait en 1912. Robert Alphonso avait dix-neuf ans. Il étudiait à la Harvard Law School, après l'Université de Yale et le Taft High School — ainsi nommée d'après un oncle, fameux éducateur. C'était un précoce génie — peut-être le meilleur sujet que Harvard eût jamais connu. Il avait choisi le droit, mais ses dispositions lui eussent permis tout aussi bien de devenir mathématicien, ingénieur, peut-être même musicien. Ce prodige, au reste, n'était pas brillant, mais fantastiquement laborieux, formidablement sérieux et immensément organisé. Il était gauche, raide, myope, dépourvu d'éloquence, encombré d'une timidité en profondeur. Il portait maladroitement son titre de fils du Président, mais il professait pour son père, juriste éminent, une vénération basée sur l'estime professionnelle autant que sur l'amour filial. La défaite de 1912 fut ressentie par lui comme une brûlure. Il jura de venger William Howard en ramenant à la Maison Blanche le nom de Taft.

Toute une vie fut consacrée à cette entreprise. Avec sa science et sa méthode, Taft aurait pu gagner une fortune au barreau. Il revint à Cincinnati et se consacra presque tout de suite au service public. La femme qu'il épousa, Martha Bowers, partageait ses convictions et l'orgueil passionné du nom qu'il lui avait donné. Les deux époux si bien assortis organisèrent leur existence sur une base financière modeste et irréprochable. Puis ils commencèrent une carrière politique conjointe qui fit longtemps l'amusement et l'émerveillement de l'Amérique. Jusqu'en 1950, date à laquelle Mrs. Taft fut frappée de paralysie, il y eut toujours dans l'Ohio un candidat à deux têtes : Bob, plein de chiffres et Martha pleine de charme — l'un sérieux, sec, consciencieux, intransigeant ; l'autre primesautière, bavarde, audacieuse et toujours prête à envahir les réunions adverses pour y proclamer le nom de son mari.

En 1938, Taft fut élu sénateur des Etats-Unis. En

arrivant à Washington, il alla voir la Maison Blanche — alors occupée par un homme du même nom que celui qui avait torpillé William Howard. Il tourna autour de l'édifice, reconnut la fenêtre de sa chambre de jeune homme et eut l'un de ses sourires crispés en songeant que le premier pas décisif de la reconquête était fait.

Seulement, Taft s'y prit mal. Le parti républicain était tourmenté d'aspirations contradictoires et traversé de courants opposés. Un véritable arriviste aurait su trouver un point de convergence en louvoyant. Taft se mit à cheval sur le roc de la doctrine et n'en bougea plus. Il ne fit aucune concession au New Deal et à l'interventionnisme qui divisaient ses amis politiques. Dès 1940, avec une précipitation maladroite, il essaya de se faire désigner comme candidat à la présidence, en se recommandant des principes intégraux et intangibles du républicanisme. La Convention républicaine l'écarta dédaigneusement pour donner la préférence à Wendell Willkie — lequel, quatre ans auparavant, avait cotisé à la caisse électorale des démocrates et voté pour Roosevelt !

En 1944, Taft reparut, immuable. Il fut éliminé, cette fois, par un jeune politicien qui venait de conquérir l'Etat de New York après l'avoir débarrassé de ses gangsters, Tom Dewey. La guerre, au reste, n'était même pas finie et les temps étaient durs pour les politiciens restés fidèles au neutralisme jusqu'au dernier espoir. Le sénateur Taft, par surcroît, avait à son passif quelques déclarations malheureuses. « L'idée que les Japonais puissent jamais attaquer les Etats-Unis, avait-il dit quelques jours avant Pearl Harbor, est insensée. » Dans l'Ohio même, son étoile faillit sombrer. Il fut réélu au Sénat avec le dixième de sa majorité de 1938 : 18 000 voix au lieu de 178 000.

Mais les grands jours de la carrière de Robert Taft commençaient. En 1946, pour la première fois depuis 1930, les républicains reprirent la majorité dans les deux Chambres du Congrès. Taft, leader du parti au Sénat, associa son nom à l'une des lois les plus importantes, les plus combattues et les plus utiles de l'histoire américaine récente : la loi Taft - Hartley destinée à régir les relations des employeurs et des employés. Par quoi il montra, une fois de plus, qu'il n'était pas un homme habile, mais seulement un bon citoyen.

Le grand enjeu était la *closed shop*. On entend par là le régime en vertu duquel un patron n'a pas le droit d'embaucher quiconque n'appartient pas préalablement au syndicat. Permise par la loi rooseveltienne dite Wagner Act, imposée par une suite de grèves, présentée comme la revendication générale du travail organisé, la *closed shop*, combinée avec le contrat collectif, était un pas décisif vers le contrôle absolu de la main-d'œuvre qui est le premier but des chefs syndicalistes. Maîtres de l'embauchage, des règlements du travail, des salaires et des congédiements, il est clair qu'ils deviendraient rapidement les maîtres du système industriel américain tout entier.

Robert Taft fit interdire la *closed shop*. Sa loi resta cependant si libérale, et peut-être si insuffisante, qu'elle laissa subsister l'*union shop* c'est-à-dire un système qui crée à tout salarié l'obligation d'adhérer au syndicat de son entreprise dans un délai donné après son embauchage. La loi Taft - Hartley prévoit également des procédures de conciliation en cas de menace de grève et contient une clause contraignant les dirigeants des syndicats à déclarer sous serment qu'ils ne sont pas communistes, sous peine de faire perdre à leurs syndicats les bons offices de certains organismes fédéraux. Toutes ces dispositions sont hautement défendables, mais, de la part de Robert Taft, candidat chronique à la Maison-Blanche, il n'était certainement pas habile d'y associer son nom. La loi fut l'objet d'attaques forcenées. Truman lui opposa son veto, qui fut surmonté au Congrès par une majorité des deux tiers, mais les *bosses* du travail jurèrent qu'ils n'auraient ni paix ni repos aussi longtemps que la loi ne serait pas rapportée et que ses auteurs ne seraient pas châtiés.

Quelques mois plus tard, et pour la troisième fois, Taft demanda à une Convention républicaine de lui confier le drapeau du parti. Agé de cinquante-six ans, il était alors en pleine maturité politique et suscitait d'ardents dévouements. La lutte se déroula à Philadelphie, dans une atmosphère déjà annonciatrice des excès de Chicago.

Contre Taft, la loi Taft - Hartley fut une arme. Comment le parti républicain pouvait-il espérer un succès avec un candidat qui allait dresser contre lui toutes les forces du travail organisé ? L'argument aida à une nouvelle désignation de Dewey, qui fut battu pour la seconde fois, contre toutes les prévisions.

Pour Robert Taft, le moment du châtiment approchait. Son mandat de sénateur de l'Ohio, conservé en 1944 avec une maigre majorité de 18 000 voix — expirait en 1950. La vengeance du travail venait à échéance — d'autant plus ardemment désirée que la loi Taft - Hartley restait debout, en dépit d'une majorité démocrate retrouvée depuis deux ans. La C.I.O., l'A.F. of L., les Fraternités du Personnel des Chemins de fer se concertèrent avec le parti démocrate et constituèrent un comité commun pour battre Robert Taft. L'argent des richissimes fédérations ouvrières fut prodigué. Rien ne devait être épargné pour chasser de la vie publique l'homme qui avait défié les chefs du travail. Et il suffisait de jeter un coup d'œil sur l'Ohio pour comprendre que le siège sénatorial de Robert Taft était perdu.

Au nord, le puissant Etat — 10 305 000 habitants — borde le lac Erié. Au sud, il est bordé par la splendide rivière dont il porte le nom. Les champs conservateurs, les fermiers indéfectiblement républicains, occupent la plaine centrale, mais ils sont laminés entre la vallée industrielle de la grande rivière et le littoral industriel du Grand Lac. D'immenses entreprises se sont installées dans ces deux zones. Dans un quadrillage de routes revêtues de briques, des villes d'usines poursuivent une variété impressionnante de fabrications, émettent une prodigieuse variété de fumées. Youngstown, siège de la Republic Steel, prolonge Pittsburgh. Toledo fabrique les jeeps, les bougies Champion et possède les plus grandes raffineries de pétrole de la région des Grands Lacs. Dayton, où les frères Wright eurent leur atelier de mécaniciens, produit des caisses enregistreuses et des frigidaires. Akron est la capitale mondiale du caoutchouc, avec ces noms qui furent des hommes avant d'être des marques : Goodrich, Goodyear, Firestone, et un colosse

qui les domine tous : U. S. Rubber. Cincinnati et Cleveland (agglomérations de 1 353 000 et 2 004 000 habitants
respectivement) sont deux immenses complexes dans lesquels on relève plus de mille industries s'échelonnant
des aciéries aux cartes à jouer.

Mobilisées par leurs syndicats, exaltées par une propagande effrénée, les masses ouvrières de l'Ohio devaient
écraser l'auteur de la loi d'esclavage et donner une
leçon retentissante aux politiciens assez téméraires pour
braver le travail.

Le résultat fut sensationnel. Bob Taft — qui avait fait
campagne pour la première fois sans le concours
de Martha — fut réélu avec plus de 430 000 voix de majorité. Les districts ruraux lui furent relativement moins
favorables que les villes, qu'il enleva toutes : Cleveland,
Cincinnati, Akron, Dayton, Zanesville, Youngstown,
Toledo, etc. Le détail du résultat montra jusqu'à l'évidence qu'une forte proportion de syndiqués avaient voté
pour lui, c'est-à-dire pour la loi qui porte son nom. Il
n'avait fait cependant aucune concession, attaquant au
contraire avec la plus grande vigueur les tyrans du travail. Des milliers d'ouvriers, conscients de l'exploitation
et de l'asservissement dont ils sont l'objet, l'approuvèrent
dans le secret de l'isoloir, après s'être courbés en public
devant la menace des sévices physiques et la crainte de
perdre leur emploi.

Le succès personnel de Robert Taft fut sans lendemain,
et d'ailleurs son rendez-vous avec la mort était déjà pris
d'une manière irrévocable. Lui disparu, son Ohio tomba
pour un temps entre les mains des démocrates. Le gouverneur, Michael di Salle, servit dans l'administration démocrate de Truman comme dictateur aux prix (qui ne lui obé-
irent pas). Si la plupart des grandes villes, Cleveland en
tête, ont encore des municipalités démocrates, l'Ohio
a retrouvé un gouverneur républicain, James A. Rhodes,
et ses représentants au Congrès sont également républicains. Le doyen des sénateurs, Frank Lausche, fils d'un
immigrant slovène, est depuis des années l'un des piliers
de la politique démocrate dans le Middle West et son nom
fut prononcé plusieurs fois comme celui d'un candidat

possible à la Maison Blanche. Le sénateur junior est également un démocrate qui, en 1958, a remplacé un dur-à-cuire du républicanisme nommé Bricker. Sur le plan national, les démocrates ont conquis des majorités importantes dans les deux Chambres du Congrès. Cependant, la loi Taft-Hartley est toujours debout. Les chefs du travail, grands électeurs du parti démocrate, la foudroient, la dénoncent comme une loi anti-ouvrière, comme une infamie législative — mais ils ne parviennent pas à la faire abroger. Elle répond trop évidemment à un besoin et constitue trop visiblement une barrière contre un pouvoir qui après avoir joué un rôle utile, menace les libertés américaines par son développement excessif.

XV

KENTUCKY — TENNESSEE — ARKANSAS

Au sud de l'Ohio, commence un autre monde. La grande
rivière, cependant, n'est pas une frontière au sens rigide
que les idées européennes ont donné à ce mot. Il est plus
exact de dire qu'elle marque le début d'une série de
transitions conduisant progressivement au grand complexe naturel et humain désigné sous le nom de Sud. Du
cœur des Grandes Plaines à l'Océan, plusieurs Etats s'in-
terposent ainsi entre la zone où, il y a cent ans, l'esclavage était considéré comme un défi à Dieu et la zone où il
était considéré comme la base nécessaire d'une société
protégée par Dieu. A l'ouest du Mississipi, le Missouri
était déjà l'un de ces *Border States*. Du côté de l'Atlantique, le Delaware, le Maryland et la Virginie sont
d'autres régions d'hésitation et de conflit dont il sera
question dans des chapitres ultérieurs. Au point où nous
en sommes de ce voyage et de ce récit, les deux Etats-
tampon entre le Nord et le Sud, sont deux terres de
contrastes qui furent longtemps des terres de déchirement : le Kentucky et le Tennessee.

Une poésie intense est associée au Kentucky. Elle a
son expression populaire dans *My old Kentucky Home*
que le pauvre Stephen Foster composa avant de mourir
de misère dans un asile de charité de New York. Mais elle

a un support plus sérieux qu'une chanson dans une contrée qui associe de grandes beautés naturelles à un passé intrépide. La seconde Amérique — celle qui succéda immédiatement à la période coloniale — a commencé dans le Kentucky.

Les pionniers, qui le peuplèrent percèrent le fond d'un décor. Avant eux, la haute chaîne des Alleghangs dressait dans le ciel la frontière de l'homme blanc. Ils s'avancèrent dans des gorges couvertes d'hickory, de lauriers, de rhododendrons et conquirent un col qui a autant de signification dans l'histoire humaine que les passages les plus fameux des Alpes, le Cumberland Gap. Au delà, dans un paysage toujours farouche, s'étendait la réalité d'un continent dont ils n'avaient fait jusqu'alors que parcourir le parvis.

Ces conquérants venaient de la Virginie, qui fut la mère d'une grande partie de l'Amérique. Ils étaient en majorité des Anglo-Ecossais et en totalité d'ardents protestants, wesleyens, presbytériens ou baptistes. La famille de Lincoln appartenait à cette première migration et Lincoln lui-même naquit dans le Kentucky, pour être porté sur les bras de sa mère dans l'Indiana. Le prototype du pionnier, Daniel Boone, explora et colonisa la région qui, en 1796, devint le quinzième des Etats. Dès l'époque de la guerre de l'Indépendance, un vigoureux noyau de colons prospérait dans la vallée de l'Ohio. L'intervention de la France fit une telle impression sur ces enfants perdus qu'ils débaptisèrent leur établissement de Falls of Ohio en l'honneur de Louis XVI et qu'ils en firent Louisville la grande cité (775 000 habitants) du Kentucky actuel.

La tradition du Kentucky est martiale et querelleuse. Le Kentuckien caricatural est un colonel au grand chapeau sudiste dont le point d'honneur est aussi chatouilleux que celui d'Athos. La politique locale fut toujours orageuse et produisit, en conséquence, des figures hautement pittoresques. L'une des plus récentes est cet Albert Benjamin (« Happy ») Chandler qui fut gouverneur, puis sénateur des Etats-Unis, et qui abandonna ce poste législatif, le plus envié du monde, pour devenir président des ligues professionnelles de base-ball. Un autre Kentuckien, Alben W. Barkley, fut élu vice-président des Etats-Unis en 1948 et sortit de l'obscurité qui entoure cette haute fonction en épousant une femme de trente ans plus jeune que lui. Un troisième, Fred Vinson, ex-président de la Cour Suprême, conseiller aulique de Truman, passait sous l'administration démocrate pour l'un des hommes les plus influents d'Amérique. Il n'est jamais parvenu, cependant, à réaliser son rêve d'aller à Moscou pour négocier avec Staline la paix d'une génération.

Rien n'est aussi peu homogène que ce Kentucky si coloré. Les géographes s'amusent à le subdiviser à l'infini et finissent toujours par conclure qu'il est bien trop divers pour constituer un Etat. L'Est épouse les contreforts occidentaux des Alleghangs et se couvre d'une toison de forêts sous laquelle vivent des populations pauvres, vigoureuses, routinières et républicaines, parce qu'elles furent anti-esclavagistes à l'époque de la Sécession. L'Ouest trempe les pieds dans les marais qui escortent de bout en bout le boueux Mississipi. L'entre-deux est ce qu'on appelle la région du Bluegrass, le Kentucky typique des grandes prairies, des barrières blanches et des pur-sang. L'herbe, dit-on, prend au printemps une nuance azurée, mais ce phénomène qui a donné son nom à l'Etat (Bluegrass State) est fugitif comme un reflet sur la mer. Le Kentucky est l'un des endroits du monde les plus vigoureusement verts.

Ses élevages de chevaux sont célèbres. Ses grandes écuries sont parmi les pèlerinages de l'Amérique. Le plus illustre de ces enfants quadrupèdes, Man O'War, détenteur de 21 records, eut 1 500 000 visiteurs avant la crise cardiaque qui l'emporta et sa statue en bronze, obligatoirement équestre, est un Memorial. La moitié des pur-sang d'Amérique et 90 % des héros d'hippodromes viennent du Kentucky. Le culte du cheval n'y a pas la rudesse utilitaire et pittoresque de l'Ouest, mais l'élégance et le raffinement de Chantilly. Il a pour apothéose annuelle le grand derby du Kentucky, qui se court à Louisville — alors qu'il devrait en bonne justice se courir à Lexington, capitale de l'élevage chevalin.

Le Kentucky a une façade minière et une grande rue industrielle qui suit le cours tortueux de l'Ohio. Mais ces rudes activités s'effacent derrière l'une des plus grosses récoltes de tabac d'Amérique et surtout derrière la grande spécialité régionale qu'est la distillation du whisky. Près de la moitié des « bourbons » de l'Amérique assoiffée, soit 35 000 hectolitres, viennent de là. Par une contradiction étonnante, 90 des 120 comtés du Kentucky ont gardé le régime sec, comme ils en ont le droit en vertu de l'autonomie locale restée si forte en Amérique. Le vieux côté puritain et biblique du Kentucky survit derrière ses alambics. Ou peut-être trouve-t-on là pour la première fois l'un des traits du Sud, l'interdiction fréquente et au moins théorique de l'alcool — avec l'arrière-pensée d'en rendre l'approche difficile aux noirs.

Un autre trait du Sud, la lèpre qui ira grandissant dans les chapitres suivants, est la pauvreté. Celle du Kentucky apparaît dans le revenu moyen annuel par tête d'habitant : 2 205 dollars, contre 2 940 pour l'ensemble du pays et 3 969 pour les Etats les plus fortunés. Elle apparaît davantage encore dans les études de détail faites par les associations progressistes locales : 70 % des fermes n'ont pas l'électricité, 84 % n'ont pas le téléphone et 42 000 (sur 238 000) sont dépourvues de toute installation sanitaire. En dehors des sèches statistiques, le témoignage de l'œil est irrécusable : les étranges paysages de misère du Sud, les cabanes délabrées auprès des champs érodés, apparaissent pour la première fois dans le Kentucky — mais encore éclipsées par la façade anglaise, les grandes fermes et les pimpants cottages du Bluegrass.

Le Tennessee est aussi complexe, mais plus sudiste, que le Kentucky son voisin. Quand le cas de conscience de la Sécession se posa, les deux Etats se heurtèrent et le Tennessee finit par s'enrôler sous le drapeau du Sud, alors que le Kentucky resta du côté du Nord. Les traits géographiques qui divisèrent alors les opinions sont les mêmes et elles ont laissé des traces encore plus profondes dans le comportement politique des populations. Dans l'Est (jadis très anti-esclavagiste), du Tennessee, la circonscription législative de Knoxville n'a jamais cessé depuis 1865 d'envoyer au Congrès un représentant républicain. La partie occidentale, au contraire, est presque déjà le Sud Profond. Sa cité mississipienne de Memphis (752 000 habitants), longtemps la plus paisible des grandes villes américaines, est la capitale nationale et mondiale du coton.

Le Tennessee tire son nom d'une rivière, d'une longue rivière dégingandée, irrésolue, fantasque, qui court d'abord du Nord au Sud le long des Alleghangs, hésite en arrivant dans la plaine, fait un tour complet sur elle-même, remonte vers le Nord, hésite encore et finit par rejoindre l'Ohio à quelques milles de son confluent avec le Mississipi. Cette rivière est passée au rang de symbole en devenant un enjeu entre le capitalisme et l'Etat. Celui-ci a gagné. La Tennessee Valley Authority — T.V.A. — a été la première grande infusion de socialisme dans la vie américaine. Jamais, au reste, un terrain n'avait été plus propice, une cause plus défendable et un fléau pourvu de meilleures lettres d'introduction.

La Tennessee River était un fléau. Son long cours, encombré d'écueils et de bancs de sable vagabonds, était impropre à toute espèce de navigation. Ses crues étaient soudaines et terrifiantes. L'homme fuyait le fond de la vallée, mais l'eau sauvage montait sur les pentes et entraînait la terre cultivable dont elle allait enrichir le limon du Mississipi.

Il n'est nullement prouvé que le capitalisme n'aurait pas discipliné et exploité le terrible cours d'eau. Le contraire ressort du fait que le travail avait déjà bien commencé quand l'Etat rooseveltien a écarté d'un coup d'épaule la libre entreprise. Des 36 barrages du Tennessee et de ses affluents, 24, construits avant 1933, ont été purement et simplement incorporés dans la T.V.A. L'Etat américain a payé à la seule société d'énergie électrique Southern and Commonwealth — présidée par Wendell Willkie, concurrent de Roosevelt en 1940 — 78 millions de dollars, qui représentaient bien évidemment d'importantes installations. La loi du 7 mai 1933 a surtout établi un plan d'ensemble et accéléré l'équipement de la vallée en mettant le Trésor public à la disposition des bâtisseurs.

Le résultat est spectaculaire. Sur 1 000 kilomètres, de Norris Dam jusqu'à Kentucky Dam, le torrent est devenu un escalier. Il descend de lac en lac, si complètement dompté qu'il ne subsiste absolument rien de son ancienne fureur. A chaque marche, il travaille pour produire de l'électricité, de l'irrigation ou encore, à Muscle Shoals, des engrais azotés. Il porte docilement des nuées d'embarcations de plaisance et de gros chalands utilitaires. On a dû dépenser, pour le mettre dans son harnais, deux fois et demi plus de béton que pour joindre l'Atlantique au Pacifique par le canal de Panama. Mais l'œuvre est achevée. Et, par suite, les oppositions de principe sont devenues caduques. Quand Robert Taft, candidat républicain, a visité le Tennessee, on lui demanda ce qu'il ferait de la T.V.A. s'il était élu. « J'ai été contre, a-t-il répondu, mais puisqu'elle est là, je ne vais tout de même pas la détruire. » Elle a électrifié 285 000 fermes, donné le courant à un million de consommateurs et augmenté le revenu très bas du Tennessee plus vite que le revenu moyen de l'Amérique.

Oak Ridge se lie étroitement à la T.V.A. Si cette doyenne des villes atomiques fut construite dans l'Etat faiblement industriel du Tennessee, c'est à cause de la grande quantité d'eau et d'énergie électrique que fournissait l'équipement du torrent. C'est un peu aussi à cause du site, si secret qu'on pouvait passer mille fois sur la grande route voisine sans soupçonner un gigantesque établissement industriel maniant la force la plus dangereuse de la création. Pendant longtemps on accéda à l'entrée principale d'Oak Ridge par un très vieux pont de fer au-delà duquel se dressait une enceinte qui fut longtemps une muraille de Chine pour les curieux ; 85 000 ouvriers travaillèrent derrière cette clôture sans se douter de ce qu'ils faisaient.

Hanford, dans l'Etat de Washington, produit du plutonium. Oak Ridge produit de l'uranium 235 par le procédé connu sous le nom de diffusion gazeuse. Quand l'Amérique entra dans l'aventure atomique, elle ne savait pas lequel des deux explosifs nucléaires était faisable — en admettant qu'un des deux le fût — si bien qu'elle entreprit à la fois la fabrication de l'uranium et celle du plutonium. Elles aboutirent l'une et l'autre, et presque simultanément. L'uranium 235 donna la bombe expérimentale d'Alamogordo et la bombe d'Hiroshima. Le plutonium fournit la bombe de Nagasaki. Il est intéressant de noter qu'il n'en existait pas de troisième, si bien que ce fut devant un arsenal atomique vide que le Japon capitula.

Les avantages des deux procédés, toutefois, sont loin d'être égaux. La diffusion gazeuse d'Oak Ridge demande des installations auprès desquelles les « piles » de graphite pur de Hanford sont artisanales. Le bâtiment principal, long d'un kilomètre, est l'un des géants industriels de la terre. Par surcroît, l'uranium 235 du Tennessee exigeait cinq fois plus de minerai et deux fois plus d'énergie électrique que le plutonium du Washington. Un mois après la capitulation du Japon, l'Amérique s'empressa de révéler ces petites différences en publiant le rapport Groves qui dévoila les neuf dixièmes des secrets atomiques du moment. Il n'est pas étonnant que l'U.R.S.S. ait choisi la bombe au plutonium, en s'épargnant les tâtonnements ruineux par lesquels l'Amérique était passée. Elle a, depuis lors, trouvé ses propres solutions.

Après la guerre, on crut un moment qu'Oak Ridge serait abandonnée. La ville atomique se dépeupla. Beaucoup de savants la quittèrent, en maudissant, comme ceux de Los Alamos, l'œuvre à laquelle ils avaient collaboré. Puis la tendance se renversa. En 1951, la Commission de l'Energie Atomique investit 235 millions de dollars pour remettre en état et pour agrandir les installations. La course aux armements atomiques commençait et, d'autre part, des techniques nouvelles faisaient de l'uranium enrichi le combustible atomique de l'avenir.

Depuis, l'atome est devenu l'une des grandes industries américaines. Elle occupe 200 000 personnes et son chiffre d'affaires est égal à la moitié de celui de la General

Motors. Le triangle de la diffusion gazeuse, Oak Ridge -
Paducah - Portsmouth, représentant un investissement de
plus de 4 milliards de dollars, constitue le plus grand
complexe industriel des Etats-Unis et consomme plus
d'électricité que New York. Un autre géant est l'établissement de la Savannah River, près d'Aiken, en Caroline
du Sud. Couvrant 1 500 kilomètres carrés, occupant
30 000 ouvriers et techniciens, il produit l'hydrogène
lourd nécessaire à la bombe H, et, accessoirement, colla-
bore au programme « Atoms for peace », qui fut le bébé
chéri du président Eisenhower. Dans le domaine de la
recherche, les laboratoires illustres de Berkeley (Californie) et d'Argonne (Illinois) sont éclipsés par l'immense
Laboratoire national de Brookhaven, près de New York.
Il mit en service, en 1960, son Accélérateur A.G.S. de
28 milliards d'électron-volts, qu'il affirme le plus grand
du monde. Mais l'A.G.S. de Brookhaven suivait de près
d'un an l'appareil analogue construit à Genève par la
coopération européenne et qui, à tout le moins, n'est pas
sensiblement inférieur à son rival américain. C'est un fait
supplémentaire s'ajoutant à tous ceux qui mettent en
lumière le retour scientifique, technique et industriel de
l'Europe — et la marche alourdie de l'Amérique.

L'industrie atomique américaine se présente comme
une symbiose entre la Commission de l'Energie Atomique,
agence gouvernementale relevant directement du Président, et les établissements industriels et scientifiques
appropriés. L'Université de Californie gère le Laboratoire
National de Los Alamos. Union Carbide exploite Oak
Ridge. Dupont de Nemours a construit l'usine de la
Savannah River. General Electric et Westinghouse se
spécialisent dans les réacteurs, etc. Cette combinaison fut
longtemps pleinement satisfaisante, mais il n'est pas dit
qu'elle fonctionne d'une manière aussi heureuse que par
le passé. Le secret qui couvre la Commission de l'Energie
Atomique n'est pas si étanche qu'on ne sache pas que
des orages l'ont agitée à plusieurs reprises et que des
doutes se sont élevés sur l'ensemble du programme
nucléaire américain.

Dans le domaine des armements proprement dits, il

n'est guère possible d'aller plus avant que le rapport de la Commission de l'Energie Atomique disant que la production des armes nucléaires se poursuit « conformément aux instructions du Président ». Dans le domaine des isotopes, leur utilisation se développe d'année en année, s'étend à 1 700 hôpitaux, à 15 000 établissements industriels, à une partie de l'agriculture, joue un rôle croissant dans la prospection minière, le contrôle des pipe-lines, des alliages, des soudures, etc. Dans le domaine des réacteurs, au contraire, beaucoup d'hésitations et d'erreurs ont été enregistrées. En 1960, l'Amérique ne possédait qu'une seule centrale expérimentale de 60 000 kilowatts, à Shippingport, près de Pittsburgh, alors que plusieurs étaient en service en Grande-Bretagne et sur le continent européen. Deux autres, celle de Rowe (Massachusetts) et celle de Monroe (Michigan) étaient en cours d'achèvement, et la General Electric fixait à 1965 la date à laquelle elle serait en mesure de produire de l'énergie atomique compétitive, ce qui fut réalisé. L'urgence, il faut le reconnaître, est réduite par le somptueux bilan énergétique américain. Cependant, le combustible nucléaire est destiné à prendre une part croissante sur le marché énergétique, au sein duquel il représentera une part de 20 % en 1980. Seize centrales sont en service depuis 1963 — dont plus de la moitié à l'est du Mississipi — et une demi-douzaine en projet.

C'est dans le domaine des réacteurs marins que l'Amérique a le mieux marché. Les brillantes croisières d'endurance de ses sous-marins atomiques ont été à plusieurs reprises ses seules fiches de consolation devant les succès scientifiques et industriels soviétiques. Mais l'homme à qui l'Amérique en est redevable a failli briser sa carrière par l'acharnement agressif avec lequel il les a préconisées.

Dès 1945, le lieutenant-commander Hyman G. Rickover avait fait un stage à Los Alamos, en qualité d'électricien. Il en était revenu avec la conviction que le navire de guerre de l'avenir, le sous-marin en tout premier lieu, ne pouvait pas avoir d'autre propulseur que la force nouvelle qui venait de faire irruption dans l'histoire. C'était un officier de peu d'apparence, médiocrement noté, col-

lectionneur d'ennemis, auquel on n'avait jamais donné à
commander qu'un vieux mouilleur de mines, allergique
aux obligations mondaines, travailleur infatigable,
bizarre, cassant, Juif, né dans un ghetto de Russie
Blanche, importé à l'âge de six ans par un père tailleur
et dont l'admission à l'Académie navale d'Annapolis
avait été de toute évidence une anomalie. Cet homme
porteur de tous les handicaps fut le promoteur des sous-
marins atomiques et le constructeur de la série des
Nautilus. Des honneurs tardifs se sont abattus sur lui,
après que le puissant conformisme naval eut tout fait
pour le décourager et le punir.

Oak Ridge, pour en revenir à elle, a cessé d'être une
ville murée. Inexistante il y a dix ans, elle a maintenant
30 000 habitants permanents. Les usines restent inaccessibles, mais l'essentiel de ce qui s'y déroule est mis à la
portée des touristes dans une institution unique au
monde, le musée de l'Energie Atomique. Les personnages
des « comics » américains, Dagwood, Blondie, Smiling,
Jack, Lit'le Abner, etc., sont les véritables cicérones de
cette exhibition : leurs effigies présentent sur de grands
panneaux animés les processus conduisant du minerai
d'uranium aux bombes qui exterminent ou aux isotopes
qui guérissent. Avant de vous laisser sortir, le guide vous
demande une pièce de 10 cents et vous la rend radio-
active. On emporte surtout l'impression que l'atome
sort de son mystère originel et qu'il entre rapidement
dans la familiarité des hommes modernes, comme l'électricité et les autres grandes inventions qui l'ont précédé.

La T.V.A. et l'atome industrialisent le Tennessee. Cette
vieille et rude terre de pionniers, qui produisit le premier
grand président plébéien de l'Amérique, Andrew Jackson,
a retrouvé une sérieuse importance politique avec le
sénateur Estes Kefauver, organisateur d'une croisade
se trouve à Nashville. Elle fut fondée à la fin de la guerre
contre le crime et contre le jeu. La capitale, Nashville,
grande ville universitaire, se considère comme l'un des
centres de culture du Sud. L'une des premières et des
meilleures Universités noires des Etats-Unis, Fisk College,

de Sécession et ses premiers étudiants ont été de jeunes esclaves affranchis.

La séparation des couleurs (ségrégation) était légale dans l'Etat, mais en raison d'une certaine tradition libérale et surtout peut-être parce que les Noirs ne sont que 600 000 sur 3 883 000 Tennesseans, le problème ne fut jamais aigu. Sans doute parce que, en dépit de la latitude et du passé sécessionniste, on n'est encore ici qu'à mi-chemin du Sud.

C'est pourtant à Memphis que fut commis, le 4 avril 1968, le crime qui pouvait mettre l'Amérique à feu et à sang. A 18 heures, sur le balcon de sa chambre, au motel Lorraine, le pasteur Martin Luther King, depuis 1963 leader écouté du mouvement des droits civiques, était tué d'une balle dans le cou par un tireur armé d'un fusil à lunette (on notera au passage la similitude avec l'assassinat de Dallas).

Ainsi se tut la voix d'un homme qui, depuis son passage à l'Université de Boston, en 1955, luttait pour que l'égalité raciale devînt une réalité dans les Etats du Sud, en affirmant « Je n'ai qu'une seule arme, l'Amour ». Né le 15 janvier 1929 dans la famille d'un pasteur d'Atlanta, c'est à Montgomery (Alabama) la ville natale de sa femme Corella Scott, que le jeune pasteur baptiste King se fixa en 1955, en même temps qu'il devenait le président de la Conférence des dirigeants chrétiens des Etats du Sud. Il se lança immédiatement dans l'action en organisant, pendant l'hiver 1955-56, le boycottage des autobus par les Noirs. Pendant de longues semaines, il réussit, tout en prêchant la non-violence à l'exemple de Gandhi, à préserver la détermination des Noirs. A cette occasion, les Negro Spirituals, jadis expression de la résignation servile, devinrent le symbole de la neuve volonté des Noirs de se battre pour la reconnaissance de leurs droits d'hommes libres. Le succès décida les groupes de « missionnaires de la liberté » à combattre la ségrégation dans les terminus des cars à grande distance, leurs restaurants et leurs salles d'attente. En Alabama les missionnaires se heurtèrent à la populace blanche armée de bâtons, et le gouvernement fédéral dut intervenir pour ramener l'ordre. King lui-même, emprisonné à Atlanta en 1960, fut libéré alors sur l'intervention expresse, en pleine campagne électorale, de John Kennedy.

Emprisonné douze fois, Martin Luther King eut sa maison deux fois dynamitée et recevait chaque jour de nouvelles menaces de mort — en avril 1958 il avait déjà été blessé d'un coup de poignard. C'est à Memphis qu'il livra son dernier combat, en faveur des éboueurs de la ville (Noirs à 28 %) en grève depuis le 12 février.

De sa disparition, Stokely Carmichael, le leader du Black Power, dit : « Cet assassinat réduit au silence la seule voix de la vieille génération que les jeunes Noirs étaient capables d'entendre. » King en était profondément conscient, écrivant lui-même dans son dernier appel que c'était « la campagne de la dernière chance ». Cette chance, l'Amérique la saisira-t-elle ?

Il en est de même pour l'Etat qui s'étend au sud-ouest du Tennessee, sur l'autre rive du Mississipi. Le nom de l'Arkansas et celui de sa capitale, Little Rock, prirent en 1957 une résonance mondiale. La lutte cruelle qui déchire l'Amérique y connut l'un de ses épisodes les plus brutaux et les plus significatifs.

Cet Arkansas n'est pas un membre très important de la famille des Amériques. Il s'étend sur de grands plateaux poudreux et sur de petites montagnes, les Ozarks, qui passent pour conserver la faune la plus sauvage et les hommes les plus arriérés des Etats-Unis. La population blanche, constituant les trois quarts de la population totale, compte une proportion de sang anglais et de foi protestante plus élevée que dans n'importe quel Etat — mais le climat et la pauvreté l'ont altérée. Les *poor whites* sont nombreux sur leurs champs usés et des légendes diffamatoires ont cours sur les mœurs des Arkansans. « Il existe, dit-on, une vierge dans l'Arkansas : c'est une petite fille de sept ans qui court plus vite que ses frères. » L'Etat, trop exclusivement rural, trop adonné

au coton, est en déclin rapide. Il fut, au dernier recensement décennal, l'un des trois qui virent leur population
décroître, ayant perdu de 7,2 % sur ses 1 900 000 habitants de 1950. Actuellement toutefois sa population est
à nouveau estimée à plus de 1 900 000 habitants
(1 955 000), sans doute en raison du taux élevé de la
natalité noire.

Little Rock est mentionnée dans l'opérette *South Pacific* avec la même signification railleuse qui s'attache, en
France, au nom de Landerneau. Ce n'est cependant pas
une vilaine ville. Trois beaux ponts franchissent l'Arkansas River au lit boueux. Le Capitole copie le grand
Capitole de Washington, mais s'orne d'un monument
aux femmes sudistes de la guerre de Sécession. Les rues
commerçantes sont rectilignes et bordées de modestes
gratte-ciel. Le quartier noir est ce que sont tous les
quartiers noirs dans le Sud : délabré, mais préservé de la
pire laideur et de l'insalubrité par du soleil et des arbres.
Sur 128 929 habitants, 27 746 sont noirs — et ni mieux
ni plus mal lotis qu'ailleurs.

C'est cette ville sudiste typique qui fut occupée, le
mardi 24 septembre 1957, par une unité de la 102e Airborne division, troupe d'élite qui s'était illustrée à Bastogne, avant de venir charger à la baïonnette les *teenagers*
de Little Rock. Elle débarqua de ses *flying box cars* sur
un terrain du Strategic Air Command et fit son entrée
à Little Rock à la tombée de la nuit, dans sa grande
tenue de combat. Les habitants, stupéfaits, trouvèrent à
peine la force de quelques huées. C'était la première fois
depuis 1875 qu'une ville sudiste retombait sous la loi
martiale du Nord.

Les parachutistes de la 102e Airborne restèrent dix
mois à Little Rock. Pendant dix mois, ils conduisirent à
la Central High School deux petites négresses et trois
jeunes négros. Les élèves blancs boycottèrent les classes
et suivirent à la télévision les cours organisés par le
gouverneur Faubus. Quand, de guerre lasse, les parachutistes eurent été rappelés, Faubus ferma la High School
et la remplaça par un établissement privé subventionné
par l'Etat. Depuis lors, la lutte s'est poursuivie au milieu

d'incidents physiques et juridiques incessants. Quelques élèves noirs symboliques sont imposés par la puissance des Etats-Unis, mais ils vivent entre des murs d'hostilité et en état de danger permanent. Et, s'il fallait déployer une force proportionnelle en faveur des 3 millions d'élèves noirs du Sud restés en état de ségrégation scolaire, la mobilisation générale du Nord n'y suffirait pas.

Les chapitres qui suivent éclaireront, je l'espère, les lignes générales de cette question noire, sans contredit la plus grave des fractures de l'Amérique. A Little Rock, il s'agissait d'appliquer l'arrêt de la Cour Suprême en date du 17 mai 1954, la décision historique rendant inconstitutionnelle la ségrégation scolaire et déclarant que la doctrine sudiste des facilités égales, mais séparées, pour les deux races était en contradiction avec le 14e Amendement. La Cour avait laissé les tribunaux fédéraux juges du moment opportun pour appliquer, suivant les circonstances locales, le principe qu'elle avait posé. En conséquence, on avait attaqué d'abord les zones de moindre résistance, le District Fédéral, les *Border States* comme le Missouri, le Kentucky, le Delaware. La High School de Little Rock était le théâtre d'un coup de sonde prudent dans ce qui est indubitablement le Sud, sans être encore le Sud profond. On dut faire venir la division de Bastogne pour que l'apparence de la force reste à la loi.

Orval E. Faubus a gagné dans la querelle de Little Rock une réputation mondiale et, dans le Sud, l'auréole de défenseur des droits des Etats. Il est né dans un village des Ozarks si pauvre, si écarté qu'aucun chemin carrossable ne le reliait au monde et, indigent parmi les indigents, il gagna la Californie en voyageant sur le tampon d'un wagon. Ayant fait quelques dollars, il revint en Arkansas et s'inscrivit dans une école soupçonnée de donner un enseignement marxiste, ce qui lui valut la réputation d'un rouge, qu'il n'avait pas perdue au moment de sa première élection comme gouverneur. Il fit ce que personne n'avait fait depuis la Sécession de la Caroline du Sud, en 1860 : il mobilisa la garde nationale de son Etat contre une décision des Etats-Unis — fit interdire par ses baïonnettes l'entrée de la High School aux élèves noirs dont un juge fédéral avait ordonné l'admission. Mais la sécession militaire n'est plus possible à l'époque des *flying box cars*.

Il reste la résistance juridique et politique, la résistance passive et populaire. Le Sud s'est levé pour interdire une cohabitation scolaire qui lui est proprement inconcevable. Le chef effectif du mouvement de résistance est James Byrnes, de la Caroline du Sud, qui fut un New Dealer de Roosevelt, avant d'être le secrétaire d'Etat de Truman et le premier homme d'Etat américain qui éleva une résistance devant les empiétements de Staline. A de rares exceptions près, comme celle de Kefauver, sénateur du Tennessee, tous les élus du Sud opposent à la déségrégation toutes les ressources de l'obstruction et de la chicane ; 20 sénateurs, appartenant à 11 Etats, protestèrent contre le déploiement de force de Little Rock, avec des noms aussi considérables que ceux de George de Georgie, de Byrd de Virginie et de Fulbright de l'Arkansas. Il reste encore un chemin immense à parcourir pour courber la volonté d'un peuple fier pour qui une lutte séculaire se poursuit.

XVI

LOUISIANE

Le Mississipi arrive du Nord, immense. Depuis son confluent avec l'Ohio, il coule dans le Sud et, depuis Memphis, dans ce qui mérite d'être appelé le Sud Profond — Deep South. Il prend ses aspects les plus saisissants, ses largeurs les plus impressionnantes, ses couleurs les plus ocrées. Il entre dans ses vagabondages les plus erratiques et, aujourd'hui encore, les plus dangereux. Une lutte, dont le début date de plus de deux siècles, se déroule entre le grand fleuve et la conquête humaine dans une vallée indécise à laquelle des forêts à demi noyées donnent des paysages de palétuviers.

L'homme s'est risqué sur ces eaux limoneuses, tortueuses, tumultueuses, bien avant d'avoir des esquifs appropriés à leur violence. Le découvreur du Mississipi, l'Espagnol de Soto — dont le nom est devenu une marque d'automobiles, comme ceux de Cadillac et de Hudson — eut le Mississipi pour tombeau. Plus tard, les explorateurs français le descendirent dans des pirogues, les pionniers le remontèrent dans des barques à rames et un Roosevelt, aïeul de Théodore et associé de Fulton, lui imposa son premier bateau à vapeur. Un nommé Sam Clemens, généralement connu sous le nom de Mark Twain, fit partie de la corporation des pilotes du Mississipi et raconta les extravagances qu'y commettaient et les désastres qu'y rencontraient les Américains fous d'audace d'il y a cent ans. Quelques-uns de leurs arrière-petits-fils s'embarquent encore sur des steamers à roues pour essayer de retrouver un peu de la romance du passé ; mais ils ne rencontrent que l'ennui d'une lente croisière fluviale châtrée de tout danger. La lutte est en apparence finie et gagnée.

En apparence seulement. La lutte n'a fait que changer de forme en perdant son caractère aventureux. Le gouvernement américain dépense chaque année près de 100 millions de dollars pour prendre contre le fleuve une assurance qui est loin d'être parfaite. On a fait, à Vicksburg, un Mississipi en miniature dans lequel les ingénieurs hydrauliciens provoquent des crues afin d'en étudier les effets et d'en expérimenter les palliatifs. Peu à peu, le fleuve est saisi au collet. Ses changements de lit sont réprimés et interdits. Ses hauts-fonds fameux et ses bancs de sable, cimetières de navires, sont arasés. Les digues qui l'escortent ont pris la solidité des murs de prison. Mais l'activité qui règne sur les berges, la longueur et le nombre des épis tendus pour discipliner les eaux, prouvent que le Mississipi est encore loin d'être complètement domestiqué.

Un moment vient où le Mississipi s'effrite. Avant de se perdre dans le golfe du Mexique, il se noie dans son delta. Ce delta, Camargue démesurée, forme une partie de l'Etat de la Louisiane et constitue la région peut-être la plus romanesque de l'Amérique. Beaucoup de Français l'ont découverte par l'admirable documentaire de Robert J. Flaherty, *Louisiana Story*. Mais le film est impuissant à tout dire — de même que ce chapitre sera loin de dire tout.

Louisiane est un nom résiduel. La Louisiane primitive s'étendait jusqu'au Montana, couvrait la majeure partie des terres américaines à l'ouest du Mississipi. Son fondateur, Cavelier de la Salle, lui avait donné son nom grandiose en l'honneur de Louis XIV, qui soupçonna à peine son immense empire lointain. Sous Louis XV, la Louisiane servit de support au système de Law, les « bandouliers du Mississipi » écumèrent les rues de

Paris pour y recruter des colons involontaires et la touchante pécheresse Manon Lescaut, suivie des larmes de son siècle, fut embarquée vers cette horrible terre d'expiation. En 1763, un trait de plume céda la Louisiane à l'Espagne, qui la restitua sans plus de raison en 1801. En 1803, enfin, le Premier Consul la vendit.

L'histoire de cette cession est assez curieuse. L'ambassadeur des Etats-Unis, Thomas Jefferson, avait simplement reçu du président John Adams la mission de négocier l'achat de La Nouvelle-Orléans. Bonaparte lui offrit le lot tout entier et l'Américain, sautant sur l'occasion, l'enleva, au taux de 4 sous l'acre, pour 27 millions de dollars. Il fut critiqué par ses compatriotes qui ne comprirent pas ce gaspillage d'argent pour des terres si lointaines, si sauvages et si dépourvues d'avenir.

De la Louisiane française, les Américains tirèrent l'étoffe d'une douzaine d'Etats. Le nom lui-même disparut, puisque la petite Louisiane actuelle (48 000 milles carrés) fut officiellement désignée sous le nom d'Orléans Territory. Elle retrouva son vocable lorsqu'elle prit rang d'Etat, le 30 avril 1812. Deux ans plus tard, elle fut un champ de bataille quand les Anglais tentèrent de s'en emparer. Elle fit sécession en 1861, partagea le sort des Etats confédérés, connut le châtiment après la défaite et fut réadmise dans l'Union en 1868. Depuis lors, la marche de l'histoire ne lui a pas encore enlevé le fort parfum français qu'elle doit à ses commencements.

Les bras, innombrables, par lesquels s'achève le Mississipi s'appellent des Bayous. Ils portent des noms français : Bayou Lafourche, Bayou Tèche, Bayou Caillou, Bayou du Large, Bayou des Allemands et même (écho d'une vieille fourberie indienne), Bayou du Chef Menteur. Beaucoup de « paroisses » — parishes et non pas counties, comme ailleurs — sont également françaises de nom : Beauregard, Saint-Martin, Vermillon, Saint-Bernard, etc. La capitale de l'Etat se nomme Bâton Rouge. Le grand lac qui sert de déversoir aux crues du Mississipi est le lac Pontchartrain, dont une dépendance est le lac Maurepas et dont une annexe, le lac Borgne, s'épanche dans le golfe du Mexique par le détroit de la Chandeleur.

Les hommes qui vivent dans le pays des Bayous sont, comme la toponymie, d'origine française. Ces Acadiens, ou « Cajuns » — le second nom est, paraît-il, la déformation du premier — représentent l'une des aventures collectives les plus étonnantes de cette Amérique qui en compte tant.

Ils peuplaient, au Canada, la péninsule d'Acadie (aujourd'hui Nova Scotia). Ils furent, en 1713, les premiers Français du Nouveau Monde cédés à l'Angleterre. Celle-ci, ayant mesuré la vigueur de leur loyalisme politique et religieux, les déporta, au début de la guerre de Sept ans, dans ses 13 colonies d'Amérique — acte aux conséquences profondes, car, laissés au Canada, les prolifiques Acadiens eussent probablement modifié au profit des Français le dosage des deux nationalités. L'idée était de noyer les rebelles dans des populations protestantes et anglo-saxonnes, mais les Cajuns la déjouèrent en s'évadant. Il n'y eut certainement pas de plan concerté, et cependant, par paquets, en suivant des itinéraires impossibles à retracer, les Cajuns filtrèrent vers la Louisiane, terre catholique et française. Cela ressemble à l'exode des Mormons vers l'Ouest, avec cette différence que les Mormons firent leur voyage en bloc, un siècle plus tard, dans un continent déjà reconnu et sans avoir à déjouer la surveillance des autorités.

Le poète Longfellow a fait de cette épopée française un classique américain. Son héroïne, Evangéline Bellefontaine, séparée de son fiancé Gabriel par le brutal décret de George II, use sa vie à le chercher dans l'Amérique sauvage et ne le retrouve que pour le voir mourir. L'histoire réelle est à peine moins romanesque. Emeline Labiche, qui servit de modèle à Longfellow, arriva seule en Louisiane et y attendit vainement Louis Arcenaux, victime probable du dangereux voyage. Elle a sa statue, à côté de l'église de Saint-Martin et l'on montre, dans l'Evangéline State Park, la maison où l'Inconsolable mourut d'attendre le fiancé perdu.

On n'est pas d'accord sur l'effectif des Cajuns au départ et à l'arrivée. Suivant une estimation, ils furent arrachés d'Acadie au nombre d'environ 11 000 et arrivèrent en

Louisiane au nombre d'environ 5 000. Suivant une autre estimation, ces deux chiffres doivent être divisés au moins par trois. Un certain recensement de 1787 trouva 1 587 Cajuns en Louisiane — mais sa précision surprend quand on considère qu'il fut fait par les Espagnols et que les marais de la basse Louisiane sont encore difficilement pénétrables aux censeurs d'aujourd'hui. En tout cas, qu'ils aient été à l'origine 5 000 ou 1 500, les Cajuns ont fait preuve d'une prolificité phénoménale. Ce bourgeon humain a produit, en cent cinquante ans, une population franco-américaine d'au moins 300 000, peut-être d'un demi-million d'individus.

A l'époque de la migration des Acadiens, les terres riches de la Louisiane étaient occupées par des Créoles, gentilshommes-planteurs, gouvernant des troupeaux d'esclaves noirs et de déportés blancs, exportant la canne à sucre et l'indigo. Ces féodaux des tropiques accueillirent mal les paysans nordiques et les autorités coloniales françaises ne comprirent pas la valeur du renfort d'hommes libres qui leur arrivait. Venant des terres froides du cap Breton, les Cajuns durent s'établir dans le delta. Ils y trouvèrent une contrée spongieuse, des nuages de moustiques, la fièvre jaune à l'état tantôt endémique tantôt épidémique, des eaux stagnantes sous des cathédrales de cyprès tendus de mousse espagnole, un pullulement d'alligators et de reptiles venimeux. Ils vécurent quand même — et ils vivent encore dans une nature qui n'a pas beaucoup changé.

Les grands marais sont l'une des beautés étranges et terribles du Sud. Il en existe des étendues immenses dans les Carolines, en Georgie, en Floride et en Louisiane. Ce sont les domaines du silence et du danger. Les Indiens séminoles les appelaient « le pays de la terre qui tremble », parce que même ce qui paraît le sol ferme oscille sous les pas, n'étant le plus souvent qu'une carapace flottante de végétaux qu'il suffit d'écarter avec les mains pour trouver l'eau noire et visqueuse. Les trappeurs les plus expérimentés s'égarent dans ces solitudes où le soleil n'entre que par flaques en produisant des effets lugubres de clair-obscur. L'homme, en règle géné-

rale, fuit ces régions malsaines, écrasantes et démora-
lisantes. La Louisiane est une exception à cause des
Cajuns.

Non pas tous, mais beaucoup, vivent dans des maisons
flottantes et de nombreux villages n'ont pour rue qu'un
bayou. Les rares chemins sablonneux sont si difficiles
que le cheval et le boguet — horse-and-buggy — sont
encore aussi fréquents que l'auto. Le vrai moyen de
transport est la « pirogue », si légère qu'un simple éter-
nuement est censé la retourner. Mais, suivant les Cajuns,
elle navigue sur une rosée aussi bien que sur un fleuve
en crue. Elle glisse sur les tapis de jacinthes, fleur européenne dévorante qui, échappée d'une exposition d'horti-
culture de New Orleans, a envahi la Louisiane et —
comme aux Indes — cause d'immenses dégâts. Elle circule au milieu des « genoux » que les racines des arbres
noyés font émerger comme des écueils sous les draperies
vert-pâle, immenses toiles d'araignée végétales, de la
mousse espagnole. Elle est le gagne-pain des pêcheurs et
des trappeurs de rat musqué. Elle est aussi le seul moyen
de découvrir un monde dont rien en Europe — pas même
les marais de Pinsk ou le delta du Danube — ne peut
donner la moindre idée.

Les Cajuns sont pauvres, traditionalistes et même
arriérés. On dit qu'il existe parmi eux de vieilles gens
qui n'ont jamais vu une auto ni un train. Ils font du riz,
culture exténuante. Ils pêchent, au débouché des bras du
Mississipi, des quantités énormes de grosses crevettes
roses, ou shrimps. Ils produisent la plus importante
récolte de canne à sucre des Etats-Unis. Ils sont fidèles
aux vieilles nourritures rurales françaises et leur dessert
royal est le riz au lait. Ils consomment de très fortes
quantités de café très noir, sans doute parce qu'ils
éprouvent le besoin d'un stimulant contre la chaleur
lourde et moite. Ils cultivent pour leur usage personnel
une grande variété de plantes médicinales qui leur ont
permis pendant longtemps de suppléer aux remèdes
scientifiques et de se soigner sans médecins. Ils ont gardé
la tradition des danses rustiques et leur moralité n'est
ni meilleure ni pire que celle des autres populations

semi-lacustres. Ils sont naturellement d'excellents catholiques et ils parlent un français comme il n'en retentit nulle part ailleurs.

Ce langage des Cajuns, ce sont surtout les anciens élèves de français des Universités américaines qui le déclarent incompréhensible. On n'éprouve pas la même difficulté lorsqu'on est accoutumé au parler paysan de l'Ouest de la France. Une vieille femme de Saint-Martin m'a dit « yo peux pas y crère » et « bounes gens », mais beaucoup de vieilles femmes du Poitou ne s'expriment pas autrement. La langue, toutefois, beaucoup plus archaïque que celle du Canada, touche au patois, ce qui n'a rien d'étonnant puisqu'elle ne s'enseigne pas, s'écrit à peine et n'a aucun contact avec l'imprimé. Elle recule lentement depuis que le clergé ne la défend plus. Toutefois, dans la plupart des églises, le sermon est fait encore successivement en anglais et en français — sauf dans les villages du Bayou Lafourche où l'anglais est inutile, puisque personne ne le comprend.

**

Les influences extérieures ont été très lentes à s'infuser dans le peuple des Bayous. Un réseau de routes — étroites chaussées de béton surélevées, très dangereuses à vive allure — a été, il y a une vingtaine d'années, la première offensive du modernisme. Une autre offensive est en cours ; celle du pétrole. La plus grande partie des gisements qui font de la Louisiane le troisième des Etats pétrolifères se trouve sous les marais, mais cet obstacle supplémentaire ne ralentit pas la prospection et l'exploitation. Les sondes pataugent dans la vase millénaire avant d'atteindre le roc et les derricks enfoncent leurs racines parmi celles des grands cyprès. Le film *Louisiana Story* a magnifiquement montré cette extraordinaire juxtaposition, de même qu'il a montré l'hostilité des Cajuns à l'intrusion des pétroliers et les transformations qu'elle apporte néanmoins à leur vie archaïque. Aujourd'hui, le glissement doux des pirogues dans les forêts noyées a pour concurrence le sillage brutal des canots à moteur et les fils des trappeurs aquatiques louent leurs bras à la Standard Oil.

Les Cajuns forment environ un cinquième de la population louisianaise (3 600 300 habitants en 1966). Les nègres — quelque 900 000 — en constituent un quart. Le reste est encore assez varié. Les terres à coton du nord de l'Etat sont occupées par une population anglo-saxonne, protestante et pleine d'un mépris hautain pour les descendants des Acadiens. Mais la Nouvelle Orléans est une bigarrure de races d'où émerge une autre population d'origine française : les Créoles. La véritable survivance de la colonisation française en Amérique du Nord, ce sont eux.

Jadis, ils étaient très riches. Ils avaient, sur leurs plantations, des maisons seigneuriales et, à la Nouvelle-Orléans, des hôtels particuliers remarquables par une profusion de fer forgé. Ils importaient de France les plus beaux mobiliers et les meilleurs vins. Blancs purissimes — et non mulâtres, comme on le croit quelquefois, à leur indescriptible fureur — ils étaient souvent venus d'Europe par le détour des Antilles et surtout de Saint-Domingue, d'où la révolution de Toussaint Louverture les avait chassés. Ils avaient une tradition de politesse, de point d'honneur, de courage, de turbulence et de duels. Pendant la guerre de Sécession, ils combattirent avec la conviction d'hommes qui luttent pour une conception de la vie, et l'un d'eux, Pierre-Gustave Beauregard, fut l'un des généraux les plus célèbres du Sud. La défaite fut réellement leur défaite : le glas d'une aristocratie que l'Amérique ne permettait plus.

Aujourd'hui, les Créoles ont presque tout perdu, sauf leurs préjugés. La Nouvelle-Orléans est la dernière ville où l'on puisse encore rencontrer des personnages portant la moustache cirée, le monocle, le gilet de piqué gris, le jonc à pomme d'or et les souliers pointus à tige de drap. Chez eux, ils parlent français, non par attachement pour la France qu'ils ignorent ou qu'ils méprisent, mais par protestation contre un monde qui les écrase. La pointe de leurs préventions est toujours dirigée contre les Cajuns, si bien qu'il est presque aussi infamant d'avoir une aïeule venue d'Acadie que d'avoir une grand-mère venue du Gabon. Ils ne représentent plus une classe, mais ils représentent encore une société. Sans cesse déclinante, et condamnée à disparaître en laissant peu de regrets.

La Nouvelle-Orléans, qui fut leur ville, a longtemps passé et passe encore un peu en Amérique pour une citadelle du péché. Le péché est aujourd'hui relégué dans les faubourgs, avec son frère jumeau, le jeu. Mais le centre de la ville, le Vieux Carré ou *French Quarter,* en garde le parfum. Les touristes y viennent par centaines de milliers et peuvent encore assister, dans les bars, à des déshabillages qui ne révèlent en général que des anatomies imparfaites. Les rues étroites, en damiers, éclairées par de vieux réverbères, ont gardé leurs noms français — Conte, Bienville, Bourbon, Orléans, etc. — et elles ne sont dépourvues ni de charme, ni de crasse. Le Vieux Carré est digne d'intéresser un historien parce qu'il demeure un témoin intact de ce que furent les villes coloniales françaises d'il y a deux cents ans, avec leur symétrie et leur décorum transposés de la France du Grand Roi. L'authenticité française est évidente jusque dans le *French Market* qui serait une halle quelconque sur une place de Coulommiers. Toutefois, l'immense publicité faite autour du Vieux Carré manque son but parce qu'elle le dépasse. Ce vestige laissé par le sieur de Bienville et le marquis de Vaudreuil est peu de chose à côté de la ville colorée, chaotique, criarde et conquérante qui s'est créée autour de lui.

C'est l'une des plus vastes d'Amérique, bien qu'elle n'en soit que la vingt-septième agglomération avec 1 044 000 habitants (dont 650 000 à New Orleans même). Ses quais sur le Mississipi, où il est interdit de fumer sous peine de 100 dollars d'amende, ont une couleur et une activité incomparables. Sa grande rue, Canal Street, est aussi lumineuse que Broadway. Son monument principal, sur la place Saint-Charles, est une colonne à la mémoire du général sudiste Robert Lee, dont les victoires faillirent détruire les Etats-Unis. Son parc qui a une façade presque marine sur le lac Pontchartrain (prononcez Ponnte-chartraine), est magnifique, mais un New Orleanais sur trois ne l'a jamais vu, puisqu'il est interdit aux Noirs. Son carnaval, organisé par des sociétés secrètes, se compose de 49 cortèges aux flambeaux dont les costumes et les chars valent un million de dollars. Sa cuisine célèbre est surfaite, une mafia italienne entretient un reste non négligeable d'insécurité et les quartiers habités par les peaux de couleur ont à peine l'eau et l'électricité. Mais la Nouvelle-Orléans progresse à pas de géant et se tourne avec audace vers l'avenir.

Elle comptait progresser encore plus vite. La thèse favorite de la Nouvelle-Orléans, après la guerre, était que l'Europe ne se relèverait jamais de son désastre et que l'axe de l'avenir était désormais celui de l'hémisphère occidental — sur lequel elle se trouve placée. Au débouché du Mississipi, dont le bassin est l'essentiel de la nation, la Nouvelle-Orléans devait être le point de jonction avec l'Amérique latine, l'équivalent par rapport à celle-ci de ce que New York avait été par rapport à l'Europe quand les grands vents civilisateurs soufflaient le long des parallèles, et non des méridiens. L'importance suivant la fonction, il n'était pas téméraire de penser que la Nouvelle-Orléans supplanterait un jour New York comme métropole des Etats-Unis. Le grand théoricien de cet impérialisme municipal fut le maire — très entreprenant et très courageux — de Lesseps-Morrison, petit-fils du perceur de Suez. Mais l'essor de l'Amérique latine et la décadence de l'Europe ne se poursuivirent pas tout à fait comme il l'avait prévu.

⁎⁎⁎

A Bâton-Rouge, capitale de l'Etat, au-dessus du Mississipi et d'une incroyable raffinerie de la Standard Oil, se dresse le Capitole vertical le plus imposant d'Amérique. L'une des salles de marbre de ce palais fut, il y a une trentaine d'années, arrosée de sang. Ce jour-là mourut peut-être un dictateur inachevé. En tout cas, une aventure et un destin hors série furent tranchés net par un médecin de campagne qui avait un beau-père à venger. L'homme qui menaçait de surpasser Roosevelt et de conquérir l'Amérique fut éliminé de l'histoire parce que ses gardes du corps eurent un instant d'inattention.

On a déjà mentionné dans les chapitres précédents quelques grands démagogues. Ils sont l'un des phénomènes périodiques de l'Amérique, mais aucun n'approcha la carrure de Huey P. Long. Il était né pauvre, avait appris à écrire grâce aux leçons de sa femme et s'était fait élire gouverneur de la Louisiane en remuant les passions sociales comme personne ne l'avait fait avant lui. Son gouvernement avait été un mélange de magnifiques travaux publics (comme le pont du Mississipi qui porte son nom), de prédications incendiaires, de violences éhontées et de propositions révolutionnaires. Pour vaincre la crise et pour faire le vrai New Deal, il avait demandé le partage de toutes les fortunes et la remise à chaque Américain d'un capital de 5 000 dollars. Roosevelt redouta très sérieusement cette surenchère et les analystes politiques les plus sobres admirent qu'un courant populaire pouvait porter à la présidence des Etats-Unis cet équivalent transatlantique de Hitler. Il n'est certainement pas faux de dire que son assassinat apporta aux politiciens et aux capitalistes un grand soulagement, mais le petit peuple de la Louisiane pleura Huey P. Long comme un Christ.

Sa famille est revenue au pouvoir, après une éclipse de quelques années. Earl, frère de Huey, fut élu gouverneur en 1948 et son premier soin fut de se faire photographier à califourchon sur une selle en prononçant ces mots historiques : «*The Longs are on the saddle again.* » La légère exaltation mentale dont cette manifestation témoignait devait s'épanouir dans les événements hilarants de 1959. Long, dilapidant joyeusement les finances de l'Etat, entra en conflit avec sa législature et, un beau jour, perdant le contrôle de lui-même, déversa sur les élus un torrent d'obscénités, puis, retirant chaussures et chaussettes, se mit à se gratter les orteils dans le temple des lois. Sa femme et son neveu, Russell, fils de Huey, sénateur des Etats-Unis, consentirent à l'internement du gouverneur délirant. Il fut d'abord soigné au Texas, puis, ayant obtenu d'être ramené à la Nouvelle-

Orléans, s'évada de la clinique Ochsner et réussit à gagner Bâton-Rouge. Ressaisi, enfermé à l'hôpital psychiatrique de l'Etat, il se libéra en usant de ses pouvoirs de gouverneur pour destituer tout le personnel. Pendant des mois, au milieu d'une cascade de scandales publics et privés, il réussit à conserver ses fonctions. La Constitution ne lui permettant pas un nouveau mandat de gouverneur, il décida d'abord de passer outre, puis il se contenta de briguer le poste de lieutenant-gouverneur, en poussant devant lui un homme de paille. Il fut battu aux élections primaires, mais le nom de Long a conservé un tel prestige qu'il fut élu dans une circonscription législative et, à soixante-cinq ans, déclara qu'il recommençait sa carrière pour écraser ses ennemis.

Earl Long, cerveau fêlé, reproduit dans la démence la course brutale et fulgurante de son frère aîné. Nul ne peut savoir jusqu'où ce grand démagogue fût parvenu sans la vengeance du petit médecin louisianais. L'Amérisque est un pays profondément démocratique, mais son système d'élection présidentielle directe — le même qui a produit les Césars français — est toujours susceptible d'élever au pouvoir suprême un extravagant ou un tyran. Le Kingfish, Huey Long, est jusqu'ici celui qui eut les plus grandes chances et l'histoire lui donnera presque fatalement un continuateur.

XVII

LE SUD
ALABAMA — MISSISSIPI — GEORGIE — FLORIDE
CAROLINE DU SUD — CAROLINE DU NORD
VIRGINIE

Ce livre a depuis longtemps pénétré dans le Sud. Au Texas, il en abordait certains aspects et dans le Missouri, il en trouvait certaines influences. Dans le Kentucky et le Tennessee, il s'efforçait de saisir des transitions. Dans l'Arkansas et la Louisiane, il atteignait le fond du Sud Profond. Il est grand temps d'élargir le tableau et de traiter dans son ensemble cette vaste et curieuse région qui n'est ni une unité naturelle, ni un état d'esprit, ni une nation — mais quelque chose des trois, combiné avec une foule d'autres éléments aussi variés qu'une certaine saveur de la cuisine, une certaine lenteur de l'accent et un certain rythme de la vie. Mais, d'abord, se pose une question préliminaire difficile et même insoluble : le Sud ? Où cela commence-t-il et finit-il ?

Historiquement, cela commence par les deux hommes qui ont été le plus souvent confondus avec des villes, Mason et Dixon.

C'étaient deux arpenteurs : Charles Mason et Jérémiah Dixon. On leur demanda de borner deux champs. Deux

champs immenses. L'un était la donation faite en 1632
par le roi Charles Ier Stuart à lord Calvert (dont le
nom est devenu, dans l'Amérique moderne, celui d'un
whisky). L'autre était le domaine constitué à partir de
1630 au bénéfice du plus illustre des Quakers, l'amiral
William Penn.

De 1763 à 1767, les deux braves petits arpenteurs dé-
terminèrent sur le terrain le 39e degré, 42 minutes,
26 secondes et 3 dixièmes qui délimitait sur la carte les
biens fonciers des lords Baltimore (titre de Calvert) et
ceux de la famille Penn. Ils plantèrent de mille en mille
des bornes portant sur leur face nord les armes de la
seconde et, sur leur face sud l'écusson des premiers.
Comme ils ne pouvaient aller jusqu'au Pacifique, ils
s'arrêtèrent à la crête des Alleghanies, limite pratique du
Commonwealth anglais. C'était déjà un joli tour de force
qui les avait obligés plus d'une fois à poser l'alidade pour
prendre le mousquet.

Aujourd'hui, beaucoup d'Européens et plus d'un Américain cherchent sur la carte les localités nommées Mason
et Dixon, pour se faire une idée de la fameuse ligne dont
il est si souvent question dans l'histoire des Etats-Unis.
Elle se confond tout simplement avec les limites du
Maryland et de la Pennsylvanie. C'est cependant l'une
des frontières les plus importantes du monde, puisqu'elle
marque la ligne de démarcation traditionnelle entre Nord
et Sud. D'un côté, s'étend le pays des Yankees ; de
l'autre, se trouve « Dixie » — la terre des nègres, de la
Sécession et du soleil.

Cela dit, il faut faire des foules de réserves et de
distinctions. Les deux arpenteurs s'étaient arrêtés aux
Alleghanys et le Sud s'étend bien au delà des montagnes,
bien au delà même (Arkansas, Louisiane, Texas) du Mississipi. Si l'on prolonge leur ligne jusqu'au centre du
continent, on trouve au sud la totalité ou la majeure
partie de 16 Etats, mais il serait aventureux de les incorporer tous indistinctement dans Dixie. Le Missouri n'en
est pas, bien qu'il en ait des touches, et la Virginie
occidentale — née d'une sécession dans la Sécession —
ne lui appartient à aucun titre. Ces déductions faites, il

reste 14 Etats qui, dans un sens excessivement large, peuvent être considérés comme le Sud. En voici la liste : Delaware, Maryland, Virginie, Kentucky, Tennessee, Caroline du Nord, Caroline du Sud, Georgie, Floride, Alabama, Mississipi, Louisiane, Arkansas et Texas. On remarquera que la capitale fédérale, Washington, est incluse dans cette aire géographique : par sa position, son climat, son architecture et ses mœurs, elle est du côté de Dixie.

Il faut encore distinguer. Le Texas doit obligatoirement être mis à part en raison de son immense originalité. Trois autres des Etats ci-dessus, le Delaware, le Maryland et le Kentucky, n'ont pas fait partie des Etats sécessionnistes de 1861. Cela suffit pour les placer dans une catégorie spéciale car l'histoire est plus importante encore que la géographie dans la définition du Sud.

Restent 10 Etats. Trois d'entre eux, la Virginie, la Caroline du Nord et le Tennessee, revendiquent un certain caractère mixte et présentent la caractéristique commune d'avoir fait Sécession les derniers et à regret. Toutefois, ils sont authentiquement des Etats sudistes, et il faut entrer dans des nuances — au reste fort importantes — pour les isoler des 7 Etats du Sud Profond : Caroline du Sud, Georgie, Floride, Alabama, Mississipi, Louisiane et Arkansas.

Le Sud ainsi délimité présente encore une belle complexité. Tout se mêle nécessairement dans une nation qui ajoute à une formation diversifiée la circulation la plus libre et la plus intense du monde. Il est classique de dire que Miami (Floride) est aussi sudiste que The Bronx, faubourg de New York. L'ouest de la Caroline du Nord, l'est du Tennessee, en général les régions montagneuses où l'esclavage ne s'est jamais implanté, sont aussi éloignés des états d'esprit sudistes que la Nouvelle-Angleterre. Mais une dissection plus complète ne peut être poursuivie ici.

*
**

L'élément le plus important pour l'explication du Sud est naturellement la guerre de Sécession, que les Sudistes tiennent à appeler *the War between the States*. C'est un fait constant que les guerres civiles restent plus vivaces dans les mémoires que les guerres étrangères, mais on ne trouve certainement nulle part l'exemple d'un conflit intérieur qui soit demeuré aussi actuel et aussi présent après un siècle. Le Sud, vaincu, ne s'est jamais repenti. J'ai déjà dit que le monument le plus haut de la Nouvelle-Orléans est une colonne à la mémoire d'un général rebelle, mais un hommage de ce genre est la règle et non l'exception. L'anniversaire de Robert Lee (19 janvier) est une fête légale dans les 11 Etats ex-sécessionnistes et 10 d'entre eux y ajoutent l'anniversaire de Jefferson Davis, qui fut l'unique président de la Confédération. Par contre, le Lincoln Birthday, grande fête nationale, n'est célébré dans aucun Etat du Sud, sauf le Kentucky, le Tennessee et le Texas.

Il n'est pas possible de parcourir Dixie sans trouver des traces vivantes et presque brûlantes d'un ressentiment qui devrait être enseveli depuis longtemps. Dans l'un des merveilleux jardins de Charleston, une plaque de marbre nous apprend que les mutilations d'un tombeau ont été faites par les soldats yankees qui le prenaient pour cible lorsqu'ils s'exerçaient au pistolet. Les atrocités du général Sherman dans sa marche sur Atlanta paraissent d'hier et l'on dirait que les ruines de la ville fument encore tant le souvenir de son incendie est resté rouge. Pour avoir fait remarquer à une dame sudiste que les routes étaient mauvaises en Georgie, je me suis attiré ce rappel d'histoire : « N'oubliez pas que nous avons eu une grande guerre dans le Sud. » Le dernier coup de canon n'en a été tiré que le 9 avril 1865.

Le cas de Margaret Mitchell est révélateur. « J'avais douze ans, racontait-elle, quand j'ai compris que le Sud avait perdu la guerre, et jamais je n'ai autant pleuré de ma vie. » Elle était née au XXe siècle, mais toute son enfance avait été emplie par le récit de batailles sur lesquelles l'herbe avait repoussé lorsque son père vint au monde. Elle ne vécut jamais que dans ce passé et elle l'écrivit uniquement pour se le peindre à elle-même, si bien que le manuscrit colossal du plus grand succès littéraire après la Bible fut découvert par hasard par un éditeur en tournée. *Gone with the Wind*, au reste, ouvrit et ferma la carrière de Miss Mitchell qui ne parvint même pas à écrire une nouvelle après avoir donné au Sud son *Iliade*. Mais quand le film tiré du livre fut projeté à Atlanta, l'assistance hua les uniformes bleus des Nordistes avec des accents de haine sauvage et chanta *Dixie* comme *la Marseillaise* n'a jamais été chantée.

Devant le monde entier, et malgré la cause qu'ils défendaient, le beau rôle de la guerre appartient certainement aux vaincus. C'est vrai même sur la terre des vainqueurs. Le Nord est toujours détesté dans le Sud, mais le Sud est en vogue dans le Nord. Aucun Américain ne refuse de reconnaître en Robert Lee une grande et touchante figure. Les innombrables romans populaires écrits sur la Sécession mettent tous l'éclairage sympathique sur les soldats gris et idéalisent leur lutte inégale. En 1951, le drapeau sudiste, le drapeau rebelle — onze étoiles en croix sur deux bandes bleues — a brusquement envahi l'Amérique et l'on dut interdire aux automobiles qui l'arboraient de stationner autour du Capitole de Washington. Mais cette sympathie nationale pour le Sud est un peu analogue à celle qui entoure aujourd'hui les Indiens. Elle vient après coup. Elle ne signifie pas que le Sud vaincu fut traité avec compréhension et générosité. Il fut traité, au contraire, avec une rigueur qui devait consolider, à travers l'histoire américaine, les effets de la guerre civile. La Reconstruction, disent la plupart des écrivains américains, a laissé plus de traces que la Sécession. En tout cas, des traces plus durables : elle humilia le Sud plus que les défaites et elle le ruina plus que les combats.

Le but de la guerre n'avait pas été l'émancipation des Noirs, mais elle l'entraîna nécessairement. Quatre millions d'esclaves, dont 3 800 000 illettrés, se trouvèrent du jour au lendemain les maîtres de leurs maîtres et une extraordinaire époque commença. Les violences et les vengeances eurent peut-être moins de gravité que la tragi-comédie politique que fut la suprématie noire dans les assemblées locales dont les rebelles de la veille étaient exclus. Un écrivain de la Nouvelle-Angleterre, James S. Pike, a laissé un tableau historique de la législature de la Caroline du Sud dans laquelle 23 Blancs, « représentant les vestiges d'une vieille civilisation », assistaient en témoins impuissants aux contorsions, aux bouffonneries et aux extravagances de leurs 100 « collègues » de couleur. Image qui s'est gravée dans les mémoires sudistes et qui a laissé une hostilité instinctive à toute activité politique des Noirs.

Mais les esclaves de la veille n'étaient pas sans guides — ou, pour mieux dire, sans maîtres. Tous les coquins du Nord s'étaient abattus sur le Sud dompté. On les appela des *carpetbaggers* parce qu'ils arrivaient en portant tous leurs biens dans un sac de voyage. Cette lie du Nord trouvait le concours de l'écume du Sud, des *scallawags*, mot sans étymologie qui voulait dire fainéants et vauriens. Tous prétendaient éclairer les Noirs sur leurs droits et se recommandaient du parti républicain, du parti de Lincoln qui avait conduit, pour le Nord, la guerre contre la rébellion. Il en est resté l'horreur profonde de l'étiquette républicaine et l'étonnant phénomène qui fit d'un quart de l'Amérique la terre d'un seul parti.

Les Blancs du Sud étaient trop orgueilleux et trop combatifs pour rester longtemps prostrés. Ce qu'ils assurèrent d'abord, ce fut leur sécurité personnelle et la protection de leurs femmes et de leurs filles. Ils y parvinrent par l'intimidation. Le Ku-Klux-Klan, fondé en 1865 dans le Tennessee, s'étendait sur tout le Sud comme une grande ombre, tutélaire pour les uns et terrifiante pour les autres. Les cagoules, les longues robes noires, les croix de paille enflammées, et jusqu'à des trucs comme la poche en caoutchouc qui permettait à un chevalier de boire d'un trait un seau d'eau entier, constituaient la mise en scène destinée à remplir d'épouvante les nègres crédules. Les *carpetbaggers* et les *scallawags*, moins faciles à terroriser, eurent vite des raisons positives de redouter les Klansmen. Le journaliste nordiste Allen W. Tourgée — lui-même un demi *carpetbagger* —

vit opérer ces derniers et raconte avec quelle discipline, dans quel silence, les mystérieux cavaliers prenaient nuitamment possession des petites villes pour y exercer une justice rude et nécessaire. Le curieux film de D. W. Griffith, *Birth of a Nation,* tourné en 1913, décrit cette auto-défense du Sud avec plus de vérité historique que la plupart des historiens influencés par leurs partis pris. Sous une occupation aussi rude qu'une rude occupation étrangère, au milieu d'une population primitive déchaînée plutôt qu'émancipée, des millions de civilisés n'eurent pas d'autres sauvegardes, pendant plusieurs années, que celles qu'ils se donnèrent à eux-mêmes.

Le tort du K.K.K. fut de survivre à sa nécessité. Dénoncé en mars 1965 par le Président Johnson comme une « société de bigots en cagoules », une commission d'enquête révéla l'existence de 381 Klans locaux dans le Sud, dont 260 appartenant à l'organisation conduite par Robert Shelton Jr de Tuscaloosa (Alabama). Son chef porte le titre ridicule de Sorcier impérial, empereur de l'Invisible Empire — même lorsqu'il n'est qu'un accoucheur ou un courtier d'assurances parfaitement connu de tout son quartier. Antinoir, anticatholique, antisémite et xénophobe, le Klan a mené sa dernière grande campagne d'agitation en 1928 contre la candidature présidentielle d'Alfred Smith. Il organise de temps à autre des processions en costume dans quelques villes du Sud, mais les lois locales interdisent de plus en plus — même en Georgie — ce genre de carnaval. Il est utile aux écrivains dits libéraux qui en font un objet courant de leurs dénonciations et qui parviennent à convaincre quelques esprits simples que le K.K.K. exerce en Amérique une énorme puissance maléfique — alors qu'il n'est plus qu'une petite franc-maçonnerie glissant doucement vers l'extinction.

La « Reconstruction » du Sud dura environ dix ans. Les 11 Etats sécessionnistes furent réadmis séparément dans l'Union — le dernier, l'Alabama, en 1871 — et les dernières traces d'un régime d'occupation disparurent en 1877. Il y eut, du côté nordiste, quelques essais tardifs pour corriger des erreurs et pour réparer des excès que Lincoln n'aurait probablement pas laissé commettre s'il eût vécu. C'était naturellement trop tard. Le Sud émergea des lendemains dévastateurs de la guerre civile avec les trois traits qu'il a conservés intacts pendant des décades et qu'il perd actuellement à des vitesses inégales : monopole politique du parti démocrate, suprématie de la race blanche et pauvreté.

**
*

Le monopole politique du parti démocrate dans le Sud fut longtemps quasi absolu. Les élections réelles étaient les « primaries » au cours desquelles s'affrontaient les concurrents démocrates, l'élection proprement dite ne servant qu'à entériner leurs résultats. En dehors de quelques noyaux actifs au Texas et en Floride, le parti républicain était partout extrêmement faible et, dans le Deep South, il n'existait pratiquement pas. Des 129 députés élus au sud de la ligne Mason-Dixon, sept seulement étaient — sont encore — normalement républicains et, venant des Etats marginaux du Maryland, du Kentucky et du Tennessee, ils représentaient tous des îlots généralement montagneux où la culture du coton et l'esclavage n'ont jamais pénétré. Aux élections pour le Congrès, le parti républicain n'avait généralement pas de candidat dans l'Alabama, l'Arkansas, la Georgie, le Mississipi, la Caroline du Sud et il ne recueillait en Louisiane et en Floride que des minorités symboliques. A toutes les élections présidentielles de 1868 à 1928, tous les Etats exsécessionnistes donnèrent la majorité au parti démocrate. La règle fut entamée lorsque le Sud, la région la plus violemment protestante de l'Amérique, dut choisir entre le démocrate catholique Alfred Smith et Herbert Hoover : la Virginie, la Caroline du Nord, la Floride et le Texas votèrent pour le second. Mais ils revinrent ensuite à la tradition.

Le monopole démocrate dans le Sud comportait et comporte encore des conséquences souvent décisives. Elles apparaissaient surtout aux élections présidentielles dans lesquelles les démocrates, sans faire le moindre effort, inscrivaient d'office dans leur colonne le quart des mandats électoraux. Le parti républicain, qui n'a nulle part de forteresse comparable au Deep South, devait, en conséquence, gagner ses victoires dans les trois quarts seulement des Etats-Unis. Handicap comparable à celui d'une équipe de football réduite en permanence à neuf joueurs.

Cet avantage exorbitant n'est pas sans contrepartie pour les démocrates. L'animal politique le plus conservateur est probablement le Blanc du Sud. Cela n'avait aucune importance à l'époque où les partis américains étaient des états d'esprit plus que des doctrines et l'expression de traditions opposées plutôt que celles d'aspirations sociales contradictoires. Mais les démocrates du Sud se trouvent de plus en plus en porte à faux dans un parti qui évolue vers des attitudes et une idéologie de gauche à la manière européenne. Le Sud est pour une forte autonomie des Etats, pour la séparation légale des races, contre le pouvoir exclusif du syndicalisme, pour une conception étroite de l'américanisme, alors que le parti démocrate travaille à la centralisation de l'Amérique, patronne un programme d'unification raciale, recherche la protection de ce qu'il appelle le travail organisé et se colore de cosmopolitisme. Roosevelt fut, avec sa phénoménale habileté, le dernier homme qui réussit à maintenir tant bien que mal en harmonie les masses ouvrières presque radicales de certains Etats nordistes et les immobilistes du Sud.

La même habileté ne fut pas dévolue à son successeur. Sous Truman, la coalition des républicains et des démocrates sudistes devint de plus en plus la règle et, au Congrès, mit constamment en échec les mesures les plus recommandées par l'administration. Les intempérances de langage du président le brouillèrent avec quelques-uns des leaders les plus influents du Sud, à commencer par le sénateur Byrd, de Virginie, et l'ardent gouverneur de la Caroline du Sud, James Byrnes. La rupture avec les Sudistes fut consommée lorsque Truman présenta un projet sur l'égalité des droits qui mettait légalement fin à la ségrégation des Noirs. Il n'entra pas cependant

dans l'esprit du Sud de battre le président abhorré en
faisant bloc sur son adversaire républicain. On préféra
susciter une candidature démocrate dissidente en fondant un parti de circonstance, qui prit le nom de parti
des Droits des Etats. Le gouverneur J. Storn Thurmond
recueillit ainsi 1 160 000 voix, enleva la Caroline du Sud,
le Mississipi, l'Alabama, la Louisiane et réduisit d'une
quarantaine de voix la majorité de Truman dans le collège des grands électeurs. L'unité électorale du Sud était
rompue.

Quatre ans plus tard, le problème du Sud se posa
devant Eisenhower et ses conseillers électoraux. Le
mécontentement contre l'administration démocrate avait
crû et embelli. Les signes de la popularité du général
dans « Dixieland » étaient manifestes et la position
qu'il avait prise en faveur des Etats dans la controverse
des pétroles marins lui assurait de vives sympathies tout
à l'entour du golfe du Mexique. Les experts décidèrent
cependant qu'il était illusoire de s'imaginer que le Sud
allait voter républicain. Ils déconseillèrent, comme une
perte de temps, de forces et d'argent toute incursion
personnelle d'Eisenhower au-delà de la ligne Mason-Dixon.
Cela ne s'était jamais fait dans l'histoire du parti républicain. Par voie de conséquence, le candidat démocrate,
sûr de n'avoir rien à perdre comme l'autre était convaincu
de n'avoir rien à gagner, s'abstenait également de mettre
les pieds dans le Sud, lequel restait une grande oasis
silencieuse pendant que la bataille électorale faisait rage
dans les autres régions des Etats-Unis.

Mais Ike repoussa l'avis éclairé de ceux dont le métier
est de savoir. Il déclara qu'il se battrait dans le Sud
comme ailleurs et comme partout. Lorsqu'il s'envola
pour une première tournée de meetings en Floride, en
Georgie, en Alabama et dans l'Arkansas, la désapproba-
tion de son état-major l'escortait. Or, le Sud explosa
d'enthousiasme. Atlanta, sa capitale spirituelle et politique, acclama le premier général républicain à lui rendre
visite depuis William Tecumseh Sherman, qui l'avait
brûlée en 1864. Un peu plus tard, la Virginie et les
Carolines payèrent à leur tour à Ike leur tribut de

vivats. Mais les experts électoraux déclarèrent que ceux-ci s'adressaient au héros de la victoire et non au candidat républicain. Le 4 novembre montrerait qu'applaudir et voter font deux.

Le soir du 4 novembre arriva. Les résultats déferlèrent. Les premiers télégrammes donnèrent à penser qu'Eisenhower entraînait derrière lui la quasi-totalité du Sud. D'emblée, le grand Texas avec ses 24 mandats, la Floride, la Virginie furent perdus pour Stevenson. La lutte se poursuivit, serrée et émouvante, en Louisiane, dans les Carolines, dans le Tennessee et le Kentucky. Le vote des régions reculées redressa la balance en faveur des démocrates. Ike garda le Tennessee et ne perdit la Louisiane que par 10 000 voix et la Caroline du Sud par 2 000 voix. L'ensemble du Sud lui donnait 67 mandats contre 81 à Stevenson, avec un suffrage populaire sensiblement égal à celui de son concurrent.

Quatre ans plus tard, ces résultats ne furent pas seulement confirmés, ils furent amplifiés. Ike garda tous les Etats qu'il avait conquis, y ajouta le Kentucky et la Louisiane, ne manqua encore la Caroline du Nord que par une poignée de voix et enregistra des minorités massives dans des bastions sécessionnistes comme la Georgie et l'Alabama. En 1960, la question d'abandonner le Sud sans combat ne se posa même plus aux républicains. La règle singulière du parti unique, curieuse anomalie dictée par l'histoire, a vécu. Dans l'ensemble, en 1964, sur 16 500 000 votes sudistes aux élections présidentielles, 53,3 % ont été encore pour les démocrates. Mais la Georgie, par exemple, a voté républicain pour la première fois depuis 1928 ; de même la Caroline du Sud. Au contraire, la Floride, qui avait abandonné le parti démocrate en 1948, lui est revenue, ainsi que le Kentucky. L'importance du vote des Etats du Sud pour la désignation du président apparaît ainsi. Et c'est à la lumière de ce fait que l'on comprend mieux le voyage fatal que Kennedy entreprit au Texas, en dépit des conseils qui lui furent prodigués : la lutte sourde qui opposait les démocrates libéraux aux conservateurs, en la personne du sénateur Yarborough et du gouverneur

Connally était inquiétante pour la campagne électorale. Toutefois, elle n'a vécu encore que pour l'élection présidentielle. Le Sud n'a pas cessé et ne cessera pas de sitôt d'envoyer au Congrès des fournées de sénateurs et de représentants qui, tout en s'alliant régulièrement avec le parti de Lincoln, continuent de figurer dans le parti de Franklin Roosevelt. Il en est de même, à plus forte raison, pour les magistratures locales. Comme disent les Sudistes : « Mon grand-père se retourne dans sa tombe chaque fois que je vote pour un président républicain, mais, si je votais pour un Juge de Paix républicain, il en sortirait. »

**
*

La suprématie blanche est le second trait du Sud. Et l'enjeu, actuellement, d'une des batailles les plus cruelles et les plus complexes de l'Amérique. Aucune, soit dit en passant, n'est présentée à l'étranger d'une manière plus inexacte et à travers un prisme plus déformant de parti pris et d'erreurs.

Partout aux Etats-Unis, il existe un problème noir. Là où il est négligeable ou presque inconnu, comme en Californie, il s'aggrave pour des raisons qui apparaîtront plus loin. Les premières émeutes qui ont donné au problème noir sa coloration actuelle, sont celles du Watts, ce quartier noir de Los Angeles. Pendant cinq terribles journées chaudes d'août 1965, 10 000 Noirs en révolte à la suite de l'arrestation, par une patrouille blanche, d'un Noir suspect de conduire en état d'ivresse, ont fait régner la terreur et le pillage. 34 morts, plus de 1 000 blessés et près de 4 000 arrestations, 40 millions de dollars de dégâts (200 immeubles furent détruits par le feu), ont inauguré, au fil des étés, une série de lourds bilans semblables... On retrouve le problème noir dans tous les Etats, toutes les villes et toutes les classes de la société. Mais son berceau est dans le Sud, et c'est encore dans le Sud qu'il présente son maximum de gravité.

La raison est évidente : le nombre des Noirs. Les conflits raciaux, qui sont l'une des données irréductibles de l'histoire du monde et l'une des formes collectives de la lutte pour la vie, sont dominés par une arithmétique brutale. Aucun pays et aucun niveau de civilisation n'échappent à cette loi ; 10 000 Chinois en Malaisie n'étaient pas un problème, mais 2 millions de Chinois en face de 2 millions de Malais deviennent une tragédie. Le Sud des Etats-Unis compte, en chiffres ronds, 40 millions d'habitants dont 10 millions de Noirs. C'est-à-dire une proportion huit fois plus forte que le reste de la nation. Les Blancs du Sud, en immense majorité de souche anglo-saxonne et de religion protestante, ne sont pas essentiellement différents des autres Américains qui, souvent, les accusent et les condamnent. Leur comportement à l'égard des Noirs est tout simplement la conséquence d'un dosage de couleurs. On peut presque dire qu'ils n'y sont pour rien.

C'est si vrai que l'acuité de ce qu'on appelle un problème, alors qu'il faudrait dire une situation, varie d'un Etat à l'autre suivant le dosage en question. Le Tennessee, avec 18 % seulement de Noirs, ignorait les déchirements et les obsessions de l'Alabama, de la Georgie et de la Louisiane où les Noirs forment de 36 à 38 % des populations. La Caroline du Nord est, selon les normes sudistes, un Etat « libéral », alors que la Caroline du Sud est un Etat « intransigeant » : 29 % de Noirs dans la première et 46 % dans la seconde donnent l'explication de cette différence entre deux voisins. Le Mississipi est le cas extrême : c'est lui qui applique les règles raciales les plus rigoureuses et qui produit les défenseurs les plus absolus de la suprématie blanche. Voyez le pourcentage : il y a dans l'Etat du Mississipi autant de Noirs que de Blancs et, dans certains comtés, neuf peaux noires pour une peau blanche. Beaucoup de professions de foi sur l'égalité raciale ne résisteraient pas à ce milieu.

On donne rarement la parole aux Blancs du Sud dans le débat. Ils ont, cependant, leurs arguments et leurs raisons. La haine de l'homme de couleur existe parmi eux, mais elle est limitée aux couches les plus pauvres, aux individus qui, voisins des nègres par leur condition économique, ne peuvent asseoir leur estime d'eux-mêmes que sur l'orgueil brutal de leur pigmentation. Les autres Sudistes n'ont pas d'hostilité contre les Noirs. Les rapports des deux couleurs s'établissent, en règle générale, avec une facilité, une douceur et une compréhension surprenantes. « Les Yankees, disent les Sudistes, aiment le nègre comme une abstraction ; nous aimons, nous, les nègres comme une réalité. » L'accusation d'hypocrisie suit de près cette distinction du général et du particulier. « Le Nord tient le nègre à l'écart aussi bien que nous ; il le repousse de ses hôtels, de ses restaurants, de ses familles ; il le maintient à un niveau économique et social inférieur, mais il fait tout cela avec l'égalité à la bouche, alors que nous pensons, nous, que la séparation des couleurs est un principe nécessaire d'ordre public. »

Le grand argument des Sudistes, c'est qu'ils connaissent les Noirs mieux que leurs compatriotes du Nord. Ils ont cohabité avec eux depuis le commencement de l'histoire américaine. La première cargaison d'esclaves — 20 Africains transportés par un navire hollandais — arriva à la colonie virginienne de Jamestown en 1619, sept ans avant l'établissement des « pèlerins » dans le Massachusetts. « Le nègre, disait il y a cinquante ans un notable de la Louisiane au journaliste français Jules Huret, est une brute pas méchante, douce même, mais pourrie de vices. Il est imprévoyant et paresseux : quand il a travaillé une semaine, il se repose la semaine suivante. Il ment pour le plaisir de mentir et sa salacité est sans limite. » En gros, ce point de vue des Blancs du Sud n'a pas changé, même s'il est exprimé d'ordinaire dans des termes plus modérés qu'autrefois. L'argumentation blanche — semblable à celle de beaucoup de coloniaux européens — revient toujours à dire que le Noir est inférieur et qu'il faudra, dans la meilleure hypothèse, des siècles pour qu'il accède à un niveau de capacité et de moralité égal à celui des Blancs. En attendant les fruits de cette lente évolution, il est indispensable que la race blanche conserve le monopole du commandement.

Là-dessus, se pose la grande question de savoir si le Noir est ou n'est pas réellement inférieur au Blanc. L'argument consistant à citer quelques brillantes réussites noires — le chanteur Paul Robeson, l'actrice Ethel Waters, le sociologue W. E. B. du Bois, le diplomate Ralph Bunche, etc. — est dépourvu de valeur démonstrative puisqu'il s'agit d'un nombre de cas insignifiants. Sur la base des faits actuels, les Noirs sont de toute évidence très inférieurs, même dans le Nord où l'esclavage a été partout aboli dès 1787. Un travailleur noir seulement sur sept est un ouvrier qualifié et un seulement sur quinze appartient à la catégorie dite des « Cols blancs ». Les travailleurs au col blanc représentent 47,9 % des quelque 66 millions de travailleurs blancs, alors qu'ils ne font que 20,8 % des près de 8 millions de travailleurs noirs. Il existe 3 500 médecins noirs, alors qu'il devrait en exister plus de 16 000 si les deux couleurs en produisaient un nombre proportionnellement égal. L'apport noir à la civilisation technique est spécialement faible, puisqu'on dénombre, en 1960 seulement, 234 ingénieurs de couleur, en face de 245 000 ingénieurs blancs. Mais tous ces chiffres ne trancheraient la question de l'infériorité noire que si les Noirs avaient eu depuis plusieurs générations les mêmes chances que les Blancs. Ils ne les ont pas, même aujourd'hui, dans une grande partie des Etats-Unis.

La criminalité noire est une autre controverse. Le professeur suédois Gunnar Myrdall, dont la monumentale étude a été patronnée par l'institut Carnegie, constate que le Noir est « un criminel-né » aux yeux de la généralité des Américains. Il suffit de lire pendant six mois les journaux d'une grande ville américaine quelconque pour se convaincre que les meurtres et les actes de violence commis par les Noirs dépassent de beaucoup leur *numerus clausus*. Les Noirs fournissent 30 % de la population des pénitenciers, alors qu'ils ne représentent que 11 % de la population générale et les deux tiers des 130 criminels exécutés sont des Noirs. Mais les avocats de la race noire font valoir qu'une condition économique inférieure, une éducation moins complète, un logement plus défectueux expliquent l'excédent de la criminalité et qu'une répression plus sévère fausse les statistiques pénales au détriment de la race minoritaire.

La question de l'infériorité de la race noire n'est pas tranchée et ne le sera peut-être jamais. Pour la Bible — plus impérative dans le Sud que partout ailleurs — Cham, fils de Noé, portait un stigmate originel qui le fit reléguer dans les besognes serviles : tradition qui a fourni la justification religieuse de l'esclavage. Il est concevable que la race noire soit supérieure à la race blanche par beaucoup de ses dons et qu'elle lui soit inférieure par les capacités nécessaires à une civilisation technique et politique. Il est probable qu'elle n'est pas encore adaptée et il est même possible qu'elle ne soit jamais complètement adaptable à une nation dans laquelle elle fut introduite contre son gré par une colonisation dans laquelle, au rebours de la règle, ce sont les colonisés qui ont fait le déplacement. Les Blancs du Nord et les Blancs du Sud ont, à ce sujet, des positions de principe opposées, même quand leurs attitudes pratiques se ressemblent : les premiers croient à l'assimilation et les seconds à la séparation légale des couleurs ou ségrégation.

L'immense variété américaine intervient une fois de plus pour modifier d'Etat en Etat et même de localité en localité, la condition des Noirs. Il existe des villes du semi-Sud où une cliente noire ne serait pas tolérée dans un drug-store blanc, alors qu'il existe des villes du Sud Profond, comme Atlanta, dans lesquelles une cliente blanche n'est pas effarouchée d'être servie par une vendeuse noire. Toutefois, les traits constants de la ségrégation sont assez faciles à énumérer. Ils ont pour but de tenir les deux races à l'écart, en réservant naturellement à la race blanche le haut du trottoir.

Nulle part, dans le Sud, le mariage n'est autorisé entre les deux couleurs (mais c'est aussi le cas dans tous les autres Etats, sauf 7). Nulle part les Noirs ne peuvent habiter dans les mêmes quartiers que les Blancs. Lorsqu'ils voyagent à l'intérieur d'un Etat, ils doivent prendre place, soit dans des voitures spéciales, soit dans la partie arrière des voitures communes. Leurs écoles, leurs hôtels, leurs restaurants, leurs toilettes, leurs salles d'attente, leurs spectacles, leurs parcs de récréation, étaient en règle absolue et demeurent dans la majorité des cas, distincts de ceux des Blancs. Dans les rares cas d'assemblées mixtes, les Noirs ont des entrées spéciales, qui sont d'ailleurs interdites aux Blancs. Des distinctions d'étiquette blessante s'ajoutent aux barrières légales. Pendant longtemps, jamais un Noir, fût-il professeur d'Université, n'a été appelé dans le Sud « Mister » ou « Sir » ; il était toujours désigné par son prénom ou par une mention familièrement dédaigneuse, comme « Uncle » ou « Blackie ». Ce n'est plus la règle absolue, mais c'est encore l'usage courant.

Les lois qui établissent la ségrégation sont celles des Etats. La loi fédérale, la Constitution des Etats-Unis prescrivent, au contraire, l'égalité de tous les citoyens et interdisent toute discrimination basée sur la couleur, la race ou la religion. C'est l'objet d'un conflit politique et juridique qui s'étend à presque toutes les formes de la vie.

En matière de transports publics, par exemple, la Cour Suprême a fait disparaître toute ségrégation dans les véhicules franchissant une limite d'Etat, mais — en dépit de quelques arrêts récents — la ségrégation demeure en vigueur dans les véhicules circulant à l'intérieur d'un Etat. Un nègre allant de Laurel (Mississipi) à Meridian (Mississipi) par le Southern Railroad, est tenu de prendre place dans une section spéciale du train, mais s'il fait quelques kilomètres de plus pour aller à Livingstone (Alabama) rien ne peut juridiquement l'empêcher de s'asseoir à côté d'une femme blanche. Par des corollaires au principe de la non-ségrégation pour le trafic inter-Etats, les tribunaux, les organismes fédéraux essaient d'abolir la distinction des salles d'attente ou des lavabos, *White, Colored*, dans les gares, les stations d'autobus et les aéroports — mais le moindre voyage dans le Sud enseigne que cet objectif est encore loin d'être atteint. Dans un autre domaine, la Cour Suprême a jugé que la ségrégation était illégale dans les parcs et les golfs municipaux, mais c'est à peine si quelques villes du Sud ont modifié leurs règlements à ce sujet. Tout est pour les Sudistes un champ de bataille sur lequel ils livrent un combat en retraite aussi acharné que la résistance de leurs aïeux dans la Wildernes ou dans les lignes de Petersburg. Les avantages juridiques gagnés par les Noirs sont toujours annulés en partie par les attitudes des Blancs recourant à des subterfuges ou à l'intimidation pour conserver dans le fait ce qui est interdit par la loi. Le harcèlement dont ils sont l'objet développe chez eux des dispositions plus batailleuses et il n'est pas dit que toutes les victoires célébrées par les déségrégateurs se traduisent en pratique par une amélioration dans la condition des Noirs.

Au sujet de la déségrégation scolaire, j'ai dit sommairement, à propos de Little Rock, quel était l'état de la question. Sur les 2 875 districts scolaires visés par l'arrêt de la Cour Suprême en date du 17 mai 1954, 2 209 en 1966 sont déségrégés. Mais l'intégration raciale dans les écoles n'est pas pour autant réalisée. Si au Texas et en Virginie, le pourcentage de Noirs dans les mêmes écoles que les Blancs est respectivement de 20 et 11,3 %, il n'est plus que de 2,5 % en Arkansas, 1,3 % en Georgie, pour tomber à 0,34 % dans le Mississipi et 0,25 % en Alabama. Les 9 juges de Washington ont agi comme des idéologues, et non comme des réalistes, lorsqu'ils ont rendu une sentence d'une porté si générale et d'un radicalisme si prématuré. Les Noirs du Sud n'en demandaient pas tant. Ils sont loin d'accueillir la déségrégation scolaire avec une satisfaction sans mélange, savent que leurs enfants préfèrent en général l'école noire à l'école bicolore et pouvaient tirer pendant des années encore des avantages substantiels de la doctrine sudiste des facilités séparées, mais égales. Ce sont les intellectuels du Nord, plus que les masses du Sud, qui imposent des étapes précipitées.

Les progrès de la déségrégation sont plus rapides dans l'enseignement supérieur. Sur les 208 Collèges (« College » signifie, en Amérique, Université) du Sud, 110 sont déjà ouverts aux Noirs. Il existe d'ailleurs d'excellentes Universités noires, que la logique conduit à ouvrir aux Blancs — lesquels ne montrent aucun empressement à les envahir. L'évolution actuelle de la question noire faisant passer le problème de l'intégration derrière la volonté du Black Power — le pouvoir noir — de prendre en main le destin de la population noire, a fait perdre son intérêt à la déségrégation scolaire. La volonté chez les intellectuels noirs d'assumer leur négritude, d'étudier désormais leurs origines africaines ne doit pas permettre à l'évolution d'aller plus loin en ce domaine.

En matière électorale, une bonne manière de tenir les Noirs à l'écart consistait à les exclure des « primaries » qui, avec le système sudiste du parti unique, constituent les véritables élections. La Cour Suprême a déclaré inconstitutionnelles ces « primaries blanches », mais, sans même parler de l'intimidation pure et simple, il reste différents moyens de disputer le bulletin de vote aux gens de couleur. L'un est la *poll tax*, cens électoral d'ailleurs très modique, encore en vigueur dans 7 Etats. Un autre est le *literary test*, preuve d'instruction élémentaire, qu'il est non moins élémentaire de rendre beaucoup plus difficile aux Noirs qu'aux Blancs. Une loi des *Civil Rights*, votée en 1957, en dépit de l'obstruction sudiste, s'efforce de briser ces obstacles à l'expression politique de la minorité noire. De un à deux millions d'électeurs noirs du Sud prennent part aux élections, et, sauf dans le *very deep South*, leur nombre augmente d'année en année.

Le *lynching* fit longtemps partie des méthodes par lesquelles les Sudistes maintenaient leurs masses noires dans leur attitude de soumission. Cette justice expéditive fut non seulement distribuée, mais prodiguée. De 1882 à 1940, des statistiques probablement incomplètes mentionnent 575 cas de lynchage dans le Mississipi, 529 en Georgie, 489 au Texas, 391 en Louisiane, 346 dans l'Alabama, etc. Rien que depuis le début du siècle, 1 900 individus ont été lynchés, dont 195 Blancs et 1 795 Noirs, la plupart de ces derniers dans les Etats du Sud. Des Sudistes qui, personnellement, n'eussent pas tué un poulet, défendaient pour son exemplarité et justifiaient par le caractère des Noirs cette substitution de la foule à la loi. Leur raisonnement était le suivant : « Ce qui compte, c'est l'inhibition que fait peser sur les instincts brutaux et désordonnés des Noirs la menace d'un châtiment ter-

rible et immédiat. Leur imprévoyance est telle que le
lent déroulement de la justice normale, avec la conclusion hypothétique et lointaine d'une exécution par le
bourreau, ne fait sur leur esprit simpliste qu'une faible
impression. Mais l'idée qu'ils seront saisis sur-le-champ,
pendus ou mis en pièces, est une puissante sauvegarde
contre le meurtre et le viol. Un seul lynchage annuel a
ainsi une valeur préventive que cent condamnations
capitales n'auraient pas. »

Efficace ou non, ce frein a pratiquement disparu.
Aucun lynchage n'a eu lieu depuis 1955 et, auparavant,
plusieurs années s'étaient écoulées sans application de
la loi que le juge Lynch établit en 1780 contre les loyalis-
tes anglais. Les Sudistes continuent néanmoins à combattre de toutes leurs forces les propositions de loi ten-
dant à enlever la répression du lynchage aux jurys
locaux — qui acquittent les yeux fermés — pour la trans-
férer aux tribunaux fédéraux. Le lynchage, disent-ils,
n'existe plus, mais ce n'est pas une raison pour l'abolir.
Il peut redevenir nécessaire, à l'occasion. De toute
manière, les violences envers les Noirs — ou les Blancs
intégrationnistes — n'ont pas cessé et les meurtres rencontrent toujours la même criminelle indulgence auprès
des autorités locales.

La faiblesse des efforts faits par les Noirs du Sud
pour mettre fin à la ségrégation les expose aux critiques
de leurs frères de race du Nord. Comme d'autres minorités, les Noirs du Sud préfèrent organiser leur vie à
l'écart, plutôt que d'essayer de s'imposer dans une société
dont ils n'ont aucune chance de détruire le parti pris.
Il existe dans certaines villes du Sud une bourgeoisie
noire qui n'a pas plus envie d'ouvrir ses country clubs
aux Blancs que les Blancs n'ont envie de la recevoir dans
leurs « parties ». Toutefois, les mouvements de protestation contre les formes publiques de ségrégation prennent de l'importance. En 1956, un long boycottage des
autobus de Montgomery, capitale de l'Alabama, contraignit la municipalité à supprimer les sections séparées
et la même victoire fut remportée un peu plus tard à
Tallahassee, capitale de la Floride. Il fut suivi de la

campagne des *set-ins* : des militants noirs entraient dans les sections interdites des drug-stores, des restaurants, etc., s'asseyaient, insistaient pour être servis et opposaient à leur expulsion toute la résistance passive dont ils étaient capables. La crise la plus violente se déclencha à Birmingham, en Alabama, sous l'impulsion de Martin Luther King. Il organisa une grande campagne pour mettre fin à la discrimination raciale dans les restaurants, les magasins, mais aussi dans l'embauche.

Le Vendredi Saint 1963, une marche de protestation — nouvelle forme de la lutte pacifique noire pour les droits civiques — se heurta à la police soutenue par des chiens policiers et la milice. Le Président Kennedy fut obligé d'intervenir devant ces actes de barbarie qui avaient péniblement frappé et les Américains et le monde. L'exemple de Birmingham entraîna les Noirs de Nashville (Tennessee), Greensboro (Caroline du Nord), Cambridge (Maryland), Albany (Georgie) et Selma (Alabama) à se lancer dans de semblables manifestations pacifiques qui se soldèrent, cet été-là, par 14 000 arrestations dans l'ensemble du Sud.

L'apothéose du mouvement fut la marche sur Washington, organisée par les principaux dirigeants noirs des droits civiques. Avec une dignité exemplaire 250 000 personnes, des Blancs et des Noirs, se rassemblèrent devant le Lincoln Memorial, le 28 août 1963, pour convaincre le Congrès de voter le projet de loi sur les droits civiques du Président Kennedy.

Mais la marche, pour triomphale qu'elle eût été, ne produisit aucun miracle et le vote par la Chambre ne fut obtenu qu'en janvier 1964, par Johnson.

Le sens actuel de l'évolution du terrible problème est de plus en plus discuté. Les deux guerres mondiales ont été des moteurs importants de transformation. Au cours de la première, les Noirs ont été mobilisés, malgré les efforts désespérés des Sudistes. Au cours de la seconde, ils ont combattu, de même que nombre d'entre eux se battent actuellement au Viêt-Nam. Les vétérans noirs ont ramené dans le Sud l'orgueil des anciens soldats, la fierté d'avoir été des libérateurs et souvent le souvenir d'avoir touché la chair des femmes blanches qui, chez eux, leur est interdite par la loi et par la menace d'une justice expéditive. Ils sont moins faciles à intimider, plus prompts à réagir et plus aptes à réclamer des droits que les nègres, mal débarbouillés de l'esclavage, des générations précédentes. Par instinct de défense, les Blancs du Sud accentuent leur attitude d'intimidation. Mais depuis la Sécession, jamais le Sud n'a été dans un état d'irritation et de nervosité plus grand.

**

Depuis la première guerre mondiale, un phénomène toutefois est en cours, qui modifie l'aspect régional du problème noir : en masse, et de plus en plus, les Noirs quittent le Sud.

L'exode s'est accéléré pendant la seconde guerre. Les industries du Nord et de l'Ouest criaient leur besoin de main-d'œuvre et les hauts salaires de Chicago et de Los Angeles exercèrent sur les Noirs du Sud la même attraction magnétique que sur les foules affamées d'Irlande ou de Pologne au siècle dernier. La prospérité qui succéda aux hostilités prolongea leur effet. Le recensement décennal de 1950 mesura les conséquences. Dans le Sud au sens large (Texas et Maryland inclus), la population blanche passa de 31 à 37 millions d'habitants, alors que la population de couleur restait presque stationnaire (de 9 905 000 à 10 208 000). Par contre, le nombre de Noirs augmenta de 44,2 % dans le Nord-Est, de 50,2 % dans le Middle West et de 237,4 % sur la côte du Pacifique. En 1940, moins de 3 millions de Noirs vivaient en dehors du Sud, en 1950, 4 millions et demi. Actuellement, plus de la moitié des Noirs américains vivent au nord de la ligne Dixon-Mason.

Cela transporte et transforme à la fois le problème. Les Noirs quittent les champs du Sud pour les grandes villes du Nord. A New York, la plus grande cité noire du monde, ils sont maintenant 1 300 000. A Chicago, leur nombre atteint 30 % de la population, et à Detroit presque 40 %. Ils trouvent partout des égalités enivrantes :

le droit d'entrer dans les mêmes cinémas, les mêmes parcs publics et les mêmes syndicats que les Blancs. Mais la loi du nombre joue contre eux en suscitant ou en ravivant des hostilités inconnues ou assoupies. Telle cette violente émeute antinègre qui eut lieu il y a quelques années à Cicero, faubourg de Chicago, où la populace voulut lyncher un homme de couleur qui avait loué une maison dans un quartier blanc. Elle saccagea la maison, brûla le mobilier et contraignit le gouverneur de l'Illinois, Adlai Stevenson, à envoyer 5 000 hommes de troupe pour rétablir l'ordre. Même dans le fameux Massachusetts, qui fit la guerre de Sécession comme une croisade antiesclavagiste, des signes de ségrégation sont apparus depuis que les Noirs inondent Boston. Ils quittent le Sud, mais en apportant avec eux la barrière de la couleur.

Le quartier noir s'est développé, nous l'avons déjà dit, au dépens des quartiers du Centre aux logements lépreux. Il est à la fois le symbole, la conséquence et la cause de la ségrégation raciale dont il accentue en effet les maux. L'espoir de trouver du travail s'évanouit assez vite dans le ghetto surpeuplé, où l'éducation et la formation professionnelle sont de mauvaise qualité.

Dans les rues sans joie de Harlem, Watts ou South Side, pour ne prendre que les ghettos noirs les plus connus, les Noirs, chômeurs, inadaptés, errent sans but, mêlés aux adolescents abandonnés à eux-mêmes qui cherchent à s'affirmer dans le crime. Dans cet enfer, la population noire peut passer brutalement d'une apathie totale à de brusques accès de violence désespérée. C'est dans le Nord maintenant que le problème noir, racial et social à la fois désormais, est le plus aigu. Les émeutes qui éclatent chaque été depuis celle de Watts (Los Angeles) en 1965, ont eu pour théâtre successivement presque toutes les grandes villes industrielles. Le 16 avril 1967, dans une conférence de presse tenue à New York, le pasteur Martin Luther King avait déclaré : « Dix cités peuvent exploser », et il avait nommé Cleveland, Chicago, Los Angeles, Washington, Newark, New York, Oakland. Les événements devaient lui donner tragiquement raison. En juillet 1967 une première émeute à Newark (New Jersey), où les Noirs représentent 40 % des 1 682 000 habitants, fit 26 morts et 1 500 blessés. Ainsi s'ouvrait une liste de victimes qui s'allongea six jours plus tard de celles de Detroit. Le gouvernement fédéral mit sur pied une commission d'enquête chargée de découvrir les origines des récents désordres dans les villes américaines, et les Blancs apprirent à redouter ces étés dont la chaleur énervante, chassant la population noire dans les rues, accroît les risques de tension.

L'Amérique blanche voit ses villes noircir rapidement : au rythme actuel, Chicago, Philadelphie, auront une majorité noire en 1980, mais Newark, Baltimore, Cleveland, Detroit peuvent atteindre ce stade dès 1970. Que seront alors ces villes ? Deviendront-elles des bastions de cette « nation » noire dont parle le Black Power ?

C'est ce que prétend Ralph Brown : le ghetto noir, fermé farouchement sur lui-même — tel Harlem —, mais avec sa propre municipalité noire, sa milice noire, et sa police noire, traitera directement avec le gouvernement fédéral. Une autre solution également envisagée par le Black Power, consisterait à replier toute la population noire dans les Etats du Sud, qui formeraient ainsi un Foyer National noir...

C'est ce prolétariat urbain de Noirs déracinés dans le nord des Etats-Unis qui a donné naissance aux mouvements des Black muslims d'Elijah Mohammed et de Malcolm X, et du Black Power de Ralph Brown et Stokely Carmichaël. Vivant là en masses compactes, coupées des chefs du mouvement pour les droits civiques, les Noirs acquirent une sensibilité plus grande, une susceptibilité plus forte, et développèrent parmi eux une sentiment qui est devenu un véritable nationalisme noir.

Beaucoup des difficultés actuelles viennent des conditions dans lesquelles l'esclavage fut aboli. Il va de soi qu'il était périmé, même comme système économique, et qu'il devait disparaître. Mais il était insensé de le supprimer d'un trait de plume. Lincoln, qui voyait loin, lutta héroïquement, même dans les plus grandes fureurs de la guerre civile, pour un plan de rachat des esclaves, mais ses propres ministres lui forcèrent la main. L'émancipa-

tion fut une mesure de propagande, alors qu'elle aurait
dû être une réforme progressive accompagnée de mesures
économiques pour l'établissement des affranchis. Les
Blancs du Sud furent responsables d'avoir rendu la folie
inévitable en se jetant dans la Sécession, alors qu'il
n'était pas encore question de supprimer l'esclavage, mais
seulement d'en interdire l'extension. Mais des fléaux
publics d'idéologues, comme Harriet Beecher Stowe, qui
écrivit *la Case de l'Oncle Tom* sans avoir quitté sa cuisine de Boston, causèrent aussi l'une des précipitations
les plus funestes de l'histoire américaine. L'esclavage fut
aboli au moment même où le Sud fut ruiné et les deux
problèmes, la pauvreté du Sud et la condition des Noirs,
s'enchevêtrèrent et s'immobilisèrent pendant trois générations. Le Sud resta pauvre en grande partie à cause
des Noirs et les Noirs demeurèrent dans une condition
pratiquement servile en grande partie à cause de la
pauvreté du Sud. On commençait à peine à sortir de
cette impasse, lorsque la naissance du nationalisme noir
vient tout remettre en question...

**

La pauvreté du Sud est l'une des données américaines
que les Européens connaissent le mieux. Cela tient à
la Route au Tabac, d'Erskine Caldwell, à l'imaginaire
comté de l'Alabama que William Faulkner décrit sans
répit et, plus récemment, au hardi petit personnage littéraire qui a pris le pseudonyme de Truman Capote. Leur
Sud de guenilles, de paresse, d'analphabétisme, de terres
usées, de maisons pourries, de marais écrasants et de
sexualité frénétique est une grosse caricature, mais cela
veut simplement dire que les traits du réel sont violemment amplifiés.

La pauvreté du Sud est une matière à statistiques dans
le détail desquels il est inutile de descendre. Il y a, dans
le Sud, moins ou beaucoup moins d'automobiles, de
maisons pourvues de téléphone, de lits d'hôpitaux, de
places dans les écoles, de tracteurs dans les fermes, de
comptes dans les banques et d'argent dans les comptes

en banque, que nulle part ailleurs aux Etats-Unis. Le revenu annuel par tête d'habitant dans 11 Etats du Sud, n'est que de 2 340 dollars, alors qu'il est de 3 223 dollars en Nouvelle-Angleterre et de 3 378 dollars sur la côte du Pacifique. Encore ce chiffre est-il une moyenne relevée par la prospérité relative de la Floride et de la Virginie. Il s'abaisse dans le Sud Profond jusqu'à 2 027 dollars pour la Caroline du Sud, 2 039 pour l'Alabama et 1 751 pour le Mississipi. La réalité toute simple va encore au-delà de ces quotients et le témoignage des yeux est supérieur au dépouillement des annuaires : au milieu de la richesse américaine, de grandes masses humaines sont plongées dans le paupérisme au sud de la ligne Mason - Dixon. Il ne s'agit pas seulement des nègres — bien que leur condition soit en général la plus mauvaise. Au moins les deux tiers des Blancs — les *Poor Whites* du Sud — sont grandement au-dessous du standard de vie américain.

La raison principale est le surpeuplement rural. La bienfaisante dépopulation des campagnes, dont le degré est un indice presque infaillible de richesse, a oublié le Sud des Etats-Unis. Près de la moitié des 3 158 000 fermiers américains végètent dans le Sud sur moins de 15 % des terres cultivées, en produisant à peine 10 % de la valeur de toutes les récoltes américaines. La question qui s'impose est naturellement : pourquoi sont-ils restés ? Les Noirs ont l'excuse de leur couleur et de leur ignorance, mais le cas des autres serait inexplicable si l'on n'admettait pas que les populations blanches du Sud sont — en dépit d'une origine presque uniformément anglo-saxonne — moins vigoureuses, moins laborieuses et moins entreprenantes que celles du Nord. Le climat a produit son influence irrésistible en engendrant l'indolence et la résignation, mais les Sudistes placent ces défauts sous un éclairage sympathique en faisant valoir leur attachement pour « Dixie » où la cuisine est plus savoureuse, les femmes plus douces et le travail moins urgent qu'ailleurs.

Dans les campagnes surpeuplées du Sud, le régime des exploitations agricoles est un archaïsme, même pour l'Europe. La règle est le métayage, la part du métayer (*sharecropper*) étant la moitié et souvent le tiers de la récolte. Avec la petitesse des fermes, la mauvaise qualité de l'outillage et l'érosion des terres, beaucoup de paysans du Sud, Blancs et Noirs, ne se font pas 800 dollars de revenu net par an. Certains vont sans souliers, ce qui est un étrange spectacle américain, mais une leçon bien utile. Avec le Sud, l'Amérique a chez elle une véritable Europe : trop d'hommes pour trop peu de travail, ce qui entraîne la dévalorisation générale de l'effort humain, le gaspillage de la main-d'œuvre, la persistance de méthodes périmées, la pérennité de la misère et l'inégalité choquante des niveaux sociaux.

Les deux récoltes typiques du Sud — legs, toutes les deux, des vieilles exploitations coloniales — sont le tabac et le coton. Elles présentent des ressemblances, ne serait-ce que l'usure du sol, contraint de produire chaque année une plante extrêmement vorace dans le cas du premier et un arbuste entier dans le cas du second. Toutefois, elles sont également associées à une différence frappante : le tabac représente une prospérité relative, alors que le coton est synonyme de misère. La Caroline du Nord, où la récolte du tabac vient de loin en tête, est l'un des Etats les plus riches du Sud, alors que le Mississipi, où la prépondérance du coton est écrasante, se classe comme le plus pauvre des 50 Etats. Le progrès, l'hygiène, les standards de vie, l'instruction, la tolérance raciale sont partout dans le Sud en fonction inverse des superficies plantées en coton.

Cette malédiction est, à première vue, étrange. Il y eut longtemps un lyrisme du coton (*King Cotton*). Il entretint jadis de fastueuses dynasties de planteurs. Mais cette opulence du petit nombre était fondée en réalité sur la main-d'œuvre esclave et le « Roi Coton » devint un crève-la-faim lorsqu'il dut descendre des grandes plantations dans l'insignifiance des métairies. Des agronomes soutiennent aujourd'hui que le coton n'est pas à sa place dans la majeure partie du Sud des Etats-Unis parce que les hivers y sont trop froids, et des économistes pensent que l'Amérique devrait acheter son coton brut, comme elle achète son caoutchouc brut. Le coton, au reste, ne subsiste que par une subvention fédérale permanente et, en raison notamment des quantités d'engrais qu'il réclame, il ne trouve des conditions économiques tolérables que dans les très grandes exploitations. Cependant, il constitue encore la récolte principale de 85 % des fermes dans le Sud Profond. Mais les Etats-Unis ne produisent plus que le cinquième de la récolte mondiale de coton.

***
***

Le Sud fut longtemps un parent déshérité. Comme si l'anathème de la Sécession se prolongeait de génération en génération, son rôle dans l'économie américaine se borna longtemps à fournir quelques matières premières et à servir de marché à l'activité industrielle du Nord. Vers 1890, un journal d'Atlanta exprima cette situation en racontant avec un humour noir les obsèques d'un Georgien : « On dut couper du marbre pour creuser sa fosse, et cependant la petite pierre tombale qui fut posée sur elle venait du Vermont. On l'enterra au cœur d'une forêt de sapins, et cependant le cercueil de sapin avait été importé du Michigan. On l'enterra au bord d'une mine de fer, et cependant les clous du cercueil et la pelle du fossoyeur venaient de Pittsburgh. On l'enterra au milieu de la meilleure des terres à moutons du monde, et cependant la matelassure de la bière venait du Nord. Il fut enseveli dans un complet de New York, un pantalon de Chicago, une chemise de Cincinnati et une paire de souliers de Boston. Le Sud n'avait fourni que le cadavre et le trou dans le sol. »

Cette situation, cependant, change rapidement. Les stigmates de pauvreté attachés à la terre chaude de Dixie s'atténuent progressivement et sont destinés à disparaître. Avec la montée de l'Ouest, et plus récente que celle-ci, la réhabilitation du Sud est le second grand phénomène américain contemporain.

La structure du Sud se modifie. Enfin, le fléau bienfaisant, la dépopulation des campagnes, commence à se faire sentir. Les comtés ruraux perdent une partie de leurs bras en surnombre, tandis que les villes font des progrès impressionnants. En moins de vingt ans, la Nouvelle-Orléans a vu sa population augmenter de 15 %, Memphis (Tennessee), de 11 %. Montgomery et Mobile (Alabama) sont passés, l'un de 78 000 habitants à 105 000 et l'autre, également de 78 000 à 130 000. Leurs populations respectives sont maintenant estimées à 207 000 et 391 000 habitants. Le cas le plus remarquable est celui de Bâton-Rouge, capitale de la Louisiane : il y a vingt ans, c'était une bourgade administrative de 30 000 âmes, somnolente au pied des digues géantes du Mississipi, et c'est aujourd'hui une grande ville active de 152 000 habitants (255 000 dans l'agglomération). Les champignons urbains récents des Etats-Unis se sont mis à pousser dans le Sud, où 3 habitants sur 4 vivaient jusqu'ici au milieu des champs.

La cause de cette transformation est l'industrialisation du Sud. En un sens, ce n'est pas un phénomène nouveau. Le grand centre métallurgique de Birmingham en Alabama (734 000 habitants en 1966), dans lequel des enthousiastes crurent voir le rival de Pittsburgh, grandit à partir de 1871 et les vallées des deux Carolines abritent depuis longtemps déjà des filatures de coton. Mais cette première industrialisation avait peu modifié les conditions économiques du Sud parce qu'elle était localisée, partielle et provoquée principalement par le désir d'exploiter une immense main-d'œuvre sans défense. La deuxième industrialisation, en cours depuis une trentaine d'années, est beaucoup plus profonde. Il n'y a peut-être pas de région des Etats-Unis où l'on trouve davantage d'usines neuves, éclatantes de blancheur pendant la journée et ruisselantes de lumière pendant la nuit. Les salaires ne s'élèvent pas tout à fait à la même hauteur que dans le Nord, mais ils sont grandement supérieurs au profit des métayers dans la plupart des fermes de Dixie. Il est courant d'entendre dire par d'anciens *sharecroppers* qu'ils font autant d'argent à l'usine en une semaine (80 dollars en moyenne) qu'ils n'en faisaient en un mois sur leurs champs.

On estime que 20 % des industries américaines se trouvent désormais dans le Sud et que la population ouvrière a augmenté de 3 millions de paires de bras depuis la deuxième guerre mondiale. Les deux Carolines ont pratiquement recueilli toute l'industrie cotonnière de la Nouvelle-Angleterre, le Manchester américain ayant émigré de Boston et New-Bedford à Winston-Salem, Charlotte (360 000 habitants) et Greenwood. La laine suit : elle n'a pas de matière première sur place, mais il lui est indifférent de recevoir ses toisons australiennes par Wilmington plutôt que par Boston. Les tissus synthétiques en font autant : c'est dans le Sud que Dupont de Nemours a établi ses fabriques de super-nylon, ou orlon. Le tissage et la confection s'installent à côté des filatures et des usines de fibres artificielles. Les bois du Sud, au lieu de s'exporter vers le Nord, se transforment sur place en pâte à papier, en meubles et, éventuellement, en cercueils. Les Georgiens de la deuxième moitié du xxᵉ siècle ne sont plus enterrés par l'industrie des Yankees.

Le pétrole est un autre moteur de la révolution industrielle. La Louisiane est devenue, grâce à ses gisements du golfe, le second des Etats producteurs, avec l'Arkansas et le Mississipi pour prolongements. Comme au Texas, le pétrole crée sa couronne d'industries, et l'on compte déjà, dans le Sud, 37 grands établissements chimiques dont le plus impressionnant est celui de Bâton-Rouge, annexe de la babylonienne raffinerie de la Standard Oil. L'atome lui-même s'est domicilié dans le Sud (Oak Ridge, Aiken) dès son avènement industriel.

L'agriculture suit ou suivra le mouvement. Elle échappe peu à peu à la tyrannie débilitante du coton en diversifiant ses productions et surtout en faisant une place plus large à l'élevage. Mais la culture du coton elle-même est en pleine transformation. Après des années d'efforts et des échecs innombrables, on est arrivé à réaliser la machine à cueillir le coton qui fut le rêve de dizaines d'inventeurs. Rien n'approche davantage des apparences de l'intelligence que ces mains articulées, guidées par un œil électrique, qui palpent littéralement les arbustes, vident les cosses arrivées à l'état de maturité et respectent les autres. La lente cueillette à la main, qui fut l'une des principales raisons de l'esclavage, l'immense main-d'œuvre nécessaire seulement quelques jours par an et par conséquent famélique, appartiennent d'ores et déjà au passé, et avec elles la culture artisanale du coton par les *sharecroppers.* Une machine fait le travail de 250 hommes à un prix six fois moins élevé et la seule cause qui justifiait le désastreux surpeuplement rural du Sud disparaît.

A cette brève et si incomplète esquisse du Sud, il faut — pour rester fidèle à l'idée de ce livre — ajouter quelques mots pour chacun des Etats dont il se compose. On a déjà parlé séparément du Kentucky, du Tennessee, de l'Arkansas et de la Louisiane. De l'Ouest à l'Est et du Sud au Nord, il reste 7 Etats dont les noms suivent : Mississipi, Alabama, Floride, Georgie, Caroline du Sud, Caroline du Nord et Virginie. Chacun d'eux a son originalité, son histoire, sa couleur et sa saveur.

Mississipi : le fond du Sud Profond.

Le Mississipi est l'Etat sudiste le plus anathémisé par ceux qui se qualifient de libéraux. Certains, dans leurs accès de colère, suggèrent de l'exclure de l'Union pour indignité et font remarquer que les indices du bien-être, de l'instruction, du progrès social monteraient d'une manière sensible si les Etats-Unis étaient débarrassés de ce traînard. Les statistiques, sans nul doute, condamnent le Mississipi, et cependant il ne donne pas à celui qui le parcourt des impressions de misère aussi violentes que certaines autres régions du Sud. Son rivage, une façade d'environ 100 kilomètres sur le golfe du Mexique, est une côte d'Azur. Sa capitale, Jackson (250 000 habitants) est une ville moderne et blanche. Natchez et Vicksburg, sur le fleuve qui a donné son nom à l'Etat, sont deux conservatoires de souvenirs historiques, avec quelques maisons aux vérandas de fer forgé datant de l'époque coloniale. Les campagnes même, presque uniformément plantées en coton, ont souvent un air de prospérité et de gaieté qui se concilie mal avec la mauvaise réputation du Mississipi.

C'est néanmoins un Etat incontestablement arriéré. Il est à peine touché par l'industrialisation qui transforme tant d'autres parties du Sud. Il enregistre une lente décroissance de population (2 184 000 habitants en 1940 ; 2 178 000 en 1950 ; 2 162 422 en 1960 ; mais 2 327 000 en 1966) provenant du départ d'un certain nombre de Noirs qui ont des raisons valables de quitter cette terre de dureté. Cependant, la natalité supérieure des Noirs maintient la proportion des deux couleurs à près de 50-50, faisant du Mississipi le plus coloré de tous les Etats.

Il n'est pas surprenant, devant de tels chiffres, que le racisme blanc s'affirme dans le Mississipi avec plus de vigueur que partout ailleurs. Il eut, il y a quelques années, un apôtre dans la personne du sénateur Bilbo, contre lequel le Sénat entreprit une procédure d'exclusion fondée sur des malversations privées et motivée par des animosités publiques. Un autre chevalier de la ségrégation au Mississipi est l'ex-gouverneur J. P. Coleman qui fit voter par sa législature une loi prescrivant l'enseignement de la supériorité de la race blanche dans les écoles et un fonds de 5 000 dollars pour la constitution d'une bibliothèque visant à la même démonstration.

Ce plus pauvre des Etats enregistre cependant, depuis une date récente, des promesses de renouveau. En 1958, son activité économique s'est accrue de 6 %, alors qu'elle déclinait de 5 % dans l'ensemble des Etats-Unis, et Jacksont fut classé à la tête de toutes les villes américaines par son indice de développement (18 %). En 1959, 79 nouvelles industries s'installèrent dans l'Etat et la First Mississipi Corporation mit en chantier une ville à créer de toutes pièces, près de la limite du Tennessee, avec l'intention avouée de donner une rivale à Memphis. Nouvelle illustration, dans le cas le plus ingrat, des transformations du Sud. Faut-il considérer aussi comme une preuve de la volonté du Mississipi de supprimer les vieilles structures, l'abandon de la prohibition en 1966 ? Il est en tout cas le dernier Etat à s'y être résolu.

Alabama : Pennsylvanie du Sud.

L'Alabama (3 517 000 habitants en 1966) est plus important, plus varié et moins pauvre. Son port de Mobile, fondé en 1702 par le Français Bienxille, fut un moment le rival de La Nouvelle-Orléans. Sa capitale, Montgomery, vit organiser en 1861 le gouvernement de la Confédération qui se transporta ensuite à Richmond. La noire et chaotique Birmingham, forte de 761 établissements métallurgiques, dominée par son Vulcain de fonte aussi haut que la Liberté new-yorkaise, est la cité la plus populeuse de l'Alabama et la huitième ville du Sud.

Mais le plus grand établissement industriel de l'Alabama n'est plus la branche méridionale de l'U.S. Steel Company. C'est désormais l'arsenal de Redstone, à Huntsville, près de la Tennessee River qui, poursuivant le plus tortueux des cours, fait une incursion dans le nord de l'Etat. Werner von Braun, qui construisit les V2 de Hitler, avant d'être soustrait aux Russes et importé aux Etats-Unis dans des conditions de roman d'espionnage, est l'illustration de Redstone. L'arsenal, établissement de l'armée de terre, construisit la fusée Jupiter qui, cinq mois après le Spoutnik, mit sur son orbite le premier des satellites artificiels américains. Originairement, le lancement de ce pionnier de l'espace, inclus dans le programme de l'Année Géophysique Internationale, était un projet civil, médiocrement financé, auquel la Défense Nationale avait refusé le concours de ses fusées et de ses carburants. Quand l'éclatant succès soviétique eut bouleversé le monde, le gouvernement américain chercha désespérément une réplique. L'équipe civile du projet Vanguard était à cent lieues de la réussite et les grands missiles de l'Air Force, comme l'Atlas, se débattaient au milieu de noires difficultés. Mais la fusée intermédiaire Jupiter, mise au point par Braun et par les terriens de Redstone, était prête. On la prit. Elle réussit à donner au Spoutnik un compagnon sensiblement plus petit.

L'Armée devait payer ce succès flatteur. L'Air Force, dévorée de jalousie, obtint du président Eisenhower une

décision par laquelle elle faisait retirer à sa rivale la
fusée Jupiter et, en général, tous les engins balistiques
d'une portée supérieure à 500 milles. Au début de 1958,
le 868ᵉ squadron de missiles balistiques entra à Redstone
avec autant de satisfaction que s'il se fût agi d'une place
conquise. Après avoir vainement défendu son œuvre, le
chef de la section des missiles de l'Armée, le major-
général Medaris, qui commença sa vie militaire comme
Marine de deuxième classe, s'était démis de ses fonctions et avait pris la présidence de la société des jouets
Lionel, grande productrice de trains en miniature. Il est
question périodiquement que Werner von Braun rejoi-
gne son ancien chef, ce qui provoque à Wall Street un
boom des actions Lionel. L'inventeur allemand ne cache
pas sa déconvenue et ne doute plus que les Russes, grâce
aux erreurs américaines, ne réalisent les premiers le
rêve de toute sa vie : le voyage dans la Lune.

Floride : oiseaux de passage et cap Canaveral.

Il serait facile de consacrer un chapitre entier à la
Floride. Sa croissance rapide la met de pair avec les
Etats du Pacifique et elle est inévitablement comparée
à la Californie, bien qu'il y ait d'énormes dissemblances
et très peu de communes mesures entre les deux. Dans
les trente dernières années, la population de la Floride
s'est accrue de près de 100 % approchant, en 1966, de
6 millions d'habitants. En 1920, elle ne comptait pas
encore 1 million d'habitants et, au moment de la Sécession, elle n'en comptait pas 175 000, bien qu'elle fût un
Etat de plein exercice depuis quinze ans. Miami n'existait
pas en 1880 et alignait 1 681 résidents seulement au recensement de 1900. Le processus qui, en deux tiers de siècle,
en fit une ville de plus de un million d'habitants et l'un
des noms les plus connus du monde, est un roman urbain
comparable à celui de Los Angeles ou de Houston.

Cette Floride est une terre inachevée. Le sol se forme
encore par accumulation de l'humus sur les racines sail-
lantes des grands cyprès. L'altitude ne dépasse nulle

part 100 mètres et 30 000 lacs enchevêtrés montrent que le drainage et l'assèchement sont à peine commencés. Dans les immenses marais, le sol apparemment ferme n'est souvent qu'une île flottante de végétation et de terreau qui porte le poids humain, mais en oscillant sous les pas. D'où le nom de « pays de la terre qui tremble » donné à certaines régions de la Floride par les Indiens séminoles qui en furent les habitants acharnés. La tribu fut en partie massacrée et en partie déportée dans l'Oklahoma, après une lutte farouche de l'homme blanc contre la nature et une lutte pathétique de l'homme rouge contre la supériorité écrasante de l'homme blanc.

On a trouvé en Floride des espèces d'oiseaux que l'on croyait éteintes depuis longtemps. L'alligator américain commun y devient un caïman dangereux. La vie animale y est grouillante et souvent venimeuse, comme la vie végétale y est exubérante et parfois vénéneuse. De vastes étendues ne sont accessibles que sous la conduite des guides fournis par la poignée de Séminoles dont les ancêtres ont survécu à la guerre et échappé à la proscription. Mais on aménage le Parc national des Everglades qui donne progressivement aux touristes la possibilité d'entrevoir l'étouffante nature tropicale en toute sécurité.

Le dixième seulement de la Floride est soumis à l'agriculture. Elle y est d'ailleurs très perfectionnée et donne à la Floride un revenu agricole supérieur à celui de la plupart des Etats du Sud. La capitale américaine des oranges est Orlando (372 000 habitants), au centre de la péninsule. Depuis 1965, le taux d'accroissement d'Orlando est de 16,9 %, ce qui s'explique par le développement d'installations électriques et électroniques en liaison avec le centre d'essais spatiaux de Cap Kennedy. L'élevage fait des progrès continus depuis qu'il a créé des espèces positivement nouvelles de bœufs à bosse — la bosse étant une réserve de graisse et d'eau nécessaire pendant les longues sécheresses qui alternent avec les pluies tropicales. Il tombe en Floride plus d'eau que nulle part ailleurs aux Etats-Unis, mais presque uniquement de mai à novembre, ce qui donne une garantie céleste à l'indus-

trie principale de l'Etat : la vente du soleil pendant
l'hiver.

La migration hivernale des Américains en Floride a
l'ampleur et la majesté qui accompagnent les rotations
saisonnières des grandes espèces animales. Elle est
l'expression même de ce phénomène mondial : l'exode
vers les pays du soleil, qu'illustrent, en Europe, l'autoroute du Soleil italienne, et l'autoroute du 7ᵉ méridien
entre la Riviera italienne et Hambourg. La route en
amène 3 millions à elle seule sur 16 millions et Miami
seul en héberge 2 millions chaque année. En sortant de
la Georgie, plutôt rugueuse, ils trouvent un monde construit pour eux. Les deux côtes, celle de l'Atlantique et
celle du Golfe, se livrent une concurrence pour les attirer. La seconde (Tampa, Saint Petersburg, etc.) se prévaut
de son climat encore plus régulier, mais la première a
pour elle les deux noms magiques de Palm Beach et de
Miami. Le premier est celui d'une longue île étroite, ou
plutôt d'un banc de sable, sur lequel il n'y a de place que
pour des résidences jalouses et des plages privées, tandis que le second désigne le plus fantastique caravansé-
rail de l'univers. Le style de Miami s'appelle florido-
méditerranéen, ce qui dispense de le décrire. Miami
Beach compte 4 plages, 91 piscines d'eau de mer, 12
parcs, 50 courts de tennis, et 5 golfs dont 2 privés. Le
quart de toutes les chambres d'hôtel de Floride, réparties entre des dizaines de palaces écrasants, se trouve sur
cette langue de sable qui fut, jusqu'en 1913, un îlot couvert de mangrove et presque impénétrable. Depuis 1959,
Miami est le centre des réfugiés cubains, qui y sont environ 110 000.

Les foules de Miami, contrairement aux élites de Palm
Beach, ne sont pas aveuglément recommandables par
la distinction. Ce qui vient là, c'est essentiellement l'Amérique voyante, l'Amérique bruyante et l'Amérique récente.
New York est le principal ravitailleur de la grande ville
floridienne, ce qui permet de dire que Miami est un
prolongement de Bronx. On ne trouve ni à Miami, ni
nulle part en Floride, rien d'équivalent à la vie littéraire
et artistique californienne. Les quelques tentatives faites

pour y acclimater le cinéma ont échoué. Des hommes d'affaires de la côte du Pacifique ont fondé en 1921 une localité qu'ils ont baptisée Hollywood, mais ce ne fut qu'une spéculation immobilière qui a produit une petite ville de yachtmen. En dehors des oranges, la Floride ne fournit à l'Amérique que des peaux bronzées.

L'histoire, sur cette presqu'île tropicale, fut dure et violente. La première prière protestante qui s'éleva du continent américain a été dite en 1562 (cinquante-huit ans avant les « pèlerins de la *Mayflower* » près du site actuel de Jacksonville, par les huguenots français du capitaine Jean Ribaut qui, sur les instructions de l'amiral Coligny, cherchait à fonder un champ d'asile pour ceux de la religion réformée. Les Français découvrirent le pays avec ravissement, donnèrent le nom de Seine, Gironde, Charente, etc., aux petits fleuves côtiers et, en dépit des déceptions et des souffrances inévitables, eussent sans doute créé un établissement durable s'il avait été possible à Philippe II de tolérer un avant-poste étranger et hérétique à si courte distance de la Nouvelle-Espagne. Envoyé avec la mission précise de les exterminer jusqu'au dernier, le cruel Menendez de Aviles, duc d'Albe du Nouveau-Monde, sema les forêts et les grèves de près de cinq cents victimes, la plus grande hécatombe blanche que l'Amérique devait connaître jusqu'à la Sécession. Saint-Augustine, fondée en 1565, à l'époque et près du théâtre de ce forfait, est la doyenne de toutes les villes des Etats-Unis. Elle fut, pendant deux siècles la tête d'une piste fabuleuse conduisant jusqu'à Santa Fé, dans le désert du Nouveau-Mexique. Puis la Floride fut cédée aux Anglais, revint aux Espagnols pour quelques années et fut achetée en 1820 par le président James Monroe. Saint-Augustine garde de son passé un vieux fort qui englobe les premières pierres maçonnées par la main humaine en Amérique. Il vaut un instant de recueillement plus qu'une visite, mais c'est aussi près de Saint-Augustine que se trouve l'un des spectacles les plus captivants de la Floride : l'aquarium géant de Marineland où l'on peut voir par 200 hublots de véritables troupes de requins évoluant au milieu des dauphins, de tortues marines, de raies énormes, de murènes et d'une variété de poissons. Les monstres sont nourris toutes les deux heures par un scaphandrier et, l'estomac constamment plein, laissent en paix leurs compagnons. « Toutefois, disent les gardiens, il n'est pas possible de les empêcher de prendre un snack de temps en temps. »

Le Cap Kennedy, ex-Cap Canaveral — Air Force Missile Test Center — se trouve à quelques dizaines de milles au sud. Des plaques de mangrove couvrent encore une partie de la région et la vie sauvage est encore si peu persuadée de sa dépossession que chaque lancement de fusée met en fuite des centaines de serpents. De larges lagunes séparent du continent le banc de sable sur lequel, avant 1950, la Marine avait établi une petite base aérienne, aujourd'hui transférée à l'Aviation, sous le nom de Patrick Air Force Base. Elle sert de quartier général et de laboratoire, tandis que le polygone de lancement proprement dit occupe le grand triangle curviligne du Cap proprement dit. Entre ces deux pôles, l'insignifiant village de Cocoa Beach est devenu presque du jour au lendemain une ville sans vieillards, grâce aux 25 000 militaires et techniciens et aux familles correspondantes qui se sont établis dans l'ancien désert marin.

Le spectacle du Cap — assez libéralement ouvert à des visiteurs sélectionnés — est l'une des curiosités de notre époque. Le long de la mer, sur une quinzaine de kilomètres, se dressent les échafaudages enchâssant les différents types de fusées : les colosses, comme les Atlas et les Titans ; les variétés moindres, comme les Jupiter, les Thor ou les Minutemen. Les lancements ont lieu à une cadence de plusieurs par semaine. L'échafaudage reculé à distance respectueuse, une zone de sécurité de deux milles de rayon est évacuée autour de l'aire de départ, l'équipe de spécialistes se blottit dans un blockhaus de béton fermé par des portes de coffre-fort, le count down commence à égrener les minutes, les spectateurs privilégiés se massent sur des estrades lointaines — puis une bouffée de fumée jaillit à la base de l'engin qui, suivant les caprices de la technique et de la chance, part pour l'espace sur un magnifique pilier de flamme ou s'anéantit dans une retentissante explosion.

Construit pour l'expérimentation des missiles balistiques, le centre est la tête d'une chaîne de douze tracking stations qui, installées sur les îles des Antilles et de l'Atlantique sud, complétées par des navires spéciaux, permettent de suivre le trajet des projectiles inter-continentaux jusqu'aux approches de Sainte-Hélène, à plus de 5 500 milles marins de la Floride. Deux cerveaux électroniques géants, appartenant aux International Business Machines, recueillent et ordonnent les millions d'observations liées à chaque lancement. Les projets spatiaux se sont ajoutés aux essais militaires, entraînant Cap Kennedy dans de nouveaux développements. L'équivalent d'une immense usine fonctionne sur ce qui n'était, il y a quelques années, qu'un marécage tropical.

Cependant Cap Kennedy est une terre de déception. Ses techniciens affectent de dire qu'ils poursuivent un programme rigoureux, sans rechercher des tours de force qui en contrarieraient le déroulement, ni se laisser obséder par l'esprit de compétition — mais les exploits soviétiques pèsent sur les esprits. Dans le domaine des armements atomiques, dans celui des grands bombardiers, l'U.R.S.S. avait marché derrière l'Amérique avec une rapidité surprenante, mais, dans le domaine des fusées, elle n'a pas suivi ; elle a précédé. L'Amérique explique et quelquefois ergote, mais elle sait parfaitement qu'elle est inexcusable et que son retard dans une technique nouvelle, d'une importance vitale, est la preuve du malaise affectant un corps économique et technique qui fut si longtemps prodigieux de santé et de vigueur.

L'une des mises au point les plus laborieuses de Cap Kennedy fut celle de l'Atlas, le premier des missiles inter-continentaux (I.C.B.M.) américains, le substitut attendu aux bombarbiers du Strategic Air Command, rapidement frappés de désuétude. Construit à San Diego, sur l'autre rive de l'Amérique, ce géant de 30 mètres et de 50 tonnes, composé de 40 000 pièces, construit pour porter une tête thermo-nucléaire jusque dans les profondeurs russes, fut confié à Cap Kennedy au début de 1957. Mais ce n'est pas avant le 17 décembre que l'oiseau s'envola pour un vol d'essai de quelques centaines de kilomètres, et ce n'est pas avant le 28 novembre de l'année suivante qu'il atteignit la portée qu'on en attend. Il fut déclaré « opérationnel » le 7 septembre 1959 et remis à la base Vandenberg, du Strategic Air Command, en attendant l'installation de la base de Warren, dans le Wyoming. Les essais ne s'en poursuivirent pas moins au Cap, avec une forte proportion d'échecs. Et cette même année 1959, l'engin russe Luna II atteignait pour la première fois la lune, le 12 septembre.

A l'automne de 1960, Cap Kennedy expérimentait le Titan, plus lourd et plus puissant que l'Atlas et — toujours dans l'ordre des missiles intercontinentaux — le Minuteman qui utilise un carburant solide et devrait apporter une simplification sérieuse dans la technique encore fort barbare des fusées. Dans l'ordre des missiles intermédiaires (I.R.B.M.), Jupiter et Thor, dieux-chefs de mythologies opposées, se dressaient côte à côte, non loin du petit port d'où les pêcheurs de naguère ont été évincés et où les marins, ayant mieux défendu leur autonomie que les terriens, travaillent leur Polaris, fusée à carburant solide, qu'ils ont lancée avec succès d'un sous-marin immergé.

A la même époque, Cap Kennedy (un peu aidé par la base californienne de Vandenberg) avait lancé dans l'espace dit « extérieur » 26 engins, dont 16 poursuivaient leurs circuits autour de la terre ou du soleil. Les Russes n'avaient plus en course que trois Spoutniks, sur les huit qu'ils avaient lancés depuis le 4 octobre 1957. Mais ils venaient de récupérer une capsule spatiale contenant deux chiens et ils conservaient une supériorité écrasante pour les charges utiles qu'ils étaient en état de propulser. Une aire spéciale du Cap Kennedy était réservée à ce qu'on appelait le Projet Mercury : l'homme dans l'Espace. Mais personne ne se faisait d'illusion. A moins d'un miracle, le premier homme qui violerait les abîmes du ciel ne serait pas américain.

En 1961, toutefois, les Etats-Unis décidaient officiellement de faire d'un débarquement d'astronautes sur la Lune un objectif national à atteindre avant 1970 (et l'U.R.S.S. se donna probablement le même but sans le dire ouvertement). L'Administration américaine pour l'Aéronautique et l'Espace (N.A.S.A.) réussissait effectivement à envoyer un premier Américain dans l'espace, le 20 février 1962. Le major Glenn, dans sa capsule Mercury mise sur orbite par une fusée Atlas VI, n'était pourtant pas — comme il fallait d'ailleurs s'y attendre — le premier homme de l'espace. Le Russe Gagarine l'y avait précédé le 12 avril 1961.

Ensuite les expériences se succédèrent en alternance, les grandes premières étant toujours soviétiques. La première capsule Gemini emportant le 23 mars 1965 les deux cosmonautes Grissom et Young, suivit de près de six mois l'expérience du Vostok russe. Les techniciens de la N.A.S.A. réussirent pourtant à établir le record de durée des vols spatiaux : Borman et Lovell, à bord d'un Gemini VII lancé le 4 décembre 1965, tinrent l'air 330 heures et 35 minutes. Les expériences américaines d'engins habités ont cessé depuis le tragique accident du 27 janvier 1967 : les trois cosmonautes Virgil Grissom, un des sept hommes envoyés dans l'espace par le Projet Mercury, Edward White, le premier Américain à avoir marché dans l'espace (mais après un Russe !) et Roger Chaffee qui n'avait encore participé à aucun vol, trouvèrent la mort en douze secondes dans l'incendie qui ravagea l'intérieur de leur capsule Apollo I au sol. Le projet Apollo était celui qui devait permettre le débarquement sur la Lune.

Le programme d'approche se poursuit néanmoins, avec les engins Surveyor qui ont succédé aux Rangers. En ce domaine d'ailleurs, les engins américains ont fait la preuve de la très haute qualité technique de leur équipement de bord, qui fonctionne avec une plus grande sûreté que celui de leurs rivaux. Enfin, depuis novembre 1967, la fusée Saturne de Wernher von Braun est prête pour le grand voyage. Haute de plus de 110 mètres, faite de 1 500 000 pièces, elle est propulsée par 41 moteurs-fusées qui développent 3 940 tonnes de poussée, soit l'équivalent de 200 millions de chevaux-vapeur, ou encore de 480 réacteurs de Boeing 707...

Qui l'emportera finalement ? Les Russes, qui ont réussi une fois encore, à poser les premiers un engin sur le sol lunaire en 1966 ? Ou les techniciens de la N.A.S.A. dont les tirs sont plus précis ? La course est un peu ralentie toutefois en raison des crédits engloutis jusqu'ici. Il reste qu'à la fin de l'année 1967, plus de 700 engins avaient été lancés dans l'espace, dont 476 à partir de Cap Kennedy.

Georgie : *Crépuscule du K.K.K.*

Il faut revenir vers le Nord pour rentrer paradoxalement dans le vrai Sud. Le très important Etat de Georgie (4 459 000 habitants) est le voisin de la Floride sur la majeure partie de la frontière septentrionale de celle-ci. Monde complexe. Le Ku-Klux-Klan y compte la majeure partie de ses survivances — son quartier général compris — et cependant les Congrès pour l'entente des deux races se tiennent à Atlanta où l'esprit de tolérance souffle plus fort que partout ailleurs dans le Sud. Elle peut d'ailleurs s'enorgueillir d'avoir vu naître celui qui obtint le prix Nobel de la Paix en 1964, le pasteur noir Martin Luther King. La grande ville (1 258 000 habitants) veut qu'on dise qu'elle est la capitale du Sud, et cependant beaucoup d'observateurs la comparent à Chicago. Les bagnes de Georgie, où les prisonniers ne sont allégés de leurs chaînes que pendant les heures de travail, ont une réputation si sombre qu'un évadé a de bonnes chances de recevoir le droit d'asile dans un autre Etat et cependant beaucoup d'institutions de la Georgie sont considérées comme avancées. La Route au Tabac passe dans l'Etat (Caldwell lui-même est un Georgien), et cependant la Georgie, avec son agriculture plus diversifiée, est loin d'être une déshéritée à s'en tenir aux normes du Sud. La vérité est qu'il est impossible de tout résumer, classifier et systématiser. Chaque Etat est une originalité, mais en même temps un nid de contrastes, et des choses opposées y sont fréquemment vraies à la fois.

La Georgie a, dans l'Ouest, des montagnes aussi hautes que le Jura et, dans l'Est, des marécages semblables à ceux de la Floride. Elle fut le plus méridional et le plus chétif des 13 Etats qui lancèrent, en 1776, l'aventure de l'indépendance américaine. Pendant la guerre de Sécession, elle fut atrocement et systématiquement ravagée par le général nordiste Sherman, au cours de sa marche fameuse du Mississipi à la mer. Elle est la patrie de Margaret Mitchell et aussi celle de la coca-cola, boisson sudiste inventée par un vétéran du général Lee et connue uniquement au sud de la ligne Mason-Dixon jusqu'au jour où elle s'élança à la conquête du système solaire. Les sources d'eau chaude de Warm Springs, qui soulagèrent la poliomyélite de Roosevelt, se trouvent en Georgie et furent révélées au Président par une lettre d'un frère en paralysie qui les avait découvertes par hasard. Savannah, grand port de la Georgie, a l'une des plus magnifiques allées de magnolias du monde et donna son nom au premier vapeur qui traversa l'Atlantique, en 1819. L'incendie d'hôtel le plus meurtrier d'Amérique — où il y en eut tant — fut celui de l'*Hôtel Winecroft*, à Atlanta, qui carbonisa 121 personnes et donna lieu à des scènes d'horreur. Enfin — mais uniquement parce qu'il faut savoir se borner — la production dont la Georgie est la plus fière, est celle des pêches : elle en tire son surnom, Peach State, qu'elle préfère à son majestueux titre officiel, Empire State of the South.

Caroline du Sud : l'Etat volcan.

La Caroline du Sud (2 586 000 habitants, capitale Columbia) est beaucoup plus petite et plus pauvre que la Georgie. Ce fut toujours un Etat ardent. La guerre de Sécession commença quand les miliciens de Charleston ouvrirent le feu sur le fort Sumter, qui commandait l'entrée du port, et contraignirent la petite garnison fédérale à capituler. Plus tard, le héros du Sud, Stonewall Jackson, qui déplorait la guerre tout en la faisant magnifiquement, avait coutume de dire que tout serait vite arrangé si le Nord pouvait se débarrasser du Massachusetts et le Sud de la South Carolina. Actuellement, la Caroline du Sud est l'un des Etats qui luttent le plus fermement pour maintenir la suprématie blanche. Une Sécession en miniature y eut son siège en 1948 quand son gouverneur, James S. Thurmond, fut candidat contre Truman au nom de l'opposition du Sud au programme d'égalité des droits soutenus par le Président. Le successeur de Thurmond au poste de gouverneur de la Caroline du Sud, fut un autre ennemi mortel de Truman, James F. Byrnes, qui avait été cependant un enfant chéri de Roosevelt et qui occupa dans les hautes hiérarchies politiques plus de postes qu'aucun autre Américain du passé ou du présent : représentant et sénateur des Etats-Unis, juge à la Cour Suprême, directeur général de la Mobilisation et secrétaire d'Etat. C'est en cette dernière qualité qu'il se brouilla avec Truman, lequel qualifia de « faillite lamentable » ses négociations avec l'U.R.S.S. Byrnes, un petit vieillard sec et corrosif, rentra alors dans sa Caroline natale, se fit élire gouverneur, et devint l'un des chefs de la révolte du Sud, et en 1952, l'un des piliers sudistes de la candidature Eisenhower. Mais aux élections présidentielles de 1956, 1960 et 1964, la Caroline du Sud vota démocrate selon sa tradition.

C'est en Caroline du Sud que se trouve la ville probablement la plus attachante des Etats-Unis, Charleston. Un long passé, une tradition inaltérée d'orgueil, un esprit de résistance inflexible aux forces qui remodèlent l'Amérique depuis l'époque coloniale en ont fait une citadelle compacte de conservatisme. Le dollar n'y règne pas, mais le sang bleu des anciens planteurs confiné dans la société la plus fermée qu'il soit possible d'imaginer. L'architecture des vieilles grandes maisons, pleines de charme nostalgique et de fer forgé, est à elle seule une protestation contre un monde hostile et écrasant. Autour de la ville, d'incroyables jardins tropicaux, Magnolia Gardens, Cypress Gardens, etc., font régner le silence accablant d'une nature à la fois noire et éclatante que l'eau lourde des marécages gorge, pénètre, féconde et fait exploser dans un feu d'artifice d'azalées et de camélias.

Caroline du Nord : tabac-roi.

Une fois de plus, la loi américaine du contraste perpétuel se vérifie. South Carolina, North Carolina : les deux Etats ont le même nom de famille et ils peuvent passer pour des frères quand on considère leur proximité, leurs formats et leur histoire. En fait, ils sont aussi opposés que l'Oregon et le Washington, Los Angeles et San Francisco et, à la langue près, la Hollande et la Belgique, sinon l'Allemagne et la France. Le premier est le plus sudiste et le second le moins sudiste du Sud. L'un s'accroche à la tradition et l'autre marche d'un pas rapide avec le présent.

C'est une très grosse étoile que la Caroline du Nord. Ses 5 millions d'habitants font d'elle le onzième des 50 Etats et son étendue dépasse celles de la Pennsylvanie et de New York, qui sont, pour l'est de l'Amérique, des colosses. Elle possède la montagne la plus haute à l'est du Mississipi, le mont Mitchell, et le cap Horn de l'Amérique du Nord, l'Hatteras où un vieux phare désaffecté, zébré de blanc et de noir, ne surveille jamais moins d'une quinzaine d'épaves que la mer disperse peu à peu, mais que la navigation renouvelle. Beaucoup d'histoire s'est accumulée autour de cette faucille de sable plus dangereuse que les rochers les plus acérés, à cause de son énorme ressac et de ses courants vicieux. C'est à côté, sur la grève voisine de Kitty Hawk, que Wilbur Wright fit le premier vol mécanique incontesté. C'est également à côté, dans l'île de Roanoke, que vint au monde Virginia Dare, la première créature de race européenne née sur le territoire des Etats-Unis. L'histoire, au reste, est tragique. La colonie de Roanoke avait été déposée par William Raleigh en 1584, mais au cinquième de ses voyages ultérieurs, il ne retrouva que le fort vide et intact. Pour une raison inconnue, la famine vraisemblablement, les colons de Roanoke s'enfoncèrent sans doute dans les énormes marais éloquemment nommés aujourd'hui Dismal Swamp et il est probable qu'ils n'en sortirent jamais. La première Américaine de naissance disparut ainsi dans un mystère qu'une troupe théâtrale de l'Université de Caroline du Nord commémore en jouant chaque année, à Roanoke Island, le drame de Paul Green, *The Lost Colony*.

Dans la suite des temps, la Caroline du Nord eut toujours un esprit particulier. L'esclavage n'y prit jamais la même extension ni la même rigueur que dans les autres régions du Sud et les Indiens eux-mêmes durent être traités avec une douceur relative puisqu'ils y conservent leur noyau le plus important à l'est du Mississipi. Aujourd'hui, la condition matérielle et morale des Noirs est meilleure en Caroline du Nord que dans n'importe lequel des Etats voisins : ils votent dans les « primaries » et — cas unique dans le Sud — leurs écoles et établissements hospitaliers sont comparables à ceux des Blancs. Toutefois, la ségrégation, c'est-à-dire la séparation légale — demeure une règle qu'il n'est pas question d'abolir. Le plus libéral des Etats du Sud a la même position de principe que le Mississipi : il ne voit pas la solution de la question noire dans l'ignorance de la couleur et il essaie simplement de faire commander la cohabitation distincte des deux races par des notions d'équité.

La Caroline du Nord n'a pas de métropole. Raleigh, fondateur de la Colonie Perdue, a laissé son nom à la capitale, mais la plus grande ville est Charlotte (360 000 habitants) l'un des deux ou trois Manchester du Sud. Le coton, toutefois, est moins important que le tabac, aussi bien pour l'industrie que pour l'agriculture. La majeure partie de la fumée qui circule dans les bronches de l'Amérique vient d'ici.

Il ne s'agit pas d'une mince affaire : l'Amérique fume annuellement 450 milliards de cigarettes (2 500 par tête d'habitant), 6 milliards et demi de cigares et 245 millions de livres de tabac (évaluation de 1960). L'hiver, les Carolines sont littéralement mouchetées par les pièces d'étoffe blanche tendues au-dessus des semis. Les séchoirs et les marchés (où le tabac est acheté aux enchères par une corporation réputée d'experts) sont les édifices principaux de toutes les localités. Cela conduit aux villes de la Caroline du Nord et à leurs machines vertigineuses.

Les Lucky Strike et les Pall Mall naissent à Reidsville et à Durham, où l'American Tobacco Company emploie 19 300 ouvriers. Les Camel viennent de Winston-Salem où la Société Reynolds fait travailler 16 700 personnes et les Chesterfield (Liggett and Myers Company) ont leurs établissements à Durham, avec 9 600 ouvriers. Cette dernière ville roule le quart de toutes les cigarettes fumées aux Etats-Unis.

Le génie historique de l'industrie du tabac est un homme dont le nom est devenu universel par une héritière qui n'avait rien fait pour mériter la fortune qu'elle reçut et qui fit peu de chose, par la suite, pour la justifier. James B. Duke, fils d'un « pauvre Blanc », pressentit l'avenir de la cigarette, à une époque où les femmes ne fumaient pas et où les petits cylindres de papier étaient cependant considérés comme efféminés par les lèvres barbues adonnées au cigare et à la pipe. En 1900, son American Tobacco Company produisit 92,7 % de toutes les cigarettes fabriquées aux Etats-Unis mais ce n'était encore qu'un nombre minuscule à côté des milliards qui devaient suivre. En cinquante ans, la consommation des cigarettes fut multipliée par 11 755. La fortune de Duke grandit sur ce maelstrom. En butte à des difficultés avec l'administration anticapitaliste du premier Roosevelt, il devança la loi antitrust et démembra lui-même son empire en répartissant ses 150 manufactures entre trois sociétés distinctes : une American Tobacco réduite (Lucky Strike), qu'il conserva ; Liggett and Myers (Chesterfield) et Lorillard (Old Gold). Un concurrent coriace, Richard Joshua Reynolds, avait réussi à se mettre en travers des mâchoires de Duke et sa Camel était destinée à devenir la cigarette la plus vendue du monde. Par la suite, la structure de l'industrie du tabac changea peu. Duke, légèrement dégoûté de ce statisme, se tourna vers l'équipement hydro-électrique. Il mourut en 1925, après avoir fondé à Durham l'un des plus beaux établissements universitaires du Sud.

Cette vaste industrie, responsable de 2 % de toutes les dépenses américaines, soit le double du traitement de tous les maîtres d'école des Etats-Unis, subit depuis plusieurs années un violent orage. Dès 1940, on commença à soupçonner qu'il pouvait exister une corrélation entre la multiplication des cigarettes et le développement terrifiant du cancer du poumon. Rareté clinique au début du siècle, il tua, en 1959, 35 000 Américains, sa fréquence ayant été multipliée par 1 150 en trente ans. Les femmes, relativement épargnées au début, voient à leur tour le cancer pulmonaire se multiplier dans leurs rangs, comme si elles commençaient à payer leur dévotion récente pour le tabac. En décembre 1954, au cours d'un inoffensif Congrès des dentistes du Grand New York, trois fameux cancérologues produisirent un rapport dont la conclusion frappa la Caroline du Nord en plein front : la cigarette multipliait par 20 le risque du cancer du poumon. Il était 27 fois plus répandu chez les fumeurs de plus de deux paquets et 14 fois plus répandu chez les fumeurs d'un paquet que chez les non-fumeurs... A Wall Street, les American Tobacco, les Reynolds, les Lorillard, les Liggett, traditionnellement classées parmi les meilleures valeurs du marché, baissèrent de nombreux dollars.

Depuis lors, les travaux statistiques minutieux entrepris par l'American Cancer Society n'ont pas démenti, loin de là, les assertions des trois cancérologues. Ce n'est pas la nicotine qui est en cause (encore qu'elle ne soit pas absoute d'un grand nombre d'autres méfaits), mais les produits complexes désignés sous le nom de goudrons qui sont produits par la combustion du tabac ou du papier qui l'enveloppe. L'industrie visée répond que la preuve n'est pas faite et elle se défend en multipliant les cigarettes à bout filtrant ou les cigarettes de long module, qui sont censées conduire aux poumons une fumée refroidie, partant moins offensive. Les variétés des cigarettes de toutes marques, qui n'atteignaient pas une quarantaine il y a quelques années, se comptent maintenant par 117. Les ventes, qui avaient fléchi de 12 % dans la panique qui suivit les révélations de 1954, ont repris leur ascension après avoir reconquis le terrain perdu et les valeurs des sociétés de cigarettes sont redevenues ce qu'on appelle à Wall Street des *blue chips*. A la fin de 1966 toutefois, le gouvernement fédéral a imposé aux

sociétés de faire figurer sur les paquets, un avertissement aux fumeurs leur rappelant le danger qu'ils courent
(55 500 décès dus à des cancers des voies respiratoires).
Mais le goût, le besoin de la cigarette restent des tyrans
plus forts que la terreur inspirée par la plus obsédante
des maladies. Mais la prophétie du cancérologue Alton
Ochsen demeure : A cause de la consommation accrue
des cigarettes, la population des Etats-Unis sera décimée
par le cancer dans les cinquante prochaines années... »

Virginie : Terre d'histoire.

On arrive à l'un des berceaux de l'Amérique ; la Virginie. Henri IV régnait encore en France quand le capitaine John Smith entra, au milieu d'une violente tempête, dans la baie de Chesapeake et débarqua avec
103 compagnons sur la rive Nord d'un vaste estuaire.
Il ne venait pas au hasard, mais porteur d'instructions
scellées qui lui prescrivaient de fonder un établissement
permanent, c'est-à-dire de réussir l'entreprise dans
laquelle William Raleigh avait échoué dix-huit ans auparavant. Il appela Jamestown, en l'honneur de Jacques
(James) Ier Stuart, la bourgade qu'il construisit et commença, le 13 mai 1607, la colonisation anglo-saxonne de
l'Amérique. Les pèlerins de Plymouth ne devaient apparaître que treize ans plus tard.

Depuis lors, et jusqu'à des temps relativement récents,
la Virginie fut un foyer d'histoire. On a, en Amérique,
l'habitude excellente de dresser le long des routes des
plaques de métal localisant et relatant les grands faits
du passé. Nulle part, ces plaques ne sont aussi nombreuses
et aussi intéressantes qu'en Virginie. Certains parcours,
comme la route de Richmond à Alexandrie, se déroulent
littéralement entre deux haies de mémorials. L'époque
coloniale, la guerre de l'Indépendance, la guerre de
Sécession se lisent côte à côte sur la terre spongieuse,
vallonnée ou montagneuse du doyen des Etats.

Les colons de John Smith, des cavaliers et non des
laboureurs, connurent d'abord l'abondance au milieu d'un

été riche de vie sauvage, puis la famine dès que l'hiver apparut. Ils furent sauvés par le blé indien — le maïs — qui resta le blé américain tout court : *corn*. Un peu plus tard, le successeur de Smith, John Rolfe, cultiva, contre la malaria, fléau des basses terres, une plante médicinale, le tabac. C'est sur ce remède américain, rapidement devenu un vice transatlantique, que la prospérité virginienne se fonda. Avant la fin du XVIIᵉ siècle, pendant que les puritains de la Nouvelle-Angleterre ne cherchaient dans leur sol que de la nourriture, les planteurs de la Virginie attendaient les navires de Londres pour payer leurs importations en balles de tabac. Ils achetaient ainsi, non seulement des vivres et des meubles, mais des hommes et des femmes, voire leurs femmes. Ces bras à de multiples usages venaient d'Angleterre sous la condition dite d'*indenture* qui n'était rien moins qu'un esclavage temporaire, souvent transformé par l'astuce des maîtres en esclavage viager. L'esclavage pur et simple, celui des nègres, ne s'établit qu'après.

C'est de là qu'est née la tradition aristocratique de la Virginie profondément différente de la tradition démocratique du Nord. Au XVIIIᵉ siècle, Jamestown fut abandonnée et la capitale de la colonie transférée à Williamsburg. On peut la voir intacte, fidèlement, minutieusement reconstituée. C'est une ville de gentilshommes, avec des marbres, de grands jardins, des cristaux, et de temps en temps dans les demeures les plus riches, la touche de rudesse que l'Amérique imposait quand même aux perruques poudrées et aux robes à paniers. Il y eut bien des remous, des luttes sociales, des rébellions de petites gens, comme la révolte qu'un descendant du chancelier Bacon conduisit contre le gouverneur lord Berkeley — mais enfin la société virginienne était réglée, hiérarchisée, policée et formaliste. Et, loin au nord de Williamsburg, sur le bord du Potomac, au milieu d'un domaine de 8 000 acres, dominé par sa résidence de Mount Vernon, c'est dans ce cadre social, solide et cossu que vivait le planteur George Washington.

Les grands bourgeois de Virginie ne commencèrent pas la Révolution américaine. Ils hésitèrent même devant elle, et George le premier. Mais ils eurent assez de sagesse pour en prendre la direction. Leur colonie était de beaucoup la plus importante, aussi peuplée à elle seule que la Pennsylvanie et le Massachusetts réunis. Ils fournirent donc le général, une partie considérable des troupes, et l'essentiel des ressources financières. Plus d'une fois, ils tremblèrent devant les fluctuations militaires des cinq longues années 1776-1781. La guerre, incroyablement vagabonde, courut du Canada à la Georgie sur un continent à peine défriché. Mais une sorte de symbole la ramena en Virginie lorsqu'elle approcha de son issue victorieuse. Les routes de la plaine côtière sont hérissées de tablettes matérialisant les errances et les quartiers d'une nuit du brigadier-général Cornwallis, avant qu'il allât se faire prendre comme un rat dans le piège d'Yorktown par Washington, de Grasse, La Fayette et Rochambeau. Et la Virginie sortit de la guerre libératrice comme la tête de la petite association des 13 Etats.

Elle en tira des bénéfices. Quatre des cinq premiers présidents — Washington, Jefferson, Madison, Monroe — furent des Virginiens, et après eux les neuvième, dixième et douzième — Harrison, Tyler et Zachary Taylor. Les grands débats sur la Constitution, les luttes des fédéralistes et des républicains, parurent presque des affaires virginiennes auxquelles les Etats associés étaient admis à assister. La Virginie, au surplus, peuplait les territoires d'au-delà les Alleghanys, épandait par le Cumberland Gap de longs convois d'émigrants en marche vers les terres vierges, distillait quelque chose assez voisin de l'impérialisme, frôlait la guerre avec la Pennsylvanie et provoquait dans le Nord des révoltes contre sa prépondérance. Un moment, elle fut presque trop forte et trop active pour une fédération mal scellée entre des participants réticents. Puis, et rapidement, tout rentra dans l'ordre à cause de la montée du Nord et du premier déclin relatif du Sud.

En 1810, la Virginie était encore l'Etat le plus peuplé. Cette place lui fut prise en 1820 par New York et, en 1830, elle fut dépassée par la Pennsylvanie. En 1840, l'Ohio la devança et, en 1860, ce fut le tour du jeune

Illinois venant en droite ligne du néant. L'Old Dominion State, rural, esclavagiste, presque féodal, perdait à vue d'œil son influence devant les grandes forces industrielles qui naissaient au nord de la ligne Mason-Dixon. Et c'est alors qu'une occasion se présenta. Ou plutôt, la Virginie se trouva placée devant le dilemme de César : serait-elle la huitième ou la neuvième dans la Rome du Nord ou la première dans le village du Sud ?

Pendant les premières semaines du printemps de 1861, la Sécession fut en balance sur les indécisions de la Virginie. L'argument d'orgueil l'emporta — la perspective d'être la tête d'une nation et de retrouver dans un cadre nouveau la prépondérance qu'on avait eue jadis. Le Deep South cria de joie, car la Virginie lui était indispensable, mais l'ouest de l'Etat, de rudes montagnes peuplées par de rudes gaillards qui n'avaient jamais eu un seul esclave, fit sa sécession dans la Sécession, resta du côté du Nord et, sous le nom de West Virginia, devint immédiatement un nouvel Etat. La Virginie, qui avait jadis possédé le Kentucky, l'Indiana et l'Illinois, se resserra encore, perdit la longue façade qu'elle s'était ouverte sur l'Ohio et commença par le démembrement l'aventure de la liberté.

Les trois quarts de la guerre qui s'ensuivit se déroulèrent sur son sol. De son territoire, la Virginie voyait Washington, capitale de Lincoln, mais elle ne put s'en emparer, faute sans doute d'avoir mesuré la panique de l'ennemi quand la première armée nordiste fut mise en déroute à Bull Run. Richmond devint la capitale du Sud, et, à 100 kilomètres seulement du Potomac, ne tarda pas à être une ville du front. Pendant quatre ans, au cours de la plus grande guerre du XIXe siècle, des mouvements pendulaires d'avance et de recul se déroulèrent de la mer aux montagnes, depuis le port de Norfolk qui vit le premier combat entre deux cuirassés et les exploits du premier sous-marin, jusqu'à la profonde vallée de la Shenandoah qui fut ravagée jusqu'au roc. Tous les fascinants héros de l'armée grise, avant tout Robert Lee et Thomas « Stonewall » Jackson, s'illustrèrent sur ces champs de bataille virginiens où le Sud, peu à peu, épuisa sa vaillance contre les fleuves d'hommes et d'acier du

Nord. Et, tout comme celle de l'Indépendance, la guerre de Sécession prit fin en Virginie où elle avait commencé.

Aujourd'hui encore, après tant d'années et tant de tragédies, cette capitulation du Sud reste un tableau d'histoire devant lequel même les arrière-petits-fils des vainqueurs s'émeuvent profondément. Cela se passa à Appomatox, à mi-chemin des montagnes vers lesquelles Lee cherchait désespérément un refuge, après avoir été contraint d'abandonner Richmond. Il fut encerclé et tenta vainement de se dégager. En larmes, il passa au milieu de ses 28 000 derniers hommes épuisés qui lui crièrent qu'ils étaient prêts à se battre encore ; mais Lee rentra à son quartier général et écrivit à Grant qu'il capitulait. Le lendemain, il fit sortir de ses cantines son plus bel uniforme et son épée de parade pour l'entrevue avec le brutal Grant qui arriva dans un bourgeron de simple soldat. Le Nord et le Sud donnèrent une dernière fois le spectacle de leur contraste, mais Grant détendu par la victoire, se montra généreux. Les 28 000 faméliques du Sud furent nourris avec les rations du Nord, mis en liberté sur parole et le héros de la Confédération s'éloigna mélancoliquement de son dernier champ de bataille pour aller demander une chambre à l'hôtel dans la bourgade de Buckingham où on lui répondit que tous les lits avaient déjà un occupant. Ainsi finit la Sécession, après un demi-million de morts.

Appomatox (9 avril 1865) ferme le cycle historique richissime de la Virginie. Elle ne fut plus, depuis lors, qu'un Etat sudiste un peu plus prospère que les autres. Mais elle garde sa tradition aristocratique et son attachement aux valeurs du passé. C'est un Etat austère, conservateur, qui sanctifie le dimanche par l'abstention d'alcool et par l'interdiction de la musique dans les lieux publics. Elle se méfie de la plèbe, garde un *poll tax* qui réduit le nombre des votants et continue prudemment d'enchaîner ses bagnards. Son chef politique a longtemps été le sénateur Harry Flood Byrd, frère de l'amiral-explorateur, dont un ancêtre arriva en Virginie en 1873. Epouvanté par les immenses dépenses fédérales, il a combattu Roosevelt et surtout Truman en faisant un violent effort pour que l'Amérique revienne à ses traditions de gouvernement à bon marché. Il est si Virginien qu'il a fait sa fortune personnelle dans l'une des cultures classiques de la Virginie : les pommes auxquelles l'apple pie crée un marché illimité. A Winchester, qui se déclara sa capitale mondiale, on a statufié la pomme au milieu des héros de la Confédération. Un des deux sénateurs actuels est Harry Flood Byrd Jr : les traditions se maintiennent...

Les richesses de la Virginie sont variées. Richmond (493 000 habitants) a fait fortune dans le tabac. Les mines (charbon, zinc, etc.) sont extrêmement nombreuses dans l'Ouest. Le vaste ensemble maritime de Hampton Roads est le troisième des portails atlantiques de l'Amérique et les plus grands navires militaires et marchands sont construits dans les chantiers de Norfolk (637 000 habitants) et de Newport News. L'historique Virginie est entrée tête baissée dans le vif mouvement d'industrialisation qui entraîne le Sud. De 1940 à 1966, sa population est passée de 2 677 000 à 4 507 000, soit un accroissement de 59 % qui n'a été dépassé que par quelques Etats de l'Ouest et du Sud. Elle remonte sur la liste où elle descendait depuis 1820 : dix-neuvième en 1940, quatorzième en 1966. Mais, grâce au style de ses maisons et à l'harmonie de ses paysages, elle garde un charme qui n'est égalé nulle part.

XVIII

DISTRICT OF COLUMBIA

Washington est une ville de paradoxes. C'est La Mecque des démocraties — mais ses citoyens viennent tout juste d'obtenir le droit de vote : la capitale devait garder la neutralité envers les partis. C'est le centre du monde — mais si peu le centre des Etats-Unis qu'il est question périodiquement de la remplacer par Saint-Louis ou par une capitale nouvelle qui serait construite de toutes pièces dans le Kansas. Elle gouverne la plus grande civilisation industrielle de l'univers — mais elle ne possède qu'une seule cheminée d'usine, celle de l'usine à gaz. Elle représente le pays qui a osé le gratte-ciel — mais elle interdit aux architectes d'élever plus de huit étages le long de ses avenues. Elle compte une proportion record de diplômés des Universités — mais, en même temps, l'un des coefficients de criminalité crapuleuse les plus élevés d'Amérique. Au contraire, les crimes passionnels y sont très rares — bien qu'il vive à Washington 10 femmes pour 8 hommes et que la lutte pour l'amour y soit plus acharnée que partout ailleurs.

Rien, à Washington, ne peut être qualifié de normal. Le climat est effrayant. L'été est un bain turc. Il n'y a pas si longtemps que le gouvernement britannique a supprimé à ses diplomates de Washington « l'indemnité de colline » qu'il accorde dans les pays tropicaux pour des séjours d'altitude reconstituants. La nature, cependant, est magnifique. Elle pénètre la ville, largement ouverte à ses influences, par des masses de verdure d'une poussée et d'une densité incomparables. Washington est une capitale dans un parc. L'arbre, au reste, la sauve de l'ostentation. Aucune ville, depuis la Rome des Césars n'a consommé autant de marbre, mais en associant les frondaisons aux frontons elle a évité de copier pompeusement l'antiquité. Elle produit sur tous ceux qui la découvrent le choc de la beauté.

C'est une ville riche. Opulente même. Les fonctionnaires qui la peuplent se plaignent individuellement d'être mal payés, mais le D. C. (District of Columbia) se place avant les 50 Etats qu'il gouverne par le revenu moyen annuel : 3 969 dollars par tête d'habitant, ce qui signifie, pour une famille courante de quatre personnes, 7 millions de francs par an.

Une telle richesse et une proportion inégalée de diplômes universitaires devraient faire de Washington un foyer de vie intellectuelle. C'est le contraire qui est vrai. La Bibliothèque du Congrès et la National Gallery (don du financier Andrew Mellon) comptent parmi les entrepôts les plus riches de la pensée et de l'art universels, et cependant aucun écrivain, aucun artiste significatifs ne se sont jamais établis à Washington. La capitale des Etats-Unis n'a ni un théâtre, ni un opéra, ni un concert symphonique dignes de ce nom, et les compagnies de passage la classent rarement parmi les sommets de leurs tournées.

La vie mondaine elle-même est plutôt en déclin. Les « hôtesses » de Washington furent longtemps l'un des sujets classiques des magazines américains : vieilles dames millionnaires, elles se donnaient l'illusion de jouer un rôle dans la politique nationale et internationale en ouvrant un salon, en prenant les couleurs d'un parti et en réunissant autour de tables inégalement somptueuses des collections non moins inégales de sénateurs, d'ambassadeurs et de chroniqueurs. Elles sont encore là, mais réduites en nombre, en activité et en opulence — et plus éclipsées qu'autrefois par les missions diplomatiques dont les récentes émancipations africaines ont porté le nombre au-dessus du chiffre 100. La ronde des dîners, des réceptions, des cocktails, des célébrations d'indépendance et des fêtes nationales se poursuivant à longueur d'année dans cette Babel serait hallucinante si l'accoutumance et parfois la médiocrité n'y introduisaient l'ennui. Il faut peu de temps pour s'apercevoir que la plupart des « parties » sont identiques, étant organisées et servies par les deux ou trois mêmes traiteurs, ou *caterers*, dont le *business* est naturellement l'un des plus importants de la capitale. Les conversations tournent dans un cercle de généralités diplomatiques et de banalités mondaines. Certaines natures s'accommodent de cette vie conventionnelle, mais d'autres trouvent rapidement insupportable une ville dont tous les habitants, Américains ou étrangers, ne sont en réalité que des passants. Nouveau paradoxe : l'un des points focaux du drame mondial est un lieu d'ennui.

Aucune capitale n'a le pouls plus lent que Washington. Cela tient évidemment au fait qu'il ne s'y traite que des affaires d'Etat. Les Pères de la Nation savaient ce qu'ils faisaient lorsqu'ils refusaient de loger la tête de leurs jeunes Etats-Unis dans les villes tumultueuses qu'étaient déjà Boston, New York et Philadelphie. A leur idée, le gouvernement était une affaire de sérénité, et celle qu'ils ont créée était si solide qu'elle dure encore. Washington n'a ni Bourse, ni port de commerce, ni banlieue industrielle, ni Quartier Latin, ni quartier des théâtres pour lui fouetter le sang. A 6 heures, la vie politique et administrative s'arrête court. A 9 heures, les carrefours les plus importants sont mornes et déserts. Le State Département s'endort exactement comme si le soleil se couchait sur toute la terre au moment où il se laisse tomber dans le Potomac.

Un autre paradoxe de Washington est le suivant : elle est la capitale d'une nation dont près de 9 habitants sur 10 sont des Blancs, mais près des 2 tiers de ses habitants à elle sont des Noirs ; 506 000 Noirs, soit 63 %, contre 300 000 Blancs. Le seconde noire des Etats-Unis, la Nouvelle-Orléans, Louisiane, n'atteint que 41 % et Memphis, qui donne une si forte impression de couleur, n'excède pas 38 %. Paradoxe supplémentaire : les masses noires de Washington sont administrées par des Blancs — comme si la ville relevait encore de ce système colonial que l'Amérique a tant fait pour détruire. Jusqu'en 1967, les trois commissaires nommés par le Président des Etats-Unis pour exercer les fonctions de maire dans cette ville sans franchises étaient des Blancs, de même que le chef de la police, le directeur de l'enseignement et les principaux fonctionnaires municipaux. Cette année-là eut lieu une réforme qui remplaça les trois commissaires par un seul, toujours nommé par le Président des Etats-Unis : Johnson a tenu à choisir, pour étrenner ce poste, un Noir au nom d'ailleurs prédestiné, Walter E. Washington, qui est ainsi le premier maire noir américain.

Par surcroît, cette ville bicolore n'est pas poivre et sel ; elle est pie. Rock Creek Park, où il n'est pas possible de ne pas habiter si l'on est quelqu'un, ne compte que 1 500 résidents de couleur pour 107 000 résidents blancs. La proportion est presque la même à Georgetown, mais elle est plus ou moins inversée dans les 6 autres districts de la capitale. Nulle part la ségrégation de l'habitation, la plus difficile à vaincre n'a été poussée aussi loin.

Les autres formes de la ségrégation existèrent longtemps, Washington, capitale de la nation, étant en même temps une ville du Sud. Les Noirs n'ont plus de places à part dans les transports publics et le nombre croissant de diplomates noirs les aide à se faire admettre progressivement dans les hôtels et restaurants. La déségrégation scolaire prescrite en 1954 par la Cour Suprême s'est accomplie en apparence sans difficulté, comme si la capitale voulait donner l'exemple de l'obéissance à la plus haute autorité judiciaire du pays. En réalité, quand on gratte un peu l'optimisme superficiel, on trouve au contraire des preuves nouvelles de la difficulté de mélanger deux races. Les Blancs, tout simplement, désertèrent les écoles ouvertes aux Noirs. La proportion de ceux-ci dans les établissements publics d'enseignement dépasse 76 % et, ce qui est plus significatif encore, 85 % des nouveaux élèves de la rentrée de 1960 étaient de petits Noirs. Les élèves blancs se sont réfugiés dans les écoles privées ou ont émigré hors du district.

Non seulement l'école, mais la ville elle-même est de plus en plus abandonnée aux Noirs. La proportion de ceux-ci s'est accrue de 20 % en vingt ans, alors que la population washingtonienne augmentait à peine, passant de 802 000 à 806 000 habitants par suite de l'exode des Blancs. Ceux-ci s'installent à la périphérie du District, dans les dortoirs de luxe comme Silver Spring et Chevy Chase, dans le Maryland, ou Alexandria, sur la rive virginienne du Potomac. On prévoit le moment où le Président des Etats-Unis et quelques ambassadeurs seront les seuls représentants nocturnes de la race blanche dans la ville blanche qui couronne les 50 Amériques. Ceux qui refusent de confondre leur sommeil avec celui de leurs compatriotes colorés sont, pour la plupart, des fonctionnaires dont les convictions sont dans l'ensemble plutôt orientées vers la gauche. Ils sont théoriquement et sans nul doute sincèrement pour l'égalité des races, mais cela n'empêche pas qu'ils trouvent déplaisant d'avoir un voisin trop bronzé. Pour la première fois en 1968, la capitale fédérale a connu les émeutes raciales. A l'annonce de l'assassinat de Martin Luther King, un vent de violence a soufflé dans les rues, et la plus souriante des villes américaines a pris un visage de guerre civile : mitrailleuses sur le toit du Capitole, coups de feu à 200 mètres de la Maison-Blanche... Aucun événement ne pouvait davantage faire comprendre à l'Amérique l'angoissante gravité du problème noir.

Washington n'en est pas moins pour l'Amérique un sujet de fierté et d'émotion. De loin, du fond de l'Arkansas ou de l'Oregon, les fermiers ou les commerçants de Main Street peuvent s'exprimer sévèrement sur la capitale lointaine où fleurissent la politicaille, la bureaucratie et la corruption. Mais lorsqu'ils aperçoivent de loin le dôme du Capitole, l'émotion commence de les étreindre et, lorsqu'ils arrivent devant le Lincoln Memorial, les larmes leur viennent aux paupières. L'Amérique tout entière admire Washington et s'admire dans Washington. C'est la plus grande attraction touristique du continent ; 4 millions de visiteurs y passent tous les ans. En tête de tous les monuments qu'ils demandent à voir, se trouve la Maison-Blanche, puis le Capitole, le Lincoln Memorial que 9 sur 10 d'entre eux prennent pour son tombeau et le cimetière national d'Arlington où repose le président Kennedy. Le Washington Memorial, énorme obélisque creux de 555 pieds, le Smithsonian Institute, où l'on voit la pépite d'or de John Marshall et l'avion de Lindbergh, le beau palais de la Cour Suprême et le siège du F.B.I. viennent en seconde position parmi les centres d'attraction. Les foules repartent éblouies. Il a été officiellement reconnu que la visite de Washington est le moyen le plus efficace d'exalter le patriotisme américain.

Cette ville unique en son genre, ce Versailles d'une démocratie à l'âge atomique, a tout juste un siècle trois quarts. C'est le 15 avril 1791 que le général George Washington posa la première borne délimitant sa future cité. L'absurdité de ce qu'il faisait était manifeste. L'idée de prendre un marécage pour y construire à grands frais la capitale d'une nation jeune et pauvre défiait le bon sens. Mais la querelle sur le siège du pouvoir fédéral avait failli rompre l'union américaine et le marécage était un compromis. Le Sud tirait la capitale de son côté, mais, en échange, il acceptait que les dettes des Etats fussent mises en commun, alors que les finances du Nord étaient tellement plus obérées que les siennes. L'habile Alexandre Hamilton avait mené la négociation : la Virginie et le Maryland avaient offert le territoire fédéral et George Washington, ancien arpenteur, avait personnellement déterminé l'emplacement exact. Comme par hasard, tout à côté de sa maison de Mount Vernon.

Le jour où Washington délimita, comme Romulus, la cité destinée à porter son nom, il avait à ses côtés un petit personnage piaffant et tourmenté. Il s'agissait du major Pierre-Charles l'Enfant, nommé quelques jours auparavant architecte de la capitale encore à naître. Peut-être aucun destin d'urbaniste n'est-il comparable à celui de cette figure, trop complètement tombée dans l'obscurité en Amérique comme en France.

L'Enfant était très certainement un visionnaire. Français, Parisien, fils d'un peintre du roi, il était arrivé sur le continent américain six semaines avant le marquis de La Fayette et il avait saigné à deux reprises pour cette liberté transatlantique qu'il était venu défendre. La guerre gagnée, il était rentré en France, mais la nostalgie du Nouveau Monde l'avait ramené. Des 13 petites colonies à peine émancipées et encore pantelantes de leur long effort, il voyait surgir un pays immense, puissant, riche et magnifique. Artiste, ingénieur, architecte, il rêvait de donner à l'Amérique une capitale digne de son avenir. « Il faut, disait-il, la tracer sur une échelle suffisante pour permettre les agrandissements et les embellissements que l'accroissement de la richesse nationale rendra possibles dans son avenir, si éloigné soit-il. » Mais les idées de L'Enfant paraissaient extravagantes et le personnage était si éruptif et si ombrageux qu'il les servait mal.

Lorsqu'il se mit au plan de Washington, il avait déjà éprouvé la ladrerie de la ville de New York qui, pour la reconstruction de City Hall, lui avait offert le choix entre un paiement de 750 dollars et 10 acres de terre dans l'île de Manhattan. Il avait repoussé avec fureur ces deux offres misérables, mais son enthousiasme était un ressort. Sous son crayon, Washington naquit en deux jours. Au milieu de la plaine, s'élevait une petite colline : Jenkins Hill. L'Enfant la coiffa d'un Capitole imaginaire et, près du Potomac (plus large que de nos jours), il plaça un rectangle qu'il appela le Palais du Président. Entre ces deux pôles de la puissance publique, il traça une avenue de 400 pieds de large, puis, au-delà de celle-ci, il dessina un quadrillage de rues coupées en diagonale par des avenues de 160 pieds. Des taches bleues et rouges représentèrent les édifices publics et les ambassades étrangères. L'ensemble, un rectangle irrégulier, couvrait une superficie plus vaste que Paris et rappelait par son tracé général, un jardin à la française. Washington était fait.

Mais L'Enfant était perdu. Personne ne pouvait douter que son projet ne fût d'un insensé. Il se couvrit imprudemment du nom de Washington pour ordonner les travaux du Capitole, mais le Congrès, méfiant et désargenté, l'arrêta net. On voulut se débarrasser de lui en lui offrant 300 guinées, qu'il refusa comme il avait refusé les 10 acres de Manhattan. Le mémoire qu'il soumit, 95 000 dollars, parut une impertinence. Pendant dix ans, amer, fébrile et bilieux, L'Enfant combattit pour se faire payer. A la fin, il arracha 1 394 dollars et 20 cents qui ne l'empêchèrent pas de mourir dans la misère près de « sa » ville apparemment avortée. Il fut couché dans le tombeau des pauvres qu'il quitta, mais de longues années plus tard, pour le Panthéon de l'Amérique, le Cimetière National d'Arlington.

L'Enfant est le père authentique et reconnu de Washington. Son plan fut ridiculisé, oublié et cependant suivi. La première ébauche de la ville se modela sur le tracé qu'il lui avait donné. Un siècle plus tard, en 1900, quand l'Amérique s'éveilla au sens de la grandeur, c'est l'épure du petit major français qu'elle exhuma pour redresser les erreurs commises et donner à sa capitale une noble impulsion. La régularité des rues, le manteau de verdure, la majesté du Capitole, la modestie charmante de la Maison-Blanche, la noblesse de Pennsylvania Avenue, la percée splendide du Mail sont nées en France du rigoureux esprit classique, adouci par le xviiie siècle et apporté sur l'autre continent par une imagination prophétique enveloppée d'un des plus mauvais caractères que la nation française ait jamais produits. Washington, capitale horizontale des villes verticales, est ainsi un nœud d'architecture entre l'Europe et l'autre grande moitié du monde occidental.

La croissance de la capitale fut lente et souvent tourmentée. Le gouvernement fédéral s'y installa en novembre 1800, juste un an après la mort de George Washington. En 1810, elle comptait 8 208 habitants, esclaves non compris. Pendant la guerre de 1814, les Anglais l'occupèrent et la brûlèrent haineusement. Le gouvernement des Etats-Unis retourna à Philadelphie et faillit y rester. Mais une émeute d'anciens soldats rappela à point l'inconvénient des grandes villes. On retourna au marécage, pour le plus grand désespoir des ministres plénipotentiaires qui supplièrent longtemps leur Quai d'Orsay respectif de les arracher aux moustiques et aux fièvres du Potomac. Des années et des années, Washington resta une bourgade perdue dans un vêtement trop grand. Les voitures s'enlisaient et se rompaient dans les avenues triomphales et désertes dessinées par L'Enfant. Le Mail demeurait une prairie fangeuse où des vaches broutaient entre le Législatif et l'Exécutif. L'idée d'une extension entrait si peu dans les esprits que la moitié du District of Columbia, toute la partie située au sud du Potomac, fut rétrocédée, en 1846, à la Virginie.

En fait, l'Amérique s'habituait mal à sa structure fédérale. Les véritables réalités politiques restaient les Etats et la capitale nationale était une verrue dont le Congrès, siégeant à de rares intervalles, supportait la charge avec avarice et mauvaise humeur. Les sénateurs et les représentants campaient à Washington plutôt qu'ils n'y vivaient. Le gouvernement fédéral était une toute petite affaire occupant à peine quelques dizaines d'employés. Le schéma en existe encore au milieu du Washington moderne : la Maison-Blanche, demeure de bourgeois aisé plutôt que résidence de chef d'Etat, entre un édifice de style baroque qui fut le State Department et un édifice de style classique qui est encore la Trésorerie. C'était, avec les deux secrétariats de la Défense nationale et les bureaux du Postmaster General, toute la puissance publique d'alors. L'Amérique correspondait à l'idéal libéral qui paraît aujourd'hui si lointain : le moins possible de gouvernement.

Les guerres jouèrent un rôle majeur dans l'histoire de Washington. D'abord et surtout, la guerre civile. Le Sud paya cher en 1861 l'avantage qu'il avait arraché en 1791, lorsqu'il avait attiré en deçà de la ligne Mason-Dixon la tête de la nation. Washington, siège du gouvernement, fut une citadelle du Nord en terre sudiste, un symbole qu'il fallait défendre à tout prix et aussi une position avancée qui consolidait le loyalisme d'Etats comme le Maryland et le Delaware. Tout le début de la campagne eut Washington pour pivot et pour enjeu. Plus tard, la capitale resta un camp retranché, une ville d'étapes, un entrepôt, un hôpital, en même temps que la conduite d'une lutte immense (plusieurs millions de mobilisés) multipliait l'administration.

La guerre finie, on pava les rues principales et l'on construisit le premier système d'égouts. L'essor continua, en fonction du rôle croissant d'un gouvernement de plus en plus touffu. En 1900, le chiffre de la population atteignit 278 000 habitants et, avec le premier Roosevelt, on prit l'habitude de considérer Washington comme une grande capitale. La première guerre mondiale accrut son importance et le New Deal du second Roosevelt provoqua une nouvelle prolifération d'emplois publics. La seconde guerre mondiale attira des foules, que l'administration du président Truman ne repoussa pas, bien au contraire. Washington, débordant du District of Columbia, s'étendit au nord sur le Maryland et, au sud, sur cette même portion de la Virginie qu'elle avait dédaignée un siècle plus tôt. C'est là, en particulier, que le monstrueux et incommode Pentagone établit ses 60 kilomètres de corridors et ses 130 000 kilomètres de fil téléphonique. Militarisée, bureaucratisée, centralisée, étatisée et dans une bonne mesure socialisée, l'Amérique eut enfin une capitale à sa taille : 2 615 000 habitants (dont 806 000 résident dans le District) et un peu moins de 300 000 fonctionnaires qui représentent la plus grande concentration de ronds-de-cuirs de l'univers. Gouverner demeure le business unique de Washington, mais gouverner l'Amérique est devenu un gigantesque et tentaculaire business.

*
**

L'axe de cette immense machine est toujours celui qu'avait tracé le major L'Enfant : la ligne joignant le

Capitole à la Maison-Blanche, le Législatif à l'Exécutif, le pouvoir collectif du Congrès au pouvoir individualisé du Président. Il est rare, ou plutôt il est sans exemple, que la bonne intelligence règne entre ces deux extrémités. Il n'est pas de Président qui n'ait été harcelé par le Congrès, de même qu'il n'est pas de Congrès qui n'ait été maudit par le Président. En réalité, chacun est l'alibi de l'autre devant un tyran commun. A l'électeur, le Président dit : « Le Congrès n'a pas voulu... » et le Congrès dit : « Le Président n'a pas permis... » C'est l'un des traits les plus intelligents et les plus commodes de la Constitution des Etats-Unis.

Le Congrès siège sous une coupole massive imitée du Dôme de Saint-Pierre et couronnée d'une « Miss Liberty » prudemment armée. L'aile droite de l'édifice appartient aux représentants. L'aile gauche appartient aux sénateurs. Les premiers sont 435 ; les seconds sont 100. En théorie, les premiers représentent le peuple et les seconds représentent les Etats, lesquels sont réputés égaux. Cela conduit à d'étranges anomalies. Chaque Etat, quelle que soit sa population, élit 2 sénateurs, si bien que les 450 000 habitants du Nevada ont autant de poids dans l'aile gauche du Capitole que les 18 millions d'habitants de l'Etat de New York. Mais New York est représenté par 43 membres dans la Chambre basse, alors que le Nevada n'y compte qu'un seul élu. Quatre autres Etats, le Delaware, le Wyoming, le Vermont et l'Alaska se trouvent dans le même cas : 2 sénateurs et un seul représentant. La Constitution des Etats-Unis n'est pas logique comme l'ont cru certains observateurs superficiels. Elle est, au contraire, pleine d'illogismes dont les uns sont de simples archaïsmes et d'autres de pures absurdités. Toutefois, elle fonctionne, ce qui est après tout un avantage sur les Constitutions logiques qui ne fonctionnent pas.

Les deux branches du Législatif ne sont ni égales ni équivalentes. Les représentants seuls ont l'initiative financière et les sénateurs seuls contrôlent la politique extérieure et ratifient les traités. En fait, ces différences de principe se sont beaucoup atténuées. Ce qui subsiste surtout, ce sont des nuances d'importance individuelle entre les membres des deux Assemblées. De minuscules privilèges, des distinctions souvent baroques, auxquelles la vanité humaine attache du prix, soulignent la prééminence du Sénat. A côté du fauteuil de chaque sénateur, il y a un crachoir de cuivre et, à la porte de la salle sénatoriale, on entretient fraîche une réserve de poudre à priser qu'il faut se procurer à Philadelphie, dans la dernière maison d'Amérique à fabriquer cette vénérable horreur. Dans leur sous-sol, les sénateurs ont un petit métro monorail pour les transporter jusqu'à leur bureau, alors que les représentants doivent faire le même trajet à pied.

Mais le grand et substantiel privilège sénatorial réside dans la durée du mandat. Les sénateurs, renouvelables par tiers, sont élus pour six ans, alors que les malheureux représentants sont soumis à l'élection tous les deux ans. Ce terme, beaucoup trop court, fait de leur vie une perpétuelle campagne électorale qui se répercute d'une manière néfaste sur l'activité de la Chambre basse. Il explique en grande partie pourquoi les seuls noms parlementaires qui atteignent la notoriété mondiale — Taft, Connally, McCarthy, Kefauver, Fulbright, Kennedy, etc., — sont ceux de sénateurs. L'Amérique, cependant, ne paraît pas encline à allonger le mandat de ses députés. Elle le trouve apparemment si digne d'être pris en modèle qu'elle l'a imposé dans la Constitution japonaise où il constitue un grave élément d'instabilité et un sérieux danger.

A certaines exceptions près, la maladie la plus commune des délégués de la nation américaine est l'embarras d'argent. Ils touchent un traitement de 30 000 dollars (environ 150 000 francs). L'Oncle Sam leur offre gracieusement deux voyages par an entre Washington et le siège de leur circonscription, ainsi que la franchise postale et 50 communications interurbaines gratuites. Il leur paie un secrétariat dont le budget est calculé d'après l'importance des circonscriptions. Beaucoup de sénateurs et de représentants confient l'un des postes de ce secrétariat (salaire maximum 4 000 dollars) à leur femme. Malgré cette tolérance — dont Bess Truman se prévalut pendant la durée des services sénatoriaux de son mari — les membres du Congrès ont assez souvent de la peine à joindre les deux bouts. Ils traînent des dettes et logent dans de modestes cottages suburbains de Chevy Chase ou d'Alexandria.

Dans l'ensemble, ces mandataires du peuple américain ne sont ni pires ni meilleurs que les parlementaires européens, auxquels ils ressemblent beaucoup. Ils sont surtout surmenés et dépassés par l'immensité de la machine à laquelle ils sont agrégés. Jusqu'au New Deal, à l'extrême rigueur jusqu'à la deuxième guerre mondiale, les sessions restaient relativement courtes et il était encore à peu près possible à un homme très doué et très laborieux de dominer l'ensemble du travail législatif. Mais le nombre des lois votées annuellement par le Congrès est passé de 500 environ à plus de 8 000. Les problèmes du monde entier ont envahi le Capitole et les problèmes de l'Amérique s'y heurtent en flots pressés. L'homme omniscient et omnipuissant qu'est en principe le parlementaire est devenu un archaïsme. La spécialisation même est difficile pour des élus dont le temps est dévoré par les électeurs. Sénateurs et députés sont écrasés par une correspondance gigantesque et souvent extravagante. Ils sont soumis à la pression incessante de *lobbyists*, représentant accrédités et en principe enregistrés des intérêts les plus divers, depuis les confédérations ouvrières ou les producteurs de lait jusqu'au gouvernement en demi-exil de Tchang Kaï-chek. Ils viennent peu aux séances, lesquelles sont le plus souvent mornes, mais le labeur qu'ils fournissent dans les comités, et davantage encore dans la technique de la réélection, leur gagnerait une fortune s'ils l'appliquaient à leurs affaires privées. On cite un représentant qui estime nécessaire de faire sortir de son secrétariat 500 lettres par jour, qu'il veut signer toutes de sa main. Il doit aussi voter et répartir un budget de 135 milliards de dollars, légiférer dans tous les domaines de l'activité américaine et peser par ses votes de politique internationale sur le destin de l'humanité.

***

L'autre pôle de la puissance publique est la Maison-Blanche. L'édifice, l'un des plus gracieux du XVIIIᵉ siècle et peut-être le plus célèbre du XXᵉ siècle, fut entièrement refait, il y a une vingtaine d'années. Il était grand temps. Un matin de 1948, en sortant de sa chambre à coucher, Truman avait eu l'impression qu'il marchait sur des vagues et son architecte, Lorenzo Winslow, reconnut que la Maison-Blanche ne tenait debout que par la force de l'habitude. La solution logique eût consisté à la raser pour reconstruire une nouvelle résidence présidentielle. Mais la piété historique de la nation américaine s'insurgea. On se décida à l'absurde : une restauration qui consista à garder la coquille en refaisant toutes les œuvres vives et tout l'intérieur. Il en coûta 5 400 000 dollars, c'est-à-dire le triple d'un palais neuf. Mais je ne crois pas qu'il se soit trouvé un seul contribuable américain pour se plaindre de tant d'argent gaspillé.

Commencée en 1792, la Maison-Blanche est la doyenne de toutes les constructions de Washington. Brûlée en 1814, elle fut restaurée si sommairement que les traces de l'incendie reparaissaient chaque année, au moment de la toilette d'été. Puis elle fournit un service épuisant. Au XIXᵉ siècle, on y entrait à peu près comme dans un bureau de poste. Les réceptions du Président étaient des cohues. A l'une d'elles, un industriel de New York envoya un fromage d'une tonne que les invités dépecèrent, dans l'East Room, avec leurs couteaux de poche. Plus tard, quand le Service Secret eut tempéré le bon-garçonnisme américain, les touristes arrivèrent comme des marées : 1 million par an. Il faut du marbre, de l'acier et du granit pour résister à tant de pieds, même respectueux. La Maison-Blanche, élégante, gracieuse, petite d'apparence malgré ses 60 pièces, était de briques et de bois. Les foules l'usèrent, symbole supplémentaire de démocratie.

Refaite, la Maison-Blanche possède enfin toutes les commodités modernes. Mais elle fut longtemps dépourvue du simple confort. La première salle de bains ne fut installée qu'à la fin du siècle dernier, et le Congrès gronda contre cette imitation d'une habitude étrangère qui donnait un exemple pernicieux à la nation. La crise des chambres à coucher accompagne toute l'histoire de la résidence présidentielle. Lorsque le prince de Galles, futur Edouard VII, visita Washington, le président Buchanan lui céda son lit et dormit sur un sofa. L'eau courante, l'électricité, le téléphone, le chauffage central, la réfrigération obligèrent périodiquement les architectes à saper White House et les termites, fort actifs dans le climat tropical de Washington, ajoutèrent leurs ravages à ceux du progrès. Si Truman n'avait pas agi avec décision, en face de techniciens divisés, la Maison-Blanche se serait peut-être écroulée sur la tête du premier magistrat de l'Amérique, ce qui n'eût pas manqué d'impressionner tous les esprits superstitieux de l'univers.

Trente-deux présidents, de John Adams à Dwight Eisenhower, ont occupé la Maison-Blanche. Deux seulement y sont morts (deux généraux, William Henry Harrison et Zachary Taylor), bien que Lincoln, Garfield, McKinley, Harding, Franklin Roosevelt et John Kennedy soient également décédés en cours de mandat. Deux s'y sont remariés, Cleveland et Wilson ; une naissance y fut célébrée, celle de Patrick Bouvier Kennedy, qui malheureusement ne vécut pas, et un seul président, James Buchanan, y vécut jusqu'au bout en célibataire. La première hôtesse de la Maison-Blanche, Abigail Smith Adams, étendait elle-même son linge dans l'East Room, mais la quatrième présidente, Dolly Todd Madison, donna à la résidence un éclat d'élégance dont le souvenir s'est perpétué. Tour à tour accueillante et fermée, vivante et morne, populaire et détestée, la Maison-Blanche reflète l'humeur et la fortune de ses passants. Elle connut de sourdes tragédies conjugales, comme celle du mal marié Lincoln ; de virulentes tragédies politiques, comme celle d'Andrew Johnson, mis en échec par le Congrès, ou celle de Herbert Hoover déraciné par la crise ; de déchirantes tragédies de santé, comme la ruine physique et intellectuelle de Woodrow Wilson et de Franklin Roosevelt. Elle abrita des hommes si effacés que leur nom n'est dans l'histoire des Etats-Unis qu'un fantôme sans os : James Polk, Millard Fillmore, Rutherford B. Hayes, etc., et elle eut des pensionnaires hauts en couleur. Le premier Roosevelt, Théodore, fit de la Maison Blanche une sorte de baraque de lutteurs dans laquelle le Président des Etats-Unis enseignait le jiu-jitsu, pendant que la bande enragée de ses fils engouffrait des poneys dans les ascenseurs et roulait en vélos dans les salons. La seconde Roosevelt, Eleanor (nièce du précédent) en fit une espèce de Club des Jacobins où elle accueillait des personnages que le F.B.I. surveillait comme ennemis de l'Etat. Les Truman, ménage de provinciaux, redonnèrent à la Maison-Blanche un décorum un peu avare. Harry, au reste, l'aima toujours, cependant que Mrs. Truman n'aima jamais que les massifs de roses de la façade sud qui lui rappelaient son jardin d'Independence (Missouri).

Les transformations de Truman à la Maison-Blanche sont mémorables. Il y entra avec humilité demandant qu'on priât Dieu de l'aider dans la tâche écrasante qu'il allait devoir assumer. Quelques mois de pouvoir suprême firent de lui un homme entier, autoritaire et parfois même arrogant. Dès la deuxième année de sa charge, il se convainquit qu'il était un « bon » président et il ne tarda pas à se regarder dans ses miroirs pour y voir un « grand » président. Issu du Congrès, il toléra avec moins de patience qu'aucun de ses prédécesseurs l'opposition du Congrès à certains de ses projets. On l'entendit envier Staline qui gouvernait le sixième du monde sans que personne pût faire obstacle à sa volonté. Son autoritarisme transgressa parfois les limites de la politique et s'exprima en jugements tranchants sur des matières dans lesquelles le pape lui-même ne revendique aucune infaillibilité : lorsqu'il a qualifié, par exemple, les impressionnistes français d'école « des œufs au jambon ». Même sur un cerveau aussi sain et aussi solide que le sien, l'alcool de la puissance exerça des ravages qu'un troisième mandat présidentiel aurait probablement portés jusqu'à des formes dangereuses — comme ce fut le cas pour Roosevelt. Le poste de Président des Etats-Unis est l'un des plus exposés à l'orgueil.

*
**

Pendant les huit années d'Eisenhower, la Maison-Blanche ne cessa jamais d'être la résidence pleine de dignité et de décorum d'un vieux soldat. Le seul scandale palatin fut celui qui entraîna la démission du principal assistant présidentiel, le gouverneur Sherman Adams, coupable d'avoir cédé avec une candeur indigne de son importance aux basses séductions d'un industriel véreux. Pour le reste, la réserve et le silence entourèrent aussi bien la famille privée que ce qu'on appelle en Amérique la famille politique du Président. Si des orages y éclatèrent, ils ne firent pas entendre de tonnerre à l'extérieur.

Par contre, Ike modifia d'une manière totale l'idée qu'on s'était faite du métier de Président. Il était considéré avant lui comme une tâche accablante ; il fut considéré avec lui comme une fonction dont les responsabilités n'interdisaient pas de longs loisirs et la culture assidue de plusieurs passe-temps. Rien, cependant, n'avait été changé aux lois constitutionnelles ni à l'organisation générale du gouvernement. Mais l'art de vivre d'un homme heureux allégea des servitudes qu'on croyait insurmontables et desserra des nœuds qu'on disait sans pitié.

La présidence des Etats-Unis est faite d'un cumul prodigieux. Le Président est un des rares hommes de la terre qui soient à la fois chef d'Etat, chef de gouvernement et chef de parti. Chef d'Etat, il est astreint à des obligations protocolaires dont la mesure et la démesure sont données par l'immense corps diplomatique washingtonien et les visites incessantes de l'univers. Chef de parti, le Président américain est condamné à de mornes et lourdes servitudes qui le conduisent fréquemment jusqu'à la cuisine la plus sordide des comités. Il ne peut interdire sa porte ni son téléphone aux membres du Congrès, aux gouverneurs, aux grands électeurs et aux grands donateurs du parti. Il est la représentation et le panneau-réclame de celui-ci. Il doit, conformément aux conventions de la vie publique américaine, apparaître périodiquement sous un jour familier ou solennel : donner le coup d'envoi de la saison de base-ball aussi bien que se recueillir une fois l'an au cimetière national d'Arlington. La liste des associations dont il reçoit les délégués et coiffe les coiffures (églises, francs-maçons, vétérans, syndicats, groupements universitaires, clubs de femmes, etc.), constitue un tableau social complet des Etats-Unis. Son rire, large, communicatif et cependant plein de dignité, appartient au patrimoine national et doit apparaître de temps en temps à la première page des journaux. La grande vedette de l'Amérique, c'est son Président.

En sandwich entre son métier de démagogue et sa fonction de souverain, il doit, sous sa responsabilité personnelle, gouverner un pays de 200 millions d'habitants, commander une armée de 3 millions et demi d'hommes, gérer un budget de 135 milliards de dollars, diriger une administration immense et une politique planétaire, assurer la sécurité de l'Amérique sans compromettre sa prospérité et conduire une lutte mondiale tout en ménageant les chances de la paix...

Ces cumuls terrifiants sont nés de l'insignifiance. Au début, la présidence des Etats-Unis fut à peine un *full time job*. L'Amérique était alors un tout petit pays et les attributions du gouvernement fédéral étaient réduites à l'essentiel. On fit plus que le nécessaire en donnant au Président 20 000 dollars de salaire, un ministre des Affaires étrangères, un ministre des Finances, deux ministres des Forces armées et un intendant général des postes. Il pouvait, en échange, se charger de tout le gouvernement, de toute l'administration et de toute la représentation des Etats-Unis. Très peu de collaborateurs lui suffisaient pour ces tâches multiples, mais légères. George Washington se contentait d'un seul secrétaire particulier et (à l'époque où commençait en France la grande bureaucratie napoléonienne), le président John Adams commandait en tout et pour tout à 140 fonctionnaires civils... Johnson en a sous ses ordres plus de 2 900 000.

Cependant, le principe de la présidence n'a pas changé depuis 1788. Le rôle personnel et direct du Président reste le trait fondamental de l'Exécutif. Le cabinet de Johnson comprend 12 membres, chefs de ministères formidables, mais désignés par lui, révocables par lui et responsables uniquement devant lui. En outre, 61 offices autonomes relèvent directement du Président, couvrant un champ qui s'étend de la protection des petits oiseaux à la fabrication de la bombe atomique. Compte tenu des directeurs d'offices, 325 hauts fonctionnaires fédéraux ont directement accès auprès du Président ou n'ont d'ordres à recevoir que de lui.

La présidence Truman avait encore alourdi la Maison-Blanche. La santé phénoménale du Missourien, sa capacité de travail herculéenne, son souci du détail et son autoritarisme l'avaient amené à se charger directement d'une foule d'affaires dont le soin aurait dû incomber aux différents départements ministériels. Il donna à l'inflation de la présidence une brutale poussée en s'entourant d'organes consultatifs destinés à devenir par la force des choses des organes d'exécution. Au Bureau du Budget, inventé par Roosevelt, il ajouta le Comité des Conseillers économiques, le Conseil national de Sécurité, le Bureau des Ressources stratégiques, l'Office de la Mobilisation et le Bureau de la Guerre psychologique. La bureaucratie propre de la Maison-Blanche augmenta énormément. Le président McKinley, avec qui l'Amérique entra dans le XXᵉ siècle, n'avait pas de sténographe. Trente ans plus tard, le secrétariat du président Hoover comptait 37 personnes, et l'on trouvait que c'était beaucoup. Roosevelt fut, en début, assez modeste et se contenta jusqu'en 1939 de 57 collaborateurs directs. La guerre les multiplia, mais Harry Truman les multiplia davantage encore. Plus de 1 500 fonctionnaires, dont quelques-uns sont les secrétaires des secrétaires des secrétaires du Président, travaillaient, au début de 1953, dans une Maison-Blanche qui avait dû franchir Executive Avenue, déverser le trop-plein de ses services dans le vaste immeuble rococo de l'ancien Département d'Etat. D'autres empiétements étaient d'ailleurs en cours et tout un quartier de Washington est maintenant occupé par le superministère du Président.

Celui-ci, cependant, est seul. L'archaïque Constitution ne prévoit personne pour partager et alléger son labeur. Le vice-président, élu par les mêmes électeurs, n'est pas un adjoint, mais uniquement un successeur éventuel qui, aiguillé sur la voie de garage du Sénat, calcule ses chances de sortir de l'anonymat d'après la mine du chef de l'Exécutif. Aucun des collaborateurs qui entourent celui-ci n'a un rang officiel, des attributions constitutionnelles, une autorité propre. Uniquement des commis. Ils prolifèrent sous la poussée des affaires, mais sans libérer le Président des servitudes les plus harassantes de sa fonction. La signature, par exemple, est un tourment. Il arriva à Truman de donner la sienne jusqu'à 800 fois par jour, ce qui représente plusieurs heures de travail manuel. En supprimant le « S » (d'ailleurs postiche) de son « middle name », Harry S. Truman économisa en moyenne vingt minutes par jour, alors qu'avec ou sans initiale médiane, le nom Dwight D. Eisenhower était un désastre à cause de sa longueur. Mais la Constitution l'exige à profusion. Aucun bill voté par le Congrès ne peut devenir une loi des Etats-Unis sans l'autographe présidentiel ; aucune nomination importante, aucune grâce, aucune mesure d'ensemble ne peuvent s'en passer. Des centaines de documents, que le Président ne lit jamais, attendent ainsi leur consécration magique. Plusieurs secrétaires, embusqués en permanence, guettent le moment d'en expédier le plus possible. Chaque fois qu'un battement de quelques minutes s'intercale entre deux audiences, chaque fois que le Président lève la tête, chaque fois qu'il respire, les bourreaux bondissent à l'assaut...

On se demanda avec curiosité ce qu'Eisenhower allait faire en face de rouages aussi lourds et d'obligations personnelles aussi pesantes. L'homme était déjà connu pour n'être pas du type studieux. On savait qu'il était l'adversaire des longues heures de bureau ; qu'il enseignait — comme Foch, mais à la différence de Napoléon — qu'un chef doit être dégagé du détail et qu'il revendiquait son droit à la détente. Quand son prédécesseur le mit au courant de son régime de travail, il fut, suivant l'indis-

crétion de Truman lui-même, « épouvanté ». Mais il se
jura de ne pas se courber sous le carcan. Il n'avait
accepté qu'à regret de concourir pour la charge présidentielle et il n'entendait pas sacrifier totalement à la
Maison-Blanche le droit à la retraite qu'il s'était acquis
par ses longs services de soldat.

Les débuts furent ardus. Uniquement pour affranchir
Eisenhower du supplice de la signature — « Dwight D.
Eisenhower », longueur inhumaine ! — on dut prendre
avec la lettre de la loi des libertés qui, aujourd'hui encore,
pourraient plonger dans la plus noire irrégularité des
milliers d'actes de la double présidence. Le nouveau chef
de l'Exécutif fit un effort pour recevoir à sa table,
par fournées, les 521 membres du Congrès, puis sa
porte s'ouvrit de plus en plus difficilement devant les
représentants de la nation. Le pilier de tout commandement militaire est un chef d'état-major : Ike eut Sherman Adams. Il ne connaissait pas cet ancien gouverneur
du New Hampshire, mais il l'accepta de confiance lorsqu'on le lui proposa comme manager de sa campagne
de 1952, et, ayant horreur des figures nouvelles, le garda
après sa victoire comme assistant principal. « Voyez
Sherman », fut l'une des formules avec lesquelles Eisenhower gouverna pendant six ans. Il serait complètement
erroné d'en conclure qu'il abdiqua devant un subalterne,
nul n'ayant jamais été plus jaloux de son autorité, mais
son horreur du détail mit entre les mains du New Englan-
der des pouvoirs excessifs. On le fit payer chèrement
à cet homme peu aimé le jour où il trébucha.

Stupéfaite, l'Amérique vit dans ce bagne officiel, dans
cette tueuse d'hommes de Maison-Blanche un homme
libéré du surmenage et capable de consacrer au loisir
plus de temps qu'au travail. Harry Truman était à son
bureau dès 7 heures du matin, ne le quittait qu'à une
heure tardive de la soirée, étudiait les dossiers les plus
importants dans son lit, ne s'accordait comme exercice
physique qu'une promenade matinale accélérée et comme
récréation qu'un poker occasionnel avec quelques copains
de jeunesse qui n'étaient pas tous une compagnie exemplaire pour un président des Etats-Unis. Ike commença

sa journée à 9 ou 10 heures, ferma le guichet de l'Etat à 4 ou 5 heures, refusa de prendre connaissance de tout rapport excédant une page, décréta que les soirées étaient faites pour se divertir, les nuits pour dormir, et les week-ends pour être respectés. Loin d'être offusquée ou inquiète, l'Amérique fut enchantée. La règle de vie présidentielle correspondait à celle qu'elle a adoptée pour elle-même, au goût du repos organisé qui a remplacé son activité dévorante de jadis. Elle se reconnut mieux encore dans l'homme qu'elle avait élu.

Le golf d'Ike commença d'être un sujet de conversation. Militaire, commandant en chef, il aimait ce divertissement. Président, il en fut féru. Les placards du cabinet ovale, au deuxième étage de la Maison-Blanche, se garnirent de clubs, et, entre deux affaires d'Etat, Ike prit l'habitude de répéter des coups sur son tapis. Ou bien il descendait sur sa pelouse, où il fut possible de l'apercevoir jusqu'au jour où le Secret Service disposa des écrans. Chaque semaine, il supprimait un après-midi ouvrable pour le donner aux links de Burning Tree, dans le Maryland voisin. Périodiquement, il s'évadait vers le Sud, où, à Thomasville, en Georgie, il avait trouvé un autre paradis de golfeur. Tout un service s'organisa pour le golf du Président, devenu une affaire d'Etat comme la chasse de Louis XIV. Ike jouait au golf lorsqu'il apprit que les Franco-Britanniques avaient débarqué à Suez et il jouait encore au golf quand les Russes annoncèrent qu'ils avaient lancé le Spoutnik. Il joua sous des trombes d'eau, par des chaleurs pesantes, par des froids rigoureux, bien portant ou malade, avec un acharnement tournant à la manie.

A côté du golf, passion dévorante, les autres passe-temps présidentiels n'étaient pas négligeables. Le bridge quotidien était une vieille habitude de garnison : elle fut respectée. Le goût de peindre, venu sur le tard, consistant principalement dans la reproduction de cartes postales en couleurs, représenta une fantaisie irrégulière, tantôt languissante, tantôt exigeante. La pêche à la truite et la chasse à la caille furent deux évasions saisonnières, tandis que le barbecue fut plutôt une distraction hebdomadaire. La lecture ne fut jamais négligée, mais — sauf pendant de brèves périodes d'aspirations spirituelles — elle consista presque uniquement en des romans de cow-boys.

Cette vie détendue n'était pas exclusive de vacances proprement dites. En 1953, Ike en prit 79 jours et, en 1954, 118 jours. Par la suite, la durée de son congé annuel oscilla entre 42 et 71 jours, compte non tenu de 119 jours de maladie et des week-ends passés sur la ferme que l'ex-généralissime de l'Occident avait achetée en Pennsylvanie, près de Gettysburg, avec les droits d'auteur de ses mémoires *Croisade en Europe*. Au total, Eisenhower prit environ deux fois plus de vacances que ses prédécesseurs Roosevelt et Truman, tout en passant quotidiennement près de deux fois moins de temps à son bureau. Outre Gettysburg, Burning Tree et Thomasville, ses lieux de repos et de récréation habituels furent Newport, dans le Rhode Island, Denver, dans le Colorado, Palm Spring en Californie, et Camp David, l'ex-Shangri-La de Franklin Roosevelt, dans le Maryland. Il avait critiqué le yacht *Williamburg* et la villa de la base sous-marine de Key West qui permettaient à Truman de faire quelques cures de soleil — mais l'optique du dehors est rarement la même que celle du dedans.

La maladie ajouta trois chapitres à l'histoire présidentielle de Dwight D. Eisenhower. La plus grave fut la première — la thrombose coronaire dont il fut frappé au mois de septembre 1955, au cours d'une campagne de pêche dans les torrents du Colorado. Même dans cet accident de santé, Ike respectait le conformisme national, payait son tribut à l'affection cardiaque qui avec l'artériosclérose, a frappé, en 1956, 559 000 Américains. L'Amérique connut des jours anxieux, pendant qu'une bataille feutrée se déroulait autour du lit d'hôpital de son Président. Sherman Adams réussit à obtenir que l'indisponibilité du Président ne fût pas proclamée, afin de tenir Nixon à l'écart, et il parvint à faire fonctionner le gouvernement des Etats-Unis dans la fiction que son chef conservait toute sa capacité. Mais ce fut une victoire dont les lendemains furent brefs.

Eisenhower eût amélioré son compte avec l'histoire s'il avait trouvé dans sa crise cardiaque de 1955 un prétexte pour ne pas briguer une deuxième présidence en 1956. Rien, apparemment, ne menaçait encore la supériorité américaine. Le Spoutnik n'avait pas été lancé. Les fusées inter-continentales de l'U.R.S.S. n'étaient pas prêtes. Le régime soviétique n'avait pas encore surmonté la crise ouverte par la mort de Staline. Khrouchtchev était loin d'avoir pris sa place magistrale. Le dollar paraissait au-dessus de toute atteinte. Les défaillances du système politique et économique de l'Amérique n'étaient perceptibles qu'à un très petit nombre d'yeux expérimentés. Ike se fût retiré en pleine gloire. Il resta, et ce fut pendant sa seconde présidence que les vents froids se mirent à souffler.

Cependant, cette seconde présidence fut, dans l'ensemble, plus active que la première. Ike reconquit sa santé d'une manière inespérée. Les deux autres offensives de la maladie, un commencement d'occlusion intestinale en 1956, une légère congestion cérébrale en 1957 n'affectèrent ni gravement ni longtemps l'activité du Président. Il fut, d'une manière générale, plus assidu et plus laborieux pendant les quatre dernières années que pendant les quatre premières. Quand le Spoutnik eut ébloui le monde, les fonctionnaires de la Maison-Blanche notèrent avec émerveillement que le Président prenait quelquefois place à son bureau dès 8 heures du matin et ne le quittait parfois qu'à 6 heures du soir. Sherman Adams congédié, Foster Dulles décédé, on parla d'un « nouvel Eisenhower », tant sa connaissance des questions et la fermeté de sa pensée parurent avoir fait de progrès après la disparition de ses deux principaux collaborateurs. Il n'y avait qu'un pas à franchir pour conclure qu'il avait été chambré et éclipsé par eux.

En réalité, Ike ne fut jamais chambré ni éclipsé par personne. Il n'est ni un faible ni un médiocre, mais, au contraire, une personnalité volontaire et une intelligence vigoureuse. Il possède un don d'assimilation rapide, une capacité de synthèse, un sens du raccourci dont il s'est servi avec un art consommé pour s'épargner les longues études. Il est convaincu et courageux. Profondément pacifique, il n'aurait certainement pas hésité à tirer l'épée de l'Amérique si l'existence de celle-ci ou d'un autre membre de l'Alliance atlantique avait été menacée. La popularité qu'il a gardée jusqu'au bout dans le peuple américain reflétait une confiance profonde en même temps qu'une affection dont il est digne. Peu de présidents — peut-être aucun — ne furent en mesure de demander davantage à la nation.

Cependant, il est trop évident qu'un ressort de l'Amérique s'est brisé sous la présidence d'Eisenhower. Il proteste avec une fureur qui lui fait monter le rouge jusqu'au sommet du crâne contre l'allégation disant qu'il a fait de l'Amérique « la seconde grande puissance du monde ». Il a raison sur le fond, l'Amérique étant encore, fort heureusement, la plus puissante des nations. Toutefois, il est indiscutable qu'Eisenhower n'a pas laissé l'Amérique dans la situation de force relative où il l'avait trouvée. Ni son avance ni son prestige ne sont intacts — et si Khrouchtchev se vantait peut-être encore en disant qu'il la rattraperait, du moins sa prétention n'est-elle plus considérée comme une absurdité. En plusieurs domaines directement liés à la puissance militaire, l'U.R.S.S. talonne, sinon dépasse les Etats-Unis.

Il sera difficile de démontrer que le président Eisenhower eut conscience du caractère de cette course à la puissance et qu'il prit les mesures nécessaires pour donner à son pays l'accélération dont celui-ci avait besoin pour maintenir sa supériorité dans les armes et dans l'économie. L'action de la Maison-Blanche consista toujours à rassurer une nation qui ne demandait qu'à l'être, au lieu de l'alerter et de la stimuler. Quand les Russes réussirent la fusion thermo-nucléaire, on expliqua aux Américains qu'ils étaient loin de tenir la bombe H et d'ailleurs qu'ils ne possédaient pas les moyens nécessaires pour la transporter. Quand ils se mirent à construire des bombardiers intercontinentaux, on démontra que la supériorité américaine restait écrasante. Lorsqu'ils annoncèrent qu'ils avaient la fusée intercontinentale, on répondit qu'il s'écoulerait encore des années

avant qu'elle ne soit opérationnelle. Lorsqu'ils lancèrent le premier Spoutnik, à la date d'histoire universelle
du 4 octobre 1957, le commentaire littéral d'Eisenhower,
recueilli par l'un de ses intimes, fut le suivant : « Je ne
comprends pas pourquoi les Américains sont si excités
par ce machin. Il ne va tout de même pas nous tomber
sur la tête. » A la même époque, on disait au ministre
de la Défense Charles Wilson, ex-président de la General
Motors, qu'à ce train-là les Russes iraient bientôt dans
la lune. « Tant mieux, répondit-il, ils songeront moins
à aller à Detroit. » Tout fut déployé, non pour alerter,
mais pour rassurer. Le peuple américain fut entretenu
dans l'idée systématique qu'il était sans égal et même sans
second dans le domaine de l'invention, de la technique et
de la production. Un seul homme pouvait le tirer de
cette flatteuse illusion. Ike se tut.

Se taisant, il eût pu agir. Mais de graves dossiers
sont ouverts. Les conditions dans lesquelles l'Amérique
s'est laissé devancer dans les armements les plus modernes et battre dans la conquête de l'espace formeront un
lourd chapitre d'histoire. Lorsqu'il prit sa charge, en
pleine euphorie de la victoire républicaine, dans ce qui
était annoncé comme un régime de compétences, le
ministre de la Défense, Charles Wilson, voulut annuler
tout le programme des fusées, qu'il considérait comme
un chapitre de science-fiction, et il sabra les crédits destinés aux recherches en disant : « A la General Motors,
nous dépensons beaucoup, beaucoup moins. » Le but
avoué de ce plus grand capitaine d'industrie, chargé de la
sécurité du monde libre, était de réduire les dépenses
d'armement et son but inavoué de supprimer toutes les
priorités militaires interférant avec la production civile
et plaçant sous un contrôle de l'Etat ses collègues de
l'industrie. Ike laissa faire. Il acceptait l'axiome des heureuses années 1920 : « Ce qui est bon pour la General
Motors est bon pour les Etats-Unis. » — Et, d'ailleurs,
son passé militaire, sa gloire même, sans parler de son
humanitarisme, ne l'inclinaient pas vers les armements
futuristes et terrifiants. Certains essayèrent de lui faire
mesurer la révolution scientifique et militaire en train

de s'accomplir et, en soulignant devant lui les progrès soviétiques, tâchèrent de lui arracher un programme d'urgence. Il répondait généralement en racontant à quelles pressions il avait été soumis, pendant la dernière guerre, pour qu'il modifie son plan de débarquement en Normandie, et combien il avait eu raison d'y résister. Dès 1955, un jeune sous-secrétaire d'Etat à l'Air, Thomas Gardner, s'adressa au Président, par-dessus la tête de ses chefs, pour lui dire qu'une anarchie profonde régnait dans les services responsables des fusées et que l'Amérique était menacée d'un désastre. Eisenhower le reçut cinq minutes, parla au lieu d'écouter et le congédia en lui conseillant de respecter la hiérarchie. Gardner démissionna en sortant.

Son optimisme foncier a égaré Eisenhower. Il n'eut pas l'idée ou la hardiesse intellectuelle de soumettre à la critique le système américain. Comme l'immense majorité de ses compatriotes, il y voit l'image de la perfection. Il attribua à la libre entreprise des vertus absolues, indépendantes du temps et des circonstances — alors que le formidable dynamisme social qu'elle a représenté dans une Amérique plus jeune a considérablement décru. De nos jours, le capitalisme américain songe plus à ses amortissements qu'à de nouvelles conquêtes et les hauts fonctionnaires privés qui dirigent ses grandes entreprises sont plus portés à éviter les risques qu'à les courir. Engagée dans une lutte multiforme contre l'Union soviétique, l'Amérique avait besoin d'être éperonnée par son gouvernement, sinon comme un pays en état de guerre ouverte, du moins comme un pays menacé dans tous les domaines et sur tous les terrains. Elle fut abandonnée au libéralisme, à la prépondérance des intérêts, doctrines admirables pour les temps paisibles et funestes dans les époques de salut public.

On pensait jadis en Amérique que les généraux faisaient de mauvais présidents. Eisenhower ne fut pas un mauvais président dans le sens du vainqueur de la Guerre de Sécession, Ulysse Grant, dont l'administration fut entachée d'incompétence et pourrie de scandales. Son gouvernement fut digne, honnête, courageux et efficace. Il eût fallu davantage dans un challenge mondial demandant à l'Amérique une dépense gigantesque d'efforts et d'imagination. Mais il est difficile de faire servir les grands hommes deux fois.

***

Avec les Kennedy, c'est un air nouveau qui souffla sur la Maison-Blanche.

Avec John Kennedy en effet entraient à la Maison-Blanche, non seulement le plus jeune des présidents élus jusqu'à ce jour — le premier à être né au XXe siècle (il avait vu le jour à Brooklyn le 29 mai 1917) et le premier président catholique, mais aussi une génération moins imprégnée de l'optimisme traditionnel. Entouré d'un des plus remarquables brain-trusts de l'histoire américaine (sur les 200 premières nominations importantes qu'il fit, 18 % concernaient des universitaires et 6 % seulement des personnalités du monde des affaires, alors que sous Eisenhower la proportion était respectivement de 6 % et 42 %) il définit nettement une politique nouvelle, adaptée à l'ère de l'automation, de l'aviation supersonique et des voyages spaciaux. Il fallait donner une vigoureuse impulsion à l'économie, au besoin par le moyen de l'intervention de l'Etat, accroître la puissance des Etats-Unis en augmentant les crédits destinés à la défense et à la recherche scientifique. En outre, il aborda de front le problème des minorités, en engageant la lutte contre la pauvreté et le respect des droits civiques. Il nomma ses objectifs : la Nouvelle Frontière, faisant allusion à un passé vivant au cœur des Américains.

L'opinion américaine se reconnaissait mal dans cet intellectuel sorti de Harvard. L'Amérique s'était d'ailleurs donnée du bout des lèvres à ce descendant de parvenu irlandais, catholique de surcroît, et aux apparences d'adolescent. Kennedy dut faire ses preuves pour conquérir son peuple. Sa jeunesse, son allure physique, la beauté de sa femme Jacqueline épousée en septembre 1953, que l'Amérique et le monde appelèrent vite familièrement Jackie, aiguillonnèrent l'imagination américaine.

Ni la volonté, ni l'intelligence originale de John n'auraient suffi à l'imposer, s'il n'avait réussi à redonner aux jeunes le goût du service public. Lui-même était entré dans la carrière politique à 34 ans en se faisant élire sénateur du Massachusetts.

La vitalité du jeune Président, son goût de l'action, qui étaient également l'apanage des vaillants jeunes hommes qui l'entouraient — beaucoup avaient servi héroïquement pendant la guerre, comme John Kennedy lui-même — donnèrent, au début au moins, à la Maison-Blanche, l'apparence d'une ruche un peu brouillonne.

Jamais un de ses collaborateurs n'entendit le Président se plaindre du travail accablant qui est le lot des présidents américains. Et seul le rocking-chair du bureau présidentiel, et parfois la pâleur du visage de Kennedy, révélaient que cet homme si dynamique, à l'allure si sportive — c'était un barreur de classe internationale — éprouvait de lancinantes douleurs dans le dos. Un accident de rugby lorsqu'il était à Harvard, et le sabordage de sa vedette par un destroyer japonais au large des Salomon en 1943, lui avaient en effet sérieusement endommagé les vertèbres.

Il donnait néanmoins une incroyable impression de vitalité, qualité qu'il prisait le plus.

A la Maison-Blanche, la journée présidentielle commençait à 8 heures par la lecture des journaux et des rapports de la nuit, tandis que les enfants jouaient aux pieds de leur père qui les regardait tout en lisant et en déjeunant (Kennedy lisait prodigieusement vite, et profitait de tous les moments soustraits aux affaires de l'Etat : promenade, bain, repas...) A 9 heures, John Kennedy prenait la direction de l'aile ouest et y travaillait jusqu'à l'heure du déjeuner, qu'il prenait le plus souvent en tête à tête avec sa femme. Si le déjeuner était parfois précédé de quelques brasses dans la piscine de la Maison-Blanche, il était toujours suivi de quarante-cinq minutes de sieste pendant lesquelles il dormait d'un profond sommeil ; le conseil lui en avait été donné par Churchill, et il le respecta religieusement. Puis, il regagnait son bureau jusque vers 8 heures du soir. Quand il avait

14

besoin d'une détente, il ouvrait la porte-fenêtre donnant sur la colonnade et frappait dans ses mains. En un instant, tout ce que la pelouse de la Maison-Blanche comptait d'enfants et de chiens accouraient vers lui...

Il arrivait parfois au Président de se mettre en colère, et il se souvenait alors de son passage dans la Marine... mais ces explosions étaient rares et provoquées le plus souvent par l'inertie de la machine administrative, inertie qui s'était renforcée sous Eisenhower. Sous celui-ci en effet, il y avait eu un effort pour institutionnaliser la présidence et en rendre le fonctionnement presque automatique et aussi peu dépendant que possible des individus qui l'exerçaient. Ramener à l'obéissance la féodalité gouvernementale fut un des objectifs principaux de l'administration kennedyste, renforcé encore par la malheureuse affaire de la baie des Cochons en 1961.

Si John Kennedy surmontait tous ses soucis, c'est que sa femme Jacqueline l'y aidait intelligemment. Cette jeune femme, qui avait été reporter-photographe au *Washington Times Herald,* avait fait connaissance du jeune sénateur Kennedy en allant l'interviewer. Après leur mariage, elle suivit des cours d'Histoire et de Sciences politiques à l'Université Georgetown, afin de pouvoir aider son mari. Mais devenue à 31 ans « Première Dame des Etats-Unis » — appellation qu'elle avait d'ailleurs en horreur — elle veilla à ce que les soirées du Président fussent réservées à la détente. Elle évitait, sauf en période de crise, de poser des questions sur les sujets qui avaient préoccupé le Président pendant toute la journée. Des dîners de quelques couverts rassemblaient des amis, des personnalités qu'il fallait recevoir, des artistes, de sorte que l'insatiable curiosité intellectuelle de John Kennedy se satisfaisait d'hommes nouveaux et d'idées nouvelles. Ces soupers étaient toujours une réussite, tant Jacqueline avait réussi à secouer la poussière de la vieille maison.

Horrifiée par l'aspect de la Maison-Blanche qu'elle déclara être « aussi banale qu'un hôtel et aussi froide qu'un bureau », Jacqueline Kennedy y fit autant de changements en un an que toutes les autres présidentes en

143 ans. Avec son sens artistique très sûr, elle s'attacha à en faire une demeure dont le pays tout entier pourrait être fier, pour restaurer la Maison-Blanche, y rassembler des objets authentiques, elle bénéficia de l'appui total de son mari, fonda l'association historique de la Maison-Blanche et obtint enfin qu'une loi en fît un musée autorisé à recevoir des dons. Jacqueline Kennedy fit éditer le premier guide de la Maison-Blanche, auquel elle travailla personnellement, et en 1962, une émission télévisée montra aux Américains, sous la conduite de leur Première Dame, l'intérieur de la Maison-Blanche restaurée. Des fleurs partout, du feu dans les cheminées, un souvenir personnel de chaque président, un jardin redessiné en avaient fait également une demeure quasi-intime. Pour les enfants, Caroline et John John, né trois semaines après l'élection de son père, pour qu'ils ne se sentent pas isolés, Jacqueline fit faire un enclos de rhododendrons pour abriter leurs jeux, et une école installée au 2ᵉ étage accueillit Caroline et de petits camarades de son âge.

En dépit de ses réserves du début, l'Amérique en vint à adorer sa présidente, sa beauté, son élégance, son goût pour les toilettes et la cuisine française — dû à ses origines. Lorsque le gouverneur Connally prépara avec le Président Kennedy cette tournée au Texas qui s'acheva dramatiquement à Dallas, il l'invita à se faire accompagner de sa femme dont le charme était un si puissant agent électoral...

La famille du Président passait le plus souvent ses week-ends, et ses vacances, dans la propriété de Hyannis Port, près du Cap Cod, achetée en 1927 par Joseph Kennedy, le chef du clan. Là, dans ses landes, le président marchait parfois solitaire. Le plus souvent il partait au large dans son voilier, et lisait seul des heures durant, satisfaisant ainsi ses deux passions. Mais toujours il emportait son vieux porte-document de crocodile noir avec quelques dossiers, et deux lignes directes avec la Maison-Blanche et les bases stratégiques rappelaient aux parents et aux amis que le marin au pull-over défraîchi était le chef de l'Etat.

La durée du mandat présidentiel laisse peu de temps

à celui qui en a la charge, pour se mettre au courant et prendre en main les différents rouages. C'est en général le deuxième mandat qui permet les réalisations. John Kennedy n'a connu ainsi que la partie ingrate de la charge suprême, et l'opposition du Congrès fut à peu près constante à toutes ses initiatives. Mais son énergie, sa souplesse, ses habitudes familiales, son humour (« Je suis celui qui accompagne Jacqueline Kennedy à Paris ») ont profondément marqué la fonction présidentielle et donné au monde l'image d'une Amérique nouvelle, jeune cosmopolite, raffinée, capable de prétendre au leadership de la civilisation occidentale.

XIX

MARYLAND — DELAWARE — NEW JERSEY

Washington est une ville du Sud. L'Etat qui l'enchâsse du côté du Nord, le Maryland, est encore en partie sudiste. Esclavagiste en 1861, il ne fit pas sécession uniquement parce que les troupes fédérales l'occupèrent précipitamment et le tinrent en respect pendant toute la guerre. Il y subsiste certaines formes atténuées de la ségrégation des Noirs, mais, d'un autre côté, les deux autres traits indispensables du Sud, la pauvreté et le monopole démocrate, sont inconnus dans le Maryland. L'Etat est, au contraire, l'un des plus versatiles en matière électorale et il se place par sa richesse au-dessus de la moyenne des Cinquante. Il comptait 2 343 000 habitants au recensement de 1950 et 3 613 000 aux estimations de 1966, croissance de 31 % qui n'est guère dépassée que dans l'Ouest.

Bien que le Maryland soit un Etat de faible étendue, le quarante-sixième par ordre de grandeur, son dessin géographique est assez tourmenté. Disposé d'est en ouest, entre la mer et les Alleghanies, il est serré à la taille par un étranglement qui isole presque complètement sa partie occidentale, tandis que sa partie orientale est séparée du tronçon principal par toute la largeur de la Chesapeake Bay. Ces contorsions de frontière ne sont pas exceptionnelles sur la façade atlantique où les Etats se délimitèrent au milieu d'une vive compétition. Le Maryland, fondé dès 1634, éprouva d'ailleurs la difficulté supplémentaire d'être une colonie catholique au milieu d'un peuplement protestant. Il réussit cependant à éviter la guerre religieuse à l'intérieur comme à l'extérieur.

La capitale tentaculaire, Washington, déborde sur le Maryland. Elle crée rapidement, en bordure du District de Columbia, une zone de peuplement qui constitue un grand dortoir de bureaucrates. L'une des routes les plus fréquentées d'Amérique est celle de Washington à Baltimore, qui se déroule sur les montagnes russes du paysage marylandais. Baltimore même est une grande ville de 1 980 000 habitants (dont 934 000 à Baltimore City), la douzième des Etats-Unis, intéressante par quelques édifices de l'époque coloniale et déprimante par de mornes quartiers peuplés de Noirs indolents et pauvres, qui sortirent toutefois de leur apathie à l'annonce de l'assassinat du leader noir Martin Luther King, et provoquèrent de sanglantes émeutes. Baltimore, dont le fétiche est un merle, est remarquable par un patriotisme local intense. Il comporte un vif loyalisme à l'égard de la plus fameuse des Baltimoriennes vivantes, Wallis ex-Warfield, ex-Simpson et présentement duchesse de Windsor. Chaque fois que la Cour de Saint-James fait un affront à la femme d'Edouard, les journaux de Baltimore sont certains de recevoir des lettres indignées de citoyennes réclamant des représailles contre les Anglais.

La capitale du Maryland est la petite ville historique d'Annapolis. Admirablement située dans un repli de la baie de Chesapeake, elle est le siège de l'Académie navale des Etats-Unis.

***

Le Delaware est la principauté de Lichtenstein des Etats-Unis. Ce n'est pas qu'il reproduise les majestueuses montagnes de Vaduz, sa colline culminante ayant à peine 100 mètres de haut. Mais il ressemble au Lichtenstein par son annuaire des sociétés anonymes. Comme le minuscule

Etat alpin, il les a attirées en leur faisant, dans toute la mesure de sa souveraineté limitée, un régime fiscal avantageux. Des dizaines d'immenses entreprises, dont Coca-Cola, Pullman, Bethleem Steel, Ford, etc., sont enregistrées dans le Delaware. Celui-ci, étoile de quarante-septième grandeur, 25 fois moins grosse que la Pennsylvanie, 75 fois moins grosse que la Californie, serait l'Etat le plus industriel d'Amérique si les usines étaient accolées aux sièges sociaux. Mais le Delaware n'est essentiellement qu'une petite province plutôt archaïque où une très vieille population rurale vit dans une pauvreté relative sur un sol plutôt ingrat.

Du Pont de Nemours est une exception partielle à l'absentéisme industriel qui, au détriment du Delaware, crée une si grande différence entre la façade de l'Annuaire des Sociétés et la réalité des cheminées d'usines. L'immense firme, 65 millions d'actions, 2 milliards et demi de dollars de capital, 280 millions de dollars de bénéfices annuels, n'a pas, naturellement, tous ses établissements dans son Etat d'origine, mais elle y maintient au moins plusieurs d'entre eux et son centre de recherches qui occupe, à lui seul, 2 500 savants, techniciens et employés. On fait, d'ailleurs, en Amérique, une association mentale étroite entre ces deux noms : Delaware et Du Pont, en impliquant naturellement que le second mène et possède le premier, ce qui est vrai jusqu'à un certain point, mais pas au-delà.

Le trait principal de cette énorme puissance, E. I. (Eleuthère-Irénée) Du Pont de Nemours Corporation, est la dispersion. Géographiquement, ses 85 usines enjambent l'Amérique, de la Pennsylvanie au Washington et de New York au Texas. Dynastiquement, elle embrasse plusieurs dizaines de Du Pont de Nemours, très inégalement riches et puissants, mais tous issus de la même souche et intéressés à l'affaire. Industriellement, sa gamme de fabrication fait d'elle la plus prolifique de toutes les sociétés. Du Pont fait des peintures, des vernis, des laques, des colorants, de la cellophane, de la rayonne, des explosifs, du nylon, de l'orlon, des produits pharmaceutiques, des produits de nettoyage, des produits de dénaturation, des insecticides, du caoutchouc synthétique, de l'ammoniaque, des acides... On doit s'arrêter : la liste complète comprend 1 200 produits et s'allonge chaque année.

Avant de franchir l'Atlantique, le nom s'inscrivit dans l'Histoire de France. Pierre-Samuel Du Pont (de Nemours), ami de Quesnay et de Turgot, était un physiocrate, c'est-à-dire l'un des économistes pré-révolutionnaires qui soutenaient que toute richesse vient du sol et qu'en conséquence l'impôt doit frapper uniquement les produits du sol. Député du tiers-état aux Etats généraux, ce bourgeois savant fut emprisonné pendant la Terreur et ne dut son salut qu'à l'oubli. Las d'une patrie trop dangereuse, attiré par l'amitié de Thomas Jefferson, ancien ambassadeur à Paris et deuxième successeur de Washington, il passa l'Atlantique en 1799. Il suivait un assez grand nombre d'émigrés dont certains, dirigés par l'intendant Omer Talon, avaient fondé, dans une boucle de la Susquehanna, l'établissement d'Asylum, où un « palais » de bois à deux étages attendit pendant quelque temps l'infortunée Marie-Antoinette. Arrivé avec des projets conformes à sa vieille idéologie, Pierre-Samuel essaya de planter des colonies bucoliques, mais il n'obtint aucun résultat satisfaisant. Il devait être donné au fils du physiocrate, Eleuthère-Irénée, de commencer l'épopée américaine de la famille en tournant vigoureusement le dos à la physiocratie.

L'Amérique manquait alors d'un produit de première nécessité : la poudre. Les pionniers étaient capables d'en fabriquer une mauvaise variété en utilisant du salpêtre domestique mais les Etats-Unis dépendaient de l'Angleterre lorsqu'il s'agissait d'une pyrotechnie plus raffinée. Pour faire disparaître ce handicap, qui avait pesé lourdement pendant la guerre de l'Indépendance, Eleuthère-Irénée fonda, en 1802, une première manufacture de poudre à canon. C'était à peu près l'époque où un autre Français, Paul Revere, héros de la rébellion de 1775, imaginait, à Boston, la fabrication des fusils en série. L'immense industrie américaine d'armement eut pour ancêtres un Orléanais et un Gascon.

L'ascension des Du Pont de Nemours fut marquée, comme il se devait, d'explosions retentissantes. Aucune ne les empêcha de persévérer. Ils rebâtirent toujours leurs usines qui sautèrent, s'engouffrèrent dans toutes les innovations techniques et gardèrent le monopole de fait d'une industrie que l'exploitation des mines et la construction des voies ferrées développèrent pendant les relâches de la guerre. Quand l'Amérique entra dans le premier conflit mondial, en 1917, les Du Pont, arrivés à leur cinquième génération d'américanisme, produisaient encore la quasi-totalité des explosifs du Nouveau Monde. Mais ils s'étaient déjà engagés dans le labyrinthe de la chimie et commençaient d'écrire la longue liste de leurs 1 200 produits. Elle atteignit, un peu avant la deuxième guerre mondiale, un de ses noms les plus retentissants : le nylon. Pour la première fois, un textile chimique surclassait, par un grand nombre de ses propriétés, le textile naturel correspondant. En quelques années, le pourcentage des bas de soie portés par les Américaines tombe à une fraction d'unité. Sans préjudice d'une variété d'utilisations du nylon qui inclut jusqu'aux fausses dents.

Le développement des textiles synthétiques a conduit Du Pont a créer différents produits nouveaux, dont les deux plus connus sont l'orlon et le dacron, et dont le plus récent est une fibre élastique nommée lycra. Le département des plastiques, ou résines synthétiques, a fait naître l'alathon, le téflon, le delrin, etc. De grands développements sont recherchés dans la bio-chimie, l'électronique, les métaux rares, etc. La prospérité de la firme repose avant tout sur une richesse presque immatérielle et sur une production qui tient dans des classeurs : les brevets d'invention. Du Pont a consacré à la recherche scientifique 3 milliards de dollars en 1962, à peu près autant que la France pour l'ensemble de la recherche (Les Etats-Unis lui consacrent, quant à eux, 75 milliards de dollars.) Le chiffre de ses ventes est passé de 1 297 millions de dollars en 1950 à 2 114 millions en 1959. Toutefois, la diminution du pouvoir d'achat du dollar réduit quelque peu la réalité de cette progression, et il n'est pas sûr au total que l'industrie américaine dont Du

Pont est le colosse ait progressé du même pas que ses concurrentes européennes depuis vingt ans.

Pendant la dernière guerre mondiale, les Du Pont se sont lancés, dans une nouvelle branche d'explosifs. On leur a demandé, en 1941, de construire l'usine atomique d'Oak Ridge. Un peu plus tard, ils se sont chargés de construire l'usine atomique de Hanford. Plus récemment, on s'en est remis à eux pour édifier le mastodonte de la Savannah River, producteur d'hydrogène lourd. Chaque fois, les Du Pont ont commencé par refuser, faisant valoir d'abord qu'ils étaient des chimistes et non des bâtisseurs d'usines, faisant valoir ensuite qu'on leur demandait des impossibilités techniques et qu'ils n'étaient pas des sorciers. En cédant sous la pression gouvernementale, la firme a fait connaître qu'elle ne voulait pas gagner sur les travaux immenses qu'on lui confiait autre chose que la somme symbolique d'un dollar. Elle se contente de travailler tous frais payés — avec, cependant, une petite clause qu'il ne pouvait être question de discuter : les brevets pris à l'occasion des constructions atomiques qu'elle exécute demeurent la propriété d'E.I. Du Pont de Nemours Corporation. On croit qu'ils représentent des sommes gigantesques et qu'ils ouvrent sur des utilisations pacifiques un avenir illimité. Le désintéressement des Du Pont s'avérera, au bout du compte, un merveilleux placement.

Voilà encore un des contrastes de l'Amérique : ce petit Etat du Delaware, mordu par la mer — 512 000 habitants — des sables et des terres pauvres sur lesquels vivent des paysans pas bien riches — une charmante et insignifiante capitale (Dover) de 7 250 habitants au dernier recensement — une ville industrielle active, mais de second ordre : Wilmington — et, jaillissant de ce moucheron par l'action d'une société capitaliste, des forces incalculables pour le futur de la guerre et pour le futur de la paix...

✱✱

Des marais côtiers assez lugubres et de gracieuses collines composent le New Jersey. L'hiver y est désagréable plus encore que rude. Sur les basses terres, le brouillard est si intense et si fréquent que la magnifique route automobile ouverte du fleuve Hudson au fleuve Delaware doit être parfois interdite en raison des accidents en série dont elle est le théâtre. Mais stimulée par le voisinage d'énormes agglomérations urbaines, l'industrie s'est installée partout dans une région à demi submergée et longtemps pestilentielle. Situé sur l'itinéraire de New York à Washington, celui que connaissent surtout les passants européens, le New Jersey est peut-être en grande partie responsable de la réputation de laideur et de monotonie dont le paysage américain est si faussement entouré.

C'est un Etat écartelé. Deux grosses planètes, Philadelphie au sud, New York au nord, exercent sur lui leur gravitation. Camden, qui produisit le champion de boxe tard venu Joe Willcott, est un faubourg de Philadelphie auquel il est relié par un pont sur la Delaware River. La façade du New Jersey sur l'Hudson, le cordon des grandes villes nommées Elizabeth, Newark, Jersey City, Paterson, etc., est, elle, une extension de New York City dont elle voit d'écharpe les gratte-ciel. Un grand tiers du port de New York emplit les estuaires et les anses du New Jersey dont le grand aéroport, Newark, est également une dépendance et la propriété de la Cité Insatiable. Même les gracieuses régions de prairies et de bois couvrant la partie médiane de l'Etat appartiennent à New York par tous les hommes d'affaires et les employés aisés qui y gagnent leur vie. Il est difficile au New Jersey d'avoir, dans ces conditions, une puissante originalité, encore que le patriotisme local prétende le contraire. Le seul endroit où il échappe à l'attraction de ses puissants voisins est sa capitale, Trenton, célèbre dans l'histoire de la guerre de l'Indépendance et tête d'une industrie diversifiée qui a pour client le monde entier.

Cependant, le New Jersey n'est pas un Etat stagnant. Sa façade tournée vers New York se développe rapidement. Sa population est passée de 4 800 000 habitants en 1950 à 6 898 000 habitants en 1966. L'Etat conserve ses foyers de culture. Le principal est la ravissante Université de Princeton, toute enrubannée de lierre, qui présente la singularité d'être encore réservée aux mâles et dont l'Institut des Hautes Etudes fut le dernier asile d'Einstein. Et c'est dans une autre Université du New Jersey, le Rutgers College, que Waksman, émigré de Russie, humble professeur de chimie des sols, découvrit l'un des antibiotiques les plus puissants, la streptomycine, qui fournit une arme contre la tuberculose. Rutgers, en association avec une grande firme de produits chimiques, a tiré d'énormes bénéfices des travaux de Waksman, suivant la formule réaliste des grandes universités américaines qui font sortir de leurs laboratoires une partie des sommes destinées à leurs mécénats.

XX

PENNSYLVANIE ET WEST VIRGINIA

Elle se désigne elle-même comme la clé de voûte : Keystone State. Elle a pour emblème le laurier et, pour devise, « Virtue, Liberty and Independence ». Son drapeau est bleu roi bordé d'or et porte au milieu un écusson sommé d'un aigle et soutenu par deux coursiers. Son nom officiel est : Commonwealth of Pennsylvania. Et son orgueil a plusieurs fois menacé de disloquer la jeune nation américaine à l'époque où le ciment de l'unité était encore frais.

Sur la carte, c'est un rectangle presque parfait, avec un court petit pédoncule qui se pousse vers la mer et un autre qui se pousse vers les Grands Lacs. Vue d'avion, c'est une série de chaînes de montagnes scrupuleusement parallèles et de vallées qui paraissent défoncées par des armées d'excavateurs. Les crêtes sont si strictement boisées qu'on pourrait penser que la main humaine n'a pas fauché un seul arbre depuis la Création. La moitié du territoire de l'Etat est encore couverte de forêts. Pennsylvanie, la Sylve de Penn : le nom tient.

Scéniquement, la Pennsylvanie est l'un des plus beaux Etats américains. Historiquement, c'est l'un des plus anciens. Economiquement, c'est l'un des plus importants. Elle veut dire charbon. Elle veut dire acier. Elle veut dire 11 852 000 Américains dont le revenu moyen annuel atteint 2 951 dollars. Son importance relative a décru et continue de décroître avec le développement industriel de l'Ouest et du Sud, mais la Pennsylvanie représente encore de puissantes influences politiques et syndicales attestées par des noms comme ceux de John L. Lewis et de David McDonald. Elle demeure solidement l'un des Etats-clés qui déterminent les nominations présidentielles, décident des élections et orientent les Etats-Unis.

L'Amérique est née là autant qu'en Virginie et dans le Massachusetts. William Penn, quaker, curieux mélange de mysticisme et d'affairisme, échangea en 1682 une créance de 12 000 livres sterling contre une charte de Charles II Stuart qui fit de lui le plus grand propriétaire de terres vierges de l'univers. Au lieu de barricader son domaine, il l'ouvrit. Au lieu de le réserver à une confession ou à une secte, comme les catholiques du Maryland ou les puritains de Nouvelle-Angleterre, il appela les persécutés de toutes les confessions et de toutes les sectes, tous ceux qui cherchaient à la fois la liberté et la paix. Il préfigura dans sa Pennsylvanie la politique d'immigration et de peuplement qui devait être celle des Etats-Unis au XIXᵉ siècle. Ayant fondé Philadelphie de ses mains, il lui donna la dénomination de « Ville de l'Amour fraternel » qu'elle a gardée avec un point d'ironie. Et, s'étant condamné à la liberté religieuse, il fit de sa Sylve quelque chose d'unique dans le Nouveau Monde et dans le monde tout court.

Les semences historiques agissent longtemps. La Pennsylvanie est l'un des endroits de la terre où la manière d'honorer Dieu atteint son maximum de variété. Les Quakers, collectivité cohérente et agissante, y gardent une prééminence héritée du fondateur. Certaines sectes sont des anachronismes étonnants, comme les Amish ou Mennonites, qui dédaignent le progrès, refusent de cultiver le tabac, conduisent leurs chariots du XVIIᵉ siècle sur les routes bétonnées, portent tous la barbe, encapuchonnent leurs femmes de noir et laissent courtiser leurs filles au lit. Il est probable qu'une étude humaine détaillée de la Pennsylvanie montrerait en elle un conservatoire de l'Europe d'il y a trois siècles, et notamment de cette Allemagne, divisée et déchirée, où le recrutement libéral de William Penn eut le plus de succès. Le cas est loin d'être unique : les Pennsylvania Dutch (Allemands d'origine et non Hollandais), sont, avec leur dialecte germanique périmé et leurs coutumes d'une autre époque, les pendants des Cajuns de Louisiane, plus proches à certains égards de la France de Louis XIV que de l'Amérique de Kennedy.

La Pennsylvanie est assez vaste pour se permettre tous les contrastes. Certaines de ses régions rurales sont d'une vétusté qu'il est difficile de concilier avec les idées européennes sur l'Amérique. D'un autre côté, c'est une forêt de grandes villes. Treize agglomérations dépassent 100 000 habitants. L'une d'elles s'appelle Bethléem et célèbre chaque année la naissance du Christ avec des pompes qui finiront par lui faire croire qu'elle a possédé réellement l'étable du Sauveur. La capitale, Harrisburg, est un Washington modèle réduit. Les autres villes sont des rassemblements industriels, sévères et soudain embellis par la verdure de leurs quartiers résidentiels. Deux grandes cités — rivales, cela va de soi — s'imposent devant toutes les autres : Philadelphie et Pittsburgh.

Le nom de Philadelphie est une rumeur d'histoire. Le monument le plus sacré de l'Amérique, Independence Hall, jadis State House, s'élève Chesnut Street, entre les 5e et 6e rues. La Déclaration d'Indépendance, rédigée par Thomas Jefferson, signée par tous les membres du Second Congrès continental, est sortie de ce petit bâtiment en briques rouges que surmonte un modeste clocheton. Un événement d'une portée incalculable sur l'évolution de l'humanité s'est déroulé là. L'écriteau qui prescrit de se découvrir en pénétrant dans ce sanctuaire est inutile : le geste est instinctif.

Mais l'Amérique, comme tous les pays, a embelli et dramatisé le récit de ses origines. La Déclaration d'indépendance ne jaillit pas de State House dans un mouvement irrésistible d'enthousiasme et d'audace. Sa date de naissance officielle — le 4 juillet 1776 — est une schématisation. Les signatures ne furent recueillies que de nombreux jours plus tard, une à une et parfois avec de sérieuses difficultés. Quelques-unes se firent attendre jusqu'en 1777. C'est seulement dans les gravures ultérieures que les Pères de la Nation se bousculèrent en chantant pour un geste de rébellion qui mettait leur tête à côté de leur nom.

Liberty Bell, la Cloche de la Liberté, est la plus glorieuse relique d'Independence Hall. Pour elle aussi, le mythe se mêle à l'histoire. Elle ne sonna pas le 4 juillet 1776 pour convier le peuple de Philadelphie à la lecture d'un document qui n'avait pas encore reçu sa ratification. Il est certain, par contre, qu'elle se fendit en 1835, en sonnant le glas de John Marshall, grand-juge de la Cour Suprême et ancêtre du général George C. Marshall. Descendue de son clocheton, elle est placée sur un chariot et deux gardiens sont toujours prêts à la rouler hors d'Independence Hall si une alerte d'incendie retentissait.

Philadelphie possède les autels de la liberté américaine, mais elle les entretient mal. Le musée d'Independence Hall, qui pourrait mettre en valeur quelques-uns des symboles les plus hauts de l'histoire humaine, est dans un état de délabrement inexcusable. On conserve la maison de la quakeresse Betsy Ross, dont il est prouvé qu'elle ne dessina jamais aucun drapeau américain, mais les témoignages d'un passé plus authentique ont disparu pour la plupart. Philadelphie fut cependant une ville gracieuse et élégante. Au XVIIIe siècle, elle était la seconde ville britannique, après Londres, et la vie sociale y rivalisait, suivant les témoignages contemporains, avec celle de Paris. Benjamin Franklin, importé de Nouvelle-Angleterre, y imprimait son *Almanach du Pauvre Richard*, qui fut une première déclaration d'Indépendance, mais le beau monde s'étourdissait de bals et de soupers. La ville, d'ailleurs, fut longtemps anglophile et anglomane. Elle fit scandale chez les patriotes par la chaleur avec laquelle elle reçut les troupes britanniques qui la reprirent en 1777. Et la survivance du cricket, éliminé presque partout en Amérique par le base-ball, est peut-être un lointain souvenir des tendresses proanglaises de Philadelphie.

Cette grande ville n'est plus digne de la réputation qu'elle conserve dans le monde. J'ai connu des Européens visitant l'Amérique qui eussent préféré manquer le Grand Canyon plutôt que Philadelphie, mais tous n'en ont rapporté qu'une déception. Philadelphie n'a su ni vieillir ni rajeunir. La négligence de son passé et son mépris général des valeurs spirituelles ne signifient même pas qu'elle concentre son effort sur de solides réalisations matérielles. Elle est noire et incommode. Sa voirie est détestable. Son port et ses quartiers industriels sont infects. Son eau désignée sous le nom de « Chlorine cocktail » est un scandale : elle la puise dans les dépotoirs que sont la Delaware et la Schuylkill Rivers, et elle doit la rendre imbuvable pour l'empêcher d'être meurtrière. Un étroit conservatisme a toujours été la caractéristique de Philadelphie. Pendant des suites d'années, elle a voté aveuglément pour des municipalités républicaines qui, sûres de l'impunité, tombèrent jusqu'au cou dans la corruption. En 1948, quand la Convention républicaine se réunit dans cette citadelle du parti, un bouquet de scandales municipaux lui éclata au nez : 3 millions de dollars larronnés par des employés et 8 millions de dollars pillés par des fournisseurs. Un changement s'est enfin produit en 1950, quand un indépendant nommé Joseph Sill Clark a mis fin au règne trop long d'un seul parti. Il fut remplacé en 1955 par le démocrate Richardson Dilmoath et depuis les démocrates s'y maintiennent.

La société de Philadelphie fut longtemps célèbre. Dix familles, les Big Ten, dont l'énumération importe peu, prétendaient symboliser la ville. Un snobisme et un exclusivisme à peine croyable réglaient les rapports d'une prétendue élite avec le reste de l'univers. L'événement de l'année était l'Assemblée, un bal et un souper à 40 cents par tête ouverts uniquement aux familles installées à Philadelphie avant 1749. La tradition fut rompue il y a une quarantaine d'années, lorsque le banquier E. T. Stotesbury menaça de transporter ses capitaux dans un autre Etat si ses deux filles n'étaient pas invitées à l'Assemblée. Elles le furent, mais elles trouvèrent un désert : les principaux bourgeons des arbres généalogiques plantés avant 1749 étaient restés chez eux.

Philadelphie garde les cercles les plus fermés du monde. Fish House, qui ne fut à l'origine qu'une petite amicale de pêcheurs à la ligne, n'a admis que 392 candidats en deux cent quatorze ans et n'a jamais toléré que deux membres d'honneur : le marquis de Lafayette et le général Pershing. Philadelphia Club, fondé en 1834 dans une taverne, a toujours limité son effectif à 425 bienheureux. Nulle part le barrage contre les nouveaux venus n'a été aussi haut que dans la grande ville pennsylvanienne. Nulle part les préjugés sociaux, qui sont la contrepartie de la démocratie américaine, n'ont été aussi forts et aussi constants.

Il reste à Philadelphie de vastes survivances d'orgueil et de hautes barrières sociales. Toutefois, la ploutocratie pennsylvanienne, massacrée par la grande crise de 1929, ne s'est jamais reconstituée. « L'Amérique s'en tirera peut-être, prophétisa alors l'un des Dix, mais pas nous. » Les manoirs de Main Line, l'un des faubourgs les moins faubouriens du monde, ont été fermés et le régime fiscal qui succéda à la grande dépression n'a jamais permis de les rouvrir. Les réceptions somptueuses par lesquelles les principales familles affirmaient leur rang et exerçaient leur droit d'exclusion ne sont plus qu'un souvenir.

La ville elle-même est achevée. D'ambitieux projets de développement ont échoué, car l'urbanisme ne suffit pas à la croissance d'une cité. Philadelphie a dépassé 2 millions d'habitants en 1950 et les conserve en 1966 (2 036 000), demeurant la quatrième des métropoles américaines, derrière Chicago, avec 4 690 000 habitants dans son agglomération. L'essor appartient maintenant à ses banlieues proches ou lointaines, de dures villes industrielles qui couvrent la basse vallée de la Delaware de l'architecture moderniste des raffineries de pétrole et des tours noires des hauts fourneaux.

De Philadelphie à Pittsburgh, le Turnpike de Pennsylvanie, l'autostrade le plus hardi du monde, se déroule
sans solution de continuité. Il traverse les Alleghanys
sous 7 tunnels éclairés au néon qui, mis bout à bout,
représentent un parcours souterrain supérieur à celui du
Simplon. Toutefois, si l'on veut découvrir la ville de
l'acier comme elle mérite de l'être, il faut quitter le
Turnpike quelques milles avant le dernier péage, traverser une campagne endeuillée par des crassiers et descendre dans une profonde vallée. L'eau noire de la
Monongahela coule vers Pittsburgh pour rejoindre l'eau
noire de l'Alleghany River et former l'Ohio. Et, jusqu'à
un triangle hérissé de ponts et couvert de gratte-ciel, se
déroule un fantastique paysage industriel.

Il y a seulement vingt ans, cette vallée de la Monongahela ne voyait jamais le soleil. Le nuage que l'homme
avait créé au-dessus d'elle avait l'ampleur et la permanence des plus grands phénomènes naturels. Né d'une
multitude de cheminées d'usines, il absorbait de 7 à 8
millions de tonnes de charbon par an — colossal gaspillage en même temps que véritable fléau. Les statisti-
ciens calculaient qu'il coûtait annuellement 25 dollars
de blanchissage supplémentaire à chacun des 1 400 000
habitants du comté d'Alleghany. Les humoristes racon-
taient qu'un interne d'un hôpital de Pittsburgh avait
laissé tomber son scalpel devant un cadavre qu'il dissé-
quait. « De quelle étrange maladie est mort cet homme ?
s'était-il écrié. Il a les poumons roses ! » Tout était noir :
les poumons, les visages, les pierres, le ciel.

C'est du passé. Pittsburgh a débarbouillé le ciel. Les
dictateurs nommés par les autorités du comté ont réussi
ce qui paraissait impossible : contraindre les possesseurs
d'un fourneau quelconque, y compris les hauts fourneaux de l'U.S. Steel, à adapter un dispositif d'élimina-
tion des fumées. De grandes vapeurs rouges faites de
sable surchauffé s'élèvent encore au moment des cou-

lées d'acier, mais les torrents de houille mal consommée qui coulaient dans le ciel ont été taris.

La romancière Marcia Davenport a appelé Pittsburgh la « Vallée de la Décision ». C'est vrai à plus d'un titre. Le sort de l'Amérique s'est disputé là. Les Français s'étaient établis à la tête de la Belle Rivière, l'Ohio, dont ils sentaient parfaitement qu'elle était la clé du Nouveau Monde. Les Indiens firent dans cette région un de leurs efforts les plus violents et les mieux concertés pour empêcher l'homme blanc d'aller plus avant dans leurs territoires de chasse. Les Français et les Indiens perdirent. Fort Duquesne fut pris et transformé en Fort Pitt, qui devint Pittsburgh. Les Peaux-Rouges furent arrêtés et décimés. Mais tout cela ne se fit pas en un jour. Pittsburgh fut longtemps une frontière brutale où la fourberie était une arme comme le mousquet.

L'aventure de l'acier succéda à l'aventure de la guerre et de la conquête. Rien ne rendait obligatoire la naissance à Pittsburgh d'une grande industrie métallurgique, puisqu'il ne s'y trouve ni charbon ni minerai. Le besoin, plus que la disposition des ressources naturelles, provoqua la création des premières forges, que l'excellence des communications fluviales entretint et développa. Pendant la guerre de Sécession, Pittsburgh fut pour la première fois l'arsenal de la démocratie. Puis l'immense consommation de fer d'un continent en pleine construction fixa à l'endroit où elle s'était établie par hasard la grande métallurgie américaine. Pittsburgh happa les foules venant d'Allemagne, de Tchécoslovaquie et de Pologne. La vie y fut longtemps dure et quelquefois tragique. Les luttes sociales, les grèves, les émeutes, les batailles au fusil entre les grévistes et les fort-à-bras de l'agence Pinkerton, qui gardaient les usines, émaillent l'histoire des vallées.

Il est amusant de retrouver ce qu'ont écrit sur Pittsburgh les visiteurs européens d'il y a soixante ans. Littéralement, la ville les terrifiait. Ce feu, ce fer, ce voile de fumée traversé de flammes, ces collines noires, ces rues encaissées, ces ponts retentissants, ces foules pour ainsi dire métallisées leur donnaient des sensations si fortes et si étranges qu'on se demande s'il y avait bien alors en Europe des Birmingham et des Essen.

Aujourd'hui, il faut beaucoup d'imagination pour trouver dans Pittsburgh un enfer. Le Golden Triangle, près du confluent, est bordé de gratte-ciel d'une certaine élégance. Au milieu de ce « triangle d'or » un garage souterrain de six étages, assez important pour accueillir mille grandes voitures. La ville haute, au contraire, est spacieuse et aérée. L'une des rares universités verticales du monde, la Cathédrale of Learning, dresse un beffroi de 42 étages au-dessus d'une nef immense copiée sur Canterbury. De beaux quartiers d'habitation voient à leur pied le rougeoiement des aciéries et, sans quitter la ville, les directeurs et les ingénieurs remontent chaque soir d'une fournaise dans un parc. Mais ce qui fait la fierté de la ville, c'est l'œuvre entreprise par une société privée dont les principaux actionnaires sont l'université, l'institut de technologie et divers autres organismes publics. Il s'agit de la construction de ce qui est déjà appelé « La ville du XXIᵉ siècle », dans un ravin large de 45 mètres, qui sépare le quartier de l'université de celui de la fondation Carnegie. Autoroute, parcs à voitures, magasins, cinémas, clubs, étages résidentiels se superposeront, couronnés par des espaces verts ; ce sera la campagne au milieu de la ville...

La sidérurgie n'est pas seule à Pittsburgh. Des dizaines d'industries s'y sont groupées. On y trouve la plus grande fabrique d'aluminium du monde, la plus grande usine de conserves alimentaires du monde (H. J. Heinz, dont tous les pays connaissent le ketchup), la plus grande verrerie du monde, le second établissement d'équipement électrique du monde (Westinghouse), etc. Mais l'acier domine de loin dans ce colossal pudding industriel.

En tête, vient l'U. S. Steel, équivalent métallurgique de la General Motors. Le consortium fut provoqué par les excès de la concurrence que se livraient les maîtres de forges d'il y a un demi-siècle. L'industrie de l'acier, créée par un rugueux individualisme, fut fédérée par la grande banque. L'homme qui fonda l'U. S. Steel, J. P. Morgan, n'avait probablement jamais vu une lingotière. Il acheta d'abord deux aciéries, des cokeries, une mine, un chemin de fer. Un jour de 1901, il apprit que Carnegie, roi du métal, voulait vendre ses établissements. Il s'enquit du prix. Carnegie lui fit passer un morceau de papier avec ce simple chiffre : $ 400 millions. Morgan au-dessous du chiffre écrivit : *yes*. L'U. S. Steel était né.

L'U. S. Steel (Big Steel), dont le siège se trouve à Pittsburgh, mais dont les établissements sont dispersés dans toute l'Amérique, produit plus de 20 % de l'acier américain. Le groupement concurrent, qui fait état de noms aussi importants que Republic Steel, Bethleem Steel, John & Laughlin, etc., prend ironiquement le nom de Little Steel, mais sa production a dépassé récemment celle de Grand Acier. Près des deux tiers de la sidérurgie américaine sont donc fortement concentrés — mais la puissance rivale, United Steel Workers of America, 976 000 membres, l'est encore davantage. Le choc de ces deux colosses est l'un des fléaux qui ébranlent périodiquement l'Amérique et lui causent des dégâts économiques désolants.

Le 15 juillet 1959, les aciéries appartenant aux douze principales sociétés métallurgiques des Etats-Unis, représentant 85 % de la production nationale d'acier, s'arrêtèrent pour la sixième fois depuis la fin des hostilités. La dernière grande grève avait été celle de 1956, à l'issue de laquelle les métallurgistes avaient obtenu une augmentation de salaire sensationnelle de 62 cents et demi, soit plus de 3 NF de l'heure — mais les compagnies avaient relevé le prix de l'acier de 7 dollars la tonne, donnant un nouveau tour à la spirale de l'inflation. En moyenne, les gains des ouvriers de l'acier s'élevaient à plus de 3 dollars de l'heure, représentant une rémunération mensuelle d'environ 2 500 NF. Le syndicat redéclarait la guerre industrielle, arrêtait la production de base de la nation pour une revendication nouvelle de 15 cents de l'heure et pour une différence d'environ 10 cents avec les propositions des compagnies.

Le généralissime de cette campagne était le syndicaliste le mieux habillé et le mieux manucuré d'Amérique, David J. McDonald. Bien qu'il dépasse la soixantaine, il représente la nouvelle génération des chefs du travail, sortant, non plus des ateliers, mais des universités, et faisant carrière dans l'agitation sociale comme ils l'eussent fait au barreau ou dans la représentation du cornedbeef. Comédien amateur, McDonald confesse qu'il aurait voulu être un producteur de Hollywood et, consciemment ou non, il se donne le maniérisme de la profession dont il porte la nostalgie. Il commença sa carrière comme secrétaire de l'Ecossais catholique Philip Murray, qui avait porté l'United Steel Workers Union à son haut degré de puissance. Murray décédé, McDonald lui succéda, un peu par surprise, car nul n'attendait de ce gentleman très élégant l'estomac nécessaire pour conduire un syndicat aussi dur. La grève de 1956, les 62 cents et demi de l'heure consacrèrent McDonald et, d'un fonctionnaire syndical discuté, firent l'un des chefs les plus populaires, puissants et jalousés du monde du travail.

Il fut vite évident que le salaire n'était pas l'enjeu véritable de la grève. A un moment donné, l'écart entre les exigences du syndicat et les propositions des patrons se réduisit à un cent. Les compagnies perdaient 200 millions de dollars par semaine, les ouvriers voyaient augmenter d'une manière vertigineuse le nombre de mois qui leur seraient nécessaires pour compenser par les augmentations conquises le gain perdu et McDonald lui-même, dont le traitement annuel de 50 000 dollars était suspendu pendant la grève, selon l'usage syndical, payait de 1 000 dollars par semaine la prolongation du conflit. Quelques dollars de plus ou de moins par mois n'étaient rien, mais il s'agissait de savoir qui serait le maître dans les aciéries. Le patronat, las de capituler, n'acceptait de nouveaux sacrifices d'argent qu'en échange du droit de réorganiser le travail et le syndicat défendait avec acharnement les privilèges qu'il avait conquis dans ce domaine. C'est sur ce différend fondamental que se poursuivit une lutte de géants qui, pendant cent seize jours, priva l'Amérique d'acier.

Le gouvernement essaya de ne pas intervenir. Il le fallut à la fin. A partir du mois d'octobre, la paralysie gagna graduellement toutes les industries dépendant de l'acier. La faim d'acier précipita en Europe et au Japon des acheteurs cherchant désespérément des sources de métal, amorçant des courants d'importation qui ne se tarirent pas tous quand les hauts fourneaux américains furent rallumés. Les machines, arrêtées depuis des semaines, étaient menacées par la rouille et l'approche de l'hiver, ramenant le gel des Grands Lacs, risquait de prolonger jusqu'au printemps l'arrêt d'une industrie qui n'avait pas pu constituer ses stocks normaux de minerai. Le 7 novembre, après de longs atermoiements, Eisenhower fit usage de la clause de la loi Taft-Hartley lui permettant d'imposer, par voie judiciaire, la reprise du travail pour une durée de quatre-vingts jours. Le syndicat, en obéissant, jura qu'il ferait recommencer la grève à l'expiration du délai — auquel cas, il ne fût resté au Président aucun recours, sauf peut-être celui dont l'énergique Truman fit usage en 1952 en réquisitionnant les aciéries. En réalité, McDonald avait compris que la mesure était dépassée et qu'il risquait d'ouvrir une crise du syndicalisme. Il n'attendit pas l'expiration des quatre-vingts jours pour négocier avec le patronat une cote mal taillée.

Cette grève historique n'en pose pas moins un problème général, celui de savoir jusqu'à quel point un conflit du travail peut être poussé lorsqu'il menace les intérêts vitaux de la nation. Jadis, la grève trouvait une limite, d'ailleurs cruelle et injuste, dans les possibilités d'épargne de la classe ouvrière : les économies étaient insignifiantes, les caisses des syndicats étaient vides et le crédit était coupé le jour où la paix s'arrêtait. De nos jours, la prospérité des ouvriers américains et les réserves des unions permettent de poursuivre une grève pendant un temps pratiquement indéfini. Pendant le long arrêt du travail de 1959, les magasins de Pittsburgh et des autres villes de l'acier ne cessèrent pas d'arborer des banderoles : « Grève ou pas grève, votre crédit est bon ; entrez et achetez. » Et les sociétés de financement n'hésitèrent pas à suspendre le paiement des mensualités sur les maisons, les autos et les frigidaires — bien certaines de retrouver quand la grève serait usée un haut pouvoir de paiement. De leur côté, les grandes sociétés capitalistes peuvent faire face à des pertes gigantesques. De part et d'autre, la puissance des combattants est devenue excessive ; leur lutte déchire l'Etat.

Khrouchtchev visita Pittsburgh pendant la grève de l'acier. Il refusa de s'intéresser à cet étrange phénomène, en disant qu'il n'aimait que le travail. Il devait cependant à David McDonald une victoire : en 1959, pour la première fois, l'U.R.S.S. devança les Etats-Unis dans la production de l'acier. L'Europe occidentale les devança encore bien davantage, avec plus de 100 millions de tonnes contre les 65 que l'Amérique atteignit péniblement. Même dans les années sans grèves, la situation relative de la sidérurgie américaine n'est plus ce qu'elle a été. Elle produisait en 1945 la moitié de tout l'acier du monde ; elle en produisait encore 35 % en 1956 ; elle n'en produit plus guère que 25 % — conséquence saisissante des progrès accélérés enregistrés par l'Union soviétique, l'Europe occidentale et le Japon.

Même sur le terrain américain, les déceptions sont sérieuses. L'accroissement des besoins d'acier parut un phénomène majestueux caractérisant et mesurant la suprématie économique de l'Amérique. Avant la guerre, elle produisait moins de 40 millions de tonnes. La production s'accrut immensément pendant les hostilités : 67 millions de tonnes en 1940, 82 en 1941, 86 en 1942, 89 en 1944 — mais, comme pour le pétrole, la grande surprise fut celle de l'après-guerre, lorsqu'il apparut que l'Amérique de la paix était encore plus gourmande d'acier que l'Amérique belligérante. Freinée au début par le pessimisme des maîtres de forges, la production remonta dès 1948 à ses sommets du temps de guerre et, en 1951, dépassa pour la première fois 100 millions de tonnes. On en conclut qu'il fallait d'urgence une capacité de 125 millions de tonnes — mais celle-ci ne fut réalisée que pour ne jamais être utilisée. Au cours de la décade 50-60, la production d'acier n'atteignit 117 millions de tonnes (*short tons*, correspondant à 104 millions de tonnes métriques) en 1955 que pour décroître, grève ou pas grève, au cours des années suivantes. En 1960, pendant la campagne présidentielle, les aciéries ne travaillaient qu'à 55 % de leur capacité. Aujourd'hui elles produisent 121 600 000 tonnes.

Pour en revenir à Pittsburgh, elle est, comme sa rivale Philadelphie, sur une pente descendante. Bien qu'elle demeure la neuvième ville des Etats-Unis avec une population de 2 376 000 habitants, on observe un fléchissement depuis le dernier recensement. Sa place relative dans la métallurgie américaine décroît constamment. Le Sud a depuis longtemps son Pittsburgh régional qui, dans l'Alabama, porte le nom également illustre de Birmingham. Mais c'est surtout le pourtour des Grands Lacs qui attire les installations nouvelles. Le minerai de fer venant de la Mesabi Range, ou directement du Labrador en empruntant le canal du Saint-Laurent peut accoster directement dans d'immenses cargos. Le lac Erié et le lac Michigan sont de plus en plus ceinturés de hauts fourneaux. L'Ohio et l'Indiana sont devenus des concurrents respectables de la Pennsylvanie. Pittsburgh, produisant encore entre le quart et le tiers de l'acier américain, demeure la plus grosse concentration sidérurgique d'Amérique, mais des villes comme Buffalo, Toledo, Youngstown, Gary (née de l'acier, portant le nom d'un président de l'U. S. Steel) la concurrencent et l'éclipseront un jour.

La Pennsylvanie est l'Etat charbonnier traditionnel ; 80 308 000 *short tons* de houille bitumineuse, 14 886 000 *short tons* d'anthracite sortent chaque année de son sol. Les mines ne sont nulle part profondes, bien que certaines soient exploitées depuis un siècle et demi. Les rendements par homme et par jour dépassent de haut les chiffres les meilleurs de l'Europe. Ce qui, bien entendu, est imputable au machinisme et non au surmenage des mineurs. Le mineur américain est un ouvrier de luxe, l'un des mieux payés et l'un des plus fortement protégés du monde. Son salaire hebdomadaire dépasse 150 dollars et le nombre de ses heures de travail hebdomadaire n'atteint pas trente-cinq. Et l'action syndicale est sans cesse en œuvre pour augmenter encore le premier et diminuer encore le second. Le but déclaré de John L. Lewis est une semaine de travail de trois jours.

Lewis (John Llewellyn) est l'un des rares noms du syndicalisme américain qui aient franchi l'Atlantique. En Amérique, il a un peu lassé le public par son déploiement ininterrompu d'énergie. Le féodal du syndicalisme, espèce contemporaine dans la galerie éternelle des tyrans, trouve en lui son expression presque trop parfaite : sourcils énormes, poings énormes, voix énorme, brutalité énorme. Son principe est le mécontentement perpétuel. Non seulement à l'égard du patronat et des pouvoirs publics, mais aussi bien à l'égard des autres chefs du syndicalisme. Il démembra l'American Federation of Labor pour fonder le Committee of Industrial Organizations, mais il abandonna le C.I.O. dès qu'il cessa d'en être le maître absolu. Son United Mine Workers, 450 000 membres (moins important par conséquent que le Syndicat de l'Automobile de Reuther et le Syndicat de l'Acier de feu Murray) vit depuis lors dans un splendide isolement. J. L. Lewis vit, lui, dans une splendide opulence, habite une grande maison près de Washington, roule dans une grosse Cadillac noire et touche les trois quarts du traitement d'un président des Etats-Unis : 75 000 dollars.

***

Le charbon est le produit principal (149 191 000 *short tons*) d'un Etat contigu à la Pennsylvanie et considéré à beaucoup d'égards comme son satellite industriel : la Virginie occidentale, ou West Virginia. Huntington, Wheeling, villes noires de la vallée de l'Ohio, ne sont pas autre chose que des banlieues lointaines de Pittsburgh ; 117 000 mineurs, formant l'une des provinces les plus importantes du vizirat de John L. Lewis, travaillent sur des gisements si riches qu'ils suffiraient à couvrir toute la consommation américaine de houille pendant deux siècles et demi. L'industrialisation provoquée par la houille s'est diffusée dans l'Etat, et cela donne quelques-uns des contrastes les plus frappants de cette Amérique qui en présente tant. Car la West Virginia (1 794 000 habitants) est essentiellement, par sa nature physique et par sa population, l'une des régions les plus sauvages du Nouveau Monde. Montagneuse, on lui a donné le surnom de Suisse américaine. Les malveillants ont rectifié : « La Suisse ? Non, l'Afghanistan. »

Ce fut longtemps un pays de hors-la-loi. Les coureurs des bois, dans leurs forêts denses, et les pionniers, dans leurs clairières, revendiquaient une indépendance totale, dont le premier article était le droit de fabriquer et de vendre librement leur whisky. Dans les débuts des Etats-Unis, le gouvernement fédéral dut envoyer des troupes et soutenir de véritables guerres de l'alcool contre les montagnards de la Virginie occidentale. Mais ces fraudeurs irrépressibles eurent leurs jours de gloire. Leur pays dépendait de l'Etat de Virginie : lorsque celui-ci se sépara de l'Union, en 1861, pour prendre la tête des Etats esclavagistes, les habitants des hautes terres occidentales firent une sécession dans la Sécession. Ils n'avaient pas d'esclaves et mettaient au-dessus de tout la liberté. Lorsqu'ils demandèrent à former un Etat distinct, Lincoln et le Congrès acquiescèrent avec empressement.

Mais la West Virginia n'a pas été pour rien une section du Sud pendant deux siècles. Le trait dominant du Sud, la pauvreté, apparaît déjà dans ses montagnes où d'étonnants paysages d'archaïsme humain rendent plus saisissant le modernisme industriel de certaines vallées. L'Etat, d'ailleurs, se vide. Il a perdu 8 % de sa population en dix ans, contraste étonnant avec l'accroissement phénoménal de l'Ouest, traduction des bouleversements techniques qui donnent à l'Amérique une structure et un visage nouveaux.

XXI

LA NOUVELLE-ANGLETERRE

MAINE — VERMONT — NEW-HAMPSHIRE
MASSACHUSETTS — CONNECTICUT
RHODE ISLAND

Si l'Amérique n'avait pas eu l'instinctive et miraculeuse sagesse qui l'a guidée depuis le début de son histoire, il y aurait aujourd'hui dans le monde une nation indépendante et souveraine de plus. Elle s'appellerait New England, capitale Boston. Elle compterait 11 224 00 habitants, posséderait son drapeau, son armée, ses douanes, sa monnaie, sa diplomatie, et siégerait à l'O.N.U. Elle apprendrait aux enfants de ses écoles la rare harmonie de montagnes et de plaines, de côtes et d'hinterland, d'agriculture et d'industrie qui la prédisposaient de toute évidence et de toute éternité à devenir une unité historique et politique. Il est probable, au reste, que cette notion serait universellement admise, peut-être même admirée, comme « l'hexagone » français, l'insularité britannique et la péninsularité italienne, raisons impératives qui ont fait de l'Europe une pétaudière et une arène de corrida.

En dehors de quelques petites choses indispensables, qu'elle achèterait à l'étranger, comme le charbon et le

pétrole, New England serait pourvue de tout ce qui est
nécessaire à la vie d'une nation. Elle aurait une flotte
de commerce, secondaire peut-être, mais active, et des
pêcheries si productives qu'elle devrait, ou les malthu-
sianiser, ou en écouler le surplus à l'extérieur grâce à un
système de primes à l'exportation. Elle produirait plus de
bois et de pâte à papier qu'elle n'en pourrait utiliser.
Elle n'arriverait pas à manger toutes ses pommes, ni à
boire tout son lait, mais, en contrepartie d'une métallurgie insuffisante, elle aurait une industrie textile qui excé-
derait grandement ses besoins. Des considérations de
balance commerciale l'amèneraient probablement à priver
ses citoyens d'oranges et de grape-fruits, mais elle leur
donnerait en échange un tabac noir et dur qui aurait
droit au beau nom de national puisqu'il ne serait adultéré
par aucun mélange subtropical. New England détiendrait
donc tous les éléments d'unité et d'équilibre qui rendent
une région naturelle digne de l'indépendance, ce bien
sans prix.

Au lieu de cette brillante réussite nationale, la Nouvelle-Angleterre ne forme que six des Etats-Unis. En voici
l'ordre alphabétique : Connecticut, Maine, Massachusetts,
New-Hampshire, Rhode Island et Vermont. Aucun d'entre
eux n'est un colosse. Le Rhode Island, le plus petit de la
Nouvelle-Angleterre et de l'Amérique tout entière, ne
mesure que 1 214 milles carrés, de sorte qu'il faudrait
220 Rhode Island pour faire un seul Texas. Le Connecticut, le Massachusetts, le New Hampshire et le Vermont
ne font pas ensemble un Etat moyen de l'Ouest. Le Maine
couvre à lui seul la moitié de la Nouvelle-Angleterre, mais
il est à peine plus grand que le double de la Suisse.
On est ici à l'échelle européenne. La Nouvelle-Angleterre
tiendrait, corps et âmes, dans 20 départements français.

Cela ne veut pas dire qu'elle soit simple ni facile à
résumer en quelques mots. Elle est, au contraire, beaucoup plus compliquée et beaucoup plus complexe que
n'importe quelle autre région de l'Amérique. Ses aspects
sont dissemblables à l'extrême. Elle commence aux portes
de New York, sur l'autostrade du Meritt Parkway, et elle
s'achève à la frontière canadienne, dans des forêts vierges.

Les six cellules politiques inégales qui la composent ont des individualités tranchées. Chacune d'elles est une géographie, une histoire, une économie, une tradition, un particularisme et une vérité.

Le Connecticut, 2 875 000 habitants, capitale Hartford, a la taille d'un petit département français. Mais ses contrastes et ses activités sont plus nombreux que ceux de la plupart des nations européennes. Il est l'un des dortoirs de luxe et l'un des terrains de golf de New York. Mais il est aussi une vallée rurale, près du grand fleuve calme, le Connecticut, qui lui a donné son nom. Bridgeport, Newhaven (où se trouve l'illustre Université de Yale), à plus forte raison Hartford, échappent aux influences new-yorkaises et de robustes vies provinciales ont pu s'y épanouir. L'industrie est basée avant tout sur le métal, mais elle s'est développée vers les spécialités qui exigent une grande main-d'œuvre plutôt qu'elles ne représentent un gros tonnage. L'une d'elles est la fabrication des armes portatives, à laquelle les circonstances internationales ont donné un grand essor. Le Connecticut est l'Etat-armurier, mais il est aussi l'Etat-assureur. Hartford, la Cité des Assurances (« The Insurance City ») possède les sièges de 15 grandes compagnies, de 24 000 locales, et les valeurs combinées de toutes ces firmes dépassent 21 milliards de dollars.

Dans le Rhode Island (898 000 habitants) la côte se découpe. Des fjords obligent le plus petit des Etats à se couvrir d'un réseau de ponts démesurés. Au début de l'Amérique, cette configuration encouragea la naissance d'une race de navigateurs et de corsaires, mais l'activité maritime a décru et le Rhode Island vit aujourd'hui beaucoup plus de l'industrie textile que de la mer. La capitale, Providence, est une grande vieille ville, mais le *glamour* appartient ici à Newport. Toute la fabuleuse société américaine d'il y a cinquante ans s'est montrée sur cette plage et a joué au croquet sur ces gazons. « Un homme qui possède 1 million de dollars, disait démocratiquement Mrs. Astor, grande hôtesse de Newport, est aussi à son aise que s'il était riche. » Il reste des vestiges de ce temps perdu — des régates, des championnats de tennis, quelques grandes maisons extrêmement exclusives qui s'ouvrent encore chaque été et, depuis 1954, le festival annuel du jazz, au grand effroi des résidents — mais le Newport du siècle dernier n'est plus qu'une légende dans l'Amérique des taxes successorales et de l'impôt sur le revenu.

Le Massachusetts (5 383 000 habitants), est la colonne vertébrale de la Nouvelle-Angleterre, sa base historique et son expression la plus complète. Il parle pour elle avec tant de force que les cinq autres Etats trouvent parfois qu'il abuse de sa voix. Sa forte densité humaine, son intense activité manufacturière l'ont couvert de villes (Boston, Springfield, New Bedford, Fall River, Lynn, Lowell, etc.) dont quelques-unes sont vieilles et noires. Cependant, dans l'ensemble, les localités du Massachusetts sont les plus harmonieuses d'Amérique avec leurs ombrages, leurs gazons et leurs maisons blanches de style colonial. Le cap Cod, grande francisque de dunes jetée au milieu des tempêtes et des courants de l'Atlantique, est un tout en soi dans la lumière argentée de ses bois et de ses lacs. A son extrémité de Provincetown, de vieux pêcheurs portugais coudoient les écrivains et les artistes d'un Montmartre marin dont les promoteurs furent Eugène O'Neill, John Reed et Max Eastman.

Boston, 616 326 habitants, mais 3 201 000 dans l'agglomération, capitale du Massachusetts, est un nom mondial. Le site, sur l'estuaire de la Charles River, est l'un de ceux qui exigeaient une métropole. La ville est déconcertante, passant du magnifique au sordide, avec des quartiers dont la vétusté s'est emparée et d'admirables faubourgs tracés pour la joie de vivre. Une médiocre colline aux rues encore pavées de galets, Beacon Hill, est le Capitole de la cité orgueilleuse. « Beacon Hill, dit un jour le grand professeur de Harvard Oliver Wendell Holmes, est l'axe du système solaire » — et les habitants de Beacon Hill ne pensèrent pas une seconde qu'il pût ironiser. Ces aristocrates s'appelaient — s'appellent encore — les « Brahmines » ou « Codfish », et la morgue avec laquelle ils considéraient l'humanité en général ne les empêchait pas de reconnaître entre eux de hautes hiérarchies de vanité. « Les Lowell, selon un dicton, ne parlent qu'aux Cabot et les Cabot ne parlent qu'à Dieu. » Les vestiges de cette classe dirigeante, demeurée plus vivante que l'ancienne société de Philadelphie, font partie des monuments historiques de Boston comme Faneuil Hall où se réunissaient les révolutionnaires de 1775 et la maison d'où le huguenot bordelais Paul Revere partit pour le marathon hippique qui lui permit d'avertir les patriotes de Lexington de l'approche des Anglais.

Il existe à Boston une censure des livres imposée par d'indécentes sociétés de pudibonderie. La ville est néanmoins un grand centre de culture. L'Orchestre symphonique (dirigé par Erick Leinsdorf, après l'avoir été pendant douze ans, jusqu'en 1967, par Charles Münch) et le Musée des Beaux-Arts sont au premier rang de toutes les institutions américaines analogues. Distincte de Boston, mais englobée dans l'agglomération urbaine dont celle-ci est le centre, Cambridge, ville-jardin, abrite l'Institut de technologie du Massachusetts et neuf Universités, dont Harvard. Aucun nom n'est plus célèbre parmi ceux qui parlent de savoir et de civilisation. L'Université compte en 1967, 15 215 étudiants et 4 902 enseignants. Elle possède une fortune de 200 millions de dollars qui lui permet le luxe d'un nombre élevé de bourses, tout en lui laissant la possibilité des recherches scientifiques et des accumulations littéraires nécessaires à son standard. La bibliothèque de Harvard compte plus de 7 millions de volumes, dont 2 600 (y compris une Bible de Gutenberg) ont été imprimés avant 1501.

L'ouest du Massachusetts est montagneux. Au nord, les montagnes se déploient et se boisent. Deux Etats jumeaux se sont juchés sur ces hautes terres au climat rude et au long enneigement. L'un et l'autre sont modestes : le New Hampshire, capitale Concord, 681 000 habitants ; le Vermont, capitale Montpelier (un seul « l »), 405 000 habitants. L'industrie subsiste dans les vallées et le Vermont tire de ses carrières de granit de Barré la plupart des effigies des grands hommes de l'Amérique. Les gens du Vermont — Green Mountain Boys — ont la réputation d'être taciturnes, méfiants, hautains, avares — et de fournir aux Etats-Unis, depuis la Révolution, leurs meilleurs soldats. Le New Hampshire, plus montagnard, plus jurassien, a donné à ses sommets les noms de tous les présidents des Etats-Unis (le mont Washington les domine tous) et il vit en grande partie de ses stations estivales. Bretton Woods, où se tint la conférence Interalliée de 1944, se trouve dans le New Hampshire : c'est l'un des country-clubs israélites les plus chers et les plus exclusifs des Etats-Unis.

Le Maine, enfin. Les paysages raffinés, peignés, léchés, du Massachusetts et du Connecticut trouvent ici leur contrepartie de grandeur et de sauvagerie. La côte est une Bretagne qui s'achève — comme la Bretagne — dans une baie où les marées atteignent la vitesse d'un cheval au galop. Encore comme la Bretagne, les deux produits symboliques, les deux mamelles nourricières, sont la pomme de terre et le homard. Une fois de plus comme en Bretagne, la côte et les estuaires attirent une guirlande de villes, telles que le port de Portland et la capitale Augusta. Mais l'intérieur du Maine est une Finlande creusée de 2 465 lacs et couverte de profondes forêts. De vastes régions n'ont pour accès que les chemins privés des compagnies de pâte à papier et la plus longue distance sans essence d'Amérique (une cinquantaine de kilomètres) se trouve probablement sur la route fédérale 201 après sa sortie du Canada. En été, le Maine, *Vacation Land*, double sa population de 993 000 habitants.

*
**

La diversité de la Nouvelle-Angleterre est donc infinie. Pourtant, son unité est évidente. Elle est admise sans discussion en Amérique où New England représente une sorte de patrie de relais entre l'Europe et l'établissement actuel. Beaucoup de touristes viennent de très loin pour voir le « vieux pays » et ils abordent la Nouvelle-Angleterre un peu comme s'ils entraient dans un musée. Les New Englanders, de leur côté, sentent qu'ils ont entre eux une solidarité qui s'impose au-dessus de leurs jalousies locales. Les 6 Etats cherchent des institutions communes, ou tout au moins des contacts pour la défense de leurs intérêts communs. La physionomie à part de la Nouvelle-Angleterre se distingue et se reconnaît dans tous les plis de son sol.

Les Américains qui ont voyagé finissent par découvrir de quoi il s'agit : New England ressemble à l'Europe. Un paysage du XXe siècle est rarement la nature à l'état natif, mais presque toujours la nature avec l'empreinte humaine. Or, la trace de l'occupation humaine est plus ancienne et plus profonde en Nouvelle-Angleterre que nulle part ailleurs aux Etats-Unis. « C'est, a dit un géographe, la seule partie de l'Amérique qui soit achevée. » Le sentiment de provisoire, l'impression que les localités sont démontables et que les gens sont installés en campement, ont été complètement éliminés. Des villages du Vermont et du Maine nous ramènent littéralement en Europe avec la démarche de leurs habitants, les coudes de leurs chemins, leurs murettes de pierres sèches, l'âge de leurs cimetières et l'organisation de leurs exploitations agricoles. Les points de vue sur la vie ne peuvent pas être les mêmes dans ces pays rassis et dans le Middle West soumis à la tyrannie de la ligne droite, moins encore dans l'Arizona où personne ne peut prétendre que son grand-père y est né. La Nouvelle-Angleterre, quelle que soit l'évolution de ses étiquettes politiques et l'importance de sa dévotion syndicaliste, est profondément conservatrice dans son économie et dans ses mœurs.

Elle plonge tout entière dans le moyen âge américain. Les côtes du Maine ont été aperçues par Sébastien Cabot en 1546 et explorées par Samuel de Champlain en 1604. La première église, le premier fort et le premier navire construits au nord de la baie de Chesapeake l'ont été sur les rives du Kennebec, près d'Augusta (Maine) vers 1607. La première Constitution américaine fut le « Fundamental Order » du Connecticut, promulgué en 1639. La première Université américaine, Harvard College, fut établie dans le Massachusetts en 1636. C'est également dans le Massachusetts que débarquèrent — le 21 décembre 1620 — les plus fameux colonisateurs de l'Amérique, les Pèlerins de la *Mayflower*.

Ils sont si célèbres, ces Pèlerins, qu'ils ont usurpé
une place dans l'histoire. Ils ne furent ni des décou-
vreurs ni le premier groupe d'hommes à s'établir sur le
territoire des Etats-Unis actuels. Ils avaient été précédés
de près d'un siècle, en Floride, par les Espagnols de Ponce
de Leon et par les huguenots français de Jean Ribaut.
Ils furent devancés de dix-sept ans, en Virginie, par les
103 cavaliers du capitaine John Smith. Ils arrivèrent
même sept ans après les Hollandais qui s'établirent à
l'embouchure de l'Hudson, amenant avec eux l'arrière-
grand-père de l'arrière-grand-père du président Roosevelt. Les Pèlerins sont néanmoins les pères de l'Amérique.
Ils y apportèrent, non pas certes la liberté, mais une
certaine conception des rapports humains et politiques
sur laquelle l'idéologie américaine s'est élevée. Dès 1620,
ils introduisirent la semence des événements de 1776,
et ce n'est nullement par un effet du hasard que la
Révolution commença à quelques portées de canon de la
plage où atterrit la *Mayflower*.

Ce fut, par contre, tout à fait par hasard que les
Pèlerins arrivèrent à Plymouth. Leur destination était la
Virginie. Les 101 immigrants du capitaine Christopher
Jones y eussent retrouvé les 103 colons du capitaine
John Smith, et il est hors de doute que les déchirements
politiques et religieux de l'Angleterre se fussent prolon-
gés en Amérique entre ces Puritains et ces Cavaliers. Les
vents contraires et les méthodes de navigation défec-
tueuses épargnèrent cette rencontre qui eût peut-être
modifié l'histoire. La *Mayflower* trouva la terre au cap
Cod. Quelques Pèlerins débarquèrent à l'extrémité de la
longue faucille de sable, mais ils ne trouvèrent que sté-
rilité. Leur petit navire traversa alors la grande baie
qui s'étend au delà du cap et vint jeter l'ancre à une
trentaine de kilomètres de l'emplacement actuel de Boston. La tradition veut que les Pèlerins aient mis pied
à terre sur le roc de Plymouth — un méchant caillou
recouvert aujourd'hui d'un auvent de marbre — mais
cette localisation est des plus sujettes à caution.

Un petit musée, Pilgrim Hall, a recueilli les reliques des
Pèlerins, y compris la maigre carcasse du *Sparrowhawk*

qui se perdit l'année suivante dans les brisants du cap Cod, en amenant un renfort. Son intérêt est considérable parce qu'il révèle d'un coup d'œil la classe sociale des fondateurs de la Plantation de Plymouth et des Etats-Unis de l'Amérique du Nord. Les Pèlerins n'étaient pas des gueux. Pas même des pauvres. Leur vaisselle, leurs meubles, leurs armes, leurs vêtements étaient ceux des classes riches ou aisées de l'Europe du xviie siècle. Ils ne partirent pour l'Amérique ni comme des faméliques cherchant du pain, ni comme une secte d'utopistes cherchant à planter quelque part une société égalitaire. Les hiérarchies économiques existaient parmi eux et, en dehors des 41 prud'hommes qui signèrent le contrat de la *Mayflower*, l'illustre petit navire transportait aussi des serviteurs. Ce trait était destiné à se perpétuer à travers toute l'histoire des colonies anglaises, puis des Etats-Unis. L'Amérique attira des foules de misérables et d'aventuriers, mais ils y furent précédés par des possédants qui ne laissèrent à personne le soin de dresser les cadres sociaux. La lie de l'Europe put se déverser sur le continent pendant un siècle et demi sans mettre en péril l'ordre public, parce que le départ avait été bon.

Le petit établissement des Pèlerins de Plymouth fut surclassé, et plus tard absorbé, par la grande migration des Puritains qui, sous la conduite de John Winthrop, fondèrent Boston, en 1630. Sans se confondre, ils se ressemblaient, étant les uns et les autres des fanatiques et même des obsédés. Ils avaient fui l'oppression de l'Eglise d'Angleterre, mais ce fut uniquement pour établir leur propre tyrannie sur la terre vierge dont ils prenaient possession. La joie leur faisait mal. Ils arrêtèrent et renvoyèrent en Angleterre un dangereux caractère qui avait appelé sa ferme « Merrymount ». Le fait de rire le dimanche était un délit puni de prison. Les membres des sectes non calvinistes qui tentèrent de s'infiltrer dans la Plantation de Plymouth furent persécutés et plusieurs furent mis à mort. Le clergyman Roger Williams, ami de Milton, échappa de justesse à la vengeance des Puritains lorsqu'il eut tenté de démocratiser l'église de Salem, mais il parvint à fonder une colonie libérale et relativement tolérante destinée à devenir le Rhode Island. La peur du diable hantait les fragiles établissements perdus sur un immense continent hostile. En 1656, on pendit une pauvre bonne femme nommée Anna Higgins, sous l'inculpation de sorcellerie. En 1692, à Salem, après un procès dont l'Amérique rougit encore, les Puritains envoyèrent au gibet 5 hommes et 16 femmes convaincus d'un pacte avec le Malin. Les victimes furent réhabilitées, après un contre-procès en forme, deux siècles et demi plus tard.

Avec les Indiens, Pèlerins et Puritains furent atroces. Les Indiens avaient commis la faute inexpiable d'accueillir en amis les étrangers venus de la mer, au lieu de défendre leur sol farouchement et jusqu'à la mort. Les Pèlerins traitèrent avec le roi Massassoit, lui achetèrent une partie de ses terres et se laissèrent nourrir par ses sujets pendant les premiers hivers. Ils changèrent de politique et commencèrent la guerre lorsqu'ils se sentirent les plus forts. La question de suprématie fut tranchée, en 1676, par le massacre du roi Metasomet (King Philip), fils de l'imprudent Massassoit, mais la guerre sainte d'extermination continua. Les scalps rouges étaient mis à prix suivant une échelle dégressive et réaliste : 100 dollars pour une chevelure de guerrier et 10 dollars pour une chevelure d'enfant de moins de dix ans. Le Massachusetts a conservé ce monument de férocité dans ses codes jusqu'en 1774. Il est, en vérité, extraordinaire que l'Amérique trouve dans son histoire tant de raisons de mettre en accusation le colonialisme européen et si peu de raisons de s'apercevoir qu'elle est elle-même le produit d'une colonisation un peu plus rude que celle des Hollandais ou des Français.

Plymouth Plantation, fondée par les Pèlerins, devint la Colonie, puis l'Etat, du Massachusetts. Seize ans après la *Mayflower*, Roger Williams créa Providence Plantation, qui devint la Colonie, puis l'Etat, de Rhode Island. Plus à l'ouest, les Hollandais de New Amsterdam avaient commencé dès 1623 la mise en valeur de la riche vallée de Hartford : les Anglais venus du Massachusetts les en chassèrent et établirent la Colonie, qui devint l'Etat, du

Connecticut. Plus au nord, la Colonie du New Hampshire naquit paisiblement d'une pénétration blanche qui paraît avoir commencé dès 1603 et qui prend corps avec la fondation de Portsmouth en 1623. Toutes ces dates coïncident à peu près avec le règne de Louis XIII, de sorte que la Nouvelle-Angleterre a presque la même ancienneté historique que la dynastie des Bourbons en France. Les deux autres Etats qui la composent, le Vermont et le Maine, n'apparaissent comme des unités politiques qu'à des époques ultérieures, mais ils étaient des centres de colonisation dès le début du XVII° siècle. Leurs noms indiquent que ceux qui les reconnurent les premiers étaient des Français.

C'est la Nouvelle-Angleterre qui déclencha la Révolution américaine. Le minuscule Rhode Island eut l'audace de prendre à l'abordage et de brûler un sloop de guerre de Sa Majesté Britannique, et il eut aussi l'audace de rompre son lien d'allégeance quatre mois avant la déclaration d'indépendance des Treize Colonies. Le Massachusetts, avec sa métropole turbulente de Boston et une petite bande de démagogues assez semblables aux publicistes de la Révolution française, fut le foyer de l'esprit de rébellion. Dès le 5 mars 1770, « l'horrible massacre » de Boston, 3 tués, 8 blessés, fit couler le premier sang entre les mercenaires allemands de George III et les Américains. Le 28 septembre 1773 vit la noyade des caisses de thé du brick *Perry Steward*, en manière de protestation contre l'impôt non consenti qui frappait cette denrée. Dix-huit mois plus tard, les premières opérations militaires, la marche des Anglais sur Lexington, l'escarmouche de Concord, le combat de Bunker Hill, se déroulèrent autour de Boston. Les Anglais évacuèrent la ville et la guerre, s'éloignant de la Nouvelle-Angleterre, se propagea jusqu'aux marécages de la Georgie et aux bastions d'Yorktown.

La Nouvelle-Angleterre ne fut pas la bénéficiaire politique de la Révolution qu'elle avait allumée. L'axe du pouvoir s'éloigna d'elle et se fixa en Virginie, à côté de la capitale artificielle contre laquelle Boston avait vainement essayé de prévaloir. Les gains de la Nouvelle-

Angleterre furent dans l'ordre matériel. Le commerce maritime, libéré des entraves du régime colonial, créa les premières grandes fortunes. Les clippers de Providence, de Boston et de Portsmouth, produits authentiques et magnifiques de la construction navale américaine, rapprochèrent de la côte atlantique les marchés d'Extrême-Orient. Les baleiniers de New Bedford et de Nantucket furent les premiers à s'aventurer dans les hautes latitudes australes et un capitaine yankee de vingt ans, Nathaniel Palmer, s'inscrivit sans l'avoir cherché parmi les grands explorateurs. L'industrialisation du xixe siècle pénétra en Amérique par la Nouvelle-Angleterre. La première fabrication en série — celle des fusils — fut organisée à Boston par Paul Revere, le cavalier historique de Lexington. La grande industrie textile commença dès 1794 avec le métier à tisser du Yankee Eli Whitney. Même l'industrie si moderne du rassemblement et de la vente des nouvelles, débuta à Boston dans un petit bureau d'information qui est devenu l'Agence Associated Press. Et l'un des événements les plus importants de l'histoire de l'homme se déroula, en 1844, à l'hôpital général de Boston, quand le chirurgien Warren pratiqua la première amputation anesthésique grâce à l'éther découvert par le chimiste Jackson et utilisé par le dentiste Morton.

Le xixe siècle fut l'époque glorieuse de la Nouvelle-Angleterre comme de l'Angleterre tout court. La puissance créatrice, l'activité économique, la culture — Harvard, Yale, etc. — eurent leur sommet dans les 6 petits Etats du Nord-Est, tout spécialement dans le Massachusetts. Riche en capitaux, New England fut le banquier de la mise en valeur du continent et, par voie de conséquence, le défenseur des doctrines financières saines et dures. L'enrichissement fut énorme, mais il représentait déjà un stade de fortune acquise et le rôle d'usurier de l'Amérique que la Nouvelle-Angleterre avait assumé n'était pas destiné à durer. Son importance relative a baissé continuellement et baisse encore au milieu de l'accroissement des Etats-Unis. En 1790, ses 1 100 000 habitants formaient le tiers de la population américaine. En 1890, la proportion n'était plus que du huitième. En 1966, les

11 224 000 habitants de New England ne comptent plus
que pour 6 %. Depuis sa naissance, l'Amérique a été
multipliée par 50 ; New England par 8 seulement.

Il existe même des signes positifs de déclin. La Nouvelle-Angleterre, qui ne possède ni houille ni fer, ni aucune
grande matière première, se vide progressivement de ses
industries. Le coton a totalement émigré dans les Carolines, laissant déserts les grands bâtiments industriels de
Fall River et de New Bedford. La chaussure, dont Boston
eut un monopole, a déménagé dans le Missouri. La laine
subit à son tour l'attraction du Sud. Les industries mécaniques résistent mieux, mais toutes les positions qu'elles
occupent sont des survivances. La Nouvelle-Angleterre
s'est orientée vers les industries de précision (horlogerie,
machines à écrire Remington). Les usines de matériel
électronique (15 % de la production américaine), de
moteurs d'avions, les installations nucléaires — pour les
sous-marins atomiques — ne suffisent pas à retenir
toute la main-d'œuvre hautement qualifiée. Il paraît
inconcevable que la Nouvelle-Angleterre ait laissé échapper complètement l'industrie automobile, alors qu'elle
avait au départ tant d'avantages sur Detroit. Le terrible
syndicalisme de New England, les grèves récurrentes,
l'opposition au développement du machinisme, le malthu-
sianisme économique des Unions sont parmi les raisons
qui mettent les usines en fuite.

La structure sociale et la physionomie politique traditionnelle de la Nouvelle-Angleterre ont subi également
des transformations profondes. Ce n'est plus le noyau de
granit conservateur et puritain de l'Amérique, le bastion
orgueilleux du « yankisme » revendiquant devant la mix-
ture nationale des races la pureté de son sang anglo-
saxon et protestant. L'histoire s'est même colorée d'ironie. Boston, fondée par les Puritains — dont la haine du
papisme était inexprimable — se trouve aujourd'hui la
ville la plus catholique des Etats-Unis. La croisière de la

Mayflower s'achève par le triomphe de l'Eglise de Rome sur les tombes même des Pèlerins.

L'une des productions de la Nouvelle-Angleterre est celle des arbres généalogiques. Ceux-ci ne se contentent pas toujours de remonter à la *Mayflower*, puisqu'il existe une société américaine des descendants des barons signataires de la Grande Charte et une autre dont les membres prétendent avoir eu un ancêtre aux croisades. Mais il y a longtemps que les 6 Etats du Nord-Est ont cessé de pouvoir revendiquer une population homogène d'Anglo-Saxons et de protestants intégraux. Ces Yankees, au sens exact du terme, beaucoup d'entre eux émigrèrent encore et apportèrent dans d'autres Etats leur frugalité, leur esprit d'entreprise, leur sérieux et leur intolérance. Ceux qui restèrent virent surgir une marée papiste. L'Irlande, désolée par les grandes famines du XIXᵉ siècle, se vidait dans la Nouvelle-Angleterre. Rien, pas même des tentatives de boycottage économique, ne put arrêter l'élan celtique. L'exaltation, l'esprit querelleur, l'éloquence et la remarquable aptitude des Irlandais pour la politique devinrent des trais fondamentaux de la Nouvelle-Angleterre. Très vite, les Celtes conquirent Boston sur les Codfish. Ils en firent, on doit le leur reconnaître, l'une des municipalités les plus magnifiquement corrompues des Etats-Unis. Le maire James Michael Curley, finit, après trente ans de malversations, par succomber sous une inculpation de fraude, mais il fut reçu à sa sortie de prison par le cardinal-archevêque (irlandais) et acclamé par la population.

La brèche avait été ouverte. D'autres alluvions humaines arrivèrent à flots. Des Italiens et des Polonais (catholiques). Des Franco-Canadiens (ultra-catholiques). Des Juifs, des Noirs. A l'égard de ces derniers, le préjugé était plutôt favorable. La Nouvelle-Angleterre avait derrière elle une longue tradition antiesclavagiste : elle avait produit Harriet Beecher Stowe et poussé à la guerre de Sécession. Il est d'autant plus intéressant de noter que l'afflux des Noirs a fait surgir, surtout dans le Massachusetts, la question de la couleur. Le nègre abstrait est un égal, mais lorsqu'il se concrétise et se multiplie, l'hostilité et les pratiques de ségrégation sociale apparaissent automatiquement contre lui.

Le cas des Franco-Canadiens est remarquable. Ils ont franchi la frontière attirés par les hauts salaires et poussés par la natalité excessive de la province de Québec. Leur recensement par Etats en 1960 donne les chiffres suivants : Connecticut, 79 000 ; Maine, 132 000 ; Massachusetts, 378 000 ; New Hampshire, 138 000 ; Rhode Island, 142 000 ; Vermont, 65 000. Le total atteint presque un million. Plus d'un habitant de la Nouvelle-Angleterre sur dix est un Français. Ou, pour lui donner la qualification qu'il s'applique à lui-même, un Franco-Américain.

Cette race dense et laborieuse peuple surtout les petites villes industrielles où elle fournit notamment la main-d'œuvre textile. Berlin, dans le New Hampshire, fut évidemment fondé par des Allemands, mais, si vous prenez l'annuaire téléphonique, vous y trouvez 16 Albert, 2 Allard, 23 Arsenault (voir Louisiane), 4 Babin, 12 Beaudoin, 12 Bellenger, 27 Bergeron, etc. — et pas un seul Adler ni un seul Bauer. Lewiston dans le Maine ; New Bedford, Leominster, Worcester dans le Massachusetts ; Woonsocket dans le Rhode Island, etc., ont une composition analogue, avec une proportion de Franco-Canadiens qui s'élève jusqu'à 80 %. Extérieurement, ces villes n'ont rien de français, toutes les enseignes étant en anglais, mais le français est la langue parlée courante et l'entêtement canadien, importé de Bretagne et du Poitou, lutte pour le conserver. Le loyalisme à l'égard des Etats-Unis est intégral (beaucoup plus vif que le loyalisme de la province de Québec à l'égard de la Couronne britannique) — et cependant les Franco-Américains ont transporté dans leur nouvelle patrie un peu de l'esprit militant qui les oppose depuis le XVIIIe siècle au Canada anglais. Les luttes municipales des « Francos » et des « Yankis » sont extrêmement vives et j'ai entendu le maire d'une ville franco-américaine me déclarer que la race et la langue française reconquerraient un jour l'Amérique par la vertu d'une haute natalité. « Le dernier combat, m'a annoncé ce vengeur de Montcalm, se déroulera entre les nègres et nous. »

L'Amérique est tolérante et elle laisse aux lingots humains lents à fondre dans son *melting pot* de très généreux délais. Toutefois, s'il devait éclater aux Etats-Unis un conflit provoqué par le particularisme intraitable d'une minorité, c'est à la Nouvelle-Angleterre et à cause des Franco-Américains qu'il se produirait. Ceux-ci — à la différence des Cajuns de Louisiane perdus dans leurs marais — sont en contact direct avec le foyer linguistique qu'est la province de Québec. Ils lisent les journaux de Montréal, et ils ont tous des parents — d'innombrables parents ! — au Canada français. Ils appartiennent à une communauté profondément conservatrice qui a toujours transporté avec elle ses traditions, ses cadres sociaux et jusqu'à l'ombre de ses clochers. Ils ont trois siècles de Nouveau Monde, mais ils restent des paysans de l'ouest de la France dont l'évolution s'est arrêtée à Louis le Bien-Aimé. Toutefois, les Etats-Unis ont plus de chances de les assimiler que l'Empire britannique à cause du véritable envoûtement qu'ils exercent sur l'enfance. Même à Lewiston (Maine), Berlin (New Hampshire), Leominster (Massachusetts), les très jeunes répugnent parfois à parler français.

La hiérarchie ecclésiastique agit également contre les Franco-Américains. Ils ont des curés de leur race, mais les évêques sont Irlandais et délibérément hostiles à la perpétuité du français. Les efforts des chefs de famille pour que le français soit la langue d'enseignement *unique* dans leurs écoles confessionnelles ont été brisés par l'épiscopat. Mais certaines associations de parents d'élèves n'ont cédé que devant des menaces d'excommunication. Il est assez fantastique de songer qu'il se trouve des Franco-Américains capables d'entrer en lutte avec leurs évêques pour s'opposer à l'usage de l'anglais aux Etats-Unis.

***

Le couronnement de l'évolution humaine, politique et religieuse de la Nouvelle-Angleterre est la carrière, la candidature et la victoire de John Fitzgerald Kennedy.

L'ironie s'est poursuivie jusqu'au bout. La Boston de John Winthrop, la Mecque puritaine, la cité de l'inquisition protestante qui brûlait les sorcières, torturait les Quakers et ne concevait même pas qu'un papiste pût respirer son air, cette citadelle de la certitude et de l'intolérance n'est pas seulement devenue la ville la plus catholique d'Amérique. Elle a couvé le premier Président catholique des Etats-Unis.

La seule candidature catholique antérieure avait été celle d'Alfred Smith, en 1928. Il perdit, comme je l'ai dit, plusieurs Etats traditionnellement démocrates du Sud. Par contre, il ébrécha pour la première fois le bastion républicain et protestant qu'était la Nouvelle-Angleterre. Le Massachusetts et le Rhode Island, Etats manufacturiers, lourds des foules ouvrières catholiques venues d'Irlande, d'Italie et du Canada, votèrent pour lui. Le Massachusetts avait déjà donné ses voix à Woodrow Wilson en 1912, mais il s'agissait d'une élection triangulaire et le fait avait été considéré comme accidentel.

C'est en 1932, dans la fameuse élection de la crise, que la Nouvelle-Angleterre, prise dans son ensemble, donna une majorité aux démocrates : 1 521 000 voix et 24 délégués pour Roosevelt, 1 486 000 voix et 20 délégués contre lui. Quatre ans plus tard, le Maine et le Vermont furent les seuls Etats dans toute l'Amérique à apporter leurs voix au candidat républicain Landon : Roosevelt, 472 mandats ; Landon, 8. Le tableau varie ensuite d'année électorale en année électorale, faisant de l'ancien « solid north », républicain une région de sables politiques mouvants. Le petit Rhode Island est devenu le plus radical — les conservateurs disent le plus rouge — de tous les Etats et ses deux votes pour Eisenhower, en 52 et 56, furent des surprises. Même les deux vieux purs, Maine et Vermont, tombèrent dans le péché. Tous deux ont un gouverneur démocrate — mais les deux députés du Vermont sont néanmoins républicains — ce qui, il y a trente ans, eût été aussi scandaleux que la conversion de l'évêque de Brooklyn à Father Divine.

En 1952, première année triomphale d'Eisenhower, le Massachusetts s'enorgueillissait de deux sénateurs appartenant à la plus haute aristocratie protestante : Leverett Saltonstall, descendant d'une des deux seules familles de l'époque coloniale qui fussent arrivées en Amérique avec un blason, et le petit-fils d'un des pontifes de l'isolationisme, Henry Cabot Lodge Jr — l'un de ces Cabot qui ne parlaient qu'aux Lodge et de ces Lodge qui ne parlaient qu'à Dieu. Le mandat de Lodge était soumis au renouvellement, mais il se croyait si sûr de sa situation politique qu'il dirigea la campagne électorale d'Eisenhower au lieu de s'occuper de la sienne propre. Le général enleva brillamment le Massachusetts, mais son cornac électoral resta sur le carreau. Le vainqueur était un homme de trente-cinq ans, souriant et beau comme un dieu de Hollywood : Kennedy.

Kennedy, le nom, puissamment irlandais, est répandu en Amérique à des millions d'exemplaires. Ceux qui l'apportèrent arrivèrent pour la plupart au milieu du siècle dernier, au moment où la famine de pommes de terre jetait les Irlandais décharnés dans d'abominables bateaux d'immigrants voguant vers la rive du salut. L'arrière-grand-père du président John Fitzgerald Kennedy n'arriva pas autrement, et d'une manière si obscure que la date exacte de son débarquement est restée inconnue. Il gagna Boston, loua ses bras pour vivre, et, confiant dans les capacités de la race, ouvrit un bar pour Irlandais. Le fils, Patrick, s'en servit pour entrer dans une politique municipale lucrative et le fondateur de la fortune fut le fils du fils, Joseph. Toujours vivant, grand vieillard dur et distant, il fut le seul Kennedy tenu à l'écart de la campagne électorale en raison de la détestable réputation laissée par ses opérations boursières et des tractations sur l'alcool auxquelles il avait été mêlé à l'époque des *boot leggers*. Mais il gagna quelques centaines de millions de dollars, acheta par ses largesses pour le parti démocrate le poste d'ambassadeur à Londres (où il fut antibritannique et pro-nazi) et, ayant procréé neuf enfants, fit à chacun d'eux une dotation d'un million de dollars, afin, dit-il, qu'ils pussent lui cracher dans l'œil, ce qui est la manière américaine de dire « zut ! » Malgré cette forte parole, Joseph Kennedy ne fut jamais autre chose qu'un vieil autocrate familial. Beaucoup d'Américains sont convaincus qu'il conçut de longue date le plan d'utiliser son énorme fortune pour hisser l'un de ses fils à la Maison-Blanche et qu'il dirigea jusqu'au bout l'opération.

L'aîné des fils Kennedy, Joseph Jr, disparut au-dessus de la Manche, au cours d'une mission aérienne. Le second John (diminutif : Jack), fut bien près d'avoir le même sort dans le Pacifique, quand la légère unité qu'il commandait fut coulée par les Japonais devant les îles Salomon. Il rentra aux Etats-Unis avec une blessure qui affectait ses vertèbres et fut la cause de douloureuses opérations. Dès 1946, il fut élu à la Chambre des Représentants, en même temps qu'un autre officier de marine démobilisé au nom beaucoup plus obscur, Richard Nixon. Plus tard, il épousa une riche et belle fille, Jacqueline Bouvier, qui fait honneur à son extraction nationale par la qualité du français dans lequel elle peut s'exprimer. Il avait étudié à Harvard et à Londres, vécu dans une ambassade, écrit sans se soucier de droits d'auteur quelques essais politiques, connu depuis le berceau une existence de grand privilégié. Contraste avec la *life story* de son rival Nixon, portant les paquets de l'épicerie paternelle et recueillant quelques cents de pourboire qui l'aidaient à acheter ses livres de classe. Il est curieux que ce contraste n'ait joué qu'un rôle négligeable dans la campagne électorale. Le pauvre, resté pauvre, fut le candidat du parti qui passe pour ploutocratique et le ploutocrate, celui du parti qui essaie de se donner des airs prolétariens.

Le catholicisme de Kennedy parut d'abord un handicap électoral plus lourd à porter que sa fortune aux origines discutées. Il eut l'audace, au cours des élections primaires, de provoquer l'épreuve sur l'un des bancs d'essais les plus défavorables d'Amérique : la West Virginia, Etat à moitié sudiste, où la proportion des catholiques ne dépasse pas 5 %. Son *brain trust* le lui déconseilla mais il s'obstina, posa lui-même la question religieuse, subit l'assaut d'une armée de pasteurs protestants et écrasa son rival, le sénateur Humphrey. Les hésitants n'hésitèrent plus et la convention démocrate investit John Kennedy à une forte majorité. Un des soutiens les plus efficaces de John dans sa campagne électorale fut son frère cadet Robert (Bob), né en 1925.

La vie et la carrière de Bob Kennedy ressemblent étrangement à celles de son aîné. Engagé volontaire dans la marine à dix-sept ans, il exerça ensuite, pendant les années cinquante, le métier de juge d'instruction et d'accusateur public qui contribua à fonder la réputation de dureté qui a longtemps été la sienne, de même que ce regard qualifié par John de « froid et rageur ». Sa formation juridique à Harvard, puis à l'Université de Virginie, le fit travailler quelque temps au ministère de la Justice sous Truman. Mais la victoire des républicains l'éloigna du pouvoir — encore qu'il collaborât quelque peu aux travaux de la Commission d'enquête présidée par le sénateur McCarthy, ami du chef du clan Kennedy. A partir de 1952, il soutint efficacement John dans sa campagne pour l'élection sénatoriale dans le Massachusetts. Et en 1957, il attira l'attention du pays sur lui par son duel avec Jim Hoffa, du syndicat des camionneurs. Il était alors conseiller juridique de la Commission sénatoriale sur le Racket, Commission dont son frère était un des principaux membres.

En 1959, il conduisit avec autorité et efficacité la campagne présidentielle du futur président, et sa nomination comme ministre de la Justice scandalisa beaucoup de gens, la presse et le barreau en particulier.

Son air hautain et sombre, son regard bleu glacé, sa parole brève et tranchante — comme John interrompait souvent ses phrases en plein milieu dès l'instant qu'il en jugeait le sens évident, et que Robert parlait volontiers par monosyllabes, les dialogues entre les deux frères étaient parfaitement inintelligibles aux non-initiés —, accréditaient la légende du jeune homme impitoyable et avide de puissance dont il avait eu tant de mal à se débarrasser.

Son étonnante ressemblance avec son frère John, sa jeunesse d'allure, sa carrure athlétique, sa passion pour les enfants — sa femme, Ethel Shakel lui en a donné dix depuis leur mariage en 1950 — tout en lui rappelait le président défunt. Intellectuel comme lui, il avait la même énorme puissance de travail et un humour à l'emporte-pièce. Dans sa propriété de Hickory Hill, à dix kilomètres de Washington, il vit au milieu des enfants et des animaux, la caractéristique du clan, aimant échanger des idées avec tous ceux qui réfléchissent aux problèmes du monde actuel, surtout les jeunes.

Profondément ébranlé par la mort tragique de cet aîné dont il était si proche, il n'abandonna pas la vie politique. Si le président Johnson l'écarta de la vice-présidence en 1964, il fut élu sénateur de New York et continua à polariser l'attention des Américains.

Son entrée dans la course présidentielle de 1968 fut combattue par ses conseillers les plus sagaces. Ils lui représentèrent qu'il devait réserver ses chances pour 1972. Ce furent, semble-t-il, les femmes du clan, les impétueuses amazones Kennedy, qui l'amenèrent à une décision dont les conséquences devaient être si tragiques. Il s'élança dans le sillage du sénateur McCarthy combattant la politique du président Johnson au Viet-nam. Tandis que McCarthy gagnait des sympathies dans les classes moyennes, dont il était un produit typique, le fils de milliardaire enthousiasma les Noirs de Harlem ou de Watts, rallia à son nom les couches les plus pauvres, provoqua chez les jeunes, dont la plupart n'étaient pas en âge d'être électeurs, des transports de ferveur. Cependant, ni Eugene McCarthy ni Robert Kennedy (deux Irlandais) n'eurent jamais une chance sérieuse d'être désignés par la convention démocrate de Chicago. Kennedy, en particulier, eut probablement fait perdre au parti démocrate tous les suffrages électoraux du Sud. Fortement professionalisée, la politique américaine répugne à des risques pareils.

Les Kennedy n'ont jamais été des philo-sémites. C'est presque par un contresens que Bob tomba sous les coups d'un fanatique jordanien, au soir d'une victoire marginale contre McCarthy, aux primaires de Californie. Le signe du sang sous lequel vit cette tragique famille fut encore visible lorsque le train spécial transportant la

dépouille mortelle tua et blessa plusieurs personnes
entre New York et Washington.

Le seul survivant des quatre frères, Edward (Ted), né
en 1932, a été élu en 1962 sénateur du Massachusetts.
Son frère Jack avait conquis le siège dix ans auparavant,
dans une mémorable bataille contre le descendant des
puritains Cabot Lodge. Il est normal de penser que Ted
hérite des ambitions présidentielles de la famille et qu'il
s'élance sur les traces sanglantes de ses aînés. En fait,
il ne paraît avoir qu'en partie leur dynamisme. Mais
d'autres Kennedy dignes de la lignée grandissent parmi
les vingt enfants de Jack, de Bob et de Ted...

L'incompatibilité du catholicisme et de la fonction
présidentielle avait été longtemps une clause non-écrite
de la Constitution américaine. Elle reflétait les origines
de la nation. A l'exception du Rhode Island, du Maryland,
et de la Pennsylvanie, tous les Etats originels interdisaient l'exercice de la religion catholique. Toutes les
expressions du chauvinisme américain furent anticatho-
liques, en même temps qu'antisémites et xénophobes.
De nos jours encore, certains extrémistes soutiennent
que les évêques devraient être inscrits sur les listes de
l'Attorney général comme *foreign agents*, en raison de
leur allégeance à la puissance étrangère qu'est le Saint-
Siège. Nixon et le parti républicain décidèrent officiellement d'exclure la question religieuse de la politique
électorale mais d'innombrables chapelles protestantes
continuèrent de mener campagne en soutenant qu'un
président catholique signifiait nécessairement le gouvernement de l'Amérique par le pape. Cette propagande,
efficace dans le Middle West et dans le Sud, introduisit
dans la bataille politique de 1960 un élément d'incertitude qui dura jusqu'au dépouillement du scrutin.

Mais la condition des catholiques s'est continuellement
modifiée tout au long de l'histoire américaine. En 1790,
ils n'étaient pas 30 000 et leur clergé se réduisait à
25 prêtres. En 1818, l'archevêque Ambrose Marshall rendait compte à Rome qu'il comptait 52 prêtres et
100 000 fidèles dans une province spirituelle embrassant
tous les Etats-Unis d'alors. Dix ans plus tard, le nombre

des fidèles avait triplé — puis, après la première moitié du XIXᵉ siècle, l'immigration commença à déverser sur la terre américaine des masses ardemment papistes d'Irlandais, d'Allemands, de Franco-Canadiens, d'Italiens, de Polonais, de Lithuaniens, de Hongrois et de Mexicains. Ce fut alors, peut-être, que la haine démagogique du catholicisme atteignit sa plus grande violence, avec des mouvements semi-clandestins comme celui des Know Nothing ou du Ku Klux Klan. Les nouveaux venus faisaient tache. Ils étaient de pauvres diables, mal habillés, mal lavés, balbutiant un anglais atroce, dévalorisant les salaires en offrant leurs bras au rabais. On n'en finirait pas d'énumérer toutes les mesures qui furent demandées contre eux et toutes les lâches violences dont ils furent l'objet.

Les années passèrent. Les enfants des immigrants se décrassèrent, s'américanisèrent et s'enrichirent. Les barrières ne tombèrent que progressivement, et aujourd'hui encore, dans maintes universités, les fraternités les plus recherchées restent fermées aux étudiants catholiques — mais le sens général du mouvement n'en fut pas moins celui d'une intégration de plus en plus complète des catholiques dans la pâte sociale américaine. C'est un véritable symbole que l'édifice religieux le plus important de New York, la cathédrale Saint-Patrick, en face du Rockefeller Center, soit une église catholique, et, à la sortie des offices, il serait bien difficile de distinguer chez ses fidèles la moindre différence de vêtements ou d'accent avec ceux de l'église protestante Saint-Thomas, située de l'autre côté de la 5ᵉ Avenue.

D'un autre côté, le nombre des catholiques continue d'augmenter à une vitesse impressionnante. Ils étaient 300 000 du vivant de l'archevêque Marshall. Ils étaient 20 millions, un siècle plus tard, à l'époque où Al Smith repoussait avec sa verve irlandaise l'accusation d'être le candidat du pape. Ces 20 millions de catholiques représentaient alors, en 1928, 16,5 % de la population des Etats-Unis. Trente-cinq ans plus tard, leur nombre s'était élevé à 46 864 910 et leur proportion à près de 30 %. *Grosso modo*, ils s'accroissent deux fois plus vite que les protestants, et il ne faut pas prolonger les deux courbes pendant de très nombreuses années pour atteindre la date à laquelle la majorité des Américains seront des Romains.

Ainsi, le catholicisme montre aux Etats-Unis la même puissance de prosélytisme que dans les pays européens à majorité protestante comme la Hollande et la Grande-Bretagne. Ses masses se trouvent toujours dans les grandes villes ouvrières, l'archevêché de Chicago venant en tête, avec plus de 2 millions de fidèles, suivi par les archidiocèses de Boston et de New York, dans lesquels le nombre des catholiques excède un million et demi. Mais il existe aussi un catholicisme mondain et, périodiquement, des conversions retentissantes, généralement l'œuvre de l'habile prélat qu'est Mgr Fulton Sheen, accroissent dans l'élite le prestige de l'ancienne foi des immigrants pauvres. Telles celles de Clare Booth Luce, de Henry Ford II et d'une des deux filles du Président Johnson. Il n'est pas moins significatif que le fils de John Foster Dulles soit un Père jésuite, alors que le secrétaire d'Etat d'Eisenhower était l'une des notabilités du protestantisme américain.

Prestigieuse Eglise américaine ; huit cardinaux — ceux de Boston, Los Angeles, New York, Chicago, Philadelphie, Washington, Saint-Louis, Baltimore, et un cardinal de curie — 32 archevêques, 229 évêques, 59 892 prêtres lui fournissent un puissant encadrement. Sa situation matérielle est brillante et elle est devenue la fille aînée du Vatican par la contribution financière qu'elle lui apporte. Une telle puissance, une telle hiérarchie ne peuvent pas être accaparées par un seul parti. John Kennedy fut loin de recueillir toutes les voix catholiques, dont beaucoup sont acquises au parti républicain et dont certaines n'ont pas d'inclination particulière pour les Irlandais. D'un autre côté, si son catholicisme lui coûta des voix dans certains Etats, il ne fut nulle part le facteur décisif qu'il avait été en 1928 avec Al Smith. C'est encore un dogme politique de l'Amérique qui disparaît.

L'une des éclipses les plus totales est celle de New York par New York. New York State par New York City. La ville tyrannique fait oublier qu'elle partage son nom avec un territoire 4 fois plus grand et 6 fois plus riche que la Belgique. Presque un New-Yorkais sur deux n'habite pas New York City. Il est séparé d'elle, non seulement par une distance qui peut atteindre celle de Paris à Toulouse, mais fréquemment par une véritable animosité. New York City, moins intensément admirée que Washington, est généralement peu aimée en Amérique où les plus exaltés de ses détracteurs vont jusqu'à la considérer comme un corps étranger à la nation. Cette hostilité commence pour ainsi dire à la limite de son périmètre municipal. L'Etat conservateur, rural, intensément américain de New York ne trouve rien de commun entre lui et la ville audacieuse et cosmopolite, seul New York aux yeux de l'univers.

Cet Etat de New York est d'une grande beauté. Comme la Pennsylvanie, mais avec deux façades beaucoup plus larges, il constitue un isthme entre la mer océanique et la mer américaine des Grands Lacs. L'Hudson, grand fleuve nain, deux fois moins long que la Loire, deux fois plus abondant que le Rhin, le traverse de part en part dans des paysages dont peu de vallées au monde offrent l'équivalent. Sa remontée est une prodigieuse plongée dans la nature et dans l'histoire. A toucher New York City, les falaises de Palisades imposent à l'Hudson une trouée héroïque et constituent l'un des documents classiques de la géologie. La forêt commence ensuite, si étonnamment conservée, si évocatrice de ce qu'était l'Amérique avant l'homme blanc que j'ai entendu un poète venant d'Europe dire, devant le paysage de Bear Mountain, que Christophe Colomb n'avait jamais existé.

L'Hudson fut présent presque aux origines de l'histoire du continent nord-américain. Il brisa le cœur de son découvreur lorsque Henry Hudson, cherchant la route des Indes par le passage du Nord-Ouest, constata que l'eau en devenait douce. Les colons hollandais, arrivant quelques années plus tard, le remontèrent jusqu'à sa source. Pratiquement rectiligne, puissant mais régulier et sûr, il fut la voie de pénétration idéale vers les grands espaces vierges de l'intérieur et l'un des axes autour desquels le Nouveau Monde se construisit. Quelques-uns des plus grands sites humains de l'Amérique jalonnent son cours.

West Point en est un. Sur son promontoire, la chance rattrapa la fortune des Etats-Unis par les cheveux. Benedict Arnold, l'archétype des traîtres, vendit aux Anglais le fort que Washington avait fait construire pour verrouiller l'Hudson, mais il ne put le leur livrer. L'Amérique, sans superstition, a installé son Académie militaire en ce lieu qui vit un odieux oubli du devoir et de l'honneur. Eisenhower et Mac Arthur (mais non Marshall, produit de l'Académie militaire de Virginie), avant eux Pershing, avant lui les deux adversaires de la guerre de Sécession, Robert A. Lee et Ulysses S. Grant, sortirent de West Point.

L'Ecole, comme toutes ses sœurs, est pleine d'archaïsmes. Contemporaine de Saint-Cyr, elle a conservé son uniforme de parade de 1836 : le haut shako aux ornements de cuivre, les buffleteries blanches croisées et la longue tunique bleue à brandebourgs. Les « bizuths », qui s'appellent des « plèbes », sont soumis aux brimades et aux petites humiliations qui paraissent aux traditionnalistes l'introduction nécessaire au métier des armes. L'archaïsme le plus notoire, cependant, est le recrutement des cadets. Ils sont nommés par les sénateurs et les représentants qui considèrent les lits dont ils disposent dans les dortoirs de West Point comme l'un de leurs grands arguments électoraux. Absurdité qui trouve sa racine historique à l'époque où la crainte d'un pouvoir central prétorien hantait les colonies fraîchement débarrassées des habits rouges de George III. On discuta longuement pour savoir s'il y aurait une armée fédérale et elle ne fut acceptée qu'à la condition que les officiers en fussent nommés par les élus des Etats.

Des manoirs, construits par les grandes fortunes du XIXᵉ siècle, se succèdent le long de l'Hudson. La plupart ne sont plus à la mesure des patrimoines rétrécis par les impôts successoraux, mais Father Divine, l'étonnant thaumaturge de Harlem, eut une maison bien vivante en face du château dont les Vanderbilt ont dû faire un musée. On est là dans l'une des régions d'Amérique où l'homme est le mieux campé sur le sol, le Duchess County, synonyme de richesse acquise et de vie rurale pleine de décorum. Le chef-lieu porte le nom indien de Poughkeepsie et possède dans le Vassar College l'établissement d'enseignement féminin peut-être le plus aristocratique d'Amérique — en tout cas celui qui a fourni au parti communiste américain le plus de pétroleuses ; 20 kilomètres au nord, le charmant village de Rhinebeck produit au contraire des violettes, les neuf dixièmes des violettes vendues en Amérique, grâce à une terre magique contenant probablement l'essence de la modestie. Entre ces deux extrêmes, se trouvent le Bethléem et le Saint-Sépulcre d'une religion avortée : Hyde Park.

Le Roosevelt, Isaac, qui s'établit à Hyde Park était le grand-père du président Franklin Delano Roosevelt et le sixième descendant en ligne directe de Claes Martenszon van Rosenvelt qui, venant de Hollande, arriva à New

Amsterdam en 1649. Médecin, il était légèrement handicapé dans sa profession par une horreur insurmontable du sang, qui s'associait en lui à un vif amour des arbres et des oiseaux. Pour acheter son domaine de Hyde Park, il vendit les terrains considérables qu'il avait reçus en héritage dans l'île de Manhattan, vers la 125ᵉ Rue actuelle. Sans cette transaction, inspirée par une secrète misanthropie, les Roosevelt seraient devenus automatiquement aussi riches que les Astor, ex-grands féodaux du sol new-yorkais.

Tels qu'ils étaient, les Roosevelt étaient à l'aise. Franklin hérita de sa mère 920 115 dollars et laissa en mourant 1 821 887 dollars. Le domaine de Hyde Park comprenait, du vivant du Président, 1 365 acres, soit plus de 550 hectares. Le site est splendide, au-dessus d'une forêt dense dévalant vers l'Hudson. La maison, que les démocrates appelaient une ferme et les républicains un manoir, n'est ni l'un ni l'autre, mais au bas mot la demeure de bourgeois très cossus. Pleine d'un bric-à-brac attestant l'absence de sens artistique de toute la lignée, elle fut, comme l'indique candidement une notice, aménagée en musée conformément aux instructions personnelles de Franklin Roosevelt qui poussa la mise en scène de sa popularité posthume jusqu'à désigner l'emplacement de sa chaise à roulettes, de sa robe de chambre et de ses complets.

Mais le culte de Roosevelt, somptueusement organisé dès le jour de ses funérailles, déclina rapidement. De Hyde Park, bourgade conservatrice, dont Franklin ne parvint jamais à gagner les voix, on essaya de faire la Lourdes du New Deal. A son grand déplaisir, des entrepreneurs envisagèrent d'y ouvrir des restaurants, des motor courts, des boutiques d'objets de piété rooseveltiens et même un parc d'attractions. Au début, les pèlerinages furent impressionnants. De New York, distante de 100 milles, arrivaient des foules, souvent conduites par leurs chefs religieux ou syndicalistes, comprenant beaucoup de réfugiés d'Europe pour qui le nom de Roosevelt était celui d'un rédempteur. Très vite, le mouvement languit et cessa. Hyde Park est resté un village que tra-

versent de temps en temps quelques cortèges officiels
se dirigeant vers une tombe enclose de buis. Elle porte
ces deux simples inscriptions : « Franklin Delano Roosevelt, 1882-1945 » ; « Anna Eleanor Roosevelt, 1884-1962. »
C'est encore par cette dernière que le nom de Roosevelt
a survécu dans la politique et dans la vie américaines.
Les quatre fils et la fille, bruyants et même abusifs à
l'époque de la présidence paternelle, sont rentrés l'un
après l'autre dans l'obscurité. La veuve, au contraire, est
restée une personnalité du parti démocrate et elle s'est
encore signalée en 1960 par une campagne ardente en
faveur d'une candidature Stevenson. Elle a commis beaucoup d'erreurs, et ne s'est pas épargné tous les ridicules,
mais il fallait lui reconnaître, dans son grand âge, les
allures d'une lady.

A Albany, vieille petite capitale de l'Etat de New York
(fondée en 1624), le Hudson perd brusquement toute
importance. Son rôle de grand cours d'eau historique lui
est pris par son affluent, la Mohawk River, qui, venant
de l'Ouest, fut pendant plusieurs générations une frontière d'insécurité et le témoin de luttes sauvages entre
pionniers et Indiens. Au nord, jusqu'au Saint-Laurent
et au Canada, les forêts de l'Adirondack forment un
désert verdoyant dont le survol suffit à faire comprendre
combien l'Amérique est loin d'être complètement défri-
chée. La grande tranchée du lac Champlain continue vers
Montréal une voie de passage dont l'importance fut considérable dans la courte histoire militaire des Etats-Unis.
C'est là que l'Angleterre perdit ses colonies américaines,
lorsque « le gentleman » John Burgoyne, accourant du
Canada pour mater la rébellion, sombra dans des forêts
infestées de moustiques, de lierre empoisonné et de
tirailleurs. La bataille décisive, suivie de la capitulation
de Burgoyne, eut lieu à Saratoga Springs qui devait
devenir cent ans plus tard le Baden-Baden de l'Amérique,
avant de tomber dans sa décrépitude actuelle. Sur le
champ de bataille s'élève un monument singulier : une

stèle représentant une jambe bottée — la jambe de Benedict Arnold qui, blessée au service de la patrie, fut considérée comme la seule partie du traître de West Point digne d'être honorée.

Par contraste avec le nord, l'ouest de l'Etat de New York est une terre de grandes villes, de grandes industries et de grande circulation. Buffalo (1 323 000 habitants) est tantôt un grand moulin, tantôt une grande aciérie. Rochester (820 000 habitants) est le siège de Kodak. Shenectady se confond avec la General Electric, gigantesque entreprise où les moteurs des sous-marins atomiques sont en construction. Niagara Falls héberge annuellement 1 500 000 jeunes mariés et autres touristes, mais reçoit aussi des chutes l'énergie nécessaire à une dizaine d'industries chimiques et électrométallurgiques. D'autres grandes villes portent des noms qui font ressembler le haut Etat de New York à une page d'histoire antique : Syracuse (613 000 âmes), Rome, Utica. On relève aussi Batavia, Moravia, Ithaca, Caledonia, Palmyra, Naples, Corfu, Berlin, Dresden, Belfast, Fabius, Manlius, Camillus, Marcellus, — et encore Salamanca, Geneva, Manchester, Liverpool, Dundee, Amsterdam, Waterloo, Pompey, La Fayette, de Ruyter, Lyon, Varsaw, Dunkirk, Smyrna, Delhi, Genesee, Apulac, Mexico et Panama — toute l'histoire, toute la légende et toute la terre servant de parrains.

Il va de soi que le haut New York est républicain puisque New York City ne l'est pas. Les comtés ruraux donnent aux candidats de l'éléphant des majorités compactes et les villes des grands lacs, en dépit de leur forte population ouvrière, sont au moins des champs de bataille où ils gagnent plus souvent qu'à leur tour. L'orientation de l'Etat, important pour les démocrates, indispensable aux républicains qui portent le lourd handicap du Sud, dépend d'un jeu de balance délicat. Quand la minorité républicaine est forte dans la ville, les républicains conquièrent l'Etat et, inversement, ils le perdent quand la minorité démocrate de l'Up State dépasse une certaine proportion. Mais les positions sont toujours très voisines et toujours réversibles, si bien que le tableau politique sur la plus grande des étoiles est périodiquement changeant. L'Etat de New York vota pour Roosevelt en 1932, 1936, 1940 et 1944 — mais pour Dewey en 1948 et pour Eisenhower en 1952 et 1956 —, redevint démocrate en 1960 et le resta en 1964. En 1922, il se donna pour gouverneur le démocrate Alfred Smith, auquel succéda le démocrate Franklin Roosevelt, puis le démocrate Herbert Lehman — mais il revint aux républicains en 1942, avec Thomas Dewey. Quand celui-ci rentra dans la vie privée, en 1954, après trois mandats de gouverneur, le démocrate-ploutocrate Averell Harriman lui succéda. Mais la popularité de celui-ci s'évapora rapidement et, dès 1958, l'Etat de New York retourna aux républicains avec le porteur d'un grand nom, Nelson Rockefeller.

**

Dewey et Rockefeller présentent certaines ressemblances politiques et de grandes différences individuelles. La plus importante de ces dernières est le point de départ dans la vie. Dewey n'est pas originaire de l'Etat de New York, mais du Michigan, où son père exerçait la profession peu ploutocratique de facteur. Il s'éleva par le rude sentier des jeunes hommes pauvres, réussit à faire des études de droit qu'il songea un moment à abandonner pour exploiter une magnifique voix de baryton, vint à New York, accepta un poste d'adjoint au District Attorney au moment où la terreur répandue par les gangsters raréfiait les candidats, ouvrit intrépidement la chasse aux bandits, et, ayant gagné une immense popularité, vit s'ouvrir devant lui les grandes avenues de la politique. En 1944, à leur convention de Chicago, les républicains le désignèrent comme le candidat du parti contre Roosevelt demandant un quatrième mandat. Il ne pouvait battre le Président sortant — mais il réduisit sa majorité de 5 millions de voix à 3 500 000, et quatre ans plus tard, en 1948, il fut considéré sur la foi des sondeurs d'opinion comme le vainqueur certain de Harry Truman. Lui-même le crut si fortement qu'il cessa pratiquement sa campagne quelques jours avant l'élection, alors que Truman, dont son propre parti acceptait la défaite, se battait avec l'acharnement d'un fox-terrier.

La nuit du scrutin fut l'une des plus dramatiques de l'histoire politique américaine. A New York, où l'on avait voté tout au long d'une journée douce et brumeuse, les premiers résultats flamboyèrent sur le journal lumineux de *Times Square* vers 8 heures du soir. Ils causèrent un choc. Ce n'étaient que quelques petites villes du Connecticut, mais l'attente d'un « *landslide* » républicain était si grande que ces singuliers avant-coureurs parurent incongrus. Les chiffres suivants les confirmèrent, mais les démocrates eux-mêmes suspendirent leur espoir en attendant les résultats des grands Etats du Middle West, tous attribués de confiance à Dewey. Lorsque l'Illinois, le Wisconsin, l'Indiana, l'Ohio même et l'Iowa, holà ! laissèrent ruisseler des torrents de votes démocrates, une surprise aux allures de mystification grandit dans la foule amassée à Broadway. Mais peu de personnes assistèrent à la tragédie qui se déroulait à l'hôtel *Roosevelt*. Dewey, accompagné de Mrs. Dewey, y était arrivé au début de la soirée, rayonnant et déjà présidentiel. On vit son visage se décomposer lentement, trait par trait, à mesure que ses lieutenants lui tendaient les bulletins de défaite. Un moment, vers 2 heures, il y eut un remous, un grand sursaut dans la foule républicaine du *Roosevelt*. Une voix tranchante jeta aux ondes auxquelles l'Amérique était suspendue que Tom Dewey emportait l'Etat de New York et qu'il serait le prochain président des Etats-Unis. Mais le pilonnement du Middle West et du Far West écrasa ce sursaut d'espoir. Alors Dewey se leva, fit le tour des salons sur des jambes flageolantes et disparut.

En réalité, il s'en fallut d'assez peu que le résultat ne fût différent. Truman recueillit 24 millions de voix et une majorité de 2 135 000 voix sur le candidat républicain — réussite remarquable si l'on tient compte que Thurmond et Wallace lui enlevèrent ensemble près de 2 500 000 voix. Et cependant, 50 000 personnes changeant leur vote eussent suffi à retourner l'élection. Dewey, en effet,

perdit les trois grands Etats-clés dont il avait besoin, à
des minorités minuscules : la Californie par 23 900 voix
sur 4 millions, l'Illinois par 18 000 voix sur 3 500 000 et
l'Ohio par 8 000 voix sur 3 millions. Les 78 suffrages
représentés par ces 3 Etats eussent renversé la majorité
de Truman dans le collège électoral et fait de Dewey le
troisième des présidents américains élu avec moins de
voix populaires que son concurrent.

Sa défaite dans l'élection présidentielle n'affecta pas
la position de Tom Dewey comme gouverneur de New
York. Il fut réélu en 1950 et il l'eût été à nouveau en
1954 si, la cinquantaine bien sonnée, il n'avait pas jugé
le moment venu de corriger la pauvreté qui l'avait accompagné pendant trente ans de vie publique en faisant
quelque argent dans une profession d'avocat qu'il n'avait
pratiquement jamais exercée. Le démocrate qui lui succéda, Averell Harriman, était l'héritier d'une fortune ferroviaire constituée au siècle dernier par un dur baron du
rail, et, comme d'autres fils de millionnaires, il se donnait l'illusion d'expier les exactions paternelles en faisant une politique de gauche par laquelle il était devenu
ministre de Roosevelt et ambassadeur à Moscou. Quand
Nelson Rockefeller eut accepté d'être son concurrent,
on vit face à face deux candidats qui pouvaient compter
leurs millions de dollars par dizaines et qui, tous les
deux, possédaient des Picasso.

New York avait été l'Etat d'origine du fabuleux John
D. Rockefeller. Il était né dans la région rurale de
l'Upstate caractérisée par de longs lacs en forme de doigts
(Finger Lakes) d'un père dont la médecine sans diplômes
était en réalité une charlatanerie. La famille se transporta à Cleveland, dans l'Ohio, où John Davison commença sa fortune comme garçon de courses et la poursuivit en fondant avec un nommé Morris Clark une petite
affaire de commission. La guerre de Sécession (1860-
1865), à laquelle il se garda de prendre part autrement
que comme fournisseur, fut son premier trésor, suivi par
l'huile de pierre, le pétrole, qu'un faux colonel Drake
avait découvert quelques années auparavant en Pennsylvanie. Puis, tout en gémissant qu'il s'exilait en quittant son

cher Cleveland, John D. transporta à New York son domicile et le quartier général de sa Standard Oil. Aujourd'hui encore, le manoir de famille, sévèrement interdit aux visiteurs et aux photographes, est le domaine de Potantico Hills aux portes de la grande ville, dans la vallée du Hudson. Ses 4 000 acres, couverts de résidences distinctes, restent la ruche commune des cinq Rockefeller, petits-fils du vieux sorcier et fils du super-philanthrope (décédé en 1960), que fut John D. Jr. Aucune grande famille américaine n'a gardé plus d'harmonie et d'homogénéité.

Des cinq Rockefeller actuels, l'aîné, John Davison III, conserve intégralement le nom du fondateur, en même temps qu'il poursuit comme unique profession la mission humanitaire que son père s'était assignée. Le troisième, Lawrence, affecte des airs nonchalants d'un gentleman britannique, mais il aime les machines et investit ses capitaux dans ce qu'on appelle en Amérique des *ventures*, c'est-à-dire des entreprises industrielles d'avant-garde promises soit à une ruine radicale soit à un succès éclatant. Le quatrième, Winthrop, eut la seule faillite conjugale de la famille, son mariage avec une fille de mineur lithuanien dont il se libéra en payant une rançon de 5 millions de dollars — mais, ayant choisi d'aller divorcer dans l'Arkansas, il tomba amoureux de l'Etat déshérité où il créa de grandes exploitations agricoles suivant le principe rockefellérien de la philanthropie et du profit conjugués. Ce qui lui valut, en 1966, d'être désigné comme gouverneur d'un Etat qui jusque-là était démocrate. Le cinquième et dernier, David, est l'un des principaux dirigeants de la Chase Bank, et il n'est pas fâché d'entendre dire qu'il eût atteint ses hautes fonctions même s'il se fût appelé Brown. Nelson Aldrich s'intercale dans cette lignée avec le deuxième numéro d'ancienneté et, pour date de naissance, 1908. Il avait donc cinquante ans quand le titre de gouverneur de l'Empire State échut à une famille dont on croyait qu'elle ne pouvait plus rien attendre du ciel.

Lorsque Nelson Rockefeller faisait campagne, les œuvres des Rockefeller ne cessaient guère de l'escorter.

L'immense fortune, dont la constitution serait inconcevable de nos jours, se retrace aujourd'hui dans une foule de rameaux et l'idée de sa grandeur est beaucoup mieux donnée par ses vestiges que par les tentatives qui ont été faites pour l'évaluer en chiffres froids. A New York seulement (j'anticipe un peu sur le chapitre suivant), l'argent des Rockefeller a fait ou aidé à faire le magnifique musée d'art moderne, le passionnant musée d'histoire naturelle, la mise en scène historique et archéologique des Cloisters, le nouveau quartier des Morningside Heights, le parc suburbain de Palissades. Les sièges sociaux des deux grandes fondations de John D. Jr, l'une destinée à l'action humanitaire internationale, l'autre réservée à la recherche médicale, se trouvent à Manhattan : Rockefeller Foundation, 48ᵉ Rue, et Rockefeller Institute, près de l'East River. Au 31 décembre 1958, la fortune de la Foundation s'élevait à 578 millions de dollars dont les revenus s'investissent en bienfaits dans les six continents.

Bien entendu, c'est surtout le Rockefeller Center qui maintient incessamment le nom illustre dans les conversations quotidiennes. Il appartient encore à la famille, mais les revenus vont à l'Université Columbia, laquelle deviendra propriétaire au XXIᵉ siècle — exactement en 2069. Sa population de 48 500 employés et surtout ses 160 000 visiteurs quotidiens ont fait définir le Rockefeller Center comme la soixante-deuxième grande ville des Etats-Unis — avec 14 édifices, 215 ascenseurs, 20 consulats, 12 banques, 65 agences de voyage, des milliers de magasins et de bureaux. Entrepris en 1931, construit en pleine crise, il demeure, près de quarante ans plus tard, le cœur de la ville mouvante qu'est New York City.

Le site des Nations Unies est une histoire en soi. On cherchait un logement pour l'encombrante institution, provisoirement enterrée dans les sous-sols d'une usine désaffectée de la banlieue newyorkaise, à Lake Success, près d'Utopia Parkway. Quelques villes courageuses, dont San Francisco et Boston, se la disputaient, mais elle rejetait ces sous-préfectures et ne trouvait d'égale à sa grandeur que New York. Les Rockefeller commencèrent par lui offrir leur domaine de Potantico : elle le repoussa avec dédain. Ils s'avisèrent alors d'un grand quadrilatère au bord de l'East River, dont le financier William Zeckendorf songeait à faire une Cité de Rêve, Dream City, pour des locataires capables de payer plusieurs centaines de dollars par mois. Zeckendorf se fit prier, déclara qu'il ne cédait que par amour des Nations Unies, jura qu'il s'immolait pour elles, en se contentant des 8 millions et demi de dollars que les Rockefeller lui offrirent. Il ne fallut plus de longs efforts pour faire accepter à l'O.N.U. ce cadeau qui, dit-elle, l'excluait de la 5ᵉ Avenue pour la reléguer dans un quartier des docks. On eût mieux fait, effectivement, de l'installer dans l'île Kerguelen.

Ce qui est vrai pour David est vrai pour Nelson : même s'il s'appelait Brown et qu'il n'eût pas un sou, il n'en serait pas moins un combattant politique de premier ordre par la chaleur de son contact et par son activité communicative. Il reçut la sévère éducation des petits-fils Rockefeller, fut écarté des tentations de l'argent jusqu'à sa maturité, fit une campagne d'océanographie comme cuisinier à bord d'un baleinier arctique, revint en Amérique pour se voir charger de la location (en plein marasme) des 5 799 871 pieds carrés du Rockefeller Center, réussit au-delà de toute espérance, puis s'intéressa à l'Amérique latine, fonda des sociétés mi-parties agricoles et philanthropiques au Venezuela et au Brésil, fut appelé à Washington par un Franklin Roosevelt qui trouvait piquant d'avoir dans son administration le plus grand nom du capitalisme qu'il combattait, continua sa carrière administrative sous Truman et sous Eisenhower, pour s'élever jusqu'au poste de sous-secrétaire d'Etat à la Santé, aux appointements de 17 000 dollars par an. Sa victoire contre Harriman pour le gouvernement du New York fut éclatante. Il obtint 573 034 voix de majorité, en cette année 1958 qui voyait partout ailleurs la débâcle des républicains. Et l'on se demanda si le candidat républicain à l'élection présidentielle de 1960 ne serait pas le gouverneur Nelson Rockefeller. On se le demanda encore en 1964 et on recommença à se le demander en 1968...

Rockfeller avait devant la convention républicaine de Miami le même genre de chances que Willkie en 1940 et Dewey en 1948. Il avait les mêmes handicaps. La masse des militants républicains est tentée par une personnalité populaire corrigeant par son rayonnement personnel le caractère minoritaire du parti. D'un autre côté, ils voient en Willkie, en Dewey, en Rockefeller, non de véritables républicains, mais des demi-transfuges épousant l'état d'esprit des démocrates et cherchant à battre ceux-ci sur leur propre terrain. Rockie, au reste, fit preuve devant la candidature d'une indécision funeste. Il voulut, ne voulut plus, voulut encore, émit la prétention d'être plébiscité. Une telle faveur est excessivement rare dans quelque pays que ce soit. En Amérique particulièrement, une campagne électorale se conduit avec méthode et ténacité. Rockfeller, qui avait enlevé l'Etat de New York à 600 000 voix de majorité était l'homme le mieux placé du monde pour le savoir.

Le poste qu'il occupe est un producteur de présidents, les deux derniers en date ayant été les deux Roosevelt. Plusieurs autres gouverneurs de New York — Dewey, Smith, Hughes, Seymour, etc. — furent à toutes les époques de l'histoire américaine, les porte-drapeau du parti minoritaire, si bien qu'une fièvre de Maison-Blanche flotte dans le vieux Capitole d'Albany. Nelson Rockefeller s'y est construit une réputation nationale d'autorité et de prestige. Il y montre du faste. Il a rouvert ce qu'on appelle la Red Room, c'est-à-dire le cabinet de travail grand comme un court de tennis, que ses prédécesseurs avaient fermée par agoraphobie. Dans sa résidence officielle, grande bâtisse conventionnelle de 40 pièces, il a accroché des Picasso, des Dufy, des Paul Klee, un Van Gogh, etc. Les tâches limitées du gouvernement de New York ne pouvaient donner une satisfaction définitive à son ambition. De même qu'il n'est pas improbable que l'Amérique se rende compte qu'elle a besoin d'un Président à la fois conservateur et novateur, républicain et révolutionnaire. On pense à Théodore Roosevelt qui précéda Nelson Rockefeller dans l'Executive Mansion d'Albany.

XXIII

NEW YORK : LA VILLE

La neige se mit à tomber au début de la matinée, en dépit des prévisions du Weather Bureau annonçant un lendemain de Noël clair et froid. Vers 10 heures, la vie de New York était feutrée et, à midi, elle était presque suspendue. Les taxis tinrent longtemps, roulant en aveugles, mais les derniers capitulèrent vers 4 heures de l'après-midi. La neige tombait toujours, et ce que personne n'auraient pu croire possible se réalisait : dans tout New York, dans tout l'immense et vertigineux New York, le mouvement avait cessé. La voirie était devenue un désert polaire couvert par des centaines de milliers de monticules blancs représentant autant d'automobiles abandonnées et ensevelies. Les trains ne franchissaient plus les ponts et les tunnels ; Broadway n'ouvrit pas ses théâtres ; des foules de banlieusards campèrent où elles purent ; des hommes moururent dans les faubourgs en essayant de regagner quand même leur maison. Quand l'avalanche s'arrêta enfin, longtemps après la nuit close, le blizzard avait vaincu Megalopolis.

C'était en 1947 et le maire était alors William O'Dwyer. Il accourut de l'Arizona où il laissait reposer son cœur surmené par des problèmes municipaux. De La Guardia Field, près d'une piste hâtivement balayée pour son avion spécial, il prit un micro et s'adressa à ses administrés. L'appel qu'il lança (« Notre ville traverse le plus grand danger de son histoire ») parut mélodramatique, et cependant il était fondé. Il y avait dans les maisons des millions d'arbres de Noël, dont beaucoup, malgré les règlements de la police, portaient des bougies : « Si un grand incendie éclate dans les jours qui viennent, avertit O'Dwyer, nous sommes hors d'état de le combattre. » Il y avait 8 millions de bouches à nourrir et le système des transports était complètement désorganisé : « Ne vous ruez pas dans les magasins d'alimentation, supplia O'Dwyer, je vous donne l'assurance que vous ne manquerez de rien. » On aurait cependant difficilement empêché des troubles si les New-Yorkais avaient pu se douter que la paralysie de la cité durerait une semaine. Dans certains quartiers du West Side, la neige rendit les rues impraticables pendant un mois.

La crise de l'eau éclata deux ans plus tard. Pendant des semaines, les services municipaux attendirent la pluie en silence mais, le 12 décembre 1949, ils furent contraints d'annoncer au public que les deux réservoirs des Catskill et de Croton étaient réduits à 33,4 % de leur capacité. Des mesures spectaculaires furent décrétées pour réduire une consommation qui menaçait de les assécher complètement. Les restaurants cessèrent de servir de l'eau autrement que sur demande et les New-Yorkais furent priés de réduire leur consommation d'un verre par jour, ce qui représentait à soi seul une économie d'un quart de million de gallons. Dans les *lavatories* des gares et autres lieux publics, le *flushing* — il est péniblement significatif que la langue française n'ait pas d'équivalent satisfaisant pour ces deux mots hygiéniques — le « flushing » donc, fut confié aux préposés, au lieu d'être laissé à l'initiative des visiteurs. Le jeudi fut déclaré *water holiday*, les hommes cessant de se raser, les hommes et les femmes cessant de se baigner et la vaisselle, qu'ils font ensemble, étant lavée en une seule fois pour toute la journée. Le lavage des voitures fut interdit. Jointe aux restrictions d'eau atteignant les services de nettoiement, cette mesure donna rapidement à New York un aspect repoussant. On peut noter au passage, que la grande ville paraît d'ailleurs sale à la plupart de ses visiteurs — mais ils ne se doutent pas de la raison principale de cette malpropreté : le centre de New York, bâti sur du roc, a des égouts insuffisants. Il faudrait « flusher » (encore !) 10 000 kilomètres carrés de pavé par jour pour donner à la ville un débarbouillage satisfaisant. Même quand l'eau est en abondance, les collecteurs ne le permettent pas.

La crise de l'eau s'est résorbée quand la pluviosité est revenue, mais elle demeure une menace permanente, un problème obsédant. New York va chercher son eau jusque dans la vallée de la Delaware pour couvrir une demande de mille litres quotidiens par tête. Et périodiquement, cependant, on doit décréter une sécheresse patriotique, interdire d'arroser les pelouses, de laver les voitures et de servir spontanément un verre d'eau dans les restaurants. Cela, au reste, n'empêche pas que des déluges ne s'abattent fréquemment sur l'agglomération new-yorkaise, faisant dégorger les égouts insuffisants, inondant des quartiers entiers. New York passe sans cesse d'un extrême à l'autre ; le juste milieu seul est exceptionnel. Ce n'est d'ailleurs qu'un des problèmes insolubles de l'immense, magnifique et impossible cité. New York a déjà démontré plusieurs fois que la logique n'existait pas, que les mathématiques étaient fausses, et quant aux statistiques municipales, n'en parlons pas ! En principe, les New-Yorkais devraient mourir au moins une fois par semaine d'asphyxie, d'inanition ou de fatigue nerveuse. L'équation entre la circulation et les rues démontre que ces dernières devraient être embouteillées d'une manière absolument inextricable. L'équation entre le métro et ceux que l'argot newyorkais appelle les « sardines » établit que des hécatombes théoriques se produisent plusieurs fois par jour dans les souterrains, entraînant la mort par compression de milliers de personnes. Les ponts et les tunnels ne *peuvent* pas suffire aux échanges entre New York et l'univers : le ravitaillement ne *peut* pas arriver en quantité suffisante même pendant les jours ensoleillés et le prix du terrain ne *peut* pas permettre de renouveler les maisons. New York est démenti par plusieurs *a + b*.

Si New York vit, c'est certainement par des tours de force administratifs qui font de sa gestion l'un des métiers les plus difficiles du monde. Sa fragilité est néanmoins pathétique ; 3 500 travailleurs tiennent la ville en leur pouvoir : les équipages des remorqueurs de l'Hudson qui n'ont jamais pu arriver à rester en grève plus d'une demi-heure tant l'on se précipite pour satisfaire leurs revendications. La grève générale des 43 000 ascenseurs (ils transportent 6 milliards de personnes par an et font en deux jours le trajet de la terre à la lune) entraînerait des conséquences presque aussi graves que celle des bateliers. La vie quotidienne est pleine de catastrophes ruineuses — la rupture d'une conduite d'eau, un accident dans le métro, l'affaissement d'une chaussée ,etc. — qui font instantanément apparaître, comme dans un liquide en surfusion, des foules énormes d'hommes et de véhicules déviés de leur routine, tourbillonnant ou attendant.

Le 9 novembre 1965 New York connut une nouvelle catastrophe : après la grande neige de 1947, son histoire gardera le souvenir de la grande panne d'électricité de 1965. A 17 h 27 ce soir-là, la ville bascula d'un coup dans l'obscurité. Ce fut un black-out total qui n'affecta pas seulement, il est vrai, la ville géante, mais un territoire grand comme la moitié de la France. Cela aurait pu être un drame, car personne ne savait ce qui s'était passé, mais aucune panique ne se déclencha heureusement. Bloqués dans le métro, les gares, ou, pis encore, dans les ascenseurs, les New-Yorkais firent contre mauvaise fortune bon cœur, et s'installèrent pour ce qui fut une nuit totale de dix heures. Nelson Rockefeller mobilisa la Garde Nationale, mais tout resta calme et il n'y eut ni plus ni moins de violences qu'à l'ordinaire (un assassinat en moyenne toutes les quatorze heures). La panne du 9 novembre prouva seulement que la vulnérabilité de New York pouvait s'étendre à l'Amérique tout entière et que, dans notre civilisation technicienne, le dérèglement d'un cerveau électronique peut jeter dans la confusion la totalité d'un pays.

En décembre 1966, ce fut une autre alerte, l'alerte à la pollution atmosphérique. Fléau des villes modernes, elle atteint d'effrayantes proportions à New York. Le 12 décembre donc, le maire John Lindsay lança un appel tragique à ses administrés et proclama l'état d'alerte précédant l'évacuation de la ville. Le smog heureusement se dissipa, mais un plan de cinq ans a été mis sur pied afin d'éviter que les New-Yorkais ne soient contraints de vivre comme l'a prédit Lindsay, enfermés chez eux comme des souris dans leur trou, avec des masques à gaz. Il faudrait vivre en dehors de notre temps pour que ces spectacles, associés au souvenir de la « grande neige » de 1947, ne fassent pas surgir la hantise d'un danger beaucoup plus terrible qu'aucun cataclysme naturel...

New York est à la fois la ville la plus mal et la mieux construite du monde pour supporter un bombardement, atomique ou non. De vastes quartiers de Brooklyn, de Queens, etc., constitués par de petites maisons d'habitation, pourraient être rasés sans aucune difficulté particulière. Les géants de Manhattan, au contraire, sont d'une solidité qui fut démontrée le 27 juillet 1945, lorsqu'une superforteresse volante B-25 percuta dans le brouillard le soixante-dix-neuvième étage de l'Empire State Building sans causer au bâtiment un dommage appréciable. Une bombe atomique volatiliserait la matière à la verticale du point d'explosion, mais ses radiations, comme ses vagues de souffle et de chaleur, seraient rapidement atténuées par les masses de béton qu'elles rencontreraient. Il est admis par la défense passive qu'une sécurité satisfaisante existe dans les grands buildings à partir du septième étage au-dessous du ciel. En conséquence, le problème des abris n'existe pratiquement pas à Manhattan. Ce qui existe, c'est le cauchemar d'une panique et d'une tentative de fuite motorisée qui pourrait s'achever dans un épouvantable charnier.

**

Aux multiples embarras de New York, s'ajoute donc le problème de sa protection et de son évacuation. Il est plus difficile et encore plus angoissant que partout ailleurs. Et les responsables de cette situation, les auteurs de la fragilité que New York associe à sa solidité d'acier, les imprévoyants qui ont posé à City Hall des problèmes de paix et de guerre inhumains — ce sont les Hollandais.

Ils fondèrent New York (Neuw Amsterdam) en 1624. Deux ans plus tard, le gouverneur Peter Minuit acheta l'île de Manhattan aux Indiens. Cette acquisition est souvent citée comme le marché le plus léonin de l'histoire : en réalité, les volés furent les acheteurs. Lorsque les Hollandais eurent payé aux Indiens les 25 gouldens de quincaillerie et de verroterie du prix convenu, ils découvrirent que le chef qui leur avait vendu l'île n'en était pas le propriétaire et ils durent la conquérir par les armes contre une autre tribu. Mais ils ne songèrent jamais à abandonner — et pas davantage les Anglais après eux — cette longue flèche de terre merveilleusement placée entre un fleuve, un bras de mer et une rivière rapide qui achevait de fermer autour d'elle un fossé continu. De grandes étendues vallonnées, propices à la culture, s'étendaient sur 18 kilomètres, jusqu'aux hauteurs escarpées et boisées du Sud-Ouest. Il ne vint pas à l'esprit de ces commenceurs d'histoire qu'ils cédaient à des facilités momentanées et qu'ils établissaient la métropole du monde dans un site beaucoup trop resserré. Ils obligèrent leurs très lointains successeurs new-yorkais à vivre dans les nuages et à supporter tous les inconvénients d'une petite île servant de socle à une immense cité.

New York, ce fut longtemps — jusqu'en 1898 — uniquement la ville qui grandissait entre la Harlem River, l'East River et la Hudson River. Elle était déjà pour les Européens un vertige de mouvement et de vacarme de métal lorsque, brusquement, elle doubla de population et décupla d'étendue. Un *anschluss* municipal la réunit aux agglomérations surgies au delà de ses ponts. Elle n'était qu'une île : elle devint un archipel. Au lieu d'une ville, il y en eut 5 — Manhattan, Brooklyn, Queens, Bronx et Richmond — chacune avec son aspect, son patriotisme, son folklore et jusqu'à son accent. Le nom de New York continua de flotter sur ce cosmos.

Au recensement de 1950, New York City manqua de très peu les 8 millions d'habitants. Au recensement de 1960, elle perdit des citoyens, au lieu d'en gagner (7 710 346 contre 7 891 957). On évalue actuellement la population de New York City à 7 769 000 âmes, mais l'on peut soutenir avec raison que New York dépasse énormément son périmètre municipal. 'Au-delà de l'Hudson, longue façade industrielle et urbaine, les grandes villes du New Jersey, Newark, Jersey City, Passaic, Paterson, etc., font partie de l'agglomération newyorkaise. A Long Island, la ceinture des communes suburbaines ne permet pas de déceler l'instant précis où vous pénétrez à Brooklyn ou à Queens. Du côté de la terre ferme, Yonkers, Mount Vernon, New Rochelle, White Plains sont beaucoup plus New York que certains coins de Richmond et même de Queens. Le fameux comté de West Chester, à 50 kilomètres de Wall Street, est, selon l'échelle new yorkaise, l'équivalent de Neuilly. Sur les rives de l'Hudson, sur les rivages du Sound, la métropole est lente à s'effacer. Elle dure encore quand le clocher du village, la flèche de l'Empire State Building, 375 mètres au-dessus du niveau de la mer, a disparu sous l'horizon ; 11 500 000 habitants environ vivent dans ce New York tentaculaire dont on a souvent suggéré de faire un Etat à part, en rompant le lien artificiel qui l'unit à l'Upstate déjà tourné vers le Middle West ; 11 millions et demi d'habitants représentant non seulement un des plus nombreux rassemblements humains, mais encore le plus riche, le plus vivant, le plus mouvant, le plus composite et le plus envié de toute l'histoire et de tout l'univers.

Chacune des 5 parties constitutives de New York s'appelle un « borough », ce qui signifie techniquement une municipalité. L'*anschluss* de 1898 fut imparfait. New York a un conseil municipal commun, mais l'organe principal de sa machinerie administrative est un directoire qui porte le titre curieux de « Bureau d'Estimation », et dans lequel les « boroughs » sont représentés sur un pied d'égalité, malgré leurs énormes différences de population et de richesse ; 8 membres composent le Board of Estimate : un par « borough », plus le président du Conseil municipal, plus le contrôleur, plus le maire élu dans toute la ville. Chacun de ces personnages reçoit un traitement de 25 000 dollars, sauf le maire qui en touche 40 000 et jouit en outre de la Maison-Blanche new yorkaise, Gracie Mansion, sur une terrasse dominant l'East River. Le budget dont il surveille l'emploi dépasse 5 milliards de dollars. Les transports en commun qu'il contrôle véhiculent quelque 8 millions de voyageurs par jour et les services de nettoiement qu'il dirige enlèvent plus de 6 millions de tonnes d'ordures ménagères par an. L'armée qu'il commande, la police new yorkaise (recrutée presque exclusivement parmi les armoires à glace irlandaises) atteint l'effectif de 26 278 hommes. Par surcroît, le poste de maire de New York vient immédiatement après celui de Président des Etats-Unis pour les fonctions de représentation qu'il implique. Un bon maire participe en moyenne à 1 500 cérémonies de toute nature par an.

Beaucoup de maires de New York ont été des personnalités éminentes et quelques-uns, des personnalités éminemment discutables. Celui du temps de la prohibition, Jimmy Walker, qui portait le nom d'une marque de whisky, fut associé à tant de scandales qu'il dut démissionner pour ne pas être chassé de City Hall par le gouverneur de l'Etat de New York, Franklin Roosevelt. Son successeur, Fiorello La Guardia, dit Little Flower, était un effervescent démagogue dont le règne tumultueux se prolongea pendant onze ans. William O'Dwyer, ancien agent de police, vint ensuite et s'effaça, dans des conditions mal éclaircies, pour recevoir des mains d'un Truman très complaisant le poste d'ambassadeur à Mexico. Une réaction de moralité fit élire en 1950 l'indépendant Vincent Impellitteri, démocrate en révolte contre le fameux comité de Tammany Hall dont l'importance est depuis longtemps en régression. Mais le règne d'« Impy » dura peu. Il fut remplacé en 1954 par Robert Wagner, fils d'un sénateur démocrate qui dut sa fortune politique

à ses complaisances pour les syndicats. C'était la première fois depuis longtemps qu'un maire de New York
était né aux États-Unis. Il administra la ville jusqu'à la
fin de 1965. A 55 ans, il décida de se retirer devant la
campagne électorale de John V. Lindsay, dont un des
thèmes était la totale incurie de son administration. A
43 ans, le républicain Lindsay l'emportait sur le démocrate Abraham Beame pourtant soutenu par la Maison-
Blanche.

***

Les « boroughs » de New York sont des villes com-
plètes, chacune d'elles ayant un centre et des faubourgs,
des rues d'affaires et des districts résidentiels, des quartiers riches et des taudis. Peu de visiteurs européens
« réalisent », comme on dit, ce trait si original de la
grande ville. Ils imaginent Manhattan comme un foyer
de richesse et le reste de New York, où ils ne mettent
jamais les pieds, comme de simples faubourgs où la pauvreté rentre à 6 heures du soir par le métro. Rien n'est
plus faux. Tout en possédant les endroits les plus relui-
sants et les plus opulents du monde, Manhattan est
désigné dans toutes les études municipales comme le
« borough » qui a le plus grand besoin d'être assisté.
Celui, au contraire, où la richesse moyenne par tête de
résident atteint le chiffre le plus haut est Queens
(1 947 000 habitants) qui partage avec Brooklyn la façade
new yorkaise de Long Island. Il est aussi le plus vaste et
possède au moins la moitié des 8 millions d'arbres de
New York — car New York, tant accusée de calvitie,
a quand même autant d'arbres que d'êtres humains.
   Queens est aussi l'étoile qui monte. Il y a cinquante
ans, ce n'était qu'un semis de villages. Ils se multipliè-
rent, se rapprochèrent, se rejoignirent, fusionnèrent, mais
en gardant leur caractère de groupes d'habitations individuelles. C'est seulement à une date récente que Queens
a évolué vers des formes nettement urbaines : industrialisation et construction de grands immeubles collectifs. Sa
population continue à s'accroître, pendant que celle des

autres « boroughs » stagne ou décline. En prolongeant le mouvement vers l'avenir, il est facile de voir où New York se transportera. L'espace est là, atteignant parfois l'immensité, comme dans la région lointaine de Queens où le J. Kennedy International Airport (ex Idlewild International Airport) a été aménagé, avec une beauté et un luxe extraordinaires, au milieu d'une plaine aussi nue que le Turkestan. Le Sound, le bras de mer qui sépare Long Island du continent, deviendra probablement le centre d'une agglomération d'une structure nouvelle dont Queens sera le foyer.

The Bronx, la seule partie non insulaire de New York, ne détient qu'un seul record : celui des cimetières. Ils occupent le cinquième de sa superficie et, en vertu de la loi des contrastes, les Bronxistes du dessus (1 539 000) sont les plus turbulents des New Yorkais. Le radicalisme politique — au sens américain du mot, s'y est installé et le 7ᵉ District législatif a élu, il y a quelques années, un député presque communiste. Le Bronx a ses beaux quartiers, mais il est, dans l'ensemble, le moins riche des « boroughs », de même qu'il est celui dans lequel la proportion des Israélites est la plus élevée. L'Université de New York, le Zoo, le Yankee Stadium, l'arène sportive la plus vaste du monde, se trouvent au Bronx.

Le cas de Brooklyn est particulièrement intéressant. Le nom est mondial et peut-être même plus connu que celui de Manhattan, qui se confond avec New York. Cependant Brooklyn a conscience d'une injustice du sort. Comme la rivière qui arrose Paris devrait s'appeler l'Yonne, et non la Seine, New York devrait s'appeler Brooklyn. C'est là que se trouve la masse principale des habitants : 2 679 000 alors que Manhattan en contient à peine plus d'un million et demi. Les Brooklynois ajoutent volontiers qu'ils ont aussi chez eux le véritable caractère, le véritable esprit et jusqu'au véritable accent de New York — noyés, de l'autre côté de l'eau, dans le cosmopolisme de Manhattan. Bien que Brooklyn soit un dortoir de ce dernier, des centaines de milliers de ses citoyens — à commencer par les demoiselles d'*Arsenic et Vieilles Dentelles*, pièce du folklore brooklynois — ne passent jamais les ponts. Il subsiste de forts provincialismes dans cette fraction de New York aussi volumineuse à elle seule que Paris.

Brooklyn n'a jamais complètement accepté l'*anschluss* de 1898. Il avait résisté longtemps. « Ce n'est pas l'East River qui sépare Brooklyn de New York, déclara le vieux général brooklynois Jeremie Johnson, c'est un abîme que rien ne comblera jamais. » Lorsqu'on voulut relier par un pont ces deux antinomies, les Brooklynois s'y opposèrent désespérément. Ils avaient raison, car la construction du fameux Brooklyn Bridge — l'émerveillement et presque l'effroi de la fin du XIXᵉ siècle alors qu'il paraît aujourd'hui si paisible — fut le crépuscule de l'indépendance. Elle fut abandonnée par des nouveaux venus, qui votèrent la fusion, mais le 1ᵉʳ janvier 1898 fut un jour de deuil pour tous les véritables Brooklynois. Il s'en trouve encore aujourd'hui pour soutenir que l'acquiescement au « Greater New York » fut une erreur. Sans lui, Brooklyn serait (après Chicago) la deuxième ville des Etats-Unis. Son développement, son urbanisme, ses institutions municipales et culturelles auraient été dignes d'une métropole, alors qu'elle est indubitablement sacrifiée à la petite presqu'île insolente qui la toise du haut de ses gratte-ciel.

Cette sacrifiée a néanmoins de grands airs. Avant tout, c'est un port. Les rues de Brooklyn sentent le sel, alors que Manhattan pourrait être aussi bien à 1 000 lieues de la mer pour les effluves qu'il en reçoit. Aux pieds de l'Hudson arrivent les *liners*, de grands trains express transatlantiques qui accostent et repartent aussitôt, comme des ferry-boats, pour poursuivre leur rôle d'entremetteurs entre la 5ᵉ Avenue et la rue de la Paix. Aux pieds de Brooklyn, arrivent des cargos à la peinture éraillée et aux marins sans uniforme. Des chantiers de

construction et de réparation s'entremêlent aux docks.
La moitié de l'activité du port de New York se concentre
à Brooklyn.

Les deux grandes célébrités de Brooklyn furent longtemps Coney Island et les Dodgers. La plage populaire
est toujours là, avec ses foules compactes et son parc
d'attractions frénétiques, mais hélas ! Brooklyn a perdu
ses Dodgers, ses Roublards. Ils étaient en quelque sorte
son armée privée, la troupe valeureuse défendant et illus-
trant son nom dans la grande mêlée nationale du base-
ball. Toutes les grandes villes ont des équipes aux surnoms retentissants, les Tigres de Detroit, les Cardinaux
de Saint-Louis, les Braves de Milwaukee, les Sénateurs
de Washington, les Pirates de Pittsburgh, etc., et toutes
les entourent d'un chauvinisme forcené. Aucune, cependant, ne tenait, ne collait à ses héros plus loyalement
et plus ardemment que Brooklyn. Et les ingrats sont
partis vers des cieux plus dorés !

Profond mystère pour les Européens, qui le trouvent
lent et discontinu, le base-ball est pour l'Amérique un
envoûtement et un culte. Le grand titre de gloire du
général Abner Doubleday n'est pas d'avoir été l'un des
vainqueurs de la guerre de Sécession, l'un des défenseurs de Fort Sumter, l'un des divisionnaires de Gettysburg, mais d'avoir codifié les règles du base-ball. Les
lourds joueurs professionnels de celui-ci, engoncés dans
une tenue disgracieuse et antihygiénique, sont l'incarna-
tion de l'idéal pour les jeunes gens, la perfection de
l'éternel masculin pour les femmes et un sujet de conversation inépuisable pour toute la nation. Les « grands »
gagnent huit ou dix fois plus qu'un professeur d'université et même la gloire des matadors, dans les pays de
langue espagnole, n'atteint pas celle qui couronna des
immortels comme Ty Cobb ou George H. (Babe) Ruth.
Le base-ball, cependant, est organisé sur une base rigoureusement industrielle. Les grands clubs sont des affaires
privées valant des millions de dollars. Ils se répartissent
en deux ligues, American et National, pour les besoins
de la concurrence, mais un « gouvernement » commun
règle les litiges et veille aux intérêts généraux. Son

président, Ford C. Frick qui jouissait d'une liste civile de 65 000 dollars, à peine inférieure alors à celle du président des Etats-Unis (100 000 dollars actuellement), s'est retiré en 1965. Il avait assumé la présidence pendant quinze ans, et il a été remplacé par le général William D. Eckert.

Aucun événement ne communique plus de fièvre aux villes américaines que la finale du championnat, qualifié par mégalomanie publicitaire de World Series. Il se déroule entre les vainqueurs des deux ligues — et, quand cet événement mettait en ligne les Dodgers, Brooklyn vivait une tragédie d'espoir et d'angoisse. Le sort fut généralement cruel pour la ville déjà si mal traitée. A six reprises depuis 1941, les Dodgers gagnèrent le « Pennant » de la National Ligue, et cependant ils ne parvinrent à inscrire leur nom sur le Palmarès du championnat qu'une seule fois, en 1955. La mortification était d'autant plus cruelle que ceux qui leur barraient la route sur le dernier échelon du triomphe étaient régulièrement les ennemis héréditaires de l'autre côté de l'eau, les Yankees de Manhattan. Les soirs de ces défaites historiques, Brooklyn ressemblait à une ville frappée par une calamité. Les cinémas étaient déserts, les visages étaient défaits et l'on voyait dans les bars de longues rangées de buveurs se saoulant lugubrement. Mais l'espoir renaissait au soleil levant et, même dans ses pires déceptions, Brooklyn n'accable jamais ses Dodgers.

De sordides intérêts brisèrent cette communion. Les propriétaires du club se plaignaient depuis longtemps des recettes déclinantes et de l'insuffisance de leur stade d'Ebbetsfield que la ladrerie municipale refusait de reconstruire. Les sirènes du Pacifique firent entendre leur voix. Le base-ball californien n'était qu'une médiocre affaire à côté du base-ball de l'est, mais Los Angeles offrit aux Dodgers une arène de 100 000 places et un mécénat somptueux. Parallèlement, des négociations se poursuivaient entre San Francisco et la troisième équipe de New York, les Géants du Bronx. Les manifestations de désespoir des foules dévotes furent vaines. Le double transfert fut décidé. Les Dodgers de Brooklyn devinrent les

Dodgers de Los Angeles ! et, pour donner à cette triste histoire la conclusion la plus amère, ils gagnèrent en 1959 le premier championnat auquel ils participèrent pour leur nouvelle résidence — alors que Brooklyn avait dû attendre ce jour de gloire pendant cinquante ans.

***

A certains égards, le plus curieux des « boroughs » est Richmond, qu'on appelle encore Staten Island. Personne n'a jamais compris ce que cette île campagnarde fait dans la famille de géants urbains qu'est New York. Elle est située à une demi-heure de bateau de la pointe de Manhattan. Elle voisine avec Ellis Island, qui a aujourd'hui perdu sa fonction de quarantaine et de réceptionneuse d'immigrants, avec Governor's Island, qui appartient à l'armée, et avec la statue de la Liberté, mais elle est visiblement une dépendance du New Jersey dont elle n'est séparée que par un chenal tortueux enjambé par des ponts monumentaux. Découverte dès 1524 par la frégate de François Ier *la Dauphine*, que commandait le Vénitien Verrazano, elle joua à plusieurs reprises un rôle historique, et c'est l'histoire qui l'annexa à New York City. Mais elle n'est jamais arrivée à se peupler. Sa poignée d'habitants (268 000) considèrent leur qualité de citoyens de Richmond comme un titre de vieille noblesse et, pour venir travailler à Manhattan, voient matin et soir le panorama illustre qui émerveille les passagers des paquebots. Des bois à l'état de nature et des étangs sauvages couvrent cette partie intégrante de la grande ville — exactement comme si la Sologne était englobée dans le périmètre municipal de Paris. L'ouverture du Verrazano-Narrows Bridge le 21 novembre 1964 marque une date importante dans l'histoire de Richmond. Ce pont, qui est le premier à l'entrée du port de New York, permet de gagner directement l'aéroport Kennedy en venant du New Jersey, sans passer par Manhattan. Outre qu'il améliore considérablement la circulation à l'intérieur de la ville, il devrait permettre à l'agglomération new yorkaise, manquant de terrains d'expansion, d'urbaniser une bonne partie de Staten Island.

*
**

Mais New York est Manhattan. Tous les noms qui signifient New York sont à Manhattan : Wall Street, Broadway, Times Square, 5 th Avenue, Central Park, Harlem, le Waldorf Astoria, le Rockefeller Center, Madison Square Garden, les Nations Unies et les Rocket Girls de Radio City. Tous les superlatifs de New York sont à Manhattan. C'est là que s'élève le bâtiment le plus haut construit par la main de l'homme : l'Empire State Building, 102 étages, 1 250 pieds. C'est l'endroit du monde où le mètre carré de terrain vaut le plus cher, où se donnent les spectacles les plus somptueux, où l'argent peut acquérir le plus d'objets variés. C'est la plus grande place financière du monde, mais aussi le centre où se publient le plus de livres et où se créent le plus de pièces de théâtre. C'est là qu'arrivent le plus de touristes, le plus d'immigrants et le plus de célébrités. C'est la ville du monde où le plus de gens parlent tout seuls dans la rue, où se commettent le plus d'agressions à main armée et où existent le plus d'hôpitaux pour les animaux comme pour les hommes. C'est aussi la grande ville dont la voirie est la plus infecte, dont le service postal est le plus défectueux et dont le métro est le plus brutal. C'est encore — mais certainement pas enfin — le paysage urbain qui a été décrit le plus souvent et de la manière la plus contradictoire : depuis des transports de lyrisme jusqu'à des accents de haine sauvage.

Le trait distinctif de Manhattan est naturellement la verticalité. L'île a produit le gratte-ciel parce que le ciel était son seul champ d'expansion. Elle a créé ainsi une architecture qui est devenue l'un des principaux américanismes. Les 34 étages du Capitole de Bâton-Rouge, en Louisiane, les 47 étages de la Lincoln-Leveque Tower, à Colombus (Ohio), à plus forte raison les 22 étages du Capitole de Bismarck (North Dakota), ne sont pas imposés par l'étroitesse d'un site urbain, mais par le conformisme architectural. Toutes les grandes villes des Etats-Unis, y compris Los Angeles, ont des gratte-ciel. Il s'est avéré d'ailleurs que le gratte-ciel constitue la formule la plus heureuse pour les immeubles collectifs. C'est seulement à partir d'une certaine hauteur que l'encombrement des ascenseurs et des systèmes de chauffage concurrence la surface occupable au point de rendre antiéconomique toute tentative pour monter encore plus haut. La limite est atteinte, peut-être légèrement dépassée, avec les 375 mètres de l'Empire State Building. Une autre limite est donnée par la boîte de verre des Nations Unies (39 étages), si étroite qu'elle est presque inutilisable — comme l'institution.

New York possédait au total en 1960 107 immeubles de plus de 100 mètres, dont 98 se trouvent à Manhattan. Les premiers « gratte-ciel » commencèrent à être construits, pour la stupéfaction du monde et l'indignation des esthètes, à la fin du siècle dernier. Bâtis directement sur la rue, ils donnaient à celle-ci cet encaissement, cette apparence de canon, cette atmosphère de sous-sol encore si notables dans le quartier de Wall Street. Une nouvelle génération de colosses, grandis à partir de 1920, vit l'application de principes différents, caractéristiques de la Midtown : façades en retrait, étages en escaliers, libre circulation de l'air et du soleil. Plus récemment, une nouvelle révolution s'est produite par l'association systématique de la ligne horizontale et de la ligne verticale, ainsi que par l'utilisation massive du verre et des métaux légers. C'est le sens des magnifiques édifices qui renouvellent Park Avenue dont Gérard Bauer a pu dire qu'elle était « la plus belle avenue du monde », et qui donnent à New York un merveilleux regain de beauté, comme les Lever et Seagram Buildings, etc. Le nombre des étages ne dépasse guère la trentaine, contre les 102 de l'Empire State Building, mais l'équilibre des masses et la conception fonctionnelle ont été poussés à un haut degré de perfection. New York est en perpétuelle transformation. Et à l'extrémité méridionale de Manhattan, dans le Down Town, près de Battery Park, est en train de s'élever le World Trade Center, le centre mondial du commerce, qui sera une fabuleuse réalisation.

Aucune des formules, au reste, ne fournit les solutions

dont New York a besoin. Le gratte-ciel, en concentrant beaucoup d'hommes et beaucoup d'activités sur un petit espace, appelle de grands dégagements, des voies d'accès facile et de vastes parcs à voitures. New York (Manhattan) ne les a pas. La seule manière d'en faire une ville possible consisterait à démolir deux blocs de constructions sur trois pour consacrer l'espace correspondant à la voirie et aux servitudes de la vie moderne. Mais il n'y a qu'une guerre ou un tyran qui puissent réaliser cet urbanisme-là.

Les changements de New York sont incessants. Il y a soixante ans, le pôle de la vie élégante et nocturne était Madison Square, au niveau de la 26ᵉ Rue — aujourd'hui l'une des transversales les plus mortes de la ville à partir de 7 heures du soir. Jusqu'aux abords de 1900, le centre des théâtres n'était pas Broadway, mais Bowery, qui est devenu la jungle hideuse et pathétique des clochards. La 5ᵉ Avenue fut longtemps une allée de millionnaires dont les hôtels particuliers ont été démolis un à un par le commerce de luxe. Park Avenue n'était alors habité que par des parvenus sur lesquels même les bourgeois moyens de Madison Avenue, mis en scène dans *Life with Father*, faisaient les plus expresses réserves. Il existe d'ailleurs plus que jamais un snobisme new yorkais de l'adresse. La 5ᵉ Avenue, semblable à l'épine dorsale d'un saurien, délimite l'est et l'ouest, et le premier est une recommandation, tandis que le second est un stigmate. Toutefois la 5ᵉ Avenue est maintenant détrônée par Park Avenue et la 6ᵉ Avenue. L'admirable corniche de Riverside Drive, qui surplombe la magnificence de l'Hudson, est laissée aux Juifs parce qu'elle est à l'ouest, de même qu'un des côtés de Central Park est vénérable alors que l'autre est répréhensible, voire dangereux. Un mot prodigieux a été dit un jour par l'une des illustrations de la société new yorkaise dont le fils venait d'être arrêté pour avoir assassiné sa maîtresse dans une rue voisine de l'Hudson : « Mais qu'allait-il faire dans le West Side ? Personne n'y va jamais ! »

Cela ne veut pas dire que l'est de la 5e Avenue est un Passy pendant que l'ouest est un taudis. Cette localisation de la richesse et de la pauvreté n'est pas new yorkaise. Bowery se trouve à l'est de la 5e Avenue. Lower East Side est le district le plus misérable de Manhattan. Une partie de Harlem, et la pire, enjambe la ligne sacrée. Inversement, les somptueuses maisons en falaise de Riverside Drive où les appartements de Central Park West ne peuvent pas passer pour l'auberge de la pauvreté, malgré le discrédit mondain dont ils sont frappés. Socialement parlant, New York est une peau de panthère et l'on peut y prendre à 100 mètres de distance une photo qui ressemble aux beaux quartiers de Londres et une photo qui ressemble aux bas quartiers de Naples.

Une autre localisation curieuse de New York est celle des commerces et des industries. Un puissant instinct grégaire rassemble les mêmes activités économiques aux mêmes endroits, plutôt que de les diluer pour diminuer la concurrence. Bien entendu, Wall Street est la rue de la finance et Broadway, l'avenue des théâtres (bien qu'il n'y ait pas un seul théâtre en façade sur Broadway proprement dit) mais beaucoup de gens ne se doutent pas que le quartier entre Canal et North Street, dans la ville basse, ne vend que des machines-outils ou que les bouquinistes se trouvent pratiquement tous sur 250 mètres de la 4e Avenue, entre la 8e et la 12e Rue. Au delà de la 51e Rue et jusqu'à la 72e, dans la tranche des numéros (1789, 1848, 1918, etc.) qui rappellent tous une date d'histoire, Broadway devient Automobile Row — bien que les voitures de marques étrangères ainsi que les embarcations de plaisance s'achètent toutes dans quatre « blocs » voisins de la gare de Grand Central. Les crainquebilles et leurs poussettes de fruits et légumes hantent presque exclusivement quelques endroits bien délimités comme Bleecke Street, tandis que les robes nuptiales composent le commerce presque unique de Grand Street.

Le Garment Center n'est pas seulement un quartier inouï de New York. C'est également une institution américaine dont l'influence s'étend à toute une civilisation. Trois sur quatre des robes, quatre sur cinq des manteaux, cinq sur six des fourrures que portent les femmes américaines viennent d'un rectangle délimité par les 6ᵉ et 9ᵉ Avenues et les 30ᵉ et 42ᵉ Rues. Certaines maisons produisent jusqu'à un demi-million de robes par an et certains coupeurs les taillent à la scie électrique à raison de 500 épaisseurs d'étoffe à la fois. Le prix de vente au détail des produits du Garment Center varie de 3 dollars à 10 000 (pour les manteaux de fourrures) mais les principes sont les mêmes pour un *mink coat* et pour une blouse de coton. Il s'agit toujours de réduire au minimum les prix de revient par les procédés éprouvés de la spécialisation et de la production de masse. Chaque maison se cantonne dans un type de vêtement et dans un *bracket* de prix. Aucune industrie n'est d'ailleurs plus compétitive. Trois buildings de la 7ᵉ Avenue, les nᵒˢ 498, 500 et 512, représentent une aristocratie d'adresses, mais d'innombrables manufacturiers sont établis dans les rues adjacentes et dans Broadway. C'est probablement dans le Garment Center que la grandeur et la décadence des entreprises connaissent les alternances les plus rapides. Des sociétés nouvelles se constituent chaque jour, mais les hommes de loi du voisinage sont tous spécialistes du Bankruptcy Act et règlent ce qu'on préfère appeler les « sorties de *business* ».

L'existence de Garment Center, au cœur de Manhattan, est pleine d'inconvénients. Tout l'ouest de l'île, au niveau de la gare de Pennsylvanie, souffre en permanence d'une formidable congestion. Des milliers d'énormes camions bouchent les rues étroites dans lesquelles circulent aussi de petits chariots poussés à main d'homme et transportant sur des cintres plusieurs dizaines de robes ou de manteaux. L'industrie du vêtement travaillerait mieux et à un meilleur compte si elle pouvait s'installer des usines plus vastes et plus rationnelles que les ateliers souvent défectueux de Garment Center. Mais il est admis que celui-ci ne peut pas être ailleurs qu'à côté des grands hôtels et des lieux de plaisir à cause de ces créatures vénérées et redoutées que sont les *buyers*. Elles (ou ils) viennent de toute l'Amérique pour approvisionner à Garment Center les magasins qu'elles représentent. Dans un pays construit pour vendre, ces puissances d'achat sont impératrices. Leur arrivée est annoncée dans les journaux et les manufacturiers font autour d'elles des assauts désespérés de courtisanerie.

Rien, à New York ou ailleurs, n'est comparable aux trottoirs de Garment Center. L'heure du lunch et celle de la fin du travail en font le théâtre d'une mêlée dans laquelle chacun cherche son espace vital et son souffle. L'américain qu'on y parle — dans la mesure où il n'est pas du yiddisch pur — est un dialecte rude, émaillé d'expressions de Brooklyn, d'argot professionnel et de mots allemands. Les Juifs dominent de haut ce rassemblement extrêmement international, fournissant une forte majorité des patrons et une fraction prépondérante du personnel. Le second grand groupe est italien.

Le Garment Center fut et reste un champ de bataille social. Le *Needle Trade* — les métiers de l'aiguille — a toujours attiré, pour de nombreuses raisons, les immigrants les plus pauvres sur lesquels une exploitation dure s'est d'abord appesantie. Le syndicalisme a mené une lutte, constellée de grèves et de meurtres, contre les salaires de famine et le travail à la sueur qu'entraînait la rémunération aux pièces jointe à la concurrence pour le pain. Cette bataille, le syndicalisme l'a gagnée, et, selon la règle, les excès suivent la victoire. L'un des syndicats les plus puissants des Etats-Unis, l'International Ladies Garment Workers Union, l'I.L.G.W.U., a pour fief le Garment Center et il donne aux travailleurs de nouveaux maîtres. Son président depuis 1932, David Dubinsky, né à Brest-Litovsk, ancien terroriste en Russie, ancien agitateur en Amérique, devenu, grâce à ses 363 000 adhérents volontaires ou contraints, l'une des grandes puissances de l'A.F.L.-C.I.O. et du monde du travail, s'est retiré à soixante-quatorze ans en 1967. Il a été remplacé par Louis Stulberg. Les pouvoirs du président de l'I.G.W.U. vont jusqu'à dispenser les congés payés — payés par les patrons — si bien que la privation de vacances peut être la sanction d'un zèle syndical insuffisant. A chaque élection, tous les ouvriers et ouvrières de Garment Center durent apporter à la campagne démocrate une contribution « volontaire forcée » de 3 à 7 dollars. On a des raisons de croire que beaucoup d'entre eux, et surtout d'entre elles, se vengent dans l'isoloir. Mais la liberté politique est devenue un mythe pour les salariés entre la 30e et la 42e Rue.

**

Garment Center est un confluent de races, Broadway, dont il fait partie, présente un échantillonnage d'humanité encore beaucoup plus complet et New York dans son ensemble reflète Broadway. Le fantastique cosmopolitisme de la ville est un élément qu'il est indispensable d'avoir présent à l'esprit pour apprécier le phénomène qu'elle représente et aussi les réserves qu'elle suscite aux Etats-Unis.

Il y avait à New York, en 1960, presque autant d'Irlandais (550 000) qu'à Dublin, plus d'Italiens (1 100 000) qu'à Turin, autant d'Allemands (500 000) qu'à Dresde, plus de Russes (900 000) qu'à Kharkov, plus de Porto-Ricains (350 000) qu'à San Juan, autant de Juifs (2 500 000) qu'en Israël, plus de Polonais (425 000) qu'à Cracovie, et plus de Noirs (800 000) que dans n'importe quelle ville d'Afrique. Il y avait même — mais le terme de comparaison est modeste — plus de Français (40 000) qu'à Périgueux. Plus de la moitié des habitants du Grand New York sont nés à l'étranger ou fils de parents nés à l'étranger. Cinquante et une nationalités, c'est-à-dire pratiquement toutes les nationalités de la terre, figurent dans les recensements municipaux. La liste des journaux new-yorkais comprend les titres suivants : *Staats-Zeitung, Aufbau, El Diario de Nueva York, Il Progresso, Laisve Lithuanian Daily, Freie Arbeits Stimme, China Daily News, Magyar Jovo, Novoyo Russkoyé Slovo, Nowy Swiat, New Yorsky Dennik, Harvatski Svijet*, etc., etc. Littéralement, toutes les langues, tous les accents, tous les types humains, toutes les cuisines et tous les préjugés nationaux se juxtaposent pour former New York. « Nous sommes, disent les Américains, le pays le plus mal représenté à New York, puisque nous sommes les seuls à ne pas y avoir de consulat. » Et, lorsqu'ils apprennent qu'un maire contemporain de la Sécession proposa de rattacher New York à l'Europe, en qualité de ville libre, ils rient et disent : « Quel dommage qu'on ne l'ait pas écouté ! »

Pour cette New York si composite, on a trouvé un terme de comparaison historique : Constantinople sous l'Empire ottoman. C'est-à-dire un pot-pourri de races et de nationalités n'appartenant que par la géographie au pays dans lequel il se trouve. New York City a certainement beaucoup plus de contacts de toute nature de l'autre côté de l'Atlantique que de l'autre côté de la Harlem River. Quand l'Italie vote, un New-Yorkais sur huit a la fièvre et quand Israël est en danger, des centaines de prophètes surgissent du pavé. Les Irlandais et les Italiens observent le 4 juillet, mais les fêtes qu'ils célèbrent sont celles de leurs patrons nationaux, saint Patrick et saint Janvier. On peut vivre des dizaines d'années à Londres ou à Paris sans soupçonner Passover ou le Yom Kippour, mais ces deux grandes cérémonies israélites modifient la physionomie de New York presque à l'égal de Pâques et de Noël. A New York, chaque groupe racial ou national reste compact, et conserve son milieu. C'est pourquoi l'assimilation est si lente. Ailleurs, quelques dizaines d'années suffisent à produire des Américains, tandis que plusieurs générations n'arrivent pas toujours à effacer l'Europe chez les New-Yorkais.

La localisation des nationalités, aussi frappante que celle des métiers, favorise la résistance de New York à l'Amérique. La ville se compose de deux séries de quartiers : ceux (Wall Street, Broadway, etc.) où les races se mêlent pendant la journée et ceux où les races rentrent chacune chez soi au coucher du soleil. Rien qu'à Manhattan, on trouve une Petite Italie, une Petite Pologne, une Petite Bohême, une ville chinoise, une ville allemande, un village arménien, un ghetto, etc. Changer de quartier est souvent changer de pays et quelquefois de continent.

Les enseignes sont écrites dans des langues qui vont du yiddisch au mandarin et les nourritures exposées dans les magasins d'alimentation vont du canard laqué de Mulberry Street au *feldjäger* de la 78ᵉ Rue. New York est, en réalité, un immense atlas.

*
**

Un atlas dans lequel il n'existe pas de page plus importante et plus passionnante que Harlem.

L'une des raisons qui font la signification de Harlem est sa position. Ce n'est pas un faubourg lointain ; c'est un quartier de Manhattan. Il borde Central Park ; il commence à l'endroit précis où finit la 5ᵉ Avenue des millionnaires. Situé à l'extrémité du Bronx, il ne serait qu'une banlieue noire ; posé au milieu de la métropole de l'Amérique, il est le symbole dramatique du problème le plus grave de l'Amérique. C'est une tache, mais l'une de ces taches-stigmate qui accompagnent les maladies du sang.

On a peine à se souvenir que ce Harlem est tout récent. Jusqu'au début du siècle, il fut le Neuilly de New York. On jouait au polo près de la Harlem River, sur l'emplacement actuel de Polo Grounds, et Oscar Hammerstein, père du compositeur de *South Pacific,* ouvrit, en 1889, Harlem Opera House qui devait, dans son esprit, entraîner toute l'industrie des spectacles vers la 125ᵉ Rue. Une fièvre de construction suivit cette tentative, mais en 1901, une crise laissa inoccupées un grand nombre de maisons. C'est alors qu'un agent immobilier nommé Philip A. Payton, un de ces hommes obscurs qui font l'histoire, convainquit les propriétaires de louer à des nègres leurs immeubles vacants. La poussée noire qui s'ensuivit fut irrésistible. Les riches, dont les hôtels particuliers bordaient Lennox Avenue, déguerpirent tout de suite, mais les immigrants allemands et irlandais qui s'étaient installés dans ce quartier moderne et commode défendirent le terrain rue par rue. La résistance fut vaine. Dès 1910, les derniers Blancs avaient quitté Harlem.

En ouvrant une zone d'habitation à un peuple de Noirs, l'agent d'affaires Payton avait ouvert une mine d'or à une poignée de Blancs. Les maisons de Harlem, dont certaines sont d'anciennes folies des *gay nineties* furent et restent les meilleurs placements immobiliers de New York et peut-être du monde. On dit que les loyers sont aussi chers dans la hideuse 117ᵉ Rue que dans Park Avenue, et ce n'est pas une telle exagération si l'on tient compte de la qualité des logements et du prix du mètre cube d'air. Car l'encombrement de Harlem est phénoménal : la population de Lyon se serrant, s'entassant et se superposant dans un quadrilatère qui mesure moins de 2 kilomètres carrés. Les nuits d'été, la masse des dormeurs s'épand sur les échelles d'incendie, les toits et les trottoirs, mais quand revient le dur hiver new-yorkais, elle se comprime à nouveau derrière des murs fatigués et usés par les masses de chair humaine qu'ils doivent contenir.

Il s'en faut cependant que Harlem soit uniformément un taudis. Et d'abord, il n'y a pas un Harlem, mais plusieurs.

D'ordinaire, on en distingue trois : nègre, espagnol et italien. On peut en trouver d'autres — comme le Harlem français, peuplé par la Martinique et Haïti, et dont la bibliothèque publique classe Alexandre Dumas sous la rubrique : « Auteurs nègres étrangers. » Mais ils n'ont qu'un intérêt épisodique et le Harlem italien, voisin de l'East River, n'est lui-même qu'un quartier napolitain de plus. La tragédie commence avec le Harlem espagnol, qui est essentiellement le Harlem porto-ricain.

Ce foyer de misère et de dégradation est né d'une erreur généreuse. Les Etats-Unis annexèrent Porto Rico après la guerre hispano-américaine. Ils lui auraient donné l'indépendance si l'île, érodée et surpeuplée, avait été politiquement viable. Contraints de garder contre leurs principes une possession coloniale, ils crurent se mettre en règle avec leur conscience en accordant au moins le passeport américain à tous leurs sujets de Porto Rico. Ils créèrent ainsi un problème et, sans le vouloir, commirent une cruauté.

Par milliers, les Porto-Ricains arrivent à New York,

sans que les barbelés de l'immigration puissent les arrêter. Ils accourent, séduits par un mirage de richesse et quelquefois même attirés par des politiciens en quête d'un troupeau électoral. Illettrés, déracinés, indolents, sans profession, sans un mot d'anglais, ils s'entassent dans le Harlem espagnol dont les enseignes et les odeurs les rassurent. Toutes les tentatives pour les orienter vers la vie rurale, la seule à laquelle ils soient adaptables, échouent. « Les enquêteurs, dit un rapport officiel, constatent qu'un pourcentage très faible de Porto-Ricains sont disposés à accepter des emplois hors de New York. Au lieu d'aller travailler au grand air parmi les étrangers, ils préfèrent vivre dans des rues malpropres de leurs taudis. » Les secours de l'Assistance publique sont, en conséquence, la source de revenu principal du Harlem porto-ricain où la mortalité est trois fois plus élevée et la criminalité sept fois plus élevée que dans le reste de New York. La police doit y tolérer la prostitution et même fermer les yeux sur les visites à domicile que des fillettes porto-ricaines vont faire à Chinatown, à l'autre extrémité de Manhattan.

Le grand Harlem noir, situé à l'ouest du Harlem espagnol, n'est pas comme lui un paysage inflexible de malédiction sociale. Il a ses riches comme il a ses pauvres et ses quartiers de luxe comme ses quartiers de détresse. The Valley est un rectangle de rues abjectes, bordées de maisons vétustes et surpeuplées, quelquefois éclairées au pétrole, souvent envahies par les rats. Mais Golden Edge (en bordure de Central Park) et Sugar Hill sont les districts résidentiels des grands bourgeois de couleur. Certains d'entre eux, au reste, ne maintiennent à Harlem qu'une adresse de façade et vivent dans leurs propriétés de Long Island. Ou bien ils émigrent à Washington Heights, conquête récente du ghetto noir.

Il existe quelques grandes fortunes noires réalisées dans le commerce, la banque, les assurances, les transactions immobilières, etc. Mais le moyen d'enrichissement le plus commun de Harlem demeure le talent. Duke Ellington, le génie du jazz, William Handy, l'inventeur du « blues », Louis Armstrong, le dieu de la trompette, sont des cas typiques d'hommes qui ont mis les aptitudes naturelles de leur race au service d'une carrière dans laquelle ils ont trouvé la célébrité mondiale et la fortune. La boxe, qui est essentiellement une danse au service de la force, devient de plus en plus le monopole des Noirs et Harlem en est incontestablement la capitale. Les futurs champions dont il regorge ont devant eux des réussites éblouissantes, comme celles de Joe Louis (d'ailleurs né dans l'Alabama) et de Ray Robinson (d'ailleurs né à Detroit). Mais le premier a sottement dilapidé la somme énorme de 4 millions et demi de dollars gagnée avec ses poings, alors que le second a adroitement investi et fait fructifier des gains beaucoup plus modestes. Les Sugar Ray Entreprises sont un petit consortium groupant un restaurant, un bar, une blanchisserie, une teinturerie, un salon de coiffure, un magasin de lingerie, un *country club* et trois immeubles de rapport. Robinson, élevé au capitalisme par le ring, « vaut » au bas mot 1 million de dollars. Mais il fut long à acquérir la grande popularité harlémite, en raison justement de la prudence avec laquelle il conduit ses affaires d'argent. Par contre, l'attitude d'un Cassius Clay qui renonce aux avantages de son titre de champion du monde des poids lourds, change de nom en se convertissant au mouvement des musulmans noirs et refuse de se laisser enrôler dans l'armée, est significative d'une profonde évolution de la mentalité noire...

L'ostentation, à Harlem, accompagne l'enrichissement et quelquefois le précède. Les vendeurs de Cadillac savent qu'ils ont dans la ville noire l'un de leurs meilleurs marchés. Les réceptions de Sugar Hill sont exceptionnellement brillantes et il existe une couture noire caractérisée par un emploi téméraire de la couleur. La fourrure favorite est l'hermine, tandis que, du côté masculin, les Harlémites adorent les longs cigares, les bagues énormes, les boutons de manchette en rubis, les souliers blancs et les cravates vertes. Le souci vestimentaire est toujours extrême chez les Noirs, traduisant un désir de respectabilité et une affirmation de soi assez émouvants.

*
**

Harlem produit en quantité assez restreinte des architectes, des peintres, des sculpteurs et des écrivains. Il
produit quelques excellents médecins, comme le gyné-
cologue Peter Marshall Murray. Il produit des démagogues, comme le pasteur Adam Clayton Powell, qui fut
le premier Noir député au Congrès, et Benjamin Davis,
qui fut le seul conseiller communiste de New York City.
Il produit des guérisseurs, des charlatans, des convul-
sionnaires, des inventeurs de rites et des fondateurs de
religion. Il fallait un terrain d'un mysticisme aussi fertile
et aussi ingénu pour engendrer un phénomène comme
Father Divine qui durant des années, et ce jusqu'au
10 septembre 1965 où il mourut enfin, survécut à tous les
coups.

Les grands bourgeois noirs n'aiment pas qu'on parle
de Father Divine. En 1946, étant alors âgé de soixante-dix
ans, il épousa une de ses « anges », la petite Canadienne
blanche Edna Ritchings, vingt ans, de Vancouver. L'un des
points de sa doctrine était l'exaltation du célibat et l'interdiction des rapports sexuels, même entre les époux. Aux
risées qu'il provoqua, le pieux fumiste répondit que son
mariage était purement spirituel. On put vérifier, quelques
mois plus tard, que l'inconséquence de son fondateur
n'avait pas ébranlé le Royaume Divin, tout au moins dans
sa prospérité matérielle. Father Divine (dont le vrai nom,
jalousement gardé secret, est probablement George
Baker), acheta l'hôtel Tracy, de Philadelphie, pour un
quart de million de dollars et le paya en billets de 5 et
10 dollars que ses « anges » transportèrent dans de
grands sacs de cuir.

Il est probable que Father Divine a été l'homme le plus
riche de Harlem. On l'évaluait de 2 à 5 millions de dollars.
Mais personne ne connaît les arcanes de cette immense
fortune dont la propriété légale appartient aux « anges »
suivant des règles dont la complexité défie toutes les
investigations. Lorsqu'un « ange » dévalisé poursuivit le

Père en justice, Father Divine embrouilla si bien l'affaire dans un fatras spiritualiste que le tribunal se déclara incompétent. Le fisc lui-même, le terrible fisc américain, renonça à réclamer son dû. En vérité, on ne tenait pas à pousser trop loin les tentatives de recouvrement dans un Harlem électrique où des multitudes de fidèles croyaient de toute leur ferveur que Father Divine était non seulement le Verbe, mais la chair de Dieu. Lui, de son côté, payait son tribut à l'humanité misérable en servant des milliers de repas à prix réduits dans son « Royaume » de la 126ᵉ Rue et en entretenant des asiles où les plus pauvres peuvent trouver un lit pour quelques cents.

Il y a trente ans, Harlem était sur l'itinéraire de toutes les tournées des grands-ducs. La prohibition y fut violée plus ouvertement qu'en aucun autre quartier de New York. Les fameuses boîtes de nuit de Cotton Club et de Plantation Club y procuraient un exotisme de tout repos. Les nègres étaient turbulents, importuns, un peu voleurs, mais inoffensifs et grandement honorés de faire des pirouettes devant les nobles visiteurs de la race de Japhet ou de la race de Sem. La chair noire était à portée de tous les amateurs. Dans les rues du « Market », des prostituées abaissaient leur tarif jusqu'à 20 cents et se montraient aussi respectueuses devant le client que leur grand-mère devant le planteur. Ces temps sont révolus. Le Harlem servile est mort. Ce qui est né à sa place est une capitale ombrageuse et une ville murée.

Rien n'empêche d'y aller. Il existe ni grille ni pont-levis. De jour, le Blanc — désigné sous le sobriquet injurieux et intraduisible de « offay » — ne risque pas grand-chose, sinon, dans quelques ruelles écartées, une projection d'ordures ménagères. Le péril commence au soleil couchant. Les Européens qui se sont risqués jusqu'au terrain relativement neutre du Savoy Ballroom ou qui ont visité quelques night clubs sous la protection de Harlémites amis ne doivent pas en conclure que les avertissements qu'ils ont reçus étaient exagérés. Jed Lait et Lee Mortimer, dans leur livre *New York Confidential*, sont catégoriques et ils ont raison : « Les badauds et les amateurs de sensations qui ne connaissent pas leur Harlem, disent-ils, y risquent leur vie. Si vous n'avez pas une raison légitime de vous y rendre, *évitez Harlem.* »

Le conseil est suivi. Rare le jour, le Blanc disparaît presque complètement la nuit. Les conducteurs de taxis refusent fréquemment de se rendre à Harlem et quelquefois de le traverser. Les curieux qui remontent quand même la 7ᵉ ou Lennox Avenues ne reçoivent pas nécessairement un coup de matraque et ne sont pas forcément entôlés par une Vénus noire, mais ils rencontrent au moins des regards hostiles et une atmosphère réfrigérante qui les renvoie d'ordinaire assez vite vers les quartiers blancs. Les Harlémites signifient avec une éloquence parlée ou muette que leur ville n'est ni un spectacle ni un terrain de chasse. Ils ne partagent plus rien avec les Blancs, même leurs vices. Un rideau de fer est tombé.

La sensibilité de Harlem est le cauchemar des autorités new-yorkaises. Pour des raisons complexes et profondes, beaucoup plus que pour des motifs précis, la police est haïe dans la ville noire. Des incidents multiples conduisirent à retirer leurs armes aux « cops » patrouillant dans Harlem, mais leur vie fut si compromise qu'on dut les leur rendre. La criminalité sous toutes ses formes est extrêmement élevée et la détection des criminels prodigieusement difficile, même lorsqu'on a recours à des policiers de couleur. Une émeute raciale, prenant la forme d'une explosion de passion incontrôlable, est toujours possible et toujours redoutée. Seul l'exploit tranquille du maire républicain John Lindsay, qui, la nuit de l'assassinat de Martin Luther King, se rendit immédiatement à Harlem où il marcha dans les rues en parlant aux gens, réussit à éviter une explosion redoutable. La rue critique demeure la 125ᵉ, axe commercial de Harlem, où les peaux blanches reparaissent sous la forme des commerçants juifs. Ceux-ci, pendant longtemps, refusèrent d'embaucher des vendeurs noirs, mais ils y furent contraints par les deux soulèvements de 1935 et de 1939. Harlem, dans son ensemble, est antisémite, bien qu'on y trouve des Juifs noirs et même des rabbins noirs.

Devant la question noire, New York est l'Etat le plus libéral d'Amérique. Les droits civils y sont en vigueur dans toute leur étendue. Aucune discrimination n'est légale sous aucune forme, la mention de la couleur sur les documents officiels étant même interdite et les mariages mixtes autorisés. Le gouverneur Dewey a fait voter une loi sur la protection du travail que tous les libéraux d'Amérique prennent pour modèle et qui donne aux salariés noirs le maximum de garanties humainement imaginables. Les barrières demeurent, et elles restent hautes, mais elles viennent désormais uniquement des mœurs que seules de lentes évolutions peuvent modifier. Même sur ce terrain, c'est encore New York qui donne aux deux couleurs le plus d'occasion de se mêler. Or, l'on constate de plus en plus un phénomène qui ne paraîtra étrange qu'aux rêveurs : loin de favoriser l'évolution esquissée, les Noirs la contrarient. Au lieu de pousser sur les barrières qui leur sont encore opposées, ils dressent leurs propres clôtures. Ils se barricadent dans Harlem.

Très peu d'hommes blancs épousent des Noires. Davantage d'hommes noirs épousent des Blanches. Celles-ci vont vivre à Harlem où elles devraient être saluées avec espoir et respect pour la promesse qu'elles apportent et le courage qu'elles ont montré. Leur sort est, au contraire, misérable et la plupart doivent fuir devant l'hostilité ou l'ostracisme. Elles représentent la dernière chance de ce mélange des sangs, de ce métissage universel recommandé par quelques sociologues comme la seule solution au problème noir. Il a presque complètement cessé, après avoir été si actifs que 85 millions au moins des 22 millions (peut-être même 24 millions si le Bureau de recensement confirme qu'on a effectivement « oublié » en 1960 environ 10 % de la population noire) de nègres américains ont du lait dans leur café. Il n'a aucune chance de reprendre, même avec la sanction du mariage : les Noirs ne les désirent guère plus que les Blancs.

Le paradoxe, c'est que, d'après la convention même de Harlem, la noblesse est conférée par le sang blanc. Toute une hiérarchie se fonde sur les teintes de la peau. Pour un octoron, un quarteron est un « black » et un mulâtre n'est guère plus qu'un « nigger ». Le ménage harlémite typique est un homme foncé et une femme claire — l'homme choisissant. On cite des exemples de petites annonces demandant des collaborateurs « clairs » et c'est un fait qu'aux « parties » élégantes de Sugar Hill, on ne voit presque jamais un pur Africain. C'est aussi un fait (auquel on peut donner la signification qu'on voudra) que la plupart des Noirs parvenus à des situations éminentes sont clairs. Il arrive un moment où un œil européen ne distingue plus la couleur provenant de la pigmentation et celle provenant du soleil, bien qu'un œil noir continue de reconnaître les traits négroïdes très au delà de cette zone indécise. Malgré l'arrêt presque total du métissage, on estime que 50 000 individus « passent la ligne » chaque année et se confondent avec les Blancs. L'aspiration à ce franchissement presque impossible se mêle curieusement à une conscience raciale grandissante chez les élites noires des Etats-Unis.

Lentement, Harlem a pris son caractère. Il est une capitale — et la capitale d'un Etat dans l'Etat. C'est un trait d'une capitale que la plupart des Harlémites notoires ne soient pas nés à Harlem, mais soient venus s'y établir à un moment de leur carrière pour conquérir réputation et fortune. *Amsterdam News,* le quotidien de Harlem, avec son tirage d'un demi-million, paraît refléter une autre nation que le *New York Daily News* qui se publie 70 rues plus bas, dans la ville blanche. Les institutions culturelles de la race noire se multiplient à Harlem, en même temps qu'y apparaissent les Ritz noirs, les palaces, qui sont aussi l'une des caractéristiques des capitales modernes. Harlem tout entière, au reste, se transforme, se couvre de constructions neuves, perd rapidement son uniformité de quartier résidentiel pauvre. Ce qui ne diminue pas est le surpeuplement. Des quartiers noirs plus vastes et plus agréables que Harlem existent à Brooklyn et au Bronx, mais les tentatives pour attirer la population de couleur hors de Manhattan, dont elle réduit les possibilités de développement, échouent les unes après les autres — comme si la race noire avait conscience qu'elle doit conserver à tout prix la position symbolique incomparable qu'un hasard lui a donnée.

Loin de se laisser exproprier, Harlem pousse et s'étend. Ce n'est pas une unité administrative rigidement définie, mais une sorte d'organisme qui grandit. La lutte, déclenchée il y a cinquante ans par l'agent immobilier Payton, n'est pas achevée. Des rues blanches deviennent noires. La portion supérieure de Central Park est un jardin public noir. Washington Heights, site de l'Université Columbia et position de repli de George Washington après sa défaite de Long Island, est en grande partie conquise, Harlem progresse et, en progressant, il se ferme, il s'isole de plus en plus.

On a pu discuter la question de savoir s'il s'agissait d'un symbole ou d'un accident — si l'évolution rapide des Noirs les intégrait à la société américaine ou les poussait au contraire à s'en différencier — s'ils marchaient en quelque sorte vers l'assimilation ou vers le ghetto. La réponse est toujours difficile, parce que les données sont parfois encore contradictoires. Mais de plus en plus la société noire investit à l'intérieur du cercle fermé qu'elle constitue, tous les progrès moraux et matériels qu'elle réalise. Les Noirs américains sont dans leur immense majorité ardemment patriotes et fiers de leur citoyenneté, mais, simultanément, ils ressentent l'éveil de quelque chose qui ressemble à une conscience nationale autonome. Dans un remarquable discours qu'il prononça à Cleveland en avril 1964, Malcolm X — qui venait d'abandonner le mouvement des Black Muslims (à la constitution duquel il s'était voué depuis 1952) pour fonder « l'organisation de l'Unité afro-américaine », au nom significatif — dit notamment : « Nous sommes des Africains qui se trouvent en Amérique... Vous devriez... vous appeler des Africains et non plus des Noirs. » De plus en plus en effet les Noirs américains mettent l'accent sur leur origine africaine, réclament qu'on leur enseigne l'histoire de l'Afrique, et demandent non plus tant la déségrégation que la séparation. C'est le sens du mouvement du Black Power, du pouvoir noir. Et les progrès irrésistibles de la race noire les portent chaque jour plus avant dans cette voie. Ils peuvent parler le même argot, manger les mêmes nourritures, fréquenter les mêmes écoles, voter dans les

mêmes bureaux de vote que les Blancs ; ils peuvent même
saluer le même drapeau et s'émouvoir au même hymne
national, il n'en reste pas moins qu'ils se sentent et qu'ils
se savent fondamentalement différents. Le Sud veut
traiter la question noire par la ségrégation légale et il y
réussit de moins en moins. New York, au contraire,
comme la plupart des Etats du Nord, traite la question
noire par l'uniformisation légale : Harlem, de plus en plus
farouche, laisse craindre que New York ne réussisse pas
beaucoup mieux.

C'est la seule très grande ombre pesant sur l'avenir
de l'Amérique, et elle porte en elle le germe de terribles
déchirements.

*

La place de New York dans le monde juif est beaucoup plus importante encore que dans le monde noir.
Il s'y trouve plus de 3 millions d'Israélites, ce qui signifie
que plus d'un New-Yorkais sur quatre est un Juif et qu'un
sur six des Juifs du monde entier est un New-Yorkais.
« New York, disaient parfois les Juifs avant la réussite
d'Israël, est notre Sion. » Et les anti-Juifs, sarcastique-
ment, corrigeaient et corrigent encore le nom de la ville :
Jew York.

L'association de New York et de la juiverie date de loin.
Les premiers Juifs arrivèrent à New Amsterdam avec les
Hollandais et leur première communauté américaine, Sha-
rith Israël, les Débris d'Israël, y fut établie dès 1656. Il
s'écoula cependant plus de trois siècles avant la grande
migration qui devait faire de New York l'arche d'entrée
triomphale d'une race persécutée sur un magnifique terrain de conquête. De 1882 à 1914, près de 2 500 000 Juifs
débarquèrent à la Battery. Ils venaient en immense majorité des pays à pogromes de l'Empire russe et de l'Empire
austro-hongrois. Ils étaient certainement au moins aussi
pauvres que les immigrants non-Juifs arrivant en même
temps qu'eux. Partant d'un pied d'égalité avec ces derniers, ils ont conquis une part de la fortune américaine
sans nul doute supérieure à leur proportion numérique.

Il vit actuellement aux Etats-Unis 5 721 000 Juifs sur une population d'un peu moins de 200 millions, et — bien qu'il n'existe pas de statistique précise — personne ne songerait à soutenir qu'ils se contentent de moins du trentième de la richesse nationale.

L'absurdité inverse consisterait à prétendre que les Juifs possèdent l'Amérique, comme la propagande hitlérienne l'a tant dit. Ils possèdent en exclusivité presque complète deux grandes industries — le vêtement et le cinéma — et ils ont des parts prépondérantes ou très importantes dans la radio, les journaux, tous les spectables, la banque, les assurances et le commerce de détail. Mais la métallurgie, l'automobile, le pétrole, les transports, l'industrie chimique, etc., ne sont pas juifs ou ne le sont que dans une faible proportion. Le sol ne l'est en aucune manière. On enregistra, au siècle dernier, quelques tentatives enthousiastes pour amener à l'agriculture une partie du fleuve juif qui se déversait sur les Etats-Unis : quelques maraîchers et quelques éleveurs de volailles du New Jersey restent comme les dernières traces d'une tentative manquée pour détourner une race de ses voies séculaires.

La densité juive est, en conséquence, extrêmement inégale aux Etats-Unis. Dans les régions rurales du Sud, du Centre et de l'Ouest, le Juif est pratiquement inconnu. Dans les Carolines, le Mississipi, l'Idaho, etc., le pourcentage des Israélites atteint à peine 0,20 % et il reste inférieur à 1 % dans 24 Etats sur 48. Il ne dépasse 5 % que dans les 4 Etats du Connecticut (5,35), du Massachusetts (5,94), du New Jersey (6,17) et de New York (17,2). Ces 4 Etats, plus la Pennsylvanie et le Rhode Island, c'est-à-dire l'ensemble des grandes régions urbaines de l'Est, rassemblent plus des deux tiers des Juifs américains. Quelques grosses masses se trouvent à Chicago (270 000), à Boston (169 000), à Philadelphie (330 000), etc. Deux régions enfin, les deux terres de soleil, voient un prodigieux afflux juif, corollaire de leur enrichissement : la Californie du Sud et la Floride. En trente-cinq ans, les Juifs de Los Angeles sont passés de 82 000 à 490 000 ; ceux de Miami, de 7 500 à 92 000.

Aucune ville, cependant, n'offre une image du monde israélite aussi complète et aussi pittoresque que New York. Le « ghetto » classique, qui couvre une partie de Lower East Side, maintient les formes les plus rigoureuses de l'orthodoxie religieuse, du costume traditionnel, de la nourriture rituelle — mais il produit aussi en foule dans ses rues sordides des intellectuels, des artistes et des écrivains d'extrême-gauche dont certains (comme l'ex-communiste Michael Gold dans *Juif Sans-le-sou*) trouvent leur œuvre dans leur ruisseau natal. Des journaux, des institutions culturelles existent dans le « ghetto », bien que celui-ci n'ait pas pour les Juifs la même signification que Harlem pour les Noirs. Il ne contient d'ailleurs qu'une faible fraction de la population juive de New York, laquelle submerge tous les « boroughs ». L'annuaire téléphonique de Brooklyn, pour ne citer qu'un seul exemple, enregistre plus de 9 000 noms de Rosen (Aaron) à Rosenzweig (Zeta).

Il est généralement admis que les New-Yorkais qui ne sont pas Juifs sont antisémites. Une collectivité aussi nombreuse, aussi riche, aussi intelligente et aussi entreprenante ne peut pas manquer de développer autour d'elle un sentiment puissant d'hostilité. L'antisémitisme a d'ailleurs en Amérique des racines fortes et vivaces, bien qu'il ne prenne une expression politique que rarement, timidement et pour ainsi dire honteusement. Il est souvent associé à l'anticatholicisme dans les mouvements extrêmes du protestantisme et de l'américanisme. Le Ku-Klux-Klan s'assigna trois ennemis : le nègre, le catholique et le juif. Quelques grands capitalistes, dont le plus hardi fut Henry Ford, manifestèrent des sentiments antijuifs et, aujourd'hui encore, un riche pétrolier du Texas, George W. Armstrong, passe pour le mécène de l'antisémitisme. Le plus connu des militants de celui-ci est le pamphlétaire Gerard L. K. Smith, éditeur de la publication mensuelle *The Cross and the Flag* et promoteur de la Christian Nationalist Crusade. Smith et ses disciples attaquèrent Eisenhower pendant la campagne électorale de 1952, alors que Truman, par une inspiration d'ailleurs malheureuse, essayait de soulever des méfiances religieuses et raciales

contre le candidat républicain. Mais rien d'analogue ne
ne s'est revu dans les campagnes électorales ultérieures.
Politiquement faible, l'antisémitisme américain revêt
surtout la forme d'une exclusive sociale. Dans quelques
Etats, à la porte de certains restaurants, devant l'entrée
de certaines plages, un écriteau brutal, « Christians Only »,
signifie aux Juifs qu'ils ne sont pas les bienvenus. Ailleurs,
notamment dans l'Etat de New York où la loi ne permet
pas cette sincérité, des subterfuges de langage, *selected,
restricted clientele, Christian surroundings, convenient to
Church goers*, etc., disent la même chose avec doigté.
Mais, comme les Noirs, plus fermement que les Noirs et
avec moins de raison que les Noirs, les Juifs répondent
à la ségrégation partielle par une contre-ségrégation. Il
existe des hôtels, des country-clubs (quelques-uns suprê-
mement luxueux), et même des villégiatures entières
exclusivement juifs. *Dietary laws* est la contrepartie de
Christian Surroundings — l'avertissement au non-Juif
d'avoir à se tenir à l'écart.

Le sionisme a donné à la question juive de nouveaux
aspects et à l'antisémitisme une arme nouvelle. Les Juifs
sont si nombreux à Brooklyn et au Bronx que les intérêts
d'Israël l'emportent sur tout autre problème extérieur ou
intérieur. Toute tiédeur à l'égard du sionisme est auda-
cieusement transposée en antisémitisme. Le défunt
ministre de la Défense, James Forrestal, soucieux des
bases américaines en Orient et du ravitaillement de la
flotte en mazout, conseilla la prudence à l'égard des pays
arabes et souleva contre lui une campagne personnelle
qui accéléra sa neurasthénie et son suicide. Inversement,
les antisémites soutiennent que les Juifs font passer le
loyalisme à l'égard d'Israël avant le loyalisme à l'égard
des Etats-Unis. Chaque année, l'United Jewish Appeal
fait pour le nouvel Etat des collectes colossales qui prennent quelquefois la forme d'une contrainte morale et
presque d'une taxation. Et les masses populaires juives de
New York sont toujours prêtes à se mobiliser pour
Israël.

Elles ne sont pas, au reste, les seules. L'immense
ville vit les déchirements et les drames du vieux monde

avec une extraordinaire intensité. La province que chaque pays possède à New York vibre, et parfois combat, et souvent souffre pour lui. L'Irlande new-yorkaise a subventionné pendant des années la lutte pour l'indépendance de l'Irlande irlandaise et, actuellement encore, elle accueille les hommes d'Etat britanniques (Churchill compris) avec des démonstrations réclamant la libération de l'Ulster. L'Italie new-yorkaise contribua puissamment à battre les communistes en inondant le « vieux pays » de lettres d'avertissement avant les élections. L'Allemagne new-yorkaise, groupée derrière son « Bund », a érigé un moment le portrait de Hitler au cœur de Manhattan. La Chine new-yorkaise a été odieusement exploitée par les Rouges qui ont extorqué à ses blanchisseurs et à ses restaurateurs d'énormes rançons pour des parents et des tombeaux. La France new-yorkaise est encore brûlante des terribles déchirements du temps de la guerre entre ceux qui suivaient de Gaulle et ceux qui suivaient Pétain. La Russie new-yorkaise (on a écrit un livre intitulé *Moscow-on-the-Hudson*) est un conservatoire de luttes s'étendant depuis la révolte contre la guerre russo-japonaise de 1905 jusqu'aux tumultes provoqués par les séjours de Khrouchtchev. Il ne peut pas se passer dans le monde un seul événement sans qu'au moins un groupe de New-Yorkais s'émeuve, s'assemble, s'agite, rédige des pétitions, publie un pamphlet, interpelle Washington et organise l'une de ces processions aux pancartes qu'on appelle en Amérique un *picket*. La ville géante, qui a sa propre histoire à poursuivre, remarque rarement ces agitations des minorités nationales dont elle se compose, mais elle les reflète toutes, et toutes ensemble, elles lui donnent ce cosmopolitisme que seule la Rome de César dut avoir au même degré. New York est le seul endroit de l'univers où aucun homme n'est complètement un étranger.

Quel est l'avenir de cette fascinante cité ? Le New York dans sa forme actuelle, ayant pour cœur la presqu'île impossible de Manhattan, est certainement destiné à se modifier profondément. Le New York durable est la grande agglomération humaine constituée autour de l'estuaire du fleuve Hudson. Elle a grandi jusqu'à ses proportions géantes parce qu'elle jouait un rôle et exerçait une fonction. Dans quelle mesure cette fonction et ce rôle subsistent-ils ? Est-ce que New York conserve assez de raison d'être pour garder son rang et sa signification ?

Beaucoup d'Américains ne le pensent pas. Certains déclarent que la primauté de New York est déjà un archaïsme. C'était avant tout le cordon ombilical unissant l'Amérique à sa mère l'Europe, et la gestation est maintenant terminée. Jamais plus l'on ne verra les flots immenses d'immigrants, capital colossal fourni par le Vieux au Nouveau Monde, dont New York était le port de débarquement presque exclusif. Ils étaient 579 000 en 1892, 448 000 en 1900, 1 026 000 en 1905, 1 110 000 en 1906, 1 285 000 en 1907, 1 041 000 en 1910, encore plus d'un million en 1913 et 1914. En 1960, malgré les mesures spéciales en faveur des Displaced Persons, leur nombre atteint à peine 150 000 par an, après s'être abaissé jusqu'à 23 000 par an entre les deux guerres. Depuis le 1er décembre 1965, une nouvelle loi fixe un contingent annuel de 170 000 immigrants, à raison de 20 000 par nationalité déjà établie aux Etats-Unis. L'Amérique du Nord et l'Amérique du Sud peuvent fournir, en sus, 120 000 immigrants. Le rôle historique par excellence de New York — celui d'être le centre d'accueil, de triage, de réexpédition d'une des plus grandes migrations de tous les temps — est révolu. Le Nouveau Monde attire aujourd'hui particulièrement des savants et des chercheurs : plus de 10 000 ont été ainsi admis à résider en 1962-1963. C'est ce que l'Europe, inquiète, appelle « la fuite des cerveaux ».

Par contre, le rôle de New York comme place de commerce n'a pas sensiblement décru. Les prévisions pessimistes fondées sur l'éclipse de l'Europe n'ont eu que la durée de cette éclipse. L'ouverture du canal maritime du Saint-Laurent n'a pas produit les conséquences si dramatiquement redoutées. Le port de New York, déployé sur des superficies immenses, des estuaires du New Jersey aux criques du Sound, demeure de loin le plus grand des Etats-Unis, avec un trafic global de 103 millions de tonnes, contre 54 millions pour le groupe du Delaware (Philadelphie), 46 millions pour le groupe de Hampton Roads (Norfolk), 80 millions pour New Orléans et Houston et 45 millions seulement pour le groupe de San Francisco. Un syndicat de gangsters, l'I.L.A. (International Longshoremen Association), entretenant les pures formes du banditisme, faisant contrôler l'embauchage des dockers par les repris de justice de Singsing, organisant le pillage des docks, déclenchant des grèves anarchiques pour des motifs abracadabrants, résistant à toutes les tentatives de nettoyage dirigées par les pouvoirs publics ou par les confédérations du travail, a certainement porté plus de préjudice au trafic maritime de New York que toutes les modifications dans les courants d'échange. Il est parfaitement vrai que New York n'est ni le cœur ni le centre de l'Amérique, mais tout simplement un port de l'Atlantique mal relié aux grandes voies de communication intérieures, excentrique par rapport à tous. Mais il est non moins vrai que la grande ville ne donne encore aucun signe permettant de penser qu'elle va perdre le rang qui est le sien depuis la fin du XVIIIᵉ siècle : le premier.

Il n'est même pas concevable, lorsqu'on prend en considération les conditions générales de la Californie, que Los Angeles puisse supplanter un jour la Mégalopolis de l'Est. Et, si cet invraisemblable devient vrai, ce n'est certainement pas pour demain.

CONCLUSION

L'AMÉRIQUE ET L'AVENIR

Il est plus facile d'abolir les distances que les préjugés. Boeing, Douglas, Lockheed, la France, la Grande-Bretagne préparent des avions qui, à la vitesse de Mach 3, réduiront à deux heures la largeur de l'Atlantique. Les dimensions d'autres appareils permettront peut-être d'abaisser le prix de la traversée à 50 dollars. Le tourisme entre l'Europe et l'Amérique, longtemps une rue à sens unique, devient un large boulevard à double voie. De 1914 à nos jours, le nombre des visiteurs européens de l'Amérique a beaucoup plus que décuplé. Mais il ne s'ensuit pas que le nombre des erreurs européennes sur l'Amérique a été divisé par dix, et il ne serait pas raisonnable de croire que les nouvelles facilités de déplacement vont achever de les éliminer.

Le spectacle des choses lui-même ne suffit pas à redresser les points de vue préconçus. Pour prendre le plus sot des exemples, j'ai entendu dire un million de fois que « les Américains courent dans les rues ». Je me suis amusé à faire des comparaisons précises sur la vélocité des piétons à New York, à Paris et à Londres. Elle est la même. Je n'en rencontrerai pas moins jusqu'à la fin de mes jours des gens qui, venant d'arriver à New York, me diront : « Ah ! quelle ville terrifiante, avec tous ces gens qui courent dans les rues, en tous les sens, comme s'ils ne savaient pas où ils vont ! »

Ce fut pendant longtemps un axiome en Europe que l'Amérique était un pays extravagant peuplé par des demi frénétiques. On commençait par New York qui n'est pas « à l'échelle humaine » — comme si New York avait été construite par d'autres créatures que des hommes mesurant généralement entre 5 pieds 6 pouces et 5 pieds 10 pouces de hauteur. On continuait par les New-Yorkais et les autres Américains. Ils devaient être, de toute nécessité, agités, inconstants, incultes, infantiles, prisonniers du matérialisme, pourvus de compétences et dépourvus d'idées générales, capables de vivre mais incapables de réfléchir, plus proches d'un robot que d'un cerveau. Ils vivaient au milieu d'un extrême bien-être, mais dans un ennui que le surmenage accroissait au lieu de le combattre, ce qui expliquait les *nervous breakdown* dont leur vie était jalonnée. Ils étaient notoirement des refoulés et des obsédés sexuels. Ils cherchaient des évasions désespérées dans l'alcool et la psychanalyse, si bien que la moitié des Américains gisaient au pied de leurs bars à 7 heures du soir, tandis que les Américaines passaient leur journée allongées sur un divan, parlant de l'amour au lieu de le faire. Ils n'avaient pas de vie familiale, la femme et l'homme vivant chacun dans son club, et les foyers étant sans cesse disloqués par le divorce. En expiation de cette existence insensée, ils mouraient jeunes, d'une maladie de cœur.

Ces absurdités, il faut le reconnaître, sont moins répandues et moins catégoriques qu'autrefois. La multiplication des voyages a quand même retiré à l'Amérique un peu de son halo d'étrangeté et d'irréel. Mais il s'en faut encore de beaucoup que les jugements d'ensemble et de détail sur elle et sur ses habitants ne reflètent plus la vieille détermination de trouver tout démesuré et anormal, merveilleux et insensé. Rien n'est plus faux.

***
****

L'Américain est un être profondément normal. Les complexes nationaux qu'on lui prête sont le fruit d'une

imagination littéraire ou la transposition d'un nombre
limité de cas individuels à 200 millions d'êtres humains.
Sa structure organique est la même que celle des Européens dont il est issu à une époque historique si récente.
Il ne meurt pas plus jeune, mais sensiblement plus vieux
— la durée moyenne de la vie aux Etats-Unis étant
supérieure à soixante-dix ans, alors qu'elle ne dépasse
guère soixante-cinq ans dans les pays européens les plus
favorisés. Il meurt très souvent d'une maladie de cœur
ou d'un cancer, mais l'explication saute aux yeux lorsqu'on prend la peine de consulter les statistiques médicales : toutes les autres causes de décès se raréfiant sans
cesse, la maladie de cœur et le cancer tendent de plus
en plus à devenir les tueurs uniques. Ils ont tout simplement gagné dans les pourcentages ce que la tuberculose,
les épidémies, les affections du tube digestif, etc., ont
perdu. Avec l'allongement de la durée de la vie, le
tableau des causes de mortalité en Europe se calque
d'ailleurs de plus en plus sur le tableau américain.

Sexuellement, l'Américain ne présente aucune caractéristique étonnante et son « refoulement » ne paraît pas
surpasser celui — très relatif — des peuples protestants
européens. Les travaux (parfaitement scientifiques) du
professeur Kinsey lui reconnaissent, en tout cas, une activité érotique et une paillardise pleinement rassurantes.
S'il est un peu plus porté que les Européens au freudisme
et à la psychanalyse, c'est en vertu d'une curiosité plus
grande devant les théories nouvelles. S'il commet un peu
plus de crimes sexuels, c'est qu'il n'a pas la sagesse d'être
tolérant sur le chapitre de la prostitution. Rien de tout
cela n'est très profond.

Le matérialisme est l'un des terrains sur lesquels l'Amérique encourt la critique de l'Europe. Cette critique serait
recevable si l'Europe était qualifiée pour parler au nom
du spirituel. Il est vrai que l'argent tient une grande place
dans les préoccupations et les conversations américaines,
mais l'âpreté au gain d'un paysan ou d'un commerçant
européens n'a aucune comparaison à redouter nulle part.
Cette question du matérialisme est, au reste, toujours
posée de travers. L'Asie (si bassement matérielle à tant

d'égards) accuse l'Europe dans les termes où l'Europe accuse l'Amérique, ce qui fait soupçonner que le procès en matérialisme est celui que le pauvre fait au riche. Il est probable que le matérialisme est une loi de l'humanité, puisqu'il se glisse jusque dans les religions qui sont chargées de le combattre. Celui de l'Amérique a ses nuances, mais il est de la même essence que le matérialisme occidental tout entier.

La frénésie américaine est une autre légende qui commence à peine à décliner devant les contacts de plus en plus nombreux de l'Europe et des Etats-Unis. L'Amérique n'est pas un pays rapide : c'est un pays lent. Très peu de choses s'y improvisent ; presque tout s'y organise. Les décisions se prennent rarement à chaud. Les études, les plans, les travaux préliminaires s'y font plus minutieusement et plus précautionneusement que partout ailleurs. Les formalités y sont accablantes. Les précautions y sont innombrables. La part du hasard, inséparable d'une action rapide, y est réduite au minimum. La vitesse ne commence que lorsque l'organisation et la préparation sont parfaites, mais c'est alors la vitesse du système, non celle de l'homme, qui demeure lent. Le symbole de l'Amérique, c'est la construction des gratte-ciel new-yorkais : on commence par creuser un grand trou dans lequel, pendant des semaines, pendant des mois, rien ne paraît se passer ; puis l'immeuble se met à grandir d'un étage par jour, sans même que les ouvriers qui le construisent aient l'air de travailler.

Le surmenage américain est grossièrement exagéré. Toute civilisation urbaine produit sur les hommes ses effets d'usure, mais ils n'ont aucune raison d'être plus grands aux Etats-Unis qu'ailleurs. La durée du travail y est généralement plus faible. L'organisation des ateliers et des bureaux y est certainement meilleure. Les lois et les mesures syndicales contre le *speed up* y sont au moins aussi strictes. Les congrès annuels y sont aussi longs et les fêtes chômées y sont encore plus fréquentes. Chez les cadres techniques et politiques, dans le patronat, dans les professions libérales, la hâte, l'impatience, la lutte contre la montre, sont certainement moins intenses que dans les pays de l'Europe occidentale. Un Américain important semble toujours avoir du temps à vous donner, et il est plus facile d'approcher le gouverneur d'un grand Etat que le préfet d'un petit département français. La détente, la fameuse « relaxation », sont d'ailleurs plus systématiques et plus profondes. Le week-end se compose toujours, et pour tout le monde, de deux jours pleins. Le golf, admirable décrassage intellectuel, est extrêmement répandu, de même que toutes les formes de loisirs en plein air. Quarante-huit heures par semaine, l'Amérique coupe son rythme de vie industriel par une immense bucolique. Comment le surmenage pourrait-il résister à ce traitement ?

Mais la névrose américaine est, dit-on, l'ennui. L'Amérique ignore la « joie de vivre » si généreusement dispensée aux vieilles nations européennes. Un profond psychologue, en creusant cette donnée, a découvert que l'ennui américain est, en réalité, une forme de la peur. D'une peur cosmique. Ou peut-être totémique, que sais-je ? Les hommes blancs qui peuplent l'Amérique ne sont pas chez eux. Ils sont entourés par les forces occultes d'une nature qu'ils ont violée et d'un passé qu'ils ont détruit. Ils ont contre eux l'essence profonde des choses, les génies des forêts indiennes qu'ils ont abattues, des tribus qu'ils ont décimées et des troupeaux de bisons qu'ils ont anéantis. Ils le savent confusément et ils ressentent une peur confuse que les observateurs superficiels appellent de l'ennui.

Il faudrait, pour que cette brillante théorie ait quelque valeur, que l'ennui américain soit d'abord démontré. S'il existe, il est limité aux rares catégories sociales fatiguées d'être heureuses. Le peuple américain n'est pas neurasthénique et il faut une puissante imagination pour découvrir en lui un sentiment d'exil ou de culpabilité. Loin d'Amérique, l'Américain commun éprouve une nostalgie absolument identique à celle d'un Français ou d'un Allemand expatriés. En Amérique, il a conscience de sa condition privilégiée et il en savoure les avantages avec une satisfaction qui est, à elle seule, une joie de vivre. L'évasion dans l'alcool est le fait d'une minorité et, si elle a l'ennui pour cause, la même explication doit être invoquée pour l'Angleterre, les pays scandinaves, l'Allemagne — et pourquoi pas la France où la consommation d'alcool par tête d'habitant établit haut la main un record mondial ?

La monotonie de l'Amérique est un autre thème chéri des Européens. J'ai entendu un homme politique français, malheureusement parmi les plus importants, dire à New York qu'il ne souhaitait pas visiter l'Amérique « parce qu'il n'y a rien à y apprendre, tout y étant pareil. » C'est, dit-on, partout le même drug-store, la même pompe à essence et le même « juke box » — comme s'il existait des différences si frappantes entre les épiceries, les bistrots et les pianos mécaniques français. L'unité économique a effectivement donné à l'Amérique une certaine uniformité, mais la variété naturelle et humaine demeure son trait dominant. Le pays qui enferme des déserts sahariens, des forêts scandinaves, la Bretagne dans le nord, la Guinée dans le sud, les Alpes à l'ouest, des plaines immenses, des villes gigantesques, toutes les races du monde avec leur comportement et leurs problèmes, les Mormons, les Amisch, le style colonial de la Virginie, le style puritain de la Nouvelle-Angleterre, le style occidental de la Californie, Hollywood, New York, des états d'esprit qui viennent de la Sécession et d'autres qui viennent des Hussites, l'artisanat indien et l'industrie spatiale — ce pays peut, semble-t-il, être n'importe quoi, sauf monotone. « C'est vrai, me disait quelqu'un qui venait d'avoir la bonne fortune de le parcourir pendant des mois, mais on ne rencontre jamais une frontière, de sorte que l'on n'a pas la sensation de changement. » Je dois à cet homme une reconnaissance infinie : il m'a fait découvrir un sentiment que je n'aurais jamais soupçonné : la nostalgie du passeport.

***

L'une des méprises les plus fréquentes des Européens concerne la famille américaine. Non seulement elle n'est pas d'un tissu lâche, comme on le croit en Europe, mais elle se montre communément abusive et étouffante. L'immense majorité des mâles américains sont du type pot-au-feu, rivés à leur foyer, astreints aux travaux domestiques, éleveurs d'enfants, laveurs de vaisselle, tondeurs de gazon, très exacts dans leurs obligations à l'égard de leur *in-law* (belle-famille), d'ailleurs liés à leur économie ménagère par les dettes qu'ils ont contractées pour la construction et l'équipement de la maison. Le grand pouvoir de la femme, joint à la tyrannie de l'enfant, maintient fermement cette sévère unité familiale. L'image du couple américain vivant séparé, fréquentant des clubs différents, se retrouvant à peine pour dormir, est une billevesée. Comme toujours, des milieux sociaux minuscules ont donné le change sur des millions et des millions de foyers constituant la seule réalité américaine. Les luxueux « clubs de femmes » de New York et de Los Angeles — d'ailleurs en déclin — ont été l'expression d'une émancipation tapageuse mais ils n'ont jamais groupé qu'une poignée de bourgeoises. L'Américaine typique n'est pas une *clubwoman*, même si elle participe à quelques activités sociales dans sa communauté. C'est bien plus souvent un tyran domestique qui confine son horizon à la barrière de son jardinet.

C'est le divorce qui porte les Européens à croire au relâchement de la famille américaine. L'erreur est explicable, mais le contresens est total. L'immense majorité des divorceurs des deux sexes ne cherchent pas à s'affranchir du foyer, mais seulement à changer de foyer. La plupart des divorces sont entrepris avec le remariage en vue — et le partenaire déjà choisi. La rareté de l'adultère organisé, l'opprobre frappant ce qu'on appelle les « affaires », le sérieux avec lequel les Américains prennent l'amour, même lorsqu'il n'est qu'une passade, les conduisent à briser leur mariage dès qu'ils se sont embarqués dans une nouvelle aventure de cœur. « Si, disent certains sociologues, les Américaines et les Américains faisaient comme les Européennes et les Européens, s'ils prenaient des amants et des maîtresses en considérant qu'une liaison vaut mieux en principe que la rupture d'un foyer, alors la fréquence du divorce diminuerait et beaucoup des erreurs qu'il entraîne seraient évitées. » Mais ce langage de raison est scandaleux. Il offense la dignité du mariage, qu'il vaut mieux voir détruit que souillé. Le divorce devient ainsi une prophylaxie de l'adultère et même une soupape de sûreté à un mariage trop étroit.

L'esprit d'aventure, le goût immodéré du risque, la turbulence, la témérité des Américains constituent une autre légende. Toute la vie américaine actuelle réfute le tableau d'un peuple téméraire et déséquilibré. Il fut effectivement un temps où l'Américain était un aventurier, un individualiste toujours prêt à jouer sa chance et à prendre ses risques, un nomade avide de repartir vers l'horizon. Ce temps n'est plus. L'évolution américaine a laissé derrière elle ces images qui, au loin, continuent à former le portrait conventionnel des Etats-Unis.

Aucune nation n'est aujourd'hui plus avide de sécurité. Le souci de cette sécurité s'étend à toutes les formes du risque. La vitesse des automobiles est limitée d'une manière rigide et tâtillonne. Les ascenseurs doivent être inspectés chaque année. Le nombre limite de personnes pouvant être admises dans un restaurant ou un lieu public quelconque est toujours fixe à une unité près. Les règlements sanitaires concernant la nourriture et les médicaments entrent dans les précautions les plus strictes. Les dispositifs de sûreté dans l'industrie, les transports publics, etc., sont les plus minutieux du monde. Les fameux sports-spectacles qui épouvantaient jadis les visiteurs, comme le football et le rodéo, ont été beaucoup adoucis. L'Amérique *reckless*, l'Amérique intrépide, l'Amérique des grands risques corporels et du mépris de la vie humaine, n'existe plus. C'est, au contraire, et de loin, le pays où la vie humaine, la vie tout court ont le plus de prix. On dépense des dizaines de milliers de dollars pour dégager un puisatier enseveli et l'on déploie plus d'efforts pour sauver un chien qu'ailleurs pour sauver un enfant. Un jour de brouillard, des vols de passereaux allèrent se fracasser contre l'Empire State Building : des ambulances se précipitèrent pour ramasser les blessés qui pleuvaient dans la 5e Avenue et les conduire dans des hôpitaux d'animaux où l'on fit l'impossible pour raccommoder les pattes et les ailes cassées.

L'Américain d'il y a seulement cent ans était capable de subir des rudesses incroyables. L'histoire des pionniers est l'un des grands chapitres de l'endurance et du courage humains. Même dans les villes, l'Américain fut long-temps prêt à accepter tous les risques pour trouver le plus court chemin du succès. La vie était une lutte impi-toyable et l'on n'attendait pas plus de commisération si l'on tombait qu'on n'était préparé à en accorder à ceux qu'on piétinait. Tous les écrivains européens ont décrit cette société américaine faite pour les forts, terrible aux faibles, symbolisée par la prise d'assaut des tramways de Broadway, semant sa marche haletante d'épaves sociales, faisant sans cesse coexister l'éclatante réussite et l'échec brutal, sans charité, sans humanité et sans remords. Le plus extraordinaire, c'est que des écrivains européens continuent à la décrire, avec la meilleure foi du monde, alors qu'elle a disparu !

L'Amérique d'aujourd'hui répugne à l'aventure, fuit les risques et craint l'inconfort. L'Américain toujours prêt à s'engager dans les entreprises les plus audacieuses, faisant et perdant des fortunes successives, considérant les crises comme un marin considère les grains, ne comptant que sur lui-même, rebondissant dans l'adversité comme une balle de tennis, cet Américain est presque aussi sorti du tableau de l'Amérique réelle que les locomotives à che-minée conique du vieux Far West. Les Congrès d'in-dustriels constatent qu'on trouve de plus en plus diffici-lement de jeunes hommes d'affaires ardents à s'élancer dans une voie nouvelle et même des « executives » assez hardis pour associer leur réussite personnelle au succès d'une innovation. Les hommes qui vont recruter des ingénieurs ou de futurs dirigeants aux « Grands Commen-cements » des Universités rapportent tous qu'une des premières questions qui leur soient posées — par des garçons de vingt ou vingt-cinq ans ! — est la suivante : « *What is your pension plan ?* » Les gamins qui vendent des journaux dans les rues ont cessé de croire qu'ils ont le million de dollars dans leur paquet de gazettes, comme les soldats de Napoléon avaient le bâton de maréchal dans leur giberne, et les romans d'Horatio Alger couronnant par la fortune les petits garçons méritants ne sont plus le bréviaire des jeunes couches. L'Américain contemporain préfère le gain modeste et assuré, la situation bien assise, l'avancement régulier, au jeu enivrant de la fortune — en partie parce que le percepteur joue avec vous et gagne plus que vous. Cela rapproche les Américains des carrières administratives que leurs aînés regardaient avec dédain. A l'époque de McKinley, on arrivait difficilement à remplir les cadres bureaucratiques d'une Amérique qui avait 25 ou 30 fois moins de ronds-de-cuir que l'Amérique actuelle. Celle-ci, au contraire, recrute aisément ses hordes d'employés à 5 ou 6 000 dollars par an.

Les types d'Américains ont changé. Le héros classique était *the rugged Individualist* — l'individualiste rugueux se frayant une route à coups d'épaule, gardant dans l'échec comme dans la réussite une confiance en soi agressive et un terrible franc-parler. On le célèbre encore comme le constructeur de la nation, mais le prototype de la nouvelle Amérique est bien davantage *the well rounded Man*, la bille bien huilée, le conformiste d'esprit, d'existence et de carrière, populaire dans son voisinage, apprécié dans son milieu professionnel pour son sens de l'équipe et pour la régularité de son humeur. Les chefs des grandes affaires furent d'abord leurs fondateurs, aventuriers de génie comme Rockefeller ou Carnegie, puis de grands techniciens donnant impitoyablement à l'homme et à la machine leur rendement maximum. Ce sont tous aujourd'hui des *Organization Men* et l'histoire de leur succès met en relief une remarquable adaptation à leur milieu plutôt qu'une capacité à le bouleverser. Ils ne sont guère fondés à reprocher à leurs subordonnés de fuir le risque car ils le fuient eux-mêmes en donnant la priorité à l'administration sur la création.

Le bien-être explique dans une certaine mesure le ralentissement de l'Amérique. Les Européens ouvrent des yeux stupéfaits quand on essaie de leur faire comprendre que l'autre continent, non le leur, est devenu le pays de la douceur de vivre. Ils le contestent, à l'aide de raisonnements subjectifs, mais les faits sont là. Nulle part il n'est plus facile qu'en Amérique de s'assurer un minimum vital satisfaisant avec un moindre effort. Le système des retraites délivre de toute angoisse un homme résigné à une honnête médiocrité matérielle. Les petits Américains, protégés, défendus, syndiqués, vivant dans une maison qui leur appartient, sur une verte pelouse, avec une voiture à leur porte, une télévision, une garde-robe bien garnie et un paquet de bons du Trésor à la maison ou de valeurs industrielles chez leurs brokers, s'épanouissent dans un contentement qui, pour être plat, n'en est pas moins doux. En admettant qu'elle les ait jamais possédés, la trépidation nationale les a abandonnés depuis long- temps et pour toujours. Il faut, pour repousser l'évidence de leur bonheur, revenir au principe que les Américains sont moins aptes à être heureux que les autres hommes. Mais la discussion devient métaphysique.

L'Amérique a cessé d'être le pays des efforts héroïques et des grandes tensions. Elle a cessé également d'être le pays où l'efficacité était basée sur la simplicité des rouages et des rapports sociaux. L'excès d'organisation y est apparent dans tous les domaines, y compris la recherche scientifique. Un prodigieux parasitisme s'est développé sous la forme des millions de conseillers, d'avocats, d'ex- perts qui prétendent éclairer et guider les Américains dans toutes les circonstances de la vie. Tout devient sans cesse plus compliqué et plus lourd dans une société qui a dû son prodigieux succès à son caractère expéditif.

Par surcroît, l'Amérique a dû accepter des freins et des charges qui, pendant longtemps, ont été particulières à des nations européennes engagées dans des luttes inter- nationales et dans de vieux problèmes intérieurs : la bureaucratie et la centralisation croissantes, la socialisa- tion grandissante, le développement des institutions sociales, sans oublier la paix armée et le service militaire obligatoire. La vigueur et l'élan du peuple américain ont été freinés et ralentis dans une société beaucoup moins fluide qu'autrefois. L'individualisme n'est pas mort, Dieu merci, mais l'organisation est devenue prépondérante. Le bouillonnement américain a cessé.

Cela signifie que l'Amérique a franchi une étape importante de sa vie nationale. L'une des rengaines européennes les plus irritantes à son sujet est sa « jeunesse ». L'Européen, surtout s'il se croit de la variété intellectuelle, parle aux Américains comme s'ils étaient des bébés. « La preuve que vous êtes jeunes, ai-je entendu Jean Cocteau leur dire dans une conférence, c'est que vous buvez du lait. » J'ai bien peur que la plupart des exemples par lesquels on illustre la « jeunesse » de l'Amérique et des Américains ne vaillent pas mieux que cette ânerie.

Jeune, l'Amérique l'a été au sens précis du mot. Aussi longtemps que l'accroissement de sa population provint de l'afflux des immigrants, elle compta (comme Israël de nos jours) une proportion anormalement élevée d'hommes dans les premières décades de la vie. Mais la pyramide des âges s'est considérablement modifiée depuis que l'Amérique pourvoît elle-même à la quasi-totalité de son accroissement numérique. En 1850, 52,5 % des Américains avaient moins de vingt ans et 11,4 % seulement en comptaient plus de quarante-cinq. Un siècle plus tard, le premier chiffre est tombé à 34,4 % et le second est monté à 28,1 %. L'augmentation de la longévité surcharge les Etats-Unis d'hommes mûrs et pose avec acuité le problème de l'âge de la retraite. Ils ont cessé d'être plus « jeunes » que la plupart des pays européens et ils tendent à devenir plus « vieux » qu'eux.

La vieillesse ou la jeunesse d'un peuple d'après sa pyramide d'âges est une donnée concrète. En dehors d'elle, tout est vague. L'Amérique est « jeune » parce qu'elle a moins d'histoire que l'Europe, laquelle en a moins que l'Asie, mais les hommes qui l'ont peuplée ne sont pas surgis du néant au moment où ils ont abordé sur ses rivages. Ils venaient de « vieilles » nations, apportaient avec eux leur atavisme et l'on ne voit en vérité aucune raison convaincante pour qu'un Irlandais soit jamais né plus « jeune » à Boston qu'à Tipperary. Peut-être, il est vrai, grandissait-il plus « jeune » à l'époque où les cadres sociaux du Nouveau Monde n'étaient pas solidifiés, où les possibilités de se hisser rapidement à la fortune demeuraient grandes et où de vastes étendues vierges s'ouvraient devant les audacieux. Ce chapitre est fermé. Si la fluidité sociale d'un peuple mesure sa jeunesse, comme il est possible de l'admettre, la différence d'âge entre l'Amérique et l'Europe s'est en grande partie comblée.

On entrevoit naturellement quelques raisons pour lesquelles les Américains paraissent « jeunes » aux yeux des Européens. Avec des moyens beaucoup plus vastes, ils conservent plus de hardiesse et d'optimisme. Ils sont, en règle générale, dépourvus du cynisme qui fait partie intégrante du caractère français, aussi bien que de l'humour noir des Anglais et de la neurasthénie grondeuse des Allemands. La malveillance qui pénètre les rapports sociaux européens, existe à un degré infiniment moindre chez les Américains. Ceux-ci prennent ainsi un certain air d'ingénuité qu'ils accentuent fréquemment par une gaieté démonstrative et par une extrême générosité dans leur appréciation de l'esprit. On n'est pas fondé toutefois à en tirer ce qualificatif de « grands enfants », qui, pour tant d'Européens, résume d'une manière absolument satisfaisante les Américains et leur psychologie.

L'Amérique a vieilli. Elle s'est disciplinée et, en quelque sorte, endiguée. Elle a freiné et en partie détruit l'individualisme économique auquel elle a dû sa réussite. Elle est beaucoup moins un pays où un géant peut conquérir la Toison d'Or et elle est beaucoup plus un pays où les petites gens sont heureux. Elle a corrigé ce qu'elle avait d'inhumain et quelquefois de monstrueux. Elle n'est plus dominée par Wall Street, comme les communistes et les cornichons s'obstinent à le bafouiller. Les chefs de ses grandes entreprises sont de moins en moins des propriétaires et de plus en plus des employés supérieurs. Personne n'est plus « roi » de quelque chose, sauf les chefs syndicalistes qui sont devenus rois du travail. Elle est beaucoup moins colorée, beaucoup moins exubérante, beaucoup moins intrépide, beaucoup moins américaine qu'autrefois. Son peuple s'accroît en nombre, en taille, en muscles, en cerveau, mais il décroît en endurance et en abnégation. Ses écrivains qui, au début, étaient des bardes chantant sa grandeur, sont devenus des critiques exposant cruellement et souvent injustement ses imperfections. Tous ces traits conjugués, et beaucoup d'autres, signifient une chose : la maturité. L'Amérique est adulte, de corps et d'esprit.

**

L'agressivité, le dynamisme des Américains ont certainement diminué. Il est d'autant plus remarquable que la croissance de l'Amérique soit restée si formidable.

Au début du siècle, la population des Etats-Unis s'élevait à 75 millions d'habitants. Elle était de 122 millions en 1930. Elle atteint 200 millions. Le mouvement démographique a dépassé toutes les prévisions.

Cependant, l'accroissement de la richesse nationale a été beaucoup plus rapide encore. Loin de se ralentir, il s'accélère. La capacité industrielle de l'Amérique avait doublé de 1920 à 1950, en trente ans. Elle a doublé à nouveau entre 1951 et 1967, en quinze ans.

En gros, il y a aujourd'hui près de deux fois plus d'Américains qu'en 1930, et ils vivent presque deux fois mieux.

On a eu l'impression, pendant la décade 1950-1960, que l'Europe occidentale et l'Union soviétique rattrapaient l'Amérique. C'était une erreur. L'Europe occidentale et l'Union soviétique ont fait d'énormes progrès, mais l'Amérique ne se contente pas de conserver son avance ; elle l'accroît.

L'empire économique américain est basé sur le haut prix de l'homme et sur sa productivité plus haute encore. Le produit national brut des Etats-Unis est de l'ordre de 800 milliards de dollars. Il est égal au produit national brut réuni de la France, de la Grande-Bretagne, du Japon, de l'Allemagne fédérale et de l'U.R.S.S. Ensemble, les cinq nations ci-dessus totalisent 480 millions d'habitants. Un Américain produit donc 2,4 fois plus de richesse que l'homo œconomicus qui le suit du plus près. Les 200 millions d'Américains comptent dans la population du globe pour 6 % et, dans sa production totale, pour un tiers.

C'est vrai de l'agriculture comme c'est vrai de l'industrie. Les fermiers américains représentent 1,5 % de la population agricole du monde. Ils produisent 16 % de tous les aliments et fibres végétales sortant chaque année du sol. Ils comptent dans la population des États-Unis pour 5 % seulement. Ils nourrissent le reste, et des dizaines de millions d'hommes par surcroît.

Bon an mal an, l'Amérique DONNE à la seule Inde 130 millions de quintaux de blé, c'est-à-dire l'équivalent de la totalité d'une récolte française. Il n'est pas nécessaire pour autant de réduire d'une calorie l'alimentation des Américains.

Une constatation que quiconque peut faire s'il parcourt le monde les yeux ouverts est la suivante : plus un pays est pauvre, et plus les différences sociales y sont énormes ; plus un pays s'enrichit, et plus les différences sociales s'atténuent, non seulement dans leur essence, mais, ce qui est peut-être plus important encore, dans leur aspect.

L'Amérique est l'une des illustrations de cette règle empirique. Son enrichissement s'accompagne d'une immense démocratisation de la richesse, d'un puissant nivellement vers le haut.

Certes, le nombre des millionnaires augmente dans le sillage de l'enrichissement national. Suivant *Fortune,* l'espèce des milliardaires, qu'on croyait disparue, renaît sous les espèces de deux individus, le mystérieux Howard Hughes (évalué entre 985 000 000 et 1 373 000 000 de dollars) et le pétrolier Paul Getty (valeur entre 957 000 000 et 1 338 000 000 de dollars). Onze autres Américains possèderaient plus de 500 millions de dollars et 52 autres plus de 150 millions de dollars. De ces grandes fortunes, la moitié auraient été acquises du vivant de leur possesseur ou de ses ascendants immédiats. La possibilité d'enrichissement individuel, si elle n'est plus ce qu'elle était il y a un siècle, n'a pas disparu.

Mais cette survivance est peu de chose à côté de la

montée de la richesse moyenne, de l'infanterie **grandis-**
sante des possédants.

En 1950, six familles américaines sur dix avaient un
revenu inférieur à 5 000 dollars. En 1960, quatre sur dix.
En 1968, deux sur dix. Il s'agit naturellement de dollars
constants, c'est-à-dire revalorisés pour tenir compte de
la dévaluation du signe monétaire.

En 1950, la proportion des familles américaines jouissant d'un revenu supérieur à 10 000 dollars ne dépassait
pas 7 %. Elle s'est élevée à 18 % en 1960 et à 27 % en
1968.

On a toujours considéré que la zone du grand bien-être
commence à un revenu annuel de 25 000 dollars. En 1950,
330 000 ménages seulement franchissaient cette frontière.
« A la fin du siècle, dit *Fortune,* un Américain sur quatre
gagnera 25 000 dollars ou plus ».

La propriété suit l'enrichissement. L'accroissement de
la masse des revenus entraîne une conséquence complètement imprévue il y a seulement peu d'années : elle
fait passer rapidement la propriété des grandes affaires
entre les mains du grand public.

Le nombre des porteurs de valeurs industrielles s'élève
aux Etats-Unis à 25 millions. Il existe 50 millions de
familles. Une famille américaine sur deux est donc co-
propriétaire de l'industrie de la nation. Le nombre,
6 500 000 en 1950, a triplé en quinze ans.

Il existe des exemples célèbres. A. & T., American Telegraph and Telephone Company, possède et dessert 80 %
des téléphones américains, c'est-à-dire la moitié de tous
les téléphones existant au monde. Elle paie à ses 750 000
employés plus de cinq milliards de dollars de salaires,
soit l'équivalent de tous les salaires payés aux ouvriers
de la région parisienne. Mais A. & T. appartient à trois
millions d'actionnaires, dont les trois quarts ne possèdent
pas plus de cent actions (valeur : 6 000 dollars environ).
Cent meurent chaque jour ; 20 500 s'appellent Smith.

Cas similaire de General Motors, G.M.C. Plus de 700 000
ouvriers. Un profit annuel supérieur aux trente plus grandes entreprises européennes réunies. Mais le nombre des
co-propriétaires approche d'un million et demi et la masse

du capital se trouve détenue par les porteurs de cent à mille actions.

Ce capitalisme populaire réalise progressivement, mais par les voies de la liberté et de l'individualisme, le but défini par le marxisme : suppression de la propriété privée des moyens de production et d'échange. Il les transfère, non pas à l'Etat, aboutissement fatal et monotone du socialisme, mais à la nation.

*
**

Les problèmes de l'Amérique sont immenses. Elle ne les traite pas toujours avec sagesse et prévoyance. L'édition de 1960 de cet ouvrage citait déjà une parole qui avait fait sensation, deux ans auparavant, à une conférence du Fonds Monétaire International : « Messieurs, le dollar n'est plus roi... » Le déficit chronique était déjà installé dans la balance américaine des paiements. L'or émigrait déjà. Les créances à vue contre le dollar s'accumulaient en Europe. Il eût été facile alors de prendre des mesures pour corriger ce déséquilibre. Dix ans s'écoulèrent. On en parla. On ne fit rien.

La crise naissant de cette longue négligence a mis le système monétaire occidental en péril. Le danger n'est pas écarté. Mais il serait insensé de la part de l'Europe d'oublier que toujours, en tout état de cause, elle sera beaucoup plus vulnérable que l'Amérique. Elle peut répudier le dollar ; la crise du dollar n'en est pas moins sa crise, autant ou même plus que celle des Etats-Unis.

Le produit national brut américain, c'est-à-dire la somme des biens et services engendrés par l'Amérique, dépasse 800 milliards de dollars. Les exportations annuelles des Etats-Unis sont de l'ordre d'une quarantaine de milliards de dollars. L'Amérique vend à l'étranger 5 % de ce qu'elle produit. En Europe, la moins exportatrice des nations, la France, en est à 14 % ; l'Allemagne, à 18 % ; la Belgique, à 40 %. C'est dire qu'une anarchie monétaire serait beaucoup plus grave à l'est de l'Atlantique qu'à l'ouest.

L'autarcie a été l'une des plaies du monde entre les deux

guerres mondiales. Ce n'est pas parce qu'elle est absurde qu'elle ne risque pas de ressusciter. Le seul pays qui puisse l'envisager sans trop d'appréhension est l'Amérique. Pratiquement, elle n'a besoin de rien. Le peu de matières premières qu'elle doit importer sera toujours payé et plus largement par les exportations dont elle a le monopole dans les branches techniques les plus avancées, comme l'électronique et la construction aéronautique. Elle possède d'ailleurs des ressources que la nécessité pourrait faire sortir de la virginité où l'évolution industrielle les maintient. Imaginez, par exemple, que l'Amérique décide d'économiser son pétrole ou de produire en totalité le caoutchouc qu'elle consomme : les gisements de houille inexploités, souvent à fleur de terre, qui existent dans 20 ou 22 Etats y pourvoiraient sans difficulté.

Sans aller jusqu'à l'extrémité de l'autarcie, la tentation d'un retour à l'isolationnisme existe et grandit. Il est extrêmement difficile à un Américain de sortir d'Amérique sans lire sur quelque mur : « Yankee go home ! ». Ils finiront par accepter l'invitation.

La raison pour laquelle l'Amérique n'est pas retombée dans l'isolationnisme après la dernière guerre a été l'Europe. Ruinée et démoralisée, mais riche encore en ressources humaines et industrielles, l'Europe était une proie à prendre. L'Amérique ne pouvait la laisser annexer toute entière par l'Empire soviétique sans accepter un déséquilibre désastreux. Elle se serait battue à mort pour s'y opposer.

L'Europe retrouvant ses bases d'existence, la seule cause du conflit russo-américain disparaissait. Il s'est en quelque sorte évaporé. Il est remplacé de plus en plus par une entente qui, sous la pression chinoise, peut parfaitement prendre la force d'une alliance. Du même coup, la raison qui s'opposait au réveil de l'isolationnisme a disparu. Il ne prendra certainement plus jamais la forme qu'il revêtait à l'époque du sénateur La Follette ou du sénateur Borah. Mais il est virtuel. L'Amérique est fatiguée du monde. Le monde lui a donné quelques raisons.

*
**

En fait, l'Amérique n'a qu'un seul et unique problème.
Ou plutôt, non, ce n'est pas un problème. Un problème
implique raisonnablement une solution. La question noire,
tout au moins dans les conditions actuelles, n'en a pas.

Elle s'aggrave d'année en année. 1967 a compté 25 tués
à Newark, N.J. ; 42 tués à Detroit, Mich ; en tout 83
morts, 99 rencontres sanglantes, plusieurs quartiers incen-
diés. En 1968, l'assassinat de Martin Luther King a été
une catastrophe, moins à cause de la vague de désordres
qu'il a soulevée que par l'argument qu'il a donné aux
extrémistes : voyez où conduit la modération...

Après les troubles de 1967, le président Johnson a
nommé une commission d'enquête présidée par le gouverneur de l'Illinois, Otto Kerner, qui se donna comme
adjoint le maire républicain de New York, John V. Lindsay. Le rapport, un monument de 2 000 pages, n'est pas
exempt d'un certain conformisme officiel. Cependant, il
pose le problème : ou l'Amérique parviendra à faire disparaître l'opposition des noirs et des blancs ; ou elle court
à une fracture et, sous une forme ou sous une autre, à
un partage.

L'optimisme exige qu'on croie à la première issue ; le
réalisme indique que la seconde est la plus probable.

La question noire en Amérique n'est pas un phénomène
isolé. Elle a revêtu sa forme moderne en corrélation avec
le phénomène mondial de la décolonisation. Il y a 50 ans,
tous les noirs des Etats-Unis s'enorgueillissaient d'être
des citoyens — fût-ce de seconde zone — de la plus grande
démocratie du monde. L'émancipation de l'Afrique a aboli
ce complexe de supériorité. Les noirs de Harlem ont maintenant quelque chose à envier aux noirs de Lagos ou de
Cotonou ; la liberté.

Ils ont pris conscience qu'ils sont, eux aussi, une
nation. Leur revendication reste raciale, la couleur était
là, mais elle prend de plus en plus une forme nationale,
fait nouveau.

Le mot d'ordre « Black Power » est né de cette prise

de conscience. Le but de ceux qui l'ont adopté est de faire de la nation noire un Etat noir.

La divergence apparaît dans les formes politiques appropriées à cette ambition. En gros, il existe deux visions. Celle qui préconise un retour au sud, la création dans Dixie d'un Home National Noir, qui deviendrait un Etat, suivant le processus israélien ; et celle, beaucoup plus forte, qui entend fonder l'indépendance noire sur les ghettos urbains du nord.

Les villes sont destinées à devenir presque toutes des forteresses noires. Outre Washington et Newark, New Orléans, Richmond, Baltimore, Gary, Cleveland, Saint-Louis, Detroit, Philadelphie, Oakland et Chicago auront des majorités noires d'ici à 1985. De 1985 à 2000, ce sera le cas de Dallas, Pittsburgh, Buffalo, Cincinnati, Louisville, Indianapolis, Kansas City, New Haven, etc. Ce n'est pas en raison d'une démographie noire, à peine supérieure à la démographie blanche, et d'ailleurs déclinante. Mais, pour des raisons diverses, les blancs quittent les villes. Les noirs, immigrants du sud, s'y agglomèrent. Elles noircissent mathématiquement.

Ces villes noires, les partisans du Black Power urbain veulent d'abord achever de les fermer. « L'homme blanc dit le Reverend Cleage, subira notre violence jusqu'au moment où il nous aura donné le contrôle de nos villes ». Le contrôle, cela veut dire des municipalités noires distinctes de celles des quartiers blancs et des polices, non point noircies, comme le demandent les candides libéraux, mais noires et subordonnées uniquement aux municipalités noires. Puis, sur le socle des villes noires fédérées, on édifierait un pouvoir politique qui, au nom de la nation noire, négocierait d'égal à égal avec le gouvernement fédéral.

Les Français peuvent trouver un point de comparaison en pensant aux places de sûreté des protestants sous l'Edit de Nantes. Harlem, Bronzeville, Watts seraient l'équivalent de La Rochelle, la Charité ou Montauban.

Les noirs d'Amérique ont d'abord demandé la déségrégation. Ils la demandent encore — non plus dans sa forme juridique, pratiquement acquise — mais dans ses formes économiques et sociales, l'éducation, le logement, l'emploi, etc. Mais cette revendication est celle des leaders modérés. Les leaders extrémistes sont à un autre stade. Ils demandent une re-ségrégation, cette fois au bénéfice de leur peuple. Ou, pour employer une autre terminologie, ils revendiquent la doctrine pour laquelle l'Afrique du sud est mise au ban du libéralisme mondial, l'apartheid. Deux nations distinctes, vivant côte à côte et se développant parallèlement.

Ce conflit immense et profond, il est totalement impossible de prévoir les phases de son déroulement et de se représenter sa conclusion. Un partage de l'Amérique, sous une forme ou sous une autre, serait une déplorable tragédie historique. La commission Kerner a eu raison de conseiller au président Johnson l'effort le plus résolu pour accélérer le processus (en cours depuis longtemps) qui égalise le statut social et les conditions matérielles des deux couleurs. Il n'existe certainement pas d'autre recours que cette tentative — même si on ne croit pas à son succès.

F I N